Millennium 3/2006

Millennium 3/2006

Jahrbuch zu Kultur und Geschichte
des ersten Jahrtausends n. Chr.

Yearbook on the Culture and History
of the First Millennium C.E.

Herausgegeben von / Edited by

Wolfram Brandes (Frankfurt/Main), Alexander Demandt (Berlin),
Hartmut Leppin (Frankfurt/Main), Helmut Krasser (Gießen)
und Peter von Möllendorff (Gießen)

Walter de Gruyter · Berlin · New York

∞ Gedruckt auf säurefreiem Papier, das die US-ANSI-Norm
über Haltbarkeit erfüllt.

ISBN-13 (Print): 978-3-11-018643-7
ISBN-10 (Print): 3-11-018643-8
ISBN-13 (Online): 978-3-11-018644-6
ISBN-10 (Online): 3-11-018644-4
ISBN-13 (Print + Online): 978-3-11-018645-1
ISBN-10 (Print + Online): 3-11-018645-4

Bibliografische Information der Deutschen Nationalbibliothek

Die Deutsche Nationalbibliothek verzeichnet diese Publikation in der Deutschen
Nationalbibliografie; detaillierte bibliografische Daten sind im Internet über
<http://dnb.d-nb.de> abrufbar.

Printed in Germany

Umschlaggestaltung: Christopher Schneider, Berlin
Datenkonvertierung: Werksatz Schmidt & Schulz GmbH, Gräfenhainichen

Inhalt

Editorial

Der diesjährige Band vereint Beiträge von Historikern, Archäologen, Klassischen Philologen und Byzantinisten, die von der Kaiserzeit bis ins 14. Jh. reichen. Zeitlich-thematische Schwerpunkte liegen dabei auf der Zeit Konstantins und der Rezeption konstantinischer Konzepte, sowie auf der Phase des Übergangs von der Spätantike zum Mittelalter. Wesentliche Fragehorizonte sind die Transformation von Traditionen und ihre kontextuellen Bedingtheiten, Probleme der Intermedialität und medialen Kommunikation, hier insbesondere Formen der Visualisierung und visuellen Repräsentation, Aspekte der Instrumentalisierung und Rekontextualisierung von Wissensbeständen sowie der historischen Topographie und Siedlungsgeschichte.

Programmatisch an erster Stelle steht der Beitrag von JOHANNES FRIED, der dem Gedächtnisort Rom im Mittelalter gilt. Als programmatisch darf der Beitrag v.a. deshalb gelten, weil er Traditionslinien und Transformationsprozesse verfolgt, durch die die *memoria* an das antike Rom von der karolingischen Zeit bis in die Zeit der Staufer hinein weitergetragen wird. Zentraler Gegenstand ist die Konzeption des *imperium Romanum* und die unterschiedlichen Formen der legitimatorischen Instrumentalisierung dieses Konzepts im Zeitraum zwischen Karl dem Großen und dem staufischen Kaiserhaus. Die Untersuchung zeigt, dass sich eine im eigentlichen Sinn universalistische Konzeption der Imperiumsidee erst sukzessive entwickelt und in vollem Umfang erst im staufischen Kontext zum Tragen kommt. Daneben werden die wichtigsten Bausteine der mittelalterlichen Imperiums-Konstruktion herausgearbeitet: der Anschluss an Augustus und Konstantin, an Theodosius und Justinian, die Idee der Ewigen Stadt, die mit Rom verbundenen eschatologischen Vorstellungen. Die Reichweite des mittelalterlichen Rekurses auf Rom als legitimatorischer Instanz wird darüber hinaus durch die Einbeziehung der identitätsstiftenden Erinnerungsstrategien der oberitalienischen Kommunen illustriert. Insbesondere am Beispiel Pisas wird dieser Aspekt herausgearbeitet. Hier kommen mit den pisanischen Großbauten und den Werken Pisanos auch die unterschiedlichen medialen Felder der Inszenierung der Romidee im Anschluss an die antike Bildkunst insbesondere in der Architektur, der Bauplastik und in der Spolienverwendung in den Blick, so das nicht nur chronologisch, sondern auch durch die Berücksichtigung unterschiedlicher Medien ein vielschichtiges Bild der mittelalterlichen Romidee entsteht.

Die Beiträge von LINDA SAFRAN, MEIKE RÜHL und ANJA WOLKENHAUER befassen sich auf unterschiedliche Weise mit den visuellen Aspekten der spezifischen Medialität ihrer Gegenstände. LINDA SAFRAN analysiert Aussehen und Aufstellungskontext der kolossalen Marmorstatue von Kaiser Konstantin, deren Reste heutzutage im Hof der Kapitolinischen Museen zu sehen sind. Unter Rekurs auf die durch die gesamte Antike hindurch bedeutende Wahrnehmungstheorie vom

‚aktiven Blick' entwirft sie potentielle Sichtlinien, die von der Statue mit ihren
markanten großen Augen ausgingen und die nähere wie der fernere Umgebung
des Aufstellungsortes – wahrscheinlich die Westapsis des *templum urbis* – okku-
pierten und kontrollierten. Hieraus lassen sich einige Schlussfolgerungen zur kaiserlichen Selbstdarstellung und zur politischen Präsenz des Kaisers in der *urbs*
ziehen: So annektiert der herrscherliche Blick der Statue etwa mit Basilika und
Tempel die beiden bedeutendsten Gebäude, die mit Konstantins Vorgänger und
Feind Maxentius assoziiert gewesen waren, und trat möglicherweise in Kontakt
mit dem *Colossus Solis* und anderen herausragenden Monumenten.

Ebenfalls in Konstantinische Zeit führt der Beitrag von MEIKE RÜHL, die
die panegyrischen *carmina cancellata* des Optatianus Porfyrius aus dem Jahr
324 n. Chr. untersucht, mit deren Hilfe der Verfasser seine Zurückberufung aus
dem Exil betrieb. Diese Gedichte sind nicht nur auf einem quadratischen Grundgerüst geschrieben, das sich aus einer Zahl von Hexametern aufbaut, die der gleich-
bleibenden Buchstabenzahl des einzelnen Verses entspricht, sondern schreiben auch
durch andersfarbige Auszeichnung einzelner Buchstaben eine weitere bildliche
Figur in diesen Rahmen ein. Ausschließlich zur lesenden Rezeption bestimmt, entfalten sie also darüber hinaus eine eigenständige visuelle Dimension, jedoch nicht
einfach im Sinne von statischer Bildlichkeit: Vielmehr wird der Blick des Betrachters
aktiviert, immer neue, in unterschiedlichste Richtungen laufende Verse zu (re)kon-
struieren, das Buchstabenmaterial immer wieder neu zu funktionalisieren. Konstantin als intendierter Primäradressat wird im aktiven Leseakt zum Gestalter des
panegyrischen Diskurses. Durch die Verwendung des Schrifttypus der *capitalis
quadrata* geben sich die Gedichte zudem das Aussehen von Ehreninschriften.
Buchstaben-, Wort- und Versmaterial werden permanent wiederverwendet und
neu eingeordnet: Damit bedient sich Optian einer Darstellungstechnik – Synthese von Alt und Neu, Rekontextualisierung, Synkretismus –, die auch aus Konstantins Bautätigkeit insbesondere in Rom und in Konstantinopel bekannt ist.
ANJA WOLKENHAUER fokussiert in ihrem Beitrag zum antiochenischen Mosaik
des ‚Gastmahls der Zeiten' ebenfalls eine intermediale Fragestellung: das Wider-
spiel von textlicher Bezeichnung und bildlicher Charakterisierung des abstrakten
Konzepts ‚Zeit' und der Formen ihrer Perspektivierung. Der Text leistet hier
die Identifikation der einzelnen Zeitformen, das Bild ihre Zusammenführung als
Symposiasten und zudem, so die These von ANJA WOLKENHAUER, ihre Metapho-
risierung als Lebensstufen und damit eine Anspielung auf die geläufige Allegorie
des Lebens als eines Gastmahls. Damit würden wir ein weiteres Verfahren der
Dynamisierung spätantiker Bildwerke greifen, die nicht zuletzt darin bestünde,
dass es erneut der Betrachter ist, dem es (in diesem Falle) obliegt, die Bezüglich-
keit wie die Widersprüchlichkeit von Text und Bild zu deuten.

Die Beiträge von ARISTOULA GEORGIADOU und PETER KUHLMANN fragen am
Beispiel zweier zeitlich weit entfernter und thematisch völlig differenter Autoren,

Plutarch und Isidor von Sevilla, nach der Rolle, die die Verwendung historischer Traditionen und ihre neue Kontexte berücksichtigende Ausgestaltung und Umarbeitung in ihrem Werk spielt.

ARISTOULA GEORGIADOU arbeitet zunächst als Grundlage ihrer Überlegungen heraus, dass die bekannte Tradition der militärischen Elitetruppe Thebens, der durch erotische Bindungen zusammengeschweißten sogenannten ‚Heiligen Schar', zwar in Plutarchs Leben des Pelopidas eingehend behandelt wird, in seinem *Amatorius* hingegen geradezu totgeschwiegen wird – ein scheinbar geradezu paradoxer Befund. Dieser lässt sich jedoch erklären, wenn man annimmt, dass Plutarch in seinem Bios weniger die Persönlichkeit des Pelopidas als vielmehr die politische Weisheit der thebanischen Gesetzgeber preisen wollte, die eine Junktur zwischen sexualethischem Verhalten und soziopolitischer Vollendung des Bürgertums zu etablieren wussten: Auf diese Weise rückt Theben, was die politische Bedeutung seiner Institutionen betrifft, neben die in der imperialen Bildungskultur idealisierten Städte Athen und Sparta. Im *Amatorius* hingegen verfolgt Plutarch ein ganz anderes Ziel, nämlich die Etablierung der historischen und diskursiven Überlegenheit heterosexueller Liebe, insbesondere ihrer Institutionalisierung in der Ehe: Hier wäre die Erwähnung der auf Homosexualität beruhenden militärischen Überlegenheit der Heiligen Schar kontraproduktiv gewesen.

Auch im Falle der *Etymologiae* des Isidor von Sevilla ist die Analyse des kulturellen Umfeldes für die Frage nach Isidors Umgang mit der Tradition entscheidend. PETER KUHLMANN stellt in seinem Beitrag verschiedene Umfeldfaktoren vor – den allmählichen Niedergang der spätantiken paganen Bildungskultur, die innerkirchlichen, antihäretischen Auseinandersetzungen, die wachsende Bedeutung des gotischen Bevölkerungsanteils auf der iberischen Halbinsel – und interpretiert vor diesem Hintergrund Isidors *Etymologiae* als ein Bemühen um das Bewahren lateinischer Sprachrichtigkeit. Dabei insistiert Isidor auf der historischen Dimension des Etymologischen, auf der Begriffs-Geschichte, womit er sich gegen die von den Christen an sich übernommene stoische Sprachauffassung der universellen Sprachrichtigkeit wendet. Damit löst er wiederum ein theologisches Problem der christlichen Glaubensterminologie, die vielfach die entsprechende pagane Terminologie fortgeschrieben hatte, woraus sich das Problem ergab, wie man bei gleichbleibender Bezeichnung den ultimativen Wandel des Bedeutungsbereichs behaupten konnte. Indem Isidor nun in vielen Fällen eine Umetymologisierung vornimmt, kann er die neuen, christlichen Referenzen plausibilisieren. Zu diesem Zweck kombiniert Isidor problemlos christliche und pagane Quellen miteinander und zeigt damit, dass er mit einer Leserschaft rechnen kann, die die Bildungsfeindlichkeit des frühen Christentums bereits hinter sich gelassen hat.

Durch eine dezidiert intertextuelle Perspektive verbunden werden die Beiträge von OLIVER OVERWIEN und VIRGILIO MASCIADRI, wobei sich eine zusätz-

liche Parallele durch den in beiden Beiträgen beobachteten Rekurs auf Texte aus
dem 2. Jh. n. Chr. ergibt. OVERWIEN verfolgt die These, dass Lukians Biographie
des Demonax maßgebliches Modell für die zu Beginn der zweiten Hälfte des
4. Jh. von Bischof Athanasius verfassten *Vita Antonii* ist. In Verbindung mit bereits früher nachgewiesenen Parallelen zu einer Pythagoras-Vita ergibt sich daraus
nicht nur zwingend die Anbindung an Modelle paganer Biographie insbesondere der *Apomnemoneumata*, sondern ein programmatischer Anschluss an die
Konzepte paganer Bildungskultur. Diesen Rekurs begründet OVERWIEN funk-
tionsgeschichtlich mit dem historischen Kontext und dem intendierten Publikum
der biographischen Schrift, das er in der Schicht gebildeter Christen in Ägypten
sieht.

Mit dem Kreuzhymnus des Venantius Fortunatus gilt der Beitrag VIRGILIO
MASCIADRIS einem Text, der im liturgischen Kontext eine große Wirkung bis zur
Gegenwart entfaltet hat. Doch weder der späteren Rezeptionsgeschichte noch
der ursprünglichen liturgischen Okkasion gilt sein Augenmerk. Vielmehr geht
es ihm um die Einordnung des Textes in eine spezifische literarische Tradition.
Hatte man bislang v. a. auf Prudentius und Hilarius v. Poitiers als mögliche Modelle verwiesen, lenkt MASCIADRI nun die Aufmerksamkeit auf das Metrum des
Hymnus, den trochäischen Septenar, und erschließt damit einen gänzlich neuen
literarischen Referenzrahmen, der nun auch den Blick auf pagane poetische Traditionen wie etwas das *Pervigilium Veneris*, die Kleindichtung des 2. Jh. nach
Christus, sowie die in der sog. *Anthologia Latina* versammelten Texte eröffnet
und in Verbindung mit einer detaillierten metrischen Analyse für das Verständnis von „*pange lingua*" fruchtbar gemacht wird. Neben diesen primär formalen
Aspekten paganer Modelle bezieht MASCIADRI aber auch Elemente der kultischen
Praxis in seine Überlegungen ein. U. a. mit dem Verweis auf die epigraphischen
Gedichte an einem spanischen Diana-Heiligtum des 2. Jh. n. Chr., die u. a. ebenfalls im trochäischen Septenar gehalten sind, begründet er die These, dass auch
der Kreuzhymnus des Venantius Fortunatus nicht isoliert, sondern im Kontext
weiterer Gedichte gleicher Thematik zu betrachten sei, die sich zu einem *libellus
de laudibus sanctae crucis* zusammenfügen.

Primär siedlungsgeschichtliche Fragestellungen verbinden bei aller metho-
dischen Differenz die Untersuchungen von LUCA GUIDO und PHILIPP NIE-
WÖHNER. Mit einem sprachgeschichtlichen, auf Toponyme fokussierten Zugriff
geht Luca der Frage nach, inwiefern man mit einem solchen Ansatz neue Aspekte
der Romanisierung Sardiniens erschließen kann. Insbesondere nutzt er, jene
modernen Toponyme, die auf die lateinischen Wörter *balineum* und *pagus*
zurückgehen, um eine neue virtuelle Topographie der römischen Besiedlung
Sardiniens zu gewinnen. Die Ergebnisse dieses gleichsam sprachwissenschaftlichen Surveys übersetzt GUIDO mit Hilfe moderner geodätischer Methoden,
Satellitenbilder und digitaler bildgebender Verfahren in ein virtuelles Satellitenbild

der römischen Besiedlung im ländlichen Bereich Sardiniens. Damit ist nicht nur eine neue Quelle für die Siedlungsgeschichte erschlossen, sondern es wird zugleich auch ein Anstoß für neue Grabungsprojekte gegeben.

PHILIPP NIEWÖHNER dagegen konzentriert sich auf die anatolische Stadt Aizanoi, die sie umgebende Landschaft und die siedlungsgeschichtlichen Entwicklungen des 5. und 6. Jh. n. Chr. Ausgehend von dem äußerst ambivalenten Befund der urbanistischen Entwicklung von Aizanoi in der Spätantike, der insgesamt eher ein Zerfallen urbanistischer Strukturen nahezulegen scheint, untersucht er auf der Basis von Inschriften und Resten von Steinmetzarbeiten die ländlichen Strukturen und kommt zu der Schlussfolgerung, dass hier anders als in der Stadt sogar eine Zunahme der Siedlungsintensität zu verzeichnen ist. Dies gilt nicht nur quantitativ, sondern auch qualitativ, weil nunmehr auch die früher nicht besiedelten bergigen Regionen agrarisch erschlossen werden. Im Lichte dieser Ergebnisse warnt NIEWÖHNER vor der Extrapolation allgemeiner siedlungsgeschichtlicher Entwicklungen auf der Basis von allein auf das unmittelbare urbane Feld bezogenen Grabungen und plädiert für eine entschiedene räumliche Kontextualisierung urbaner Befunde.

Den zeitlichen Endpunkt des Bandes markiert die byzantinistische Studie ARNE EFFENBERGERS, der auf die bauliche und topographische Identifikation der dem Bebaia Elpis Kloster zugehörigen Kirche in Konstantinopel zielt. Eine genaue Analyse des Perorismos des Klosters und der topographischen Situation führt Effenberger zu der Auffassung, dass in dem im Kern komnenischen Kirchenbau der Vefa Kilise Camii die Kirche der Theotokos der Bebaia Elpis zu sehen ist. Diese Zuweisung wird zugleich mit einer Rekonstruktion der Baugeschichte verknüpft, die zu dem Ergebnis kommt, dass die komnenische Kirche beim Bau des Klosters durch die Gründerin des Konvents grundlegend renoviert und erweitert wurde. Weitere Renovierungen, insbesondere des Glockenturms, und Umbauten erfolgten dann in den Jahren 1392 und 1400. Damit wird nicht nur eine Neuzuweisung des Kirchenbaus unternommen, sondern es werden zugleich auch wesentliche Probleme des Baubefundes geklärt und zudem Einblicke in die Stiftungspraxis der Palaiologenfamilie gegeben.

Eine Miszelle von THOMAS PRATSCH zur Idiomatik byzantinischer Texte, die zugleich einen Nachtrag zu dem in Millennium 1, 2004 erschienenen Artikel des Autors über den Metropoliten Alexandros darstellt, beschließt den diesjährigen Band. Pratsch beschäftigt sich mit der Bedeutung der Formulierung πρὸ Εὐκλείδου und weist nach, dass hier kein Zeitgenosse, sondern der gleichnamige athenische Archont des Jahres 403/2 v. Chr. gemeint, so dass es nicht, wie bislang vermutet, um den Adressaten einer Schenkung geht, sondern sinngemäß um eine Formulierung der Bedeutung „seit ewigen Zeiten".

Mit dem auch in diesem Band verfolgten transdisziplinären und epochenübergreifenden Ansatz sowie der Fokussierung auf thematische Zusammenhänge, hier insbesondere Fragen der Medialität und Intermedialität ergeben sich Perspektiven, die auf wissenschaftlichen Austausch zielen, der, wie wir hoffen, auch über die Grenzen der hier versammelten Disziplinen hinausreicht.

Wolfram Brandes   Alexander Demandt   Helmut Krasser
              Hartmut Leppin   Peter von Möllendorff

Editorial

This year's volume combines contributions from historians, archaeologists, classicists and byzantinists, and covers the period from the Roman Empire to the 14th century. The chronological and thematic focus includes the reign of Constantine and the reception of Constantinian concepts, as well as the transitional phase from Late Antiquity to the Middle Ages. The central questions concern the transformation of tradition and its contextual conditions; problems of intermediality and intermedial communication, in particular forms of visualisation and visual representation; aspects of the instrumentalisation and recontextualisation of knowledge; as well as historical topology and settlement history.

The first, programmatic contribution is by JOHANNES FRIED, and deals with Rome as a place of memory in the Middle Ages. It is programmatic primarily in the sense that it examines lines of tradition and processes of transformation by means of which the *memoria* of Ancient Rome was maintained from the Carolingian period into the age of the house of Hohenstaufen. The main subject is the conception of the *imperium Romanum* and the various forms of its instrumentalisation as a means of legitimation in the years from Charlemagne to the Hohenstaufen dynasty. FRIED demonstrates that a universalistic conception of Empire in the proper sense only developed gradually, and only came into full effect in the context of the Hohenstaufen. At the same time he examines the most important elements of the medieval construct of Imperium: the reference to Augustus and Constantine, Theodosius and Justinian, the idea of the Eternal City, and the eschatological notions that were connected with Rome. The impact of medieval recourse to Rome as an instance of legitimation is also illustrated by the inclusion of the strategies of memory pursued by the North Italian republics in order to forge identities, and a study of Pisa serves to illustrate this aspect in more detail. The city's monumental buildings and the works of Pisano are used to demonstrate the different media employed in staging the idea of Rome, drawing as they did on ancient pictorial art, in particular in architecture, the sculptural decoration of buildings and the reuse of old materials. The result is not only chronologically differentiated; the analysis of different media presents a multifacetted picture of the medieval idea of Rome.

The contributions by LINDA SAFRAN, MEIKE RÜHL and ANJA WOLKENHAUER are different approaches to the visual aspects of the specific mediality of their subjects. LINDA SAFRAN analyses the appearance of the colossal marble statue of the emperor Constantine, the remains of which can still be seen in the Capitoline Museum, as well as the context in which it was originally set up. She draws on the "active viewing" theory of perception, which was of such importance throughout antiquity, in order to postulate lines of sight originating from the statue with its large, prominent eyes. These lines occupied and controlled the immediate and further vicinity of the statue, which was probably set up in the west apse of the *templum urbis*. This leads to a number of conclusions about imperial self-representation and the political presence of the emperor in the *urbs*: the statue's majestic expression dominated the temple and the basilica, and with them the two most important buildings associated with Constantine's predecessor and enemy, Maxentius. This also probably brought it contact with the *Colossus Solis* and other prominent monuments.

Similarly, the Constantinian age is the setting for MEIKE RÜHL's contribution on Optatianus Porfyrius' panegyric *carmina cancellata* of A.D. 324, with which the author sought to secure his recall from exile. The poems are not only written on a square framework that is constructed from the number of hexameters that corresponds to the number of letters in each of the verses, which remains the same, it also employs an additional visual element in that particular letters are written in different colours. The *carmina* were intended only to be read, and thus also develop an independent visual element, one that goes beyond purely static graphicness. The viewer is repeatedly animated to (re)construct new verses that run in different directions, and constantly to functionalise the script anew. In an act of active reading, Constantine – as the intended primary addressee – becomes the creator of the panegyric discourse. Furthermore, the use of *capitalis quadrata* for the lettering of the poems gives them the appearance of honorific inscriptions. Letters, words and verses are constantly re-employed and re-ordered: Optatianus thereby makes use of a method of representation – the synthesis of old and new, recontextualisation, syncretism – which is also characteristic of Constantine's building activity, in particular in Rome and Constantinople. ANJA WOLKEN-HAUER's contribution on the mosaic of the 'Banquet of Times' from Antioch also focuses on an intermedial aspect: the interplay of textual description and pictorial characterisation of the abstract concept of 'time', and the forms of its perspectivisation. The text serves to identify the individual forms of time, the pictorial elements to bring them together as symposiasts and so, according to ANJA WOLKENHAUER, makes of them metaphors for the stages of life, thus producing an allusion to the common allegory of life as a banquet. In this way we experience another aspect of the dynamisation of late antique pictorial art, one of the main elements of which was that is was again the observer who (in this case) was to interpret the relationship and contradiction between text and image.

The contributions from ARISTOULA GEORGIADOU and PETER KUHLMANN look at two thematically distinct authors from very different periods, Plutarch and Isidore of Seville, as examples of the role played in their works by the use of historical traditions, and the way in which these are re-formed and re-worked in order to take into account their new contexts.

ARISTOULA GEORGIADOU first demonstrates that in Plutarch's Life of Pelopidas the famous Theban elite military unit, the so-called "sacred band" that was cemented together by erotic relationships, is dealt with at length, but that there is no mention of it whatsoever in his *Amatorius* – an apparently paradox situation. However, this can be explained if we assume that in his biography Plutarch was not so much interested in Pelopidas' persona, as in the political wisdom apparent in his legal measures, which were able to build a bridge between sexual-ethical behaviour and the socio-political perfection of the citizenry. In this way, as far as the importance of its institutions is concerned, Thebes takes its place alongside the cities of Athens and Sparta in the imperial ideals of educated circles. On the other hand, Plutarch's intention in his *Amatorius* is quite different: it is the establishment of the historical and discursive superiority of heterosexual love, and in particular its institutionalisation in marriage, and any talk of the military pre-eminence of the Sacred Band, based as it was on homosexuality, would have been counterproductive.

So too in the case of Isidore of Seville's *Etymologiae* it is the analysis of the cultural environment that is important when considering his use of tradition. In his contribution PETER KUHLMANN presents several environmental factors – the gradual decline of Late Antique pagan education and culture, the internal, anti-heritical conflicts within the Church, the growing significance of Gothic elements in the population of the Iberian peninsula – and interprets Isidore's *Etymologiae* against this background as an attempt to maintain correct standards in Latin. Isidore insisted on the historical dimension of etymology, the history of terms, against the stoical view of language as being universally correct that Christians had adopted. In the process he actually solved a theological problem of Christian terminology, which often simply continued to use the corresponding pagan terms, giving rise to the problem of how it was possible to assume the latest change in meaning when the term remains the same. By postulating a new etymology in a number of cases, Isidore is able to assure the plausibility of the new, Christian references. In doing so he comfortably combines Christian and pagan sources, so demonstrating that he is able to assume he has an audience that has left behind it early Christian hostility towards education and culture.

A deliberately intertextual perspective links the contributions of OLIVER OVERWIEN and VIRGILIO MASCIADRI, whereby an additional parallel is provided by the recourse to 2nd-century texts that is to be found in both. overwien proposes that Lucian's biography of Demonax was the main model for Bishop Athanasius' *Vita Antonii*. Since parallels to a biography of Pythagoras have also been established, this means not only that Athanasius drew on pagan models and in particular the Apomnemoneumata, but that there was a programmatic connection with the concepts of pagan literature. OVERWIEN seeks the reason for this recourse in terms of functional history, that is in the historical context and the intended audience of the biographical work, which he suggests was the class of educated Christians in Egypt.

VIRGILIO MASCIADRI's contribution deals with a text that has had an enormous impact in liturgical contexts up to the present day, Venantius Fortunatus'
hymn "Hymn on the True Cross". However, it is neither the history of its
later reception, nor its original liturgical occasion that concern him. Instead he
examines how it fits into a specific literary tradition. Whereas previous work has
mainly concentrated on Prudentius and Hilarius of Poitiers as possible models,
masciadri focuses his attention on the metre of the hymn, the trochaic septenary,
and so constructs a completely new framework of literary reference, one that
opens up a perspective on pagan poetic traditions such as the *Pervigilium Veneris*,
the short poems of the 2nd century A.D., as well as the texts collected together in
the so-called *Anthologia Latina*. In combination with a detailed metric analysis
this provides a fertile source for our understanding of *"pange lingua"*. Besides
the primarily formal aspects of pagan models, masciadri also includes elements of
cult practice in his analysis. His view is that Venantius Fortunatus's hymn cannot be taken in isolation, but only in the context of other poems with the same
thematic content, which are combined to form a *libellus de laudibus sanctae
crucis*. An example of this are the epigraphic poems of the 2nd century A.D. from
a sanctuary dedicated to Diana in Spain which, among other things, are also composed in trochaic septenaries.

Although LUCA GUIDO's and PHILIPP NIEWÖHNER's analyses are methodi-
cally quite diverse, they are both primarily concerned with questions of settlement history. GUIDO's approach looks at toponyms from the viewpoint of linguistic history, and asks whether such an approach can reveal new aspects of the
Romanisation of Sardinia. In particular he uses those modern toponyms that can
be traced back to the Latin words *balineum* and *pagus* in order to produce a new
virtual topography of the Roman settlement of the island. With the aid of modern geodetic methods, satellite pictures and digital methods of creating images,
GUIDO translates the result of this linguistic survey into a virtual satellite picture
of Roman settlement in rural Sardinia. Not only does this open up a new source
for the study of settlement history, it also provides an impetus for new excavation
projects.

PHILIPP NIEWÖHNER on the other hand concentrates on the Anatolian city
Aizonai, the surrounding countryside and the development of settlement patterns in the 5th and 6th centuries. His starting point is the highly ambivalent urban development of Aizanoi in Late Antiquity, which overall told suggests a
collapse of urbanistic structures. He then analyses rural structures on the basis of
inscriptions and worked stones, arriving at the conclusion that, in contrast to the
city, there was actually an intensification of settlement activity here. This is true
not only in quantitative, but also in qualitative terms, for highland areas that
previously had not been used for agricultural activity were now opened up. In
view of these results niewöhner warns against reaching general conclusions about

settlement history solely on the basis of excavations in immediate urban environments, and demands that urban evidence be examined in a broader spatial context.

The chronological finale of the volume is ARNE EFFENBERGER's Byzantine study of the identification of the structures and topography of the churches at the convent of Bebaia Elpis in Constantinople. An exact analysis of the perorismos of the monastery and the topographical situation leads EFFENBERGER to the conclusion that Vefa Kilise Camii with its Comnenian core is in fact the church of Theotokos Bebaia Elpis. This attribution is accompanied by a reconstruction of the history of the building and concludes that when the monastery was built the Comnenian church was extensively renovated and extended by the founder of the convent. Further renovations, in particular of the bell tower, and additions followed in 1392 and 1400. Not only does effenberger undertake a new attribution for the church, he also explains many difficulties involved in a reconstruction of the history of the building, and provides an insight into the foundational practices of the Palaiologan family.

Under miscellanea belongs the final contribution in this year's volume by THOMAS PRATSCH, on the idiomatics of Byzantine texts. It is also a postscript to an article that appeared in Millennium I, 2004 on the metropolitan Alexandros. PRATSCH examines the meaning of the phrase πρὸ Εὐκλείδου, and is able to demonstrate that this does not refer to a contemporary, but to the Athenian archon of 403/2 B.C. of the same name. This rejects the usual interpretation as the recipient of a donation, seeing in it instead literally an expression meaning "since time eternal".

The transdisciplinary approach across the ages adopted in this volume, as well as the concentration on thematic relationships, in this case primarily matters of mediality and intermediality, provide new perspectives intended to encourage academic discourse, discourse that will, we hope, transcend the boundaries of the disciplines assembled here.

Wolfram Brandes   Alexander Demandt   Helmut Krasser

      Hartmut Leppin   Peter von Möllendorff

Imperium Romanum

Das römische Reich und der mittelalterliche Reichsgedanke

JOHANNES FRIED

Horst Fuhrmann zum 80. Geburtstag

Rom mußte vergehen, um als Gedächtnisort wieder zu erstehen. Gewiß, es ist kein plötzlicher Tod zu beklagen, vielmehr ein langsames Absterben und Verwandeln. Gleichwohl war es ein Untergang und wurde er mit der Zeit auch bewußt. Wer immer an „Erneuerung" dachte, an „Wiedergeburt", wer die Byzantiner zu „Griechen" erklärte und in ihnen keine „Römer" mehr erkannte, hatte bewußt oder unbewußt ein Ende vor Augen und vergegenwärtigte im Gedächtnis einen anderen ‚Ort' als den, von dem aus er blickte. Indes, so deutlich sich diese Linie abzuzeichnen scheint, so klar tritt eine entgegengesetzte Perspektive hervor: Rom ging niemals unter. Sein einst universales, doch erloschenes Kaisertum sah sich in der universalen Kirche neu erstehen, sein weltlicher *Princeps* im *Princeps apostolorum* und dessen Erben, seine Tempel in seinen Kirchen, seine Kaiserpaläste im Lateran und im Vatikan, sein Forum in den Apostelgräbern neu. Wer immer „Erneuerung" dachte, hatte ein lebendiges, wenn auch alterndes und vielleicht leidendes Rom vor Augen.

In der Tat, Gedächtnis hat es stets mit zweierlei Phänomenen zu tun: mit einem realen, doch vergangenen Geschehen, das auf seine Weise fortwirkt, und mit dessen Memoration, die in unablässiger, unkalkulierbarer, doch gleichfalls wirkmächtiger Transformation begriffen ist. Als Wahrnehmung aber sind beide kognitive Konstrukte; und jede Kultur ist beider Folgen ausgesetzt. Das Gedächtnis indessen dürstet nach Gewißheit und konzentriert sich an immer wieder aufgesuchten „Orten" und wohlbekannten „Begegnungsstätten", um Dauerhaftigkeit zu gewinnen und der Unablässigkeit seiner Transformationen zu entkommen. Gedächtnisorte sind damit Orte, an denen sich in Form von Erinnerung gegenwärtiges Selbstverständnis und aktuelle Selbstvergewisserung von Individuen oder Kollektiven manifestieren und in ihrer Ausgestaltung artikulieren. Sie gestalten sich als memorative Begegnungsstätten mit Menschen, mit Helden und Antihelden, mit Geschehnissen und Erlebnissen, mit Fähigkeiten und Wissen, mit Ideen oder Doktrinen, literarischen Texten oder Rechtsforderungen, mit Sagen, Märchen und Legenden, mit Hypostasierungen des Guten oder Bösen, mit Religion und Glauben und mit vielem mehr. Die Konstruktion persönlicher oder kollektiver Identität stützt sich auf derartige „Orte".

Solche Erinnerung kann sich der Worte bedienen oder der Rituale, weltlicher
Praxis oder religiöser Kulte, der Wissenschaft so gut wie des alltäglichen Lebens,
kann sich kommunikativ artikulieren oder nur in einzelnen, die an ihren subjektiven Gedächtnisorten weilen. Völlig dem Wandel entzogen ist auch sie nicht;
Gedächtnisorte können an Attraktivität verlieren, können versinken und von
neuen verdrängt, umorganisiert und umstrukturiert werden; ihre Architektur
kann erneuert werden. Ohne derartige Orte und ein dieselben verbindendes
Wegesystem aber kommen kein Mensch und keine Gesellschaft, keine Individuen
und keine Verbände aus. Selbstbewußtsein und Selbstverständnis bedürfen ihrer
zum Leben. Wer also pflegte das Rom-Gedächtnis im Mittelalter? In welchen
Formen geschah es? Was weckte die Erinnerung? Welche Umstände? Welche
Intentionen waren wirksam? Wie wurde es gehegt? Welche Wirkungen und Folgen sind zu verzeichnen? Welches Rom wurde überhaupt memoriert?

Denn „Rom" hieß vieles: Das Rom der Kaiser und der Heiden, das der Christen und der Märtyrer, das Rom der Apostelfürsten und des Papstes, der Kirche
und der Kleriker, der Reliquienschätze, das Rom der Römer, das Rom des Senats
und der Republik, das Rom der Pilger und Fremden, das Rom der Bibel und des
Neuen Testaments, das der Gelehrten, Literaten und Dichter, der Geschichtsschreiber und der Juristen, das Rom auch der Visionäre und Eschatologen, als
Babel und Sündenpfuhl, das eigene und das fremde, das Rom endlich der Ruinen,
das schon Alkuin und Johannes Scotus Eriugena im 8./9. Jahrhundert wahrnah-
men und besangen (*... aurea Roma // Nunc remanet tantum saeva ruina tibi* und
Moribus et muris, Roma vetusta, cadis[1]), und das durch das ganze Mittelalter
hindurch beweint wurde, das wiedererstandene Rom der Humanisten, der Baumeister und Künstler... Rom war einzigartig. Die reiche Fülle seiner Gedenk-
horizonte kann hier nicht verfolgt, nicht einmal knapp gestreift werden, obgleich
alle diese Gedächtnisorte in Antike und Spätantike bereitet und sie im Mittelalter
irgendwie in dem einen real-idealen Gedächtnisraum ‚Rom' vereint sein konnten.
Hier indessen kann vieles nur angedeutet, noch mehr nicht einmal angesprochen
werden. Das große Thema ‚Rom und Rom-Memoria im Mittelalter' liegt trotz
verdienstvoller Vorstudien noch immer brach.[2]

---

1   Alkuin, Carmina, ed. Ernst Dümmler (MGH Poetae 1), Berlin 1881, 160–351, hier
    230 v. 37/38 („Goldenes Rom, dir bleiben jetzt nur grausige Ruinen."); Johannes Sco-
    tus Eriugena, Carmina, ed. Ludwig Traube (MGH Poetae 3), Berlin 1896, 518–56, hier
    556 v. 10 („Altes Rom, deine Sitten und Mauern verfallen.").

2   Manfred Fuhrmann, Die Romidee der Spätantike, in: Historische Zeitschrift 207
    (1968), 529–61; Fedor Schneider, Rom und Romidee im Mittelalter. Die geistigen
    Grundlagen der Renaissance, Köln u.a. 1959 (unveränderter Nachdruck der Aufl.
    München 1925); Walter Rehm, Europäische Romdichtung, 2. durchgesehene Aufl.
    München 1960; Hubert Jedin, Die deutsche Romfahrt von Bonifatius bis Winckel-
    mann (Bonner Akademische Reden 5), Krefeld 1978; Gerd Tellenbach, Die Stadt Rom

Die folgende Skizze umreißt in keiner Weise Gedächtnisorte der gegenwärtigen Deutschen, sie mögen sich noch so intensiv Rom, dem Reich, dem Papst, einer noch so römischen Erinnerungsstätte zuwenden und noch so nachhaltig an ‚Rom' appellieren. Der Abriß wird sich vielmehr allein mit Vorstellungen, Erwartungen, Hoffnungen oder Zielen mittelalterlicher Autoren und Herrscher befassen; und er wird auch dies nur insoweit tun, als diese Erwartungen oder Ziele sich auf das *Imperium Romanum* konzentrierten, das dem lateinischen Westen in mancherlei Weise als Gedächtnisort diente, als eine ideale Stätte der Selbstdeutung und Selbstvergewisserung, als handlungsleitendes Wissen oder als Gegenfolie zu eigener Macht- und Herrschaftsinszenierung. Diese Beschränkung bietet freilich den Vorteil, daß sie sich auf eine glänzende Synthese zur Reichsidee („L'idée d'empire") aus der Feder von Robert Folz stützen kann.[3]

Folz umriß die Reichsidee der Karolinger und der Ottonen, verwies auf die imperialen Attitüden des apostolischen Stuhls und auf die stadtrömischen Erneuerungskonzepte, auch auf die Reichsmystik zumal in der Zeit der Staufer und die Reichsidee jenseits aller Realitäten. Ausdrücklich sieht sich die Eschatologie berücksichtigt.[4] Sie gab in der Tat ein starkes und für Jahrhunderte präsentes Motiv für das Römische Reich als Gedächtnisort und war wohl noch nachhaltiger wirksam, als Folz annahm. Solange das Reich fortbestehe, käme der „Abfall" nicht. So hatte Paulus gelehrt; und seine Botschaft blieb im Mittelalter stets präsent, reflektiert und folgenreich. Der Fortbestand des Reiches, so legten es die Späteren aus, schob den Untergang auf. In der Tat, seit Karl dem Großen eröffnete die Erneuerung des Römischen Reichs immer auch endzeitliche Perspektiven. Zumal unter Otto III., aber auch unter den Staufern wurde es deutlich.

Soweit es das Imperium betrifft, lassen sich drei oder vier Erinnerungsfelder theoretisch auseinanderhalten: 1) die reale mittelalterliche Kaiserherrschaft, die sich erst über das Frankenreich, sodann über das nordalpine *Regnum Teutonicum* und über Italien erstreckte, doch auch den Schutz des Papstes und seiner

---

in der Sicht ausländischer Zeitgenossen, in: ders., Ausgewählte Abhandlungen und Aufsätze, Stuttgart 1988, Bd. 1, 265–304; Gerd Tellenbach, Kaiser, Rom und Renovatio. Ein Beitrag zu einem großen Thema, in: ders., Ausgewählte Abhandlungen und Aufsätze, Stuttgart 1988, Bd. 2, 770–92; Eberhard Nellmann, Die Reichsidee in deutschen Dichtungen der Salier- und frühen Stauferzeit (Philologische Studien und Quellen 16), Berlin 1963.

3   Robert Folz, L'idée d'Empire en Occident du Ve au XIVe siècle (Collection historique), Paris 1953. Nichts mit unserer Thematik hat – trotz des Titel – zu tun: Jürgen Schatz, Imperium, Pax et Iustitia. Das Reich – Friedensstiftung zwischen Ordo, Regnum und Staatlichkeit (Beiträge zur Politischen Wissenschaft 114), Berlin 2000.

4   Folz (s. Anm. 3), 56; 128–32; 213–4. Dazu jetzt: Hannes Möhring, Der Weltkaiser der Endzeit. Entstehung, Wandel und Wirkung einer tausendjährigen Weissagung (Mittelalter-Forschungen 3), Stuttgart 2000.

„Patrimonien" mit einschloß; 2) die Erinnerung an das antike Rom und seine
Kaiser von Augustus und Nero bis zu Konstantin, Theodosius und Justinian;
sowie 3) die westliche Kaiserdoktrin, wie sie sich seit den Erneuerungen des Kaisertums durch Karl und Otto, die beiden Großen, entwickelte und wie sie seit
der Rezeption des römischen Rechts im ausgehenden 11. Jahrhundert durch die
Legistik ausgestaltet wurde. Alle drei Linien – Erfahrung, Erinnerung und die
theoretische Reflexion – partizipierten 4) an einem seit der augusteischen Zeit
nicht erloschenen Mythos der *Roma aeterna*, der *Aurea Roma*, des *Caput mundi*
und der *Orbis domina*. Schließlich gab es auch Gegenstimmen, die von einer
„Erneuerung" Roms nichts wissen wollten oder eine solche sogar ablehnten. Alle
diese Entwicklungen und auch die eingangs angedeuteten durchdrangen einander
wechselseitig, steigerten damit ihre Wirkung und ließen sich in ihrer jeweiligen
Wahrnehmung durch die Zeitgenossen nicht immer scharf voneinander trennen.
Sie werden nachfolgend denn auch gemeinsam betrachtet und nicht systematisch
voneinander geschieden. Vier Phasen seien ins Zentrum gerückt: die Erneuerungen des Kaisertums je unter Karl und Otto und dessen unmittelbaren Nachfolgern, dazu die Epochen Friedrich Barbarossas und Friedrichs II.

Das weströmische Kaisertum war mit der Absetzung des letzten Kaisers
Romulus Augustulus durch den Skirenkönig Odoaker im Jahr 476 untergegangen: *Hesperium Romanae gentis imperium … cum hoc Augustulo periit*;[5] allein im
Osten bestand es fort. Die Barbarenkönige – ein Theoderich oder Chlodwig –
respektierten dieses Kaisertum, beanspruchten für sich keine kaiserlichen Ehren
und begnügten sich damit, in je unterschiedlicher Weise in die Hierarchie des
kaiserlichen Zeremoniells eingebunden zu sein. Damit aber standen sie nicht
außerhalb des Imperiums. Rückblickend gestaltete denn auch der erste Geschichtsschreiber im Frankenreich, der Bischof Gregor von Tours, die Taufe
Chlodwigs nach dem Muster der Taufe Konstantins. Im 7. Jahrhundert läßt sich
dann bei dem sog. Fredegar erstmals die fränkische Troja-Sage nachweisen, die in
den Franken so gut wie in den Römern die Nachkommen der Trojaner sah, beide
mithin zu Brüdern erklärte. Doch bereits im früheren 9. Jahrhundert spottete der
Geschichtsschreiber und Nichtfranke Frechulf über solche Fabeln. Sie blieben
dennoch lebendig. Durch Justinians Eroberungen partizipierte Italien bis in die
karolingische Zeit noch einmal an diesem Römischen Reich und garantierte die
Anwesenheit des in Ravenna residierenden Exarchen für weitere zwei Jahrhunderte eine verblassende Erinnerung an kaiserliche Gegenwart und imperiales
Zeremoniell. Erst die Langobarden setzten auch dieses ‚Restreich' und zumal die

---

5   Marcellinus comes, Chronicon ad a. DXVIII continuatum ad a. DXXXIV, ed. Theo-
    dor Mommsen (MGH AA 11), Hannover 1894, 37–104, hier 91 („Das westliche Reich
    des römischen Volkes ging mit diesem Augustulus zugrunde.").

Stadt Rom stärker und stärker unter Druck, dem beide auf Dauer zu erliegen drohten.

Längst hatte zudem die römische Kirche begonnen, sich dem Kaisertum anzugleichen, obwohl die *Imitatio imperii* erst im *Constitutum Constantini* explizit thematisiert wurde, in jener Fälschung auf Konstantin den Großen mithin, die, sehe ich recht, fränkischen Autoren und der Zeit um 830/835 zuzuweisen ist.[6] Doch bereits im frühen 5.Jahrhundert galt der Apostel Petrus als *Princeps Apostolorum*, geradezu als „Kaiser der Apostel", und ahmte das päpstliche Zeremoniell in Kult, Liturgie, Kleidung, Palastordnung und Prozessionswesen das kaiserliche nach; und als im 7. und 8.Jahrhundert die oströmischen Kaiser, der Exarch oder der Stratege Siziliens sich nicht mehr in der Lage sahen, die römischen Reichsgebiete vor den Langobarden wirksam zu schützen, verselbständigte sich faktisch die weltliche Herrschaft des Bischofs von Rom. Es entstand das eigentümliche Gebilde der *sancta Dei ecclesia* (oder des *sanctus Petrus*) *rei publicae Romanorum*, das sich mehr und mehr aus dem römisch-byzantinischen Reich emanzipierte. Die quasi-imperiale Ausgestaltung des Lateran (etwa mit zwei Triklinien unter Leo III.) und des *Campus Lateranensis* (etwa mit der Einbeziehung antiker Spolien, der kapitolinischen Lupa, dem Reiterbild Mark Aurels als *Caballus Constantini* oder der ehernen Gesetzestafel der *Lex de Imperio*) machten es weithin sichtbar.[7]

Zum Schutz vor den Langobarden suchten die Päpste als Nachfolger Petri und als Bischöfe der römischen Kirche die Unterstützung durch Pippin und seine Söhne Karl und Karlmann, indem sie ihnen den Schutz dieser Kirche übertrugen und sie mit einem Titel ehrten, der Gewohntes mit Neuem verschmolz: *Patricius Romanorum*.[8] Die Rechtsgrundlage dieses Aktes und seine Rechtsfolgen sind

6   Johannes Fried, The „Donation of Constantine" and the „Constitutum Constantini": The Misinterpretation of a Fiction, its Original Meaning and the Lateran Palace (Millennium-Studien zu Kultur und Geschichte des ersten Jahrtausends n. Chr. = Millennium Studies 3), Berlin, New York 2006.

7   Ingo Herklotz, Der Campus Lateranensis im Mittelalter, in: Römisches Jahrbuch für Kunstgeschichte 22 (1985) 1–43, hier 21–2; ders., Gli eredi di Costantino. Il papato, il Laterano e la propaganda visiva nel XII secolo, Rom 2000, 41–94, hier 59–65.

8   Zu der eigentümlichen Zwitterstellung des *Patricius Romanorum* zwischen alt und neu vgl. Erich Caspar, Pippin und die römische Kirche. Kritische Untersuchungen zum fränkisch-päpstlichen Bunde im VIII. Jahrhundert, Berlin 1914, 181–3; Peter Classen, Karl der Große, das Papsttum und Byzanz. Die Begründung des karolingischen Kaisertums. Nach dem Handexemplar des Verfassers hrsg. von Horst Fuhrmann und Claudia Märtl (Beiträge zur Geschichte und Quellenkunde des Mittelalters 9), Sigmaringen 1985, 21–2; z.T. abweichend: Hans Hubert Anton, *Solium imperii* und *Principatus sacerdotium* in Rom, fränkische Hegemonie über den Okzident/Hesperien. Grundlagen, Entstehung und Wesen des karolingischen Kaisertums,

höchst zweifelhaft; eine kaiserliche Bestätigung der Titelverleihung lag ebensowenig vor, wie aus ihr Herrschaftsrechte über die res publica Romanorum flossen
oder fließen sollten. Mit dem oströmischen Kaisertum hatten diese Patrizier jedenfalls nichts zu schaffen; sie bekleideten ein neues Amt, das sich gleichwohl und
nicht zuletzt durch seinen Namen in einem kaiserlichen Gedächtnisort einnistete.

Die entscheidende Wende trat bekanntlich mit Karl dem Großen ein, als er,
durchaus im Einvernehmen mit dem Papst Hadrian I., im Jahr 774 das Langobar-
denreich eroberte und seine Herrschaft damit bis an die Grenzen des res publica
Romanorum ausdehnte. Umgehend, noch vor der Einnahme Pavias, eilte er nach
Rom und alsbald auch fügte er, der, ohne es zu übernehmen, seit seiner Kindheit
seitens der Päpste Patricius Romanorum genannt wurde, seinen fränkischen und
langobardischen Königstiteln erst sporadisch, dann kontinuierlich diesen römischen Titel hinzu. Er gab demselben damit einen neuen Sinn, der gleichsam aus
jenem imperialen Gedächtnisort herauswuchs und sich schwerlich mit jenem
deckte, den die Päpste wünschten oder die Kaiser in Konstantinopel akzeptier-
ten, der sich dennoch ohne Zweifel unmittelbar auf Rom und seinen Dukat erstreckte.

Der römische Bischof empfing diesen fränkischen Patricius der Römer stan-
desgemäß, gleich einem Exarchen, dem Vertreter des Kaisers. Das hieß freilich
nicht, daß Hadrian den Frankenkönig, gar dieser sich selbst als einen solchen
betrachtete. Doch durfte Karl, nachdem er dem Papst Sicherheit geschworen
hatte, die Stadt betreten – eine Gunst, wie sie keinem Langobardenkönig je zuteil
geworden war; er residierte indessen nicht wie früher der Exarch auf dem Palatin,
mithin innerhalb der Aurelianischen Mauern, sondern nahm in einer eigens her-
gerichteten Pfalz bei St. Peter Wohnung. Nach seiner Kaiserkrönung sollte er es
ebenso halten. Karls imperialer Gedächtnisort ‚Rom' nahm seine eigene Gestalt
an. Byzanz indessen, das in jenen Jahren erstmals und nicht ohne innere Spannungen von einer Kaiserin, Irene, regiert wurde, mußte in seiner Schwäche das
endgültige Abdriften Roms aus dem römischen Reich hinnehmen; es entsandte
kein Heer und keine Flotte, um sich den Franken zu widersetzen. Im Gegenteil,
Irene suchte den Frieden mit ihnen und anerkannte die eingetretene Entwicklung
förmlich, als sie ihren Sohn Konstantin VI. mit Karls Tochter Rothrud verlobte
(781).

Vieles, was damals geschah, war in seiner Gesamtheit neu; aber es präsentierte
sich mit zahlreichen Anspielungen auf das Gewohnte. Doch blieb auch das Alte
in Kontamination mit dem Neuen mit sich nicht identisch. Damit zeigt sich auch

---

in: Von Sacerdotium und Regnum. Geistliche und weltliche Gewalt im frühen und
hohen Mittelalter. Festschrift für Egon Boshof zum 65. Geburtstag, hrsg. von Franz-
Reiner Erkens und Hartmut Wolff, Köln u.a. 2002, 203–74; doch folge ich Antons
Hypothesen nicht.

das kulturelle Gedächtnis in schleichender Transformation. Der Gedächtnisort ,Rom' machte dabei keine Ausnahme; er änderte gleichsam seine Architektur. Fortan schwand das griechische Element in der Stadt bis auf wenige Reste vollends, regierte für die Römer in Konstantinopel nicht mehr der eigene Kaiser, sondern ein fremder Herrscher, mußten die Päpste sich mit den Königen des Westens arrangieren und verstärkten sie die Bemühungen um eigene, weltliche Herrschaft und damit die *Imitatio imperii*.

Karl seinerseits begnügte sich mit Erbe und Eroberungen nicht. Er, der zwei Königreiche regierte, seine jüngeren Söhne Pippin und Ludwig zu Königen für Italien und Aquitanien hatte salben lassen, der (so hielt es im Jahr 791/792 das *Opus Caroli regis adversus synodum*, die sog. *Libri Carolini*, fest) über zahlreiche römische Provinzen gebot,[9] der (so registrierten die dem Hof nahestehenden *Annales Laureshamenses* zum Jahr 801) über sämtliche alten Kaisersitze des Westens verfügte: über Trier, Arles, Mailand und Ravenna, und dem selbst Rom nicht verschlossen blieb, er trug fortan Rom im Herzen: Römische Liturgie, römisches Kirchenrecht, römischer Apostelkult, römisches Martyrolog, römische Bildung, römische Ordnung – alles floß an diesem Ort zusammen. Und auch die höchste weltliche Würde, über die dieser universale Gedächtnisort verfügte, blieb von dieser memorativen Rompräsenz nicht ausgeschlossen.

Was dieser Franke indessen von Rom und seinem Imperium tatsächlich wußte, bevor er selbst die „ewige Stadt" betrat und gar im Jahr 800 dort zum Kaiser gekrönt wurde, mit welchen imperialen Erwartungen und Handlungsimpulsen er damals an den Tiber zog, welchen Gedächtnisort Karl also aufsuchte, welche Folgen es zeitigte, das alles können wir nur vermuten. Selbstaussagen fehlen von den knappen Hinweisen der *Libri Carolini* abgesehen völlig. Zweifellos kannte Karl das Weihnachtsevangelium mit seiner Evokation des Kaisers Augustus, auch die eschatologische Bedeutung des römischen Reiches, wie sie sich in der Paulus-Exegese etabliert hatte, war ihm nicht verborgen geblieben; gewiß auch wird die Silvesterlegende von Konstantins Taufe und postbaptismalem Traum ihm vertraut gewesen sein und überhaupt die Vorbildlichkeit Konstantins des Großen; wahrscheinlich kannte Karl auch römische Rechtstexte. Welche Historien der Frankenkönig aber tatsächlich zur Kenntnis genommen hatte, welche imperialen Ideen und Praxen, wie er sie gelesen hatte, das ist so unklar wie sein Rombild. Aus Augustinus' *Civitas Dei* habe er sich – seit wann? – vorlesen lassen, so berichtete sein Biograph Einhard; die Historien des Orosius und des Beda Weltgeschichte dürften ihm nicht fremd gewesen sein. Das Rom-

---

9   *Opus inlustrissimi et excellentissimi seu spectabilis viri Caroli, nutu Dei regis Francorum, Gallias, Germaniam Italiamque sive harum finitimas provintias Domino opitulante regentis …*, Theodulf von Orléans, Opus Caroli regis contra synodum (Libri Carolini), ed. Anne Freeman (MGH Concilia 2, Suppl. 1), Hannover 1998, hier 97.

bild dieser drei Werke war freilich eher widersprüchlich. Der Geschichtsschreiber Paulus Diaconus von Montecassino, der einige Jahre an Karls Hof lebte, wird
ihn mit der Geschichte der Langobarden und Römer vertraut gemacht haben; das
eine oder andere Geschichtswerk könnte zusätzlich noch hinzugekommen sein.
An Romulus Augustulus, den letzten weströmischen *Imperator*, anzuknüpfen,
wird Karl schwerlich erstrebt haben; doch auch der große Gesetzgeber Justinian,
der Italien und Rom gleichsam den „Griechen" ausgeliefert hatte, trat nach Ausweis der erhaltenen Quellen und anders als im hohen Mittelalter überhaupt nicht
in den Blick dieses Franken. Irgendwie wird aber das byzantinisch-oströmische
Vorbild eine Rolle gespielt haben; gerade mit ihm setzte sich das *Opus Caroli
regis adversus synodum* auseinander. Doch das alles bleibt vage und spekulativ.

Allein das Bildprogramm der Aula regia in Ingelheim, wie es durch Ermoldus Nigellus überliefert ist, dürfte einiges über Karls Selbstverständnis am Vor-
abend seiner römischen Krönung verraten.[10] Der an des Orosius Vier-Weltreiche-
Lehre angelehnte Bildzyklus entstand nämlich, wie ich meine, noch vor der Kaiserkrönung.[11] Gleichwohl bot er ein Geschichts- und Identitätskonstrukt, das die
welthistorisch-universale Bedeutung Roms in mehreren Szenen ansprach. Die
eine Wand der Halle zeigte danach heidnische Herrscher von Cyrus und Ninus

---

10 *In honorem Hludowici christianissimi caesaris augusti Ermoldi Nigelli exulis elegiaci
     carminis* IV, ed. Ernst Dümmler (MGH Poetae 2), Berlin 1884, v. 245–82, 65–6; Er-
     mold le Noir, Poème sur Louis le Pieux et épitres au roi Pépin, ed. Edmond Faral
     (Les Classiques de l'histoire de France au moyen âge 14), Paris 1964, v. 2126–63,
     162–5. Ich zitiere im folgenden allein die Ausgabe Dümmlers. Zum Bildprogramm:
     Walther Lammers, Ein karolingisches Bildprogramm in der Aula regia von Ingelheim,
     in: Festschrift für Hermann Heimpel zum 70. Geburtstag, Bd. 3, Göttingen 1972,
     226–89; wieder (und danach zitiert) in: ders., Vestigia Mediaevalia. Ausgewählte Auf-
     sätze zur mittelalterlichen Historiographie, Landes- und Kirchengeschichte (Frank-
     furter Historische Abhandlungen 19), Wiesbaden 1979, 219–83, hier bes. 247–72.
11 Zur Datierung: Lammers, Ein karolingisches Bildprogramm (s. Anm. 10), 227 mit
     Anm. 33 und 272. Danach ist der Terminus ante quem für die Vollendung der Pfalz
     das Jahr 807, ist Karls Kaiserkrönung nicht nur vorausgegangen (vgl. 265), sondern
     hatte der Nachfolger Ludwig bereits den Thron bestiegen (272). Doch dürfte das
     Bildprogramm vor Karls Kaiserkrönung (800) zu rücken sein. Denn dieser Franke
     erscheint nach den von Ermoldus überlieferten Bildtituli lediglich als Sachsensieger
     und trotz der wiederholten Rom-Evokation des Bildzyklus gerade nicht als Kaiser.
     Daß karolingische Herrscherbilder auch vor der römischen Krönung en face und mit
     Krone möglich waren, verdeutlichen etwa die bekannten römischen Mosaiken (Percy
     Ernst Schramm, Die deutschen Kaiser und Könige in Bildern ihrer Zeit 751–1190.
     Neuauflage unter Mitarbeit von Peter Berghaus, Nikolaus Gussone, Florentine
     Mütherich, hrsg. von Florentine Mütherich, München 1983, Abb. 7–8). Die abschlie-
     ßende Doppelung des Karlsbildes im Zyklus der Aula schließt meiner Meinung nach
     aus, daß der Zyklus erst unter (dem bildlos gebliebenen) Ludwig dem Frommen ent-
     standen ist.

bis Alexander den Großen, dazu auch die Gründung Roms und zuletzt (vielleicht begleitet von einer Augustus-Darstellung): „wie die römische Herrschaft zum Gipfel wuchs" (*Ut Romana manus crevit et usque ad polum*, IV,266); die andere Seite war den Christen gewidmet und vereinte die Taten römischer Caesaren mit den Taten der Franken (*Caesareis actis Romanae sedis opimae // Iunguntur Franci gestaque mira simul*, IV,269–70). Sie setzte mit Konstantin ein, der Rom „aus Liebe" zu der wunderschönen Maid *Constantinopolis* verließ (*Romam dimittit amore*[12], IV,271), um die Stadt Konstantinopel zu gründen, führte über Theodosius zu Karl Martell als dem Sieger über die Friesen, zu Pippin als dem Eroberer Aquitaniens und endlich zu Karl dem Großen, der mit zweifachem Bild vergegenwärtigt war: als Herrscher im Schmuck der Krone und als Sachsenbezwinger (IV,279–82).

Sollte dieser Sieg über Heiden, wie angenommen werden darf, mit dem Jahr 798 in Verbindung zu bringen sein, als Karl mit der Niederwerfung der Nordalbingier den Sachsenkrieg – *victor iterum remeavit Franciam* – für beendet halten mochte,[13] wenn nicht schon mit dem Jahr 785, als die „Reichsannalen" aus Anlaß von Widukinds Taufe jubelten, „ganz Sachsen (sei) unterworfen" (*tunc tota Saxonia subiugata est*), und der König in Rom den Papst Hadrian um Dankgebete bat,[14] dann besäßen wir mit den Ingelheimer Fresken ein einzigartiges

---

12 *Amore* bezieht sich meiner Meinung nach weder auf den Papst Silvester (so Dümmler in seiner Edition von Ermoldus Nigellus, MGH Poet. Lat. 2, 66 Anm. 1), noch bedeutet es „aus eigenem Entschluß und Neigung" (so Lammers, Ein karolingisches Bildprogramm (s. Anm. 10) 259), sondern bezieht sich auf jene beiden Träume Konstantins, die ihn Konstantinopel gründen ließen, wie sie manche Handschriften der „*Actus b. Silvestri*" überliefern und bereits Aldhelm, *De virginitate*, in: ed. Rudolf Ehwald (MGH AA 15), Berlin 1919, 226–323, hier 258–9 zu Beginn des 8. Jahrhunderts kannte. Danach erfreute sich Konstantin züchtig (*casta contemplatione*) an einer *iuvencula pulcherrima velut rubicundo venustae pubertatis flore rubescens*: eben dem von ihm erneuerten *Byzantium-Constantinopolis*. Dazu demnächst Fried (s. Anm. 6).

13 Zitat: *Annales Petaviani* zu 798, ed. Georg Heinrich Pertz (MGH SS 1), 15–18, hier 18, ein annähernd gleichzeitiger Eintrag; die späteren Annalen kennen bereits den Fortgang des Sachsenkrieges, vgl. Annales Lauresbamenses zu 798, ed. Georg Heinrich Pertz (MGH SS. 1), 22–39, hier 37; Annales regni Francorum inde ab a. 741 usque ad a. 829, qui dicuntur Annales Laurissenses maiores et Einhardi, ed. Friedrich Kurze (MGH SS rer. Germ. [6]), hier 102–5; zusammenfassend: Matthias Becher, Karl der Grosse, 2. durchgesehene Aufl., München 2000, 71–72; vgl. auch Johannes Fried, Papst Leo III. besucht Karl den Großen in Paderborn oder Einhards Schweigen, in: Historische Zeitschrift 272 (2001) 281–326, hier 308–9 mit Anm. 89.

14 Die immer wieder bemühte Stelle in Einhards „*Vita Karoli*", c. 17 (Einhard, Vita Karoli Magni, ed. Georg Waitz und Oswald Holder-Egger, MGH SS rer. Germ. [25], Hannover 1911, 20) wonach Karl das *Palatium* in Ingelheim „begonnen" habe (*inchoavit*) besagt nichts über die Bauzeit und den Fortgang der Arbeiten. Die gesamte Pfalzanlage war ausgesprochen weiträumig und gebäudereich; die Aula regia wird gewiß

Zeugnis über den Gedächtnisort ‚Rom' im Umfeld des Hofes und seines Herrn nicht allzulange oder unmittelbar vor dessen Kaiserkrönung und aus der Zeit, als der Frankenkönig mit der *Imperatissa* Irene tatsächlich über das *Imperium* verhandelte.[15] „Rom, wo die Caesaren immer zu residieren gepflegt hatten", hatte Konstantin „aus Liebe verlassen", Gott aber mit den anderen Kaisersitzen des Westens „in Karls Gewalt gegeben"; dies letzte registrierten die Lorscher Annalen als Argument für die Kaiserkrönung (zu 801).[16] Der Karolinger schickte sich tatsächlich an, dort wieder, in Rom, und zwar als Kaiser einzuziehen. Die römische Geschichte mündete danach geradezu in die Geschichte der Franken und diese vereinte sie beide. Sie führte in christlicher Zeit unmittelbar von Konstantin zu Karl.

Spätestens seit 798 trachtete Karl nach dem *Imperium*.[17] Die Kaiserin Irene schien es ihm bereits zuzugestehen. Es sollte indessen anders kommen. Aufrührerische Vorgänge in Rom verlangten Karls Eingreifen und dasselbe mündete am Weihnachtstag des Jahres 800 in die Kaiserkrönung durch den Papst Leo III. Das

---

nicht der letzte Bauteil gewesen sein, der begonnen wurde. Immerhin fand im Jahr 788 in Ingelheim der große Prozeß gegen den Bayernherzig Tassilo statt und schon im Jahr zuvor hatte Karl Weihnachten, anschließend Ostern in Ingelheim gefeiert; die Pfalz dürfte damals bereits in einem repräsentablen Zustand gewesen sein. Als *Palatium* ist Ingelheim erstmals zum Jahr 807 überliefert, was wenig besagt, da für die Jahre seit 788 nur beiläufig zwei Herrscherbesuche erwähnt wurden, und die Reichsversammlung des Jahres 807 überhaupt der einzige bekannte Besuch des Kaisers in den letzten anderthalb Jahrzehnten seiner Regierung war. Man wird aus diesen spärlichen Hinweisen nichts über den Fortgang des Baues deduzieren dürfen. Vgl. zu diesem gesamten Komplex trotz jüngerer und jüngster Grabungen noch immer: Peter Classen, Die Geschichte der Königspfalz Ingelheim bis zur Verpfändung an Kurpfalz 1375, in: Ingelheim am Rhein. Forschungen und Studien zur Geschichte Ingelheims von Kurt Böhner u. a., Ingelheim am Rhein 1964, 87–146, hier 91–6. – Immerhin wurde auf dem Gelände der Pfalz der bislang einzig bekannte Solidus Karls des Großen gefunden, eine Arleser Prägung von 812/14 von ca. 4,2 g Gold; gute Abb. bei Dieter Hägermann, Karl der Grosse. Herrscher des Abendlandes. Biographie, 2. Auflage, Berlin 2000, nach 288. Die Titulatur könnte lauten: DN KARLUS IMP AUG REX FEL (?).

15   Dazu Fried (s. Anm. 13), 308–15.; z. T. anders: Rudolf Schieffer, Neues von der Kaiserkrönung Karls des Großen (Bayerische Akademie der Wissenschaften Phil.-Hist. Klasse. Sitzungsberichte 2004,2), München 2004.
16   Annales Laureshamenses (s. Anm. 13) 38: (*Carolus*) *qui ipsam Romam tenebat, ubi semper Caesaras sedere soliti erant … quia Deus omnipotens has omnes sedes in potestate eius concessit.* Vgl. Das Wiener Fragment der Lorscher Annalen u. a. Codex Vindobonensis 515 der Österreichischen Nationalbibliothek. Facsimileausgabe, Einführung und Transkription Franz Unterkircher (Codices selecti 15), Graz 1967, 39 und fol. 3v–4r.
17   Fried (s. Anm. 13).

Krönungszeremoniell war neuartig, obgleich es auch Vertrautes – Akklamation, Bekleidung mit der Purpurchlamys und Krönung durch den Patriarchen – bemühte. Das Ritual orientierte sich an byzantinischen, mithin an „römischen" Gebräuchen, wich aber zugleich in auffallender Weise von ihnen ab. Wieweit es mit Karl abgesprochen war, ist ungewiß, obgleich der König von dem Geschehen nicht wirklich überrascht gewesen sein kann. Eine Kaisersalbung war in Konstantinopel so unbekannt wie in der christlichen Antike. Der zeitgenössische byzantinische Geschichtsschreiber Theophanes (zu A.M. 6289) spottete darob: Der Papst habe den Franken „von Kopf bis Fuß mit Olivenöl gesalbt".[18] Konstitutiv freilich waren auch in Karls Fall weder die Krönung noch die Salbung, vielmehr die Akklamation durch die Römer, deren formelhafter Zuruf sich unter Verwendung fränkischer Elemente wiederum an byzantinisch-römische Vorbilder anlehnte: (*Exaudi Christe!*) *Karolo piissimo Augusto a Deo coronato magno et pacifico imperatore vita et victoria!*[19] „Karl, dem frommen, von Gott gekrönten Augustus, dem großen und friedenbringenden Kaiser, Leben und Sieg!" Doch sollte künftig das kirchliche Ritual die Tradition überlagern und das bisherige Zeremoniell bald ganz verdrängen – mit erheblichen Folgen für Kaisertum und Papsttum im Mittelalter. Derartiges freilich hatte nicht in Karls Sinn gelegen.

Wie dem aber sei, Karl hatte sich in dem Gedächtnisort Rom festgesetzt; sein Kaisertum sollte es manifestieren. Bisher verfügte er nur über einen vagen Rechtstitel über Rom, den Papst und Frankenkönig je anders interpretieren mochten. Nun aber suchte er systematisch nach einem ‚echten', nämlich wirklich von römischen Imperatoren benutzen Kaisertitel, der explizit auf Rom verwies.[20] Wiederum sah sich Altes mit Neuem verschmolzen. Das Ergebnis war so neu wie der ganze Erhebungsakt. Der endlich gefundene Kaisertitel vereinte römisches Imperium mit fränkischem und langobardischem Königtum. In seiner endgültigen Fassung lautete er:

Karolus serenissimus Augustus a Deo coronatus magnus pacificus imperator Romanum gubernans imperium qui et per misericordiam Dei rex Francorum et Langobardorum.

Obgleich das *Imperium* den Königsherrschaften vorangestellt war, mochte es scheinen, als bestünde dieses *Imperium Romanum* lediglich aus den neugewonnenen italienischen Provinzen und habe Karl bloß additiv den römischen Herr-

---

18 Classen (s. Anm. 8), 68 und 84.

19 Vgl. Classen (s. Anm. 8), 66. Das Eingeklammerte ist in Analogie zu den fränkischen Laudes zu dem sonst dem aus dem Liber Pontificalis, ed. Louis Duchesne, Bd. 2, Paris 1892, hier 7, entnommenen Zuruf beigefügt.

20 Peter Classen, *Romanum gubernans imperium*. Zur Vorgeschichte der Kaisertitulatur Karls des Großen, in: Deutsches Archiv zur Erforschung des Mittelalters 9 (1952), 103–21; zuletzt in: ders., Ausgewählte Aufsätze, Sigmaringen 1983, 187–204.

schaftsteil zu der fränkischen und der langobardischen Königswürde hinzugefügt. Vielleicht artikulierte sich in dieser Geste Rücksicht auf den Stolz der
Franken. Doch Karls Kaiserbulle korrigierte den Eindruck; sie propagierte die
Renovatio Romani imperii und ihr Revers repräsentierte in schematischem Bild
die Stadt Rom: *ROMA*[21]. Hier war mehr intendiert als bloße Addition von Herr-
schaftsgebieten. Mit weit ausholendem antikisierendem Caesarengestus präsentierte sich auch Karls erste Nachfolgeordnung nach Erlangung der Kaiserkrone
(806):

> *Imperator Caesar Karolus rex Francorum invictissimus et Romani rector imperii pius*
> *felix victor ac triumphator semper augustus omnibus fidelibus sanctae Dei aecclesiae et*
> *cuncto populo catholico presenti et futuro gentium ac nationum que sub imperio et*
> *regimine eius constitute sunt.*[22]

Es ist das einzige Zeugnis dieser Art, das sich erhalten hat. Ob und wie viele
gleichartige Karls Hof verließen, ist in keiner Weise zu erkennen. Als später (831)
unter seinem Sohn und Nachfolger diese Teilungsformel noch einmal hervor-
geholt wurde, verzichtete Ludwig auf die anspruchsschwere Intitulation.[23] Ludwigs Historiographen aber beherrschten auf Dauer die Erinnerung an den
großen Karl.

Kritik meldete sich frühzeitig. Alkuin etwa gab seinem nach Rom eilenden
König die Idee eines *Imperium christianum* mit auf den Weg; Erfolg hatte er
damit nicht. In der Tat, wie immer Karl Rom erinnerte, wie nachdrücklich er
auch eine *Renovatio Romani imperii* anstrebte, sein Reich galt nicht als ein er-
neuertes *Imperium Romanum*, auch *wenn* es römisches Kaisertum beanspruchte;
es blieb ein Frankenreich, nur der Herrscher war römischer Kaiser. Der Kaiser
aber machte das Kaisertum; ‚Imperium ab imperatoribus dictum‘, so ließe sich in
Analogie zu Isidors von Sevilla Etymologie des *Regnum* formulieren. Allein der
Imperator machte auch sein „Reich" zu einem *Imperium*. Ludwig der Fromme
übernahm denn auch nicht die *Romanum gubernans imperium*-Formel; semanti-
sches Gedächtnis, episodische Konstellation und kognitive Operationskondition
spielten anders zusammen als unter seinem Vater. Er, dieser Franke, der – fast ein

---

21 Schramm (s. Anm. 11), 149 Nr. 5.
22 Capitularia regum Francorum, ed. Anton Boretius (MGH Capit. 1), Hannover 1883,
    126–30 Nr. 45, hier 126 Anm. a. Die meisten erhaltenen Abschriften weisen dieses
    Intitulation auf, vgl. zur Überlieferung demnächst Matthias T. Tischler, Die Divisio
    regnorum von 806 zwischen handschriftlicher Überlieferung und historiographischer
    Rezeption, in: Herrscher- und Fürstentestamente im westeuropäischen Mittelalter,
    hrsg. von Brigitte Kasten; der Band soll in der Reihe „Norm und Struktur" erschei-
    nen.
23 Divisio regnorum: Capitularia regum Francorum, ed. Anton Boretius (MGH Capit. 2),
    Hannover 1897, 20–4 Nr. 194.

Säugling noch – in der Rom-fernen Umwelt der Westgoten erzogen und soziali-
siert worden war, verzichtete überhaupt auf jede namentliche Benennung seines
Kaisertums. Als er wider Erwarten die Nachfolge seines Vaters angetreten hatte,
verlangte es ihn nach der „Erneuerung des Frankenreichs", wie – Rom-los – seine
Kaiserbulle verkündete.[24] Rom, die *aurea Roma*, war da nur eines der *Regna*
unter Ludwigs *Imperium*, so sah es Ermoldus Nigellus in seinem Lobgedicht auf
den Frommen.[25] Diese Haltung sollte sich fürs erste durchsetzen. Das Reich war
ein Frankenreich und kein *Imperium Romanum*. Gleichwohl hatte Karl eine Tradition begründet, die den Gedächtnisort Rom bis zum Jahr 1806 immer wieder
evozieren sollte. Doch nicht immer ist zu erkennen, ob und wieweit bewußt
an die römischen Caesaren erinnert wurde oder lediglich die Tradition des frän-
kisch-mittelalterlichen Kaisertums fortwirkte, wie sie etwa die goldene Scheide
des Reichsschwertes aus dem späteren 11. Jahrhundert vor Augen führt.

Die Geschichte des karolingischen Kaisertums und seiner Nachfolger in
Italien sei hier nicht weiter verfolgt, auch wenn mit Ludwig II., einem Urenkel
des großen Karl, der Römername noch einmal mit dem Kaisertitel in Verbindung
gebracht wurde. Doch dies war keine Gedächtnisfigur, vielmehr eine Kampfansage
an Byzanz, dessen Kaiser sich seinerseits seit Karls des Großen Zeit „Kaiser der
Römer" (*Basileus (ton) Rhomaion*) nannte, um den eigenen Anspruch gegenüber
dem fränkischen Usurpator zu betonen. Ludwigs Reich wurde auch jetzt durch
den *Imperator Romanorum* kein *Imperium Romanum*. Der Kaiser betonte mit
dem Titel seine faktische Herrschaft über die Stadt Rom und ihren Dukat, die
dem „Griechen" vorenthalten blieb. Das römische Reich hatte die Stadt verlassen: *Tempore iam longo, Roma misella fores ...// Transiit imperium mansitque
superbia tecum // Cultus avaritiae te nimium superat*, so dichtete Johannes Scotus Eriugena.[26] Allein, Rom war mehr als jeder andere Kaisersitz, deren keiner in
nämlicher Weise hervorgehoben wurde wie diese einzig „ewige Stadt". So klang
im Namen Roms zugleich immer auch die Erinnerung an das Römische Imperium mit an – selbst in den schweren Zeiten des Niedergangs um 900, als etwa der
Dichter Eugenius Vulgarius päpstliche Renovatio-Hoffnungen nährte, die indessen trotz imperialer Sprache auf keine Reichserneuerung zielten.[27]

---

24 Schramm (s. Anm. 11), 157 Nr. 14.
25 Ermoldus Nigellus, ed. Dümmler (s. Anm. 10), v. II,79–80: *Francia plaude libens,
plaudat simul aurea Roma // Imperium spectant cetera regna tuum.*
26 Johannes Scotus Eriugena, Carmina, ed. Ludwig Traube (MGH Poetae 3), Berlin
1896, 518–56, hier 556 vv. 14 und 17–8.
27 Eugenius Vulgarius, Sylloga, ed. Paul von Winterfeld (MGH Poetae 4,1), Berlin 1899,
406–40, hier 440 Nr. 38 [zum Lob des Papstes Sergius]: *Roma caput mundi, rerum
suprema potestas // Terrarum terror, fulmen quod fulminat orbem // Regnorum cultus, bellorum vivida virtus // immortale decus solum, haec urbs super omnes ... //*

Die glücklose Regierung Ludwigs des Frommen freilich zeitigte noch weitere
Folgen, deren eine hier anzusprechen ist: das *Constitutum Constantini*.[28] Seine
fränkischen Fälscher entwarfen eine verpflichtende Erinnerung an Konstantin
den Großen (und mit ihm vielleicht auch an Karl den Großen, den neuen Konstantin), auf den als Kaiser, als Christ und als Stifter die unantastbare Kirchen-
ordnung der Römischen Kirche und des Römischen Reiches mit dem Papst als
dem höchsten Richter in Glaubensfragen und als dem Patriarchen des gesamten
lateinischen Westens zurückzuführen sei. Er habe sein „Kaisertum und die kaiserliche Gewalt nach dem Osten übertragen und verlagert", „auf daß dort, wo
der himmlische Kaiser den Prinzipat der Priester und das Haupt der christlichen
Religion eingesetzt hat, der irdische Kaiser keine Gewalt besitzt."[29] Das Mach-
werk wurde wohl Ludwig dem Frommen entgegengehalten, unter dem der
Bischof von Rom Gefahr lief, zu einem Episkopen gleich jedem anderen Reichs-
bischof herabgedrückt, ja, abgesetzt zu werden. Realität und Forderung verein-
ten sich im Gedächtnisort ‚Konstantin'. So ging das *Constitutum* in die zu der
nämlichen Zeit und in demselben Kontext entstehenden Pseudoisidorischen
Dekretalen ein und wurde dadurch unter die Leute gebracht. Seine große Stunde
schlug im späteren 11. Jahrhundert. Jetzt nämlich wurde es zur „Konstantini-
schen Schenkung" umgedeutet, und aus dem Patriarchat des römischen Bischofs
wurde die Kaisergewalt des Papstes. Ps.-Konstantin leistete nun gedankliche
Hilfe zur Ausformung der päpstlichen Doktrin: „Der wahre Kaiser ist der Papst"
(*Ipse* [sc. *Papa*] *est verus imperator*).[30] Damit war ein neuer Gedächtnisort von
hoher politischer Brisanz geschaffen, der bis ins 19. Jahrhundert bald freund-
schaftlich, bald feindselig immer wieder betreten wurde. Er zog freilich mehr das

---

Aurea priscorum reparat nunc secla virorum (sc. *Sergius*) … // *Imperium renovat*
heroum numenque priorum.

28 Zum folgenden vgl. Fried (s. Anm. 6).

29 *Unde congruum prospeximus, nostrum imperium et regni potestatem orientalibus*
transferri ac transmutari regionibus et in Byzantiae provincia … civitatem aedificari et
nostrum illic constitui imperium; quoniam, ubi principatus sacerdotum et christianae
religionis caput ab imperatore caelesti constitutum est, iustum non est, ut illic impera-
tor terrenus habeat potestatem, Das Constitutum Constantini (Konstantinische
Schenkung), ed. Horst Fuhrmann (MGH Fontes Iuris Germanici Antiqui in usum
scholarum seperatim editi 10), Hannover 1968, 94–5 Z. 271–6. Vgl. ders., Das früh-
mittelalterliche Papsttum und die Konstantinische Schenkung. Meditationen über ein
unausgeführtes Thema, in: I problemi dell'Occidente nel secolo VIII (Settimane di
studio del centro italiano di studi sull' Alto Medioevo 20,1), Spoleto 1973, 257–329.

30 Horst Fuhrmann, „Der wahre Kaiser ist der Papst". Von der irdischen Gewalt im
Mittelalter, in: Das antike Rom in Europa. Vortragsreihe der Universität Regensburg
(Schriftenreihe der Universität Regensburg 12), Regensburg 1986, 99–121; das Zitat
stammt aus der kanonistischen „Summa Parisiensis" (um 1160/1170) und bietet eine
keineswegs isolierte Lehrmeinung der Epoche.

Volk und die Pamphletisten an als die römische Kurie und überschattete noch die Reformation und die ihr folgenden konfessionellen Kämpfe.

Stärker als die Karolinger erneuerten die Ottonen das Rom-Gedächtnis; ihr Reich galt manchen als *Imperium Romanum*.[31] Aktuelle politische Konstellation, literate Romerinnerung und Karlsgedächtnis wirkten dabei zusammen. Auch Otto I. wurde – ähnlich Karl dem Großen – wieder von dem jugendlichen Papst Johannes XII. (aus hier nicht zu erörternden Gründen) um Hilfe gerufen. Zuvor hatte der Sachse keine planmäßig auf das Kaisertum zulaufende Politik betrieben.[32] Doch hat er die sich bietende Gelegenheit zu nutzen verstanden und wiederum eine imperiale Tradition begründet, die nicht weniger stark als Karls Kaisertum die kommenden Jahrhunderte prägen sollte. Bevor der Sachse die Leostadt und Rom selbst betreten durfte, verstand er sich zu einem Sicherheitseid für den Papst und die Patrimonien der römischen Kirche, der im späteren Mittelalter von kanonistischer und kurialer Seite als Lehnseid interpretiert wurde. Daran knüpften sich brisante Fragen: Hatte der Kaiser, besaßen seine Nachfolger ihr Imperium, das kaiserliche „Schwert", vom Papst oder unmittelbar von Gott? Doch mag auch diese Kontroverse hier auf sich beruhen.

Bittere Klagen der Römer begleiteten die Übernahme der Kaiserherrschaft durch die Barbaren des Nordens. *Factus est Italico regno vel Romanum imperium a Saxonicum regem subiugatum*, stöhnte ein römischer Chronist in dem vulgarisierten Latein seiner Epoche.[33] Panegyrische Dichtung sollte später folgen und die Caesaren aus Sachsen preisen. Der Lombarde Liudprand von Cremona und andere, auch urkundliche ‚Selbstaussagen' des Kaisers, feierten Otto den Großen alsbald nach der römischen Kaiserkrönung als *sanctus* oder *sanctissimus imperator*[34], was ohne Zweifel die „Heiligkeit" des antiken Kaisertums reflektierte. Otto selbst freilich hütete sich, den Römernamen seinem Titel beizufügen. Doch

---

31 Carl Erdmann, Das ottonische Reich als *Imperium Romanum*, in: Deutsches Archiv für Erforschung des Mittelalters 6 (1943), 412–41, wieder in: ders., Ottonische Studien, hrsg. von Helmut Beumann, Darmstadt 1968, 174–203 (mit Originalpaginierung, danach zitiert).

32 Werner Maleczek, Otto I. und Johannes XII. Überlegungen zur Kaiserkrönung von 962, in: Mediaevalia Augiensia. Forschungen zur Geschichte des Mittelalters, vorgelegt von Mitgliedern des Konstanzer Arbeitskreises für mittelalterliche Geschichte, hrsg. von Jürgen Petersohn (Vorträge und Forschungen 54), Stuttgart 2001, 151–203.

33 Benedikt von S. Andrea, Chronikon, ed. Georg Heinrich Pertz (MGH SS 3), Hannover 1839, 695–719, hier c. 36, 717–18.

34 Vgl. Hagen Keller, Ottonische Herrschersiegel. Beobachtungen und Fragen zu Gestalt und Aussage und zur Funktion im historischen Kontext, in: Bild und Geschichte. Studien zur politischen Ikonographie, Festschrift für Hansmartin Schwarzmaier zum fünfundsechzigsten Geburtstag, hrsg. von Konrad Krimm und Herwig John, Sigmaringen 1997, 3–51, hier 8 mit Anm. 20.

Rom hat er die einstige Freiheit wiedergegeben: *Romam pristinae reddidit libertati*, jubelte man, sich seiner Heroen erinnernd, später unter den Deutschen.[35] Umgehend wurde auch der Siegeltyp geändert: In Anlehnung an byzantinische Bildrepräsentationen der Basileis (wie sie zumal die Goldsolidi verbreiteten) gab Otto den Bildtyp des Heerführers mit Lanze und Schild auf und übernahm die strenge en face-Darstellung mit den Herrschaftzeichen der Krone, des Szepters und des Globus.[36] Der neue Kaiser dokumentierte damit seine Gleichrangigkeit mit dem Basileus, erinnerte damit freilich auch und nicht zuletzt an das römische Imperatorentum, das in Byzanz fortbestand. Dort freilich sah man die Dinge anders. „Ihr seid keine Römer", fertigte man am Kaiserhof den Gesandten Ottos des Großen, Liudprand, den späteren Bischof von Cremona, ab, „vielmehr Langobarden". Der Gescholtene konterte. Ein Brudermörder und Hurensohn, Romulus, habe den Römern den Namen gegeben; Betrüger, entlaufene Knechte, Mörder, die Hinrichtung verdienendes Pack habe er um sich geschart und dieses Gesindel sich nachbenannt. „Aus solchem Adel stammen die, die Ihr Kosmokraten und Imperatoren heißt, die Wir, wir Langobarden, Sachsen, Franken, Lotharingier, Bayern, Schwaben, Burgunder, aber so sehr verachten, daß wir unsere Feinde mit keinem anderen Schimpfwort belegen als ‚Römer'!"[37]. Die Schmähung des Namens dürfte nicht unbedingt in seines Herrn Sinne gewesen sein. Als sich dann des Großen Sohn Otto II. mit einer byzantinischen Prinzessin vermählt sah, wurde das byzantinisch-römische Vorbild, so wie man es im Westen verstand, erst recht zum Maß des eigenen Imperiums.

Sie, die Griechin, die Byzantinerin, nein, die Rhomäerin Theophanu muß ihrem ganzen Selbstverständnis nach Römerin gewesen sein. Griechische Ansprüche abwehrend hatte Otto II. sie in der für sie ausgestellten Heiratsurkunde „die Nichte des Konstantinopolitanischen Kaisers" tituliert, mit der er nun „in der ältesten Romuleischen Stadt" die Ehe einging. Endlich griff er, als er im Jahr 982 auf byzantinisches Gebiet in Süditalien vordrang, abermals auf den Titel eines „Kaisers der Römer" (*Romanorum imperator augustus*) zurück: Die Spitze richtete sich zweifellos gegen Theophanus Heimat, Byzanz, der sie selbst als Kaiserin des Westens, *coimperatrix*, den Rücken gekehrt hatte. Doch im folgenden Jahr schon starb ihr Gemahl, dieser Herrscher der Römer, und so blieb der von ihm erhobene Anspruch einstweilen Episode. Im Verständnis seiner heimischen

---

35 Adam von Bremen, Gesta Hammaburgensis ecclesiae pontificum, ed. Bernhard Schmeidler (MGH SS rerum Germanicarum in usum scholarum seperatim editi 2), 3. Auflage Hannover/Leipzig 1917, hier c. II,11, 68–9.

36 Keller (s. Anm. 34), passim.

37 Liudprand von Cremona, *Opera*, ed. Joseph Becker (MGH SS rerum Germanicarum in usum scholarum seperatim editi 41), 3. Auflage Hannover/Leipzig 1915, Legatio, 175–212, hier: c. 12, 182–3.

Sachsen regierte Otto II., „den wir nicht ungleich der väterlichen und großväter-
lichen Tugend halten" (*quem paternae avitaeque non imparem credimus virtutis*),
ohnehin bloß über das *regnum Latinorum et Saxonum*, wie es am Schluß der
älteren Vita seiner Großmutter, der Königin Mathilde, hieß.[38] Lediglich die liu-
dolfingischen Vorgänger wurden hier memoriert, nicht einmal Karl der Große
und schon gar nicht die antiken Caesaren. Sächsischer Stolz vertrug sich nicht
immer mit römischer Erneuerung.

Anders der Sohn des Sachsen und der Byzantinerin.[39] Er, der noch als Säugling den Vater verlor und dessen frühe Kindheitsjahre in der Obhut der Mutter
lagen, wurde in eigentümlich römischem Geiste erzogen. Er suchte in den Basileis die Caesaren und in den Griechen die Römer; er wollte, wie er an Gerbert,
seinen Lehrmeister, schrieb, die sächsische Unbildung (*Saxonica rusticitas*) ver-
trieben und seinen griechischen Esprit (*Grecisca subtilitas*) gefördert wissen, „da
ja bei uns ein Fünklein griechischen Fleißes gefunden wird"[40]; und er verlieh dem
Römernamen im Kaisertitel Dauer. Seine Lehrer, der kalabresische Grieche
Johannes Philagathos, ein Byzantiner, Bernward von Hildesheim, ein Sachse, und
der eben genannte Gerbert von Aurillac, ein Aquitanier, vertieften sein Wissen
um Rom und stärkten sein Verlangen nach ihm. Er, so antwortete Gerbert dem
jugendlichen Kaiser, er wisse nicht, „welch Göttliches darin zur Offenbarung gelangt, daß ein Mensch griechischer Herkunft (*genere Grecus*), Römer durch das
Kaisertum (*imperio Romanus*) gleichsam nach Erbrecht die Schätze Griechen-
lands und römischer Weisheit (*thesauros Grecie ac Romane sapientie*) für sich
einfordert". Auch Ottos sonstige Berater zählten zu den herausragenden Geist-

---

38 Die Lebensbeschreibungen der Königin Mathilde, ed. Bernd Schütte (MGH SS rerum
Germanicarum in usum scholarum seperatim editi 66), Hannover 1994, hier: c. 16,
S. 141–2.

39 Noch immer lesenswert trotz mancherlei Irrtümer: Percy Ernst Schramm, Kaiser,
Rom und Renovatio. Studien zur Geschichte des römischen Erneuerungsgedankens
vom Ende des Karolingischen Reiches bis zum Investiturstreit, Nachdruck der Aus-
gabe Leipzig 1929, Darmstadt 1962; notwendige Korrekturen: Herbert Bloch, Der
Autor der „Graphia aureae urbis Romae", in: Deutsches Archiv für Erforschung des
Mittelalters 40 (1984) 55–175; überzogen ist die Kritik von Knut Görich, Otto III.,
Romanus Saxonicus et Italicus. Kaiserliche Rompolitik und sächsische Historiogra-
phie, Sigmaringen 1993; vgl. Johannes Fried, Römische Erinnerung. Zu den Anfängen
und frühen Wirkungen des christlichen Rommythos, in: Studien zur Geschichte des
Mittelalters. Jürgen Petersohn zum 65. Geburtstag, hrsg. von Matthias Thumser,
Annegret Wenz-Haubfleisch und P. Wiegand, Stuttgart 2000, 1–41, hier 35–41.

40 Die Briefsammlung Gerberts von Reims, ed. Fritz Weigle (MGH Die Briefe der deutschen Kaiserzeit 2), Weimar 1966, ep. 186, 220–3; dazu Gerberts Antwort (ep. 187;
223–5).

lichen seiner Zeit.[41] Christen- und Römertum zu vereinen, legten sie ihm nahe. Jene Schätze aber, die Gerbert verhieß, beschränkten sich nicht auf Kaiserherrschaft und Herrschaftsideologie. Otto dürstete, wie er dem künftigen Lehrer schrieb, nach Arithmetik, nach dem Quadrivium, nach „römischer" Wissenschaft. Die „Isagoge" des Porphyrius, Livius und Orosius befanden sich tatsächlich in seinem Besitz. Die berühmte, heute in Bamberg verwahrte Handschrift der Justinianischen „Institutionen" könnte aus Ottos Bibliothek dorthin gelangt sein.[42] Die Erinnerungsorte ‚Rom' und ‚Imperium' verlangten im Wissen um beider unauflöslicher und sich wechselseitig bedingender Zusammengehörigkeit zugleich nach Herrschaftswissen und Bildungserneuerung, nach einem umfassenden Kulturprogramm. Der Kaiser, ein Knabe noch, rüstete sich, es zu verwirklichen. Es geschah durchaus im Wissen, in den „Jüngsten Zeiten" zu leben und der Vorbereitung auf das Gericht zu bedürfen. Denn „Rom" und „Endzeit" hatten längst ihren Bund geschlossen.

Dieser Mensch trachtete in der Tat danach, „das alte Recht der Römer, das schon fast vernichtet war", zu erneuern.[43] Im Anschluß an Karl den Großen erhob er die Erneuerung des Römerreichs zu seinem Programm, wie seine erste Kaiserbulle unmißverständlich verkündete: *Renovatio imperii Romanorum*. Deren Revers zeigte zugleich das Bild der Helm-, Speer- und Schild-bewehrten *Dea ROMA*, der ins Christliche gewendeten Tyche Roms. Es geschah nach einem halben Jahrtausend zum ersten und bis in die Zeiten der Renaissance zum letzten Mal. Gerbert bestärkte den jugendlichen Herrscher in seiner Haltung: Unser, unser ist das römische Reich, *Nostrum, nostrum est imperium Romanum* – Gerbert, der einstmals das Römische Reich für untergegangen und den von Paulus angekündigten „Abfall" für vollzogen erklärt,[44] der als Lehrer den künftigen

---

41 Dazu Wolfgang Huschner, Transalpine Kommunikation im Mittelalter. Diplomatische, kulturelle und politische Wechselwirkungen zwischen Italien und dem nordalpinen Reich (9.–11. Jahrhundert) (MGH Schriften 52, 1–3), 3 Bde. Hannover 2003. Die gegen einige Thesen Huschners vorgetragene Kritik von Hartmut Hoffmann, Notare, Kanzler und Bischöfe am ottonischen Hof, in: Deutsches Archiv für Erforschung des Mittelalters (in Vorbereitung) trifft den hier relevanten Sachverhalt nicht.

42 Zu den Büchern vgl. Percy Ernst Schramm, Florentine Mütherich, Denkmale der deutschen Könige und Kaiser 1. Ein Beitrag zur Herrschergeschichte von Karl dem Großen bis Friedrich II. 768–1250 (Veröffentlichungen des Zentralinstituts für Kunstgeschichte in München 2), 2. ergänzte Auflage, München 1981, hier 150–1, Nr. 88–92.

43 Die Chronik des Bischofs Thietmar von Merseburg und ihre Korveier Überarbeitung, ed. Robert Holtzmann (MGH SS rerum Germanicarum NS 9), Berlin 1935, IV,47, 184: *antiquam Romanorum consuetudinem iam ex parte magna deletam*.

44 Acta concilii Remensis ad sanctum Basolum auctore Gerberto archiepiscopo, ed. Georg Waitz (MGH SS 3), 658–686, hier 676: *post imperii occasum haec urbs (sc. Roma) Alexandrinam aecclesiam perdidit, Antiocenam amisit, et ut de Africa taceamus atque*

König Robert II. von Frankreich unterrichtet,[45] der endlich diesem und seinem Vater Hugo die Feder geliehen hatte für deren Schutzgebärde zugunsten des (ost-)römischen Imperiums gegen den Kaiser aus Sachsen. Sein neuer Herr Otto aber führte „römisches" Herrscherritual oder, was er dafür hielt, an seinem Hof ein;[46] die Quelle seines Wissens wies erneut an den Bosporus und in das Reich der Romäer, die *Romania*;[47] aber nicht nur. Rom selbst, die Stadt am Tiber, war *Caput mundi*.[48] Otto residierte so oft und so lange in Rom, wo er vermutlich auf dem Palatin den Kaiserpalast – das *sacrum palacium* – erneuerte, wie keiner seiner Vorgänger oder Nachfolger; ihm eigneten in antikisierender Geste *divina mens* und *sacri aures*.[49] Antike römische oder römisch klingende Titel erhielt nun sein Gefolge: Logothet oder Archilogothet der Kanzler, *Magister palacii*, *Magister militum*, Protospatar andere. „Unser Kaisertum soll blühen, unseres Amtes Krone soll triumphieren, des römischen Volkes Macht soll sich verbreiten, die *Res publica* erneuert werden"; so formulierte Leo von Vercelli für seinen Kaiser das Programm; das alles: „um Rom, den Erdkreis, die Kirche zu leiten". *Christe, preces intellige, Romam tuam respice, Romanos pie renova, vires Rome excita. Surgat Roma imperio sub Ottone tertio.* „Christus, erhöre die Gebete, blicke gnädig auf Dein Rom, erneuere die Römer, stärke die Kraft Roms. Rom soll sich erheben unter der Kaisermacht Ottos III."

Eines der eindrucksvollsten Zeugnisse dieser Rom-Erinnerung findet sich in des hl. Bernward von Hildesheim Lebensbeschreibung aus der Feder von dessen Lehrer Thangmar; es ist zeitgenössisch und wurde vielleicht noch zu Bernwards Lebzeiten niedergeschrieben: jene berühmte Rede Ottos III., durch die der jugendliche Kaiser – angefeindet von den Römern – sie an seine Taten zu ihrem Ruhm erinnerte.[50] „Vernehmt die Worte eures Vaters, merkt auf und bewahrt sie

---

Asia, ipsa iam Europa discedit. Nam Constantinopolitana ecclesia se subduxit, et interiora Hispaniae eius iudicia nesciunt. Fit ergo discessio secundum apostolum, non solummodo gentium, sed etiam ecclesiarum; vgl. Erdmann (s. Anm. 31), 192.

45 Hugo von Fleury, Historia Francorum Senonensis *a.* 688–1034, ed. Georg Heinrich Pertz (MGH SS IX), Hannover 1851, 364–9, hier 368, v. 19–20.

46 Thietmar, Chronik, ed. Holtzmann (s. Anm. 43), IV,47, 184–7.

47 So etwa in den „Annales Einsidlenses", ed. Georg Heinrich Pertz (MGH SS 3), Hannover 1839, 145 (zu 982).

48 Otto III., Diplom 389 (1001) (MGH DD 2), Hannover 1893, 818–820.

49 Vgl. etwa Gerberts Widmung seines für Otto III. bestimmten logischen „Libellus de rationali et ratione uti", ed. Julien Havet, Lettres de Gerbert (Collection de Textes), Paris 1889, 236–8.

50 Thangmar, Vita Bernwardi episcopi Hildesheimensis, ed. Georg Heinrich Pertz (MGH SS 4), Hannover 1841, 754–82. Die zeitgenössische Entstehung ist zu Unrecht angezweifelt worden, vgl. Marcus Stumpf, Zum Quellenwert von Thangmars Vita Bernwardi, in: Deutsches Archiv für Erforschung des Mittelalters 53 (1997), 461–96.

gut in eurem Herzen! Seid ihr nicht meine Römer? Euretwegen habe ich mein
Vaterland und meine Verwandten, aus Liebe zu euch habe ich meine Sachsen und
alle Deutschen, mein eigen Blut, verschmäht. Euch habe ich in die fernsten Teile
unseres Reiches geführt, wohin eure Väter, als sie den Erdkreis unterwarfen, niemals den Fuß gesetzt haben. So wollte ich euren Namen, euren Ruhm bis an die
Grenzen des Erdkreises ausbreiten." Dies letzte diente zugleich der Ausbreitung
des Christentums und war ein Rüsten für die hereingebrochene Endzeit und das
Bestehen im Jüngsten Gericht. Auch Ottos Jubel über den Märtyrertod Adal-
berts von Prag, seines Freundes, an den äußersten Grenzen des römischen Orbis,
ebenso sein Versuch zur Elevation Karls des Großen zur Ehre der Altäre gehörten in den Kontext dieser heilsuchenden Rom-Memoria. Die Kirche auf der
Tiberinsel (heute S. Bartolomeo) wurde dem Heiligen aus Böhmen geweiht, wie
überhaupt der Adalbertskult das Reich des Jüngsten der Ottonen und die lateinische Christenheit von Aachen und Gnesen über Esztergom, Ravenna und Rom
einen sollte. Auch Bernward, des Kaisers Lehrer und Freund, weilte wiederholt
in der Stadt am Tiber; seine Christus-Säule in Hildesheim, ein frühes Meisterwerk des Bronzegusses, zitierte die römische Trajanssäule und verdeutlicht auf
ihre Weise, wie das kaiserliche Renovationsprogramm kulturell tatsächlich wirksam wurde.

Die Bildzeugnisse aus dem direkten Umfeld des Hofes sprechen die nämliche
Sprache. Drei Meisterwerke ottonischer Buchmalerei aus zwei verschiedenen
Ateliers – die Evangeliare in Gießen, aus St. Gereon in Köln sowie in Manchester –
weisen eine einheitliche Rahmengestaltung der Initialseite des Matthäus-Evange-
liums mit dem *Liber generationis* auf, deren Programm vermutlich vom Königs-
hof selbst entworfen wurde.[51] Die beiden älteren wurden noch vor Ottos Kaiserkrönung ausgeführt, ihr jüngstes (Manchester, John Rylands Library Ms. 98)
offenbar bald danach.[52] Es zeigt auf jeder Seite der Initialen jeweils ein Kaiser-
bild: oben Otto den Großen, unten Otto II., rechts und links jeweils Otto III.,
Großvater und Vater also des regierenden Kaisers und diesen selbst. Die Herr-
schertitel appellieren an Rom, an die *Romana res publica*, jener Ottos III. zusätzlich noch mit Rückgriff auf karolingische Vorbilder an die *Christiana religio*:
XRIANE RELIGIONIS ET ROMANE R(ei) P(ublice) OTTO *IMP(erator)*

---

51 Dazu und zum folgenden: Wolfgang Christian Schneider, Die Generatio Imperatoris
    in der Generatio Christi. Ein Motiv der Herrschaftstheologie Ottos III. in Trierer,
    Kölner und Echternacher Handschriften, in: Frühmittelalterliche Studien 25 (1991)
    228–58.
52 Zur Exklusivität des Augustus-Titels im ottonischen Reich vgl. Johannes Fried, Otto
    III. und Boleslaw Chrobry. Das Widmungsbild des Aachener Evangeliars, der „Akt
    von Gnesen" und das frühe polnische und ungarische Königtum, 2. durchgesehene
    und erweiterte Auflage, Stuttgart 2001.

AUG(ustus). Christliche Religion und römische *Res publica* sehen sich im Kaiser vereint. Und mehr noch: Die Generatio des Kaisers ist in die Generatio Christi hineingenommen, in den Anfang des Erlösungswerkes Christi, der für jeden Kenner zugleich – gemäß Apocalypsis 22,16–20 – auf seine Erfüllung und den Abschluß des Neuen Testaments verweist:

> Ich bin die Wurzel und das Geschlecht Davids (*radix et genus David*), der helle Morgenstern. Und der Geist und die Braut rufen: Komm! Und wer es hört, der rufe: Komm! Und wen dürstet, der komme, und wer da will, der nehme das Wasser des Lebens umsonst … Es spricht, der solches bezeugt: ‚Ja, ich komme bald.‘ Amen. Komm Herr Jesus!

Christliche Religion, römisches Imperium, seine Erneuerung und die Erwartung des Herrn zum Gericht sind ineinandergeschlungen – ein weltumspannender Gedächtnisort.[53] Er endlich sollte es bleiben.

Otto war „Gesalbter des Herrn" (*Christus Domini*) und Romkaiser. Ihm huldigten von *ROMA* angeführt, die auch seine erste Kaiserbulle vergegenwärtigte, die Provinzen seines Reiches.[54] Er war der Weltenherrscher, zu dessen Füßen die Weltkugel ruhte, die Majestät schlechthin.[55] Für diesen Jüngsten der Ottonen wurde in romerneuernder Absicht der Typus des Majestätssiegels geschaffen,[56] den dann für alle Zeit sich Kaiser und Könige, die regierenden Fürsten aneigneten. Die Halbbüste, die sein Großvater für das Kaisersiegel eingeführt, sein Vater beibehalten und auch er selbst als König benutzt hatte, war lediglich ein Schritt darauf zu.

Doch scheint in Sachsen nicht jedermann diese Rom-Begeisterung seines Königs und Kaisers geteilt zu haben. Der Geschichtsschreiber Widukind von Corvey, ein Zeitgenosse Ottos des Großen, jedenfalls wollte noch am Ende von dessen, die eigenen Kräfte in Italien verzehrenden Regierung nichts von einem römischen Kaisertum wissen. Als gar die ersten schweren Rückschläge in Italien zu verkraften waren, und als der Morbus Italicus immer häufiger die Heere dahinraffte, nahm die Ablehnung zu und verdüsterte rückblickend das Bild der jüngeren Ottonen. *Novam normam* habe Otto II. eingeführt, den rechten Weg einstiger Wahrheit und Gerechtigkeit verlassen, so beklagte, lange nach Ottos III. Tod (1002), der Geschichtsschreiber Thietmar von Merseburg und meinte damit

---

53 Die eschatologische Deutung des Programms der Generation des Kaisers in der Generatio Christi hat Schneider (s. Anm. 51), 244–6 am Beispiel des Evangeliars von St. Gereon herausgearbeitet, dessen Matthäus-Initiale unter dem Bild des apokalyptischen Lammes steht.
54 Bayerische Staatsbibliothek München clm 4453 (Evangeliar Ottos III.), fol. 23v–24r.
55 Erstes und zweites Kaisersiegel: Schramm (s. Anm. 39), 199, Nr. 98–9.
56 Drittes Kaisersiegel: Schramm (s. Anm. 39), 199 Nr. 100.

die ,Byzantinismen', die durch Theophanu im Westen heimisch wurden,[57] mithin
die Orientierung am Gedächtnisort des Römischen Reiches. Noch schärfer
urteilte Brun von Querfurt, bald ein Märtyrer, der jenen zweiten Otto schalt,
weil er „kindischem Rat" gefolgt sei, womit er wohl den Einfluß der „Griechin"
meinte, die auch seinen Sohn, Otto III., erzogen hatte.[58] Der Nachfolger dieses
mit 21 Jahren gestorbenen Kaisers, der nicht viel ältere Heinrich II., brach denn
radikal mit der Renovatio-Politik seines Vorgängers.

Auch im Westen des einstigen Karlsreiches hielt man sich deutlich zurück.
Bei Richer von Reims ist das Ottonenreich lediglich ein *Regnum Germaniae*.
Und für Adso von Montier-en-Der, den Autor eines bis ins Spätmittelalter ein-
flußreichen und weit verbreiteten Antichrist-Libells, war um 950, in kaiserloser
Zeit, der westfränkische Karolinger der Repräsentant des endzeitlich-römischen
Kaisertums. Das *Regnum Romanorum* wird, so der Libellist in Paulinischer
Gedächtnisfigur, am Ende der Zeiten „alle Reiche dieser Erde sich unterworfen
haben und alle Nationen werden den Römern untertan sein". Noch sei die Zeit
nicht erfüllt, der „Abfall" noch nicht erfolgt, obgleich das *Romanum Imperium*
bereits zum größten Teil zerstört sei (*destructum*). Doch solange „die Franken-
könige regieren, die das römische Imperium innehaben sollen, wird die Würde des
Römischen Reiches nicht untergehen" (*quamdiu reges Francorum duraverint,
qui Romanum imperium tenere debent, Romani regni dignitas ex toto non peri-
bit*). Einer von ihnen wird es am Ende ganz beherrschen; „er wird der größte und
aller Könige letzter sein" (*Unus ex regibus Francorum Romanum imperium ex
integro tenebit, qui in novissimo tempore erit et ipse erit maximus et omnium
regum ultimus*). Er ziehe nach Jerusalem und lege dort Zepter und Krone am
Ölberg nieder. Dann wird das Ende sein (*finis et consummatio Romanorum chri-
stianorumque imperii*).[59] Adso war der letzte Autor, der einen Karolinger und
überhaupt einen westfränkisch-französischen König so unmittelbar mit dem
Römischen Imperium in Verbindung brachte.

Einer von Adsos Adressaten, der westfränkische König Lothar, gedachte gar
(in wenig verhüllter Kritik an Otto I.) Konstantins des Großen, der Rom dem
Apostelfürsten und dem Papst überlassen und sich nach Byzanz zurückgezogen
habe. Doch griff bereits der erste Kapetinger auf dem Thron, Hugo Capet, den
Augustus-Titel auf, um seine Gleichrangigkeit mit den Ottonen zu bekunden.
Dieser König wünschte ein Heiratsbündnis mit den Basileis Basilius II. und Con-

---

57 Thietmar, Chronik, ed. Holtzmann (s. Anm. 43), II, 44–5, 92–4.
58 Brun von Querfurt, S. Adalberti Pragensis episcopi et martyris vita altera, ed. Hedwig
    Karwasińska (MPH series nova 4,2), Warschau 1969.
59 Adso Dervensis, De ortu et tempore Antichristi necnon et tractatus qui ab eo
    dependunt, ed. Daniel Verhelst (Corpus Christianorum Continuatio Medievalis 45),
    Turnhout 1976, 25–6. Vgl. Möhring (s. Anm. 4), 144–8.

stantin VIII. und bot als Gegengabe den Schutz der *fines Romani Imperii* vor *Gallus* und *Germanus*, was hieß: den Schutz des byzantinischen Reiches vor dem links- und rechtsrheinisch herrschenden Kaiser aus Sachsen.[60] Als Gedächtnisort wird ein derartiges Reichsverständnis nicht zu deuten sein. Die *Historia Francorum Senonensis*, eine knappe, sachlich unzuverlässige, doch durch ihre spätere Rezeption für die französische Geschichtsschreibung hoch wirksame Darstellung der westfränkischen karolingischen und frühkapetingischen Geschichte zu Beginn des 11.Jahrhunderts, wies dem bald *imperator*, bald *rex* titulierten Otto II. kein Imperium zu; im Gegenteil: Sie machte ihn zum Vasallen des *rex Francorum*.[61] Das *Imperium Romanorum* billigte sie (neben dem *regnum Francorum*) allein im Rückblick Ludwig dem Frommen und dessen Sohn Karl dem Kahlen, keinem lebenden französischen König zu.[62] Auch sie etablierte keinen Gedächtnisort ‚Rom‘, sondern erinnerte an die frühere reale, doch längst vergangene Herrschaft über Rom. Dreihundert Jahre nach Adso von Montier-en-Der bestritt dann einer der Hofjuristen Philipps des Schönen, Pierre Belleperche, daß das *Regnum Francie*, Frankreich, jemals zum Herrschaftsbereich des *Imperator Romanus* gehört habe; es sei frei.[63]

Der Bruch mit der imperialen Italien- und Rompolitik der Ottonen trat also unter Heinrich II. zu Tage, der sie aus Einsicht in die überhohen ‚Kosten‘ an materiellen Gütern und Menschenleben – „tausendfacher Tod, tausendfache Erschöpfung" (Brun von Querfurt) – aufgab. Doch war dieser Bruch nicht so einschneidend wie einst jener, der nach Karl dem Großen durch seinen Sohn Ludwig den Frommen herbeigeführt wurde. Der Anspruch nämlich auf die römische Herrschaft und den Römernamen blieb nun mit dem Kaisertum gewahrt. Heinrich bekundete es durch mehrere vergleichsweise kurze Italien- und Romzüge. Seine Nachfolger hielten es bis hin zu Friedrich Barbarossa ebenso. Auch im Titel wurde es manifest: Nicht nur wurde der römische Kaisertitel beibehalten: *Romanorum imperator augustus* lautete er fortan stets; der Römernamen wurde mit der Zeit auch dem Königstitel hinzugefügt: *Romanorum Rex*. Es geschah

---

60   Die Briefsammlung Gerberts von Reims, ed. Fritz Weigle (MGH Die Briefe der deutschen Kaiserzeit 2), Weimar 1966, ep. 111 von 988, 139 mit Anm. 5; ebenfalls in: Gerbert d'Aurillac, Correspondance 1. Lettres 1–129, ed. Pierre Riché und Jean-Pierre Callu (Les Classics de l'Histoire de France au Moyen-Age), Paris 1993, Nr. 111, 268–70.

61   Hugo von Fleury, ed. Pertz (s. Anm. 45), 367; zur Bedeutung dieses an sich unscheinbaren Werkes vgl. Joachim Ehlers, Die Historia Francorum Senonensis und der Aufstieg des Hauses Capet, in: Journal of Medieval History 4 (1978) 1–25.

62   Hugo von Fleury, ed. Pertz (s. Anm.45), 365,1 und Z. 10–1.

63   Petrus de Bella Pertica, *Lectura aurea super librum Institutionum*, zur Rubr. Inst., Ed. Paris 1513 (Exemplar UB Heidelberg) fol. Iiii r; vgl. Domenico Maffei, La donazione di Costantino nei giuristi medievali, Mailand 1964, 120–7.

eben unter Heinrich II. zum ersten Mal (in einer um 1017/1021 auf das Jahr 1007
rückdatierten Urkunde für Bamberg) und zwar in Auseinandersetzung mit dem
italischen Königtum Arduins von Ivrea,[64] sodann wiederholt in Diplomen für
burgundische Empfänger.[65] Kontinuierlich freilich begegnet dieser Titel – und
zwar in Abwehr eines einschränkend bloß auf die „Deutschen" und ihr Reich
nördlich der Alpen bezogenen, Italien gar ausklammernden Königtums – für den
noch nicht zum Kaiser gekrönten salisch-staufischen Herrscher erst seit Heinrich V.[66] Bei Licht besehen kann er schwerlich als Gedächtnisort des antiken
römischen Imperiums gelten; der Titel proklamierte vielmehr einen konkreten,
auf die ‚Reichsgebiete' Italiens konzentrierten politischen Anspruch und eine
entsprechende Verpflichtung für die Gegenwart.

Anderes verweist auf eine nämliche Rechtswahrung. So kam in jenen Jahren
auch die erinnerungs- und anspruchsschwere Legende der Goldbullen auf, wie
sie dann die späteren Kaiser übernahmen: *ROMA CAPUT MUNDI REGIT
FRENA ORBIS ROTUNDI.* Sie begegnet zuerst an einer Urkunde Konrads II.
aus dem Jahr 1033 und war eine Erfindung seines Kapellans, des gelehrten Bur-
gunders Wipo. Die Worte umgaben das stilisierte Bild der Stadt, der schon von
Otto III. im Kontext seiner zweiten (bleiernen) Kaiserbulle erneuerten *AUREA
ROMA.*[67] Der Typus wurde beibehalten bis zum Ende des Mittelalters und darf
als eine Gedächtnisfigur gelten, die das antike Rom für den Herrscher aus
Deutschland in Anspruch nahm, der sich tatsächlich kaum mehr in der ewigen
Stadt blicken ließ. Ideal und Realität traten damit scharf auseinander. Die hohe
Konstruktivität dieses Gedächtnisortes ist evident.

Dennoch, das ottonisch-salische Reich galt die längste Zeit und bei den meisten Autoren nicht als ein *Imperium Romanum.* Wenn von Rom die Rede war, so
wurde vielfach nur eines Reichsteils gedacht, das zu den anderen – dem ost-
fränkisch-deutschen, dem langobardischen, italischen oder burgundischen – hin-
zutrat. Erst gegen Ende des 11. Jahrhunderts sollte es sich ändern und verbreitete
sich die Vorstellung vom Kaisertum und Kaiserreich der Salier als einem römischen.[68] Es kontrastierte mit der anderen Einschätzung des nordalpinen Reiches

---

64 Wolfgang Christian Schneider, Heinrich II. als Rex Romanorum, in: Quellen und
    Forschungen aus italienischen Archiven und Bibliotheken 67 (1987), 421–46.
65 Helmut Beumann, Der deutsche König als „Romanorum rex" (Sitzungsberichte der
    Wissenschaftlichen Gesellschaft an der Johann Wolfgang Goethe-Universität Frank-
    furt am Main 18,2), Wiesbaden 1981, 34–5.
66 Beumann (s. Anm. 65), 13–4.
67 Bloch (s. Anm. 39), 94–7.
68 Ekkard Müller-Mertens, Römisches Reich im Besitz der Deutschen, der König an
    Stelle des Augustus. Recherche zur Frage: Seit wann wird das mittelalterlich-frühneu-
    zeitliche Reich von den Zeitgenossen als römisch und deutsch begriffen?, in: Histori-
    sche Zeitschrift 282 (2006), 1–58.

als eines „deutschen" (*regnum Teutonicum*), die sich neuerlich – propagiert zumal durch den Papst Gregor VII. – durchsetzte, und mit der immer deutlicheren *Imitatio imperii* durch das Reformpapsttum eben dieses Gregors und seiner Nachfolger: Der wahre Kaiser sei der Papst.

Dagegen fand ein anderes Konzept Verbreitung, an dem das Papsttum, sehe ich recht, empfangend zu keiner Zeit partizipierte: die *Translatio imperii*, die Übertragung des Imperiums aus dem Osten nach dem Westen. Die Theorie entwickelte sich aus der heilsgeschichtlich-linearen Deutung der Welt im Anschluß an die von Hieronymus begründete Exegese von Nebukadnezars Traum im Buch Daniel.[69] Die antike Abfolge der Reiche, wie sie etwa bei Orosius anzutreffen oder in der Königshalle zu Ingelheim mit den Herrschergestalten ins Bild gesetzt worden war und auf Jahrhunderte sichtbar blieb, wurde in einen die Weltgeschichte durchziehenden Translationsprozeß der ersten und einzigen Weltmonarchie umgedeutet: von Assur, Persien und Babylon über Griechenland (Alexander) nach Rom und dort wieder (durch Konstantin) zu den Griechen (Byzanz) und durch den Papst zu den Franken und endlich – nach Otto von Freising – zu den „deutschen Franken": ein einziges Weltkaisertum. Die Vorstellung formte sich allmählich vom 9. zum 11. Jahrhundert, wobei wohl – wenn auch erst seit der Mitte des 11. Jahrhunderts – die Formulierung des *Constitutum Constantini*, wonach Konstantin sein *Imperium* und die *Regni potestas* nach dem Orient „transferierte" (Z. 271–2), Geburtshilfe leistete. Die elaborierte Theorie freilich erhöhte das römische Imperium gerade zu keinem in besonderer Weise herausragenden Gedächtnisort. Im Gegenteil, Rom erschien lediglich als ein Durchgangsstadium der Weltmonarchie wie die anderen Reiche auch.

Allein die Geburt Christi unter einem römischen Kaiser und die Entfaltung der Kirche Christi im Schutz des Römischen Reichs verliehen diesem Imperium einen besonderen, heilsgeschichtlich ausgezeichneten, memorier-, aber nicht ‚renovierbaren' Rang. „Warum aber Gott gerade diesem Volk oder dieser Stadt so viel mehr Gnade als anderen zukommen ließ, das können wir nicht erörtern. Ich kann nur sagen (so reflektierte der Bischof von Freising), es sei aufgrund der Verdienste des Apostelfürsten geschehen, von dem Gott voraussah, daß er dort seinen Sitz errichten werde."[70] So war nach Karl und den Ottonen ein dritter Impuls nötig, um das mittelalterliche Imperium trotz wachsender Romferne dauerhaft zu einem „Römischen" werden zu lassen. Er kam zugleich mit der

---

69 Zum folgenden: Werner Goez, Translatio Imperii. Ein Beitrag zur Geschichte des Geschichtsdenkens und der politischen Theorien im Mittelalter und in der frühen Neuzeit, Tübingen 1958.

70 Otto von Freising, Chronica sive historia de duabus civitatibus, ed. Adolf Hofmeister (MGH SS rerum Germanicarum in usum scholarum seperatim editi 45), Hannover/ Leipzig 1912, Prolog zu Buch III., 134, 14–22.

Rezeption des römischen Rechts und der entstehenden Rechtswissenschaft und
gedieh in den Stürmen der Kirchenreform des späten 11. und 12. Jahrhunderts
und im Konflikt mit einem weltherrscherlichen Papsttum. Es wurde ein zwie-
facher Kampf um Rom: um den imaginativen Gedächtnisort wie um die reale
Stadt am Tiber. Seitdem, genauer: erstmals bei dem Chronisten Adam von Bremen und dem Weltchronisten Marianus Scottus in den 1070er Jahren, findet sich
die Durchzählung der Kaiser (oder Könige) von Augustus oder Caesar an bis
auf den gegenwärtig regierenden Herrscher aus dem Königshaus der Salier.[71] So
ergab es sich aus der Theorie der *Translatio imperii*.

Übrigens – und dies kann hier nur beiläufig bemerkt werden – äußerte sich
dieser jüngste Impuls keineswegs nur in den erhabenen Höhen des Kaisertums.
Er artikulierte sich vielmehr gerade auch – und für unser eigenes Antikenbild
vielleicht noch wirksamer – in den aufstrebenden Kommunen Nord- und Mittel-
italiens. Manch ein Monument, das den Jahrhunderten seit der Antike nur mit
einigem Glück hatte trotzen können, wurde durch kommunale Wiederbelebung
vor einem endgültigen Untergang bewahrt. Pisa machte dabei den Anfang; es trat
bewußt und gezielt in Roms Spuren, nachdem die Stadt erste erfolgreiche Kämpfe
gegen Muslime in Afrika, in Alt-Karthagos Nachbarschaft, bestanden hatte und
sich anschickte, weiter in das Mittelmeer auszugreifen. Das Triumphlied nach der
erfolgreichen (noch mit dem späteren Erbfeind Genua gemeinsam durchgeführten) Flottenexpedition im Jahr 1087 gegen al-Mahdîya und Zawîla ließ keinen
Zweifel: Pisa sah sich als Erbe der Scipionen, als neues Rom … *Inclitorum Pisa-
norum scripturus istoriam, // antiquorum Romanorum renovo memoriam // nam
extendit modo Pisa laudem admirabilem, // quam recepit olim Roma vincendo
Cartaginem* (v. 1–4).[72] Stolze, machtbewußte und herausfordernde Verse – nicht

---

71 Müller-Mertens (s. Anm. 68).
72 „Der erhabenen Pisaner Geschichte will ich schreiben, der alten Römer Gedächtnis
    erneuern. Denn jetzt breitet sich Pisas hoher Ruhm aus, den einstmals Rom empfing,
    als es Karthago besiegte". – Giuseppe Scalia, Il carme pisano sull'impresa contro i
    Saraceni del 1087, in: Studi di filologia romanza. Scritti in onore di Silvio Pellegrini,
    Padua 1971, 1–63, hier 33 das Zitat; dazu H. E. J. Cowdrey, The Mahdia campain of
    1087, in: The English Historical Review 92 (1977) 1–29. Zum sozialhistorischen Kon-
    text: Craig B. Fisher, The Pisan Clergy and an Awakening of Historical Interest in
    a Medieval Commune, in: Studies in Medieval and Renaissance History 3, hrsg. von
    W. M. Bowsky, Lincoln 1966, 143–219; Il Duomo di Pisa, hrsg. von Adriano Peroni,
    3 Bde., Modena 1995; ders., „Spolia" e architettura nel Duomo di Pisa, in: Antike Spo-
    lien in der Architektur des Mittelalters und der Renaissance, hrsg. von Joachim
    Poeschke, München 1996, 205–24; Max Seidel, Dombau, Kreuzzugsidee und Expan-
    sionspolitik. Zur Ikonographie der Pisaner Kathedralbauten, in: Frühmittelalterliche
    Studien 11 (1977) 340–69 (mit 8 Tafeln); ders., Nicola Pisano. Bauskulptur, in: Mittei-
    lungen des Kunsthistorischen Instituts in Florenz 43 (1999) 253–332; Mauro Ronzani,
    La formazione della piazza del Duomo di Pisa (secoli XI–XIV), in: La piazza del

zuletzt an die Adresse Genuas gerichtet – wurden wenig später als Inschriften an die Fassade des Doms geschlagen, noch heute dort zu lesen.[73] Wenn sie auch Rom nicht erwähnen, so gehören sie doch zu dem Komplex der ‚Romanitas' Pisana, wie ihn Giuseppe Scalia benannte und beschrieb.[74] Politische Legitimation und ein neuer Blick für antike Monumente, eine politische Ästhetik also, trafen zusammen. Die gesamte Gestaltung des Dom-Ensembles mit Baptisterium und Campo Santo und seiner Stein gewordenen Romidee, mit den zahlreichen, in Augenhöhe sichtbar vermauerten Spolien, der Antikenrezeption etwa im Werk des Nicola Pisano, mit den tatsächlich aus Rom importierten ‚echten' Marmi manifestierte und verkündete selbstbewußt das Römertum der hochmittelalterlichen Kommune Pisa: „Ich bin das zweite Rom genannt". *Ego Roma altera iam solebam dici, // que sum privilegiis dives Federici, // propter gentes barbaras quas ubique vici.* Jenes Privileg Friedrich Barbarossas (1162) pries die Pisaner Bürgerschaft in der Tat, zwar nicht wegen der Siege, die sie erfochten, wohl aber wegen ihrer Treue zu den „göttlichen römischen Königen und Kaisern":

> *Quanta enim fidelitate et probitate Pisana civitas a prima sui fundatione caput suum inter alias civitates extulerit, quanta enim constantia divis antecessoribus nostris regibus Romanorum et imperatoribus fidelissime serviendo perseveranter adheserit ... luce clarius constat.*[75]

Zwei Gedächtnisorte wurden hier miteinander verbunden: Das Privileg floß aus dem Reichtum des kaiserlichen und schmeichelte dem aufstrebenden kommunalen Stolz.

Auch andernorts verbreiteten sich entsprechende Vorstellungen. Die Stadt Rom selbst – und nur dieses Beispiel sei noch knapp angedeutet – ließ gleichfalls das kulturelle Zusammenspiel von kaiserlicher und kommunaler Romerneuerung aufscheinen. Die Bewohnerschaft der ewigen Stadt konnte sich stets ihrer glorreichen Vergangenheit erinnern und tat es wiederholt. Im Umfeld des päpstlichen

---

Duomo nella città medievale (nord e media Italia, secoli XI–XVI), in: Bollettino dell'Istituto Storico Artistico Orvietano 46/47 (1990/91; ersch. 1997) 19–134.

73 Giuseppe Scalia, Epigrafica Pisana. Testi latini sulla spedizione contro le Baleari del 1113–15 e su altre imprese anti-saracene del secolo XI, in: Miscellanea di Studi Ispanici 6, Florenz 1963, 234–86 (mit 5 Tafeln). Nicht verfügbar war mir Ottavio Banti, Le epigrafi e le scritte obituarie del duomo di Pisa (Biblioteca del „Bollettino Storico Pisano", Fonti 5), Pisa 1996.

74 Giuseppe Scalia, „Romanitas" Pisana tra XI e XII secolo. Le iscrizioni romane del duomo e la statua del console Rodolfo, in: Studi Medievali 13,2 (1972), 791–843 (mit 13 Tafeln), dort 805 die folgenden Verse (aus der ältesten Handschrift des *Liber Maiorichinus*, s. XII).

75 Friedrich I. Constitutio 205 [Conventio cum Pisanis, 1162 Apr. 6], ed. Ludwig Weiland (MGH Constitutiones 1), 282–7, Nr. 205, hier 282.

Patriarchiums und der Kurie reiften immer aufs neue die Früchte einer reichen
Tradition. Hier war ‚Rom' mit seinen antiken Monumenten, Inschriften, Skulp-
turen, Gebälkstücken, Kapitellen, Säulen und Mauern, mit Kolosseum, „Madama
Lucrezia" oder „Bocca della verità" nicht bloß Gedächtnisort, sondern in wech-
selnder Gestalt verheißungsvolle Gegenwart.[76] Zahlreiche kirchliche Neu- und
Umbauten des 12. und 13. Jahrhunderts bedienten sich der Spolien, um ‚imperiale' Konnotation sichtbar zu machen, während der Palatin mit seinen antiken
Kaiserpalästen verlassen lag. Auch der exklusiv kaiserliche Porphyr, nur noch in
den antiken Kaiserbauten sekundär verfügbar, fand im päpstlichen Zeremoniell
wiederholt als Zeichen der *Imitatio imperii* Verwendung.

Die städtische Kommunebewegung griff derartiges auf. Ein frühes Beispiel
anspruchsvoller Antikenrezeption in ihrem Kontext bietet die „Casa di Crescen-
zio" (um 1150?) mit ihrer programmatischen Portalinschrift: ... *Romae veterem
renovare decorem* sowie die bald verbreitete Zusammenstellung römischer antiker „Mirabilien" in den *Mirabilia urbis Romae*. Einen ersten Höhepunkt bedeu-
tete die „Erneuerung" des Senats um 1140, die „Rückkehr" der städtischen Regierung auf das Kapitol und dessen „Reedifikation" durch Arnold von Brescia
(*reedificandum Capitolium*), das Angebot an Friedrich Barbarossa, das Kaisertum aus den Händen eben dieser Römer zu empfangen, mithin die *Lex de imperio*, die *Lex regia* zu erneuern, die am *Campus Lateranensis* auf eherner Tafel zu
lesen stand. Der Appell an die Antike sollte das eigene revolutionäre Vorgehen,
die Emanzipation aus dem päpstlichen Regiment, legitimieren. Später, zumal
während der Phase des Avignonesischen Papsttums, wurde das Kapitol, dessen
‚Schauseite' sich vom antiken, zur Viehweide abgesunkenen Forum ab- und dem
Abitato der mittelalterlichen Stadt im Tiberbogen zugewandt hatte, Sitz der
Regierung. In der Epoche Karls IV. erstand der Kommune dann in Cola di Rienzo
der stimmgewaltigste Herold.

In dieser Zeit also, in der das mittelalterliche Imperium ein römisches wurde
und die Kommunen sich ihres „Römertums" besannen, erfolgte die Rezeption
der Justinianischen Digesten und die Wiedergeburt der römischen Jurisprudenz,
ja, entstand aus dieser Erneuerung die europäische Rechtswissenschaft schlechthin.[77] Die Quellen des römischen Rechts verkündeten in zahlreichen Stellen in
prägnanten und hochtönenden Worten die Kompetenzfülle und Rechte des *Prin-*

---

76 Arnold Esch, Rom, in: Der Neue Pauly 15,2, Stuttgart/Weimar 2002, Sp. 841–63. Zur
    Thematik allgemein und auch außerhalb Roms: Joachim Poeschke, Antike Spolien in
    der Architektur des Mittelalters und der Renaissance, München 2002; Arnold Esch,
    Reimpiego, in: Enciclopedia dell'Arte Medievale 9, Rom 1998, 876–83; ders., Wieder-
    verwendung von Antike im Mittelalter. Die Sicht des Archäologen und die Sicht des
    Historikers (Hans-Lietzmann-Vorlesungen 7), Berlin/New York 2005.
77 Hermann Lange, Römisches Recht im Mittelalter 1: Die Glossatoren, München 1997.

ceps und die Idee imperialer Glorie. Die Kaiser zögerten nicht, diese Nachhilfe in Theorie und Reichskonzeption, in der Wahrnehmung der eigenen Herrlichkeit, anzunehmen. Damit wurde die Einheit des antiken und des mittelalterlichen „Römischen Reichs" etabliert und juristisch legitimiert. Jetzt stand ein anderes Aussagenbündel zur Konstruktion des Gedächtnisortes ‚Rom' und ‚römisches Reich' zur Verfügung als je zuvor im Mittelalter. Das staufische Kaisertum profitierte nachhaltig davon. Es inszenierte sich in der Folge legistisch, sakral und christlich.

Dieses „Kaiserrecht" blieb das gesamte Mittelalter hindurch virulent und Quelle immer neuer Romvisionen.[78] Wohin es führte, verdeutlicht beispielsweise der gefeierte, in den Jahrzehnten um 1200 tätige Bologneser Legist Azo. Er lehrte gleich zu Beginn seiner *Lectura super Codicem*: Gestärkt durch *Arma et leges* sei das *genus Romanorum* allen Nationen vorangestellt und herrsche in den vergangenen Zeiten wie in Ewigkeit durch sein Imperium über alle: *genus Romanorum omnibus anteponi nationibus, omnibusque imperio dominari tam preteritis temporibus quam Deo propitio efficiet in aeternum.*[79] Eine erste Staatslehre entstand. Erste staatsrechtliche Prinzipien wurden mit Hilfe dieser Jurisprudenz formuliert oder wörtlich von Ulpian und seinen Kollegen übernommen: *Quod principi placet legis habet vigorem* (D. 1.4.1pr.); *Princeps legibus solutus est* (D. 1.3.31); der Kaiser galt als *lex animata* (Nov. 105.2.4); *Dignitas* (auch *Fiscus*) *non moritur*[80] oder die Lehre von der *Persona ficta* des Herrschaftsverbandes, der Genossenschaft oder *Universitas* und dergleichen Doktrinen mehr erblickten jetzt das Licht der mittelalterlichen Welt.

In staufischer Zeit, zumal unter Friedrich Barbarossa, wurde derartiges wörtlich verstanden:[81] Das Reich galt für universal, als Weltmonarchie. Der Kaiser stehe über den *Reguli*, den Königen Europas, tönte es aus Produkten der staufischen Kanzlei. Durchsetzen ließ sich derartiges nicht; aber es förderte die ‚Imperialisierung' eben dieser Könige. *Rex est imperator in regno suo*, hieß es schon nach wenigen Jahrzehnten; und diese Maxime, keineswegs nur, wenn auch frühzeitig (1250 oder 1256) explizit auf den König Frankreichs gemünzt, ließ sich auf

78   Hermann Krause, Kaiserrecht und Rezeption (Abhandlungen der Heidelberger Akademie der Wissenschaften. Phil.-Hist. Klasse 1952,1), Heidelberg 1952.

79   Azo, Lectura super Codicem (Ad singulos leges XII librorum codicis Justinianei commentarius), ed. M. Viora (Corpus Glossatorum Juris Civilis 3), Turin 1966 [Nachdruck der Ausgabe Paris 1577], 3 (zu 1,1, 5–6).

80   Ernst H. Kantorowicz, Christus – Fiscus, in: ders., Götter in Uniform. Studien zur Entwicklung des abendländischen Königtums, hrsg. von Eckhart Grünewald und Ulrich Raulff, Stuttgart 1998, 255–62.

81   Auf frühe Rezeption bei ‚staufischen' Autoren verweist Thomas Szabo, Römischrechtliche Einflüsse auf die Beziehung des Herrschers zum Recht, in: Quellen und Forschungen aus italienischen Archiven und Bibliotheken 53 (1973) 34–48.

jedes Fürstentum anwenden.[82] Gemeinsam mit dem der Dekretale *Per venerabilem* Innocenz' III. entnommenen Prinzip: *rex in temporalibus superiorem minime recognosc[it]*, wurde dieser Satz zu dem entscheidenden Ausgangspunkt der europäischen Souveränitätslehre. Das Königreich Frankreich wurde nun eigens aus dem *Imperium Romanum* ausgenommen und hatte diesem, so lehrten die Juristen zumal in Frankreich, auch niemals angehört.[83] Im Westen des einstigen Karlsreiches entstand denn auch keine imperiale Tradition. Erst mit Napoleon sollte es sich ändern. Entsprechende Mühe gab sich Marinus da Caramanico, der angiovinische Kommentator der Konstitutionen von Melfi Friedrichs II. gegen Ende des 13.Jahrhundert, die Gleichheit eines jeden „freien Königs" und Fürsten, sogar freier Kommunen mit dem Kaiser zu begründen.[84]

Eben dieser, der Kaiser, freilich suchte seit Heinrich V. immer wieder den Rat der Legisten.[85] Zumal die berühmten *Quattuor doctores* verdienten sich dabei – je nach politischem Standort der Berichterstatter – Ruhm oder Schelte. Sie hatten dem Kaiser Rotbart auf dem Reichstag von Roncaglia (1158) aufgrund ihrer „Leges" aufgewiesen, welche Rechte („Regalien") das Reich über die Kommunen besäße; und Friedrich hatte es umgehend als Gesetz verkündet.[86] Alles, was Kaiser und Kaisertum berührte, war *sacer*, der Palast so gut wie die Gesetze, die Person des *Princeps* so gut wie ihr Handeln. So wurde das staufische Reich das *Sacrum Romanum imperium*, alsbald also ein „Heiliges Römisches Reich".[87] Schon unter Friedrich I. war dieser Schritt vollzogen. Der Rotbart trat in die Nachfolge Konstantins, Valentinians und vor allem Justinians, christlicher Im-

---

82 Bruno Paradisi, Il pensiero politico di giuristi medievali, in: Storia delle idee politiche, economiche e sociali, diretta da Luigi Firpo, Turin 1973, 43–62; Robert Feenstra, Jean de Blanot et la formule *Rex Franciae in regno suo princeps est*, in: ders., Fata Iuris Romani. Etudes d'histoire du droit, Leyden 1974, 139–49.

83 S. Anm. 63.

84 Vgl. das Proömium zit. nach: Constitutiones Regni Siciliae. Liber Augustalis. Faksimiledruck mit einer Einleitung von Hermann Dilcher (Mittelalterliche Gesetzbücher europäischer Länder in Faksimiledrucken 6), Glashütten/Taunus 1973 [Nachdruck der Ausgabe Neapel 1475], 1–5.

85 Für die Frühzeit vgl. Johannes Fried, Die Rezeption Bologneser Wissenschaft in Deutschland während des 12. Jahrhunderts, in: Viator 21 (1990), 103–45.

86 Vittore Colorni, Die drei verschollenen Gesetze des Reichstages bei Roncaglia, wiederaufgefunden in einer Pariser Handschrift (Bibl. Nat. Cod. Lat. 4677), deutsche Übersetzung von Gero Dolezalek (Untersuchungen zur deutschen Staats- und Rechtsgeschichte, Neue Folge 12), Aalen 1969.

87 Gottfried Koch, Auf dem Weg zum Sacrum Imperium. Studien zur ideologischen Herrschaftsbegründung der deutschen Zentralgewalt im 11. und 12. Jahrhundert (Forschungen zur mittelalterlichen Geschichte 20), Berlin 1972.

peratoren.[88] Und als Führer der Christenheit sah sich der Staufer durchaus. Sein Kaisertum bedurfte keiner Mittlerschaft des Papstes; es empfing, wie man sagte, sein Schwert von Gott. Auch eschatologische Momente fehlten nicht, wonach das staufische Geschlecht der Erbe des einzigen, seit Anbeginn der Weltmonarchie durch alle Zeiten herrschenden, mithin auch endzeitlichen Herrschergeschlechts war.

Dieser Friedrich verkündete sein römisches Erneuerungsprogramm bereits in seiner Wahlanzeige an den Papst Eugen III. (1152). *Romani imperii celsitudo in pristinum suae excellentiae robur Deo adiuvante reformetur.*[89] Nach dem Geschichtsschreiber Rahewin wurde schon auf dem Reichstag von Roncaglia 1156 die *lex regia* für den Kaiser in Anspruch genommen, also jene *Lex*, die festhielt, daß das römische Volk seine gesamte Macht auf den *Princeps* übertragen habe, und an die in Rom unlängst appelliert worden war;[90] das Gesetz über die Regalien folgte nach nur zwei Jahren (1158) und die gesamte Italienpolitik des Kaisers versuchte dasselbe mit aller Gewalt zu realisieren. Erste Erfolge wurden panegyrisch übersteigert. Der „Archipoeta" stimmte seine Leier:

> *Salve, mundi domine, Cesar noster, ave!... Princeps terre principum, Cesar Friderice ... Nemo prudens ambigit, te per Dei nutum // Super reges alios regem constitutum.*[91]

Rückschläge erfolgten bald. Diese Kämpfe, die auch die Stadt Rom und das *Patrimonium Petri* nicht ausschlossen und gerne mit der Vorstellung vom *Honor imperii* verbunden wurden,[92] und zumal ihr letzter, katastrophaler Mißerfolg können hier übergangen werden. Der Friede von Venedig, zu dem sich Barbarossa im Jahr 1177 gezwungen sah, verwandelte sich in der Erinnerung des späteren Mittelalters nicht ohne innere Berechtigung in die schwerwiegendste Demütigung des Kaisers, der hier den Fuß des Papstes auf seinem Nacken dulden musste.[93]

---

88 Friedrich I., Constitutio 227 [Constitutio de testamentifactione clericorum, 1165 Sept. 26], ed. Ludwig Weiland (MGH Constitutiones 1), 321–3; dazu Krause (s. Anm. 78), 13.

89 Friedrich I., Diplom 5, ed. Heinrich Appelt (MGH DD 10,1), Hannover 1975, 9–11, hier 11.

90 Otto von Freising und Rahewin, Gesta Friderici, ed. Georg Waitz (MGH SS rerum Germanicarum in usum scholarum seperatim editi 46), 3. Auflage Hannover/Leipzig 1912, IV,5, 237–9; Krause (s. Anm. 78), 32.

91 „Sei gegrüßt, Herr der Welt, unser Caesar, Ave! ... Fürst der Fürsten dieser Erde, Caesar Friedrich ... Kein Vernunftbegabter zweifelt, daß du nach Gottes Willen zum König über die anderen Könige bestellt bist." – Die Gedichte des Archipoeta, kritisch bearbeitet von Heinrich Watenphul, hrsg. von Heinrich Krefeld, Heidelberg 1958, Nr. IX v. 1, 5, 9–10.

92 Knut Görich, Die Ehre Friedrich Barbarossas. Kommunikation, Konflikt und politisches Handeln im 12. Jahrhundert, Darmstadt 2001.

93 Dazu Johannes Fried, Schuld und Mythos. Die Eroberung Konstantinopels (1204) im kulturellen Gedächtnis Venedigs (in Vorbereitung). Vgl. vorläufig: ders., Der Schleier

Immerhin aber dürfte sich von dieser ehrgeizigen Politik ein einzigartiges Bildzeugnis erhalten haben: der Cappenberger Barbarossa-Kopf.[94] Es handelt sich bei diesem Meisterwerk eines anonymen Silberschmieds um die erste nach-antike Portraitplastik, die tatsächlich „nach dem Antlitz des Kaisers" geschaffen sein wollte, und als deren Auftraggeber sich Friedrich selbst bekannte. Sie macht imperiale Wahrnehmungsstrategien und deren dingliche Umsetzung sichtbar. Friedrich hatte das Bild für seinen Taufpaten Otto von Cappenberg bestimmt; durch diesen gelangte es an das Cappenberger Stift, in dessen Kirche das Juwel noch heute verwahrt wird. Seine imperiale Konnotation springt in die Augen; als Vorbild diente vermutlich ein antiker Augustus-Kopf. Das Herrscherbild im doppelten Zinnenkranz vergegenwärtigt den sieghaften römischen Kaiser in sei-ner Stadt Rom. Es wurde vielleicht nach dem Triumph über Mailand (1158) ge-schaffen. Eine wenig beachtete, mentalitätsgeschichtlich aber höchst aufschluß-reiche Episode jener Jahre läßt analoge kognitive Attitüden hervortreten. Man war nämlich bei Andernach auf das Grab eines Mannes mit militärischen Bei-gaben gestoßen, der eine Münze dieses Kaisers bei sich trug, bei dessen Kopf eine „Krone" (corona) und zu dessen Füßen eine Urne (urna) lag – unzweifelhaft eine spätantike Bestattung. Die Finder jubelten: Sie hätten das „Grab des Kaisers Valentinian" entdeckt; umgehend sandten sie das Schwert des Toten mit seinem goldenen Knauf (aureum capulum) und einer Lapis victoriae an ihren Caesar Friedrich.[95] Die Selbstverständlichkeit der antikisierenden Deutung des Befundes und deren Adaption für die Gegenwart illustrieren auf ihre Weise die weit und nicht nur in den Kreisen kaiserlicher Führungseliten verbreitete mentale Präsenz des Gedächtnisortes ‚Rom' und seines ‚Imperiums'.

Einen neuerlichen Höhepunkt erlebte dieser Gedächtnisort unter des Rot-barts gleichnamigem Enkel, dem zweiten Friedrich.[96] Auf ihn verwiesen die Dichter und die Elaborate der staufischen Kanzlei, an ihn erinnerten nicht zuletzt die zahlreichen Monumente der kaiserlichen Baukunst und Bauplastik, angefangen bei dem Brückentor von Capua, dem nach Friedrichs Vorstellungen in antiker Manier gestalteten Einlaß in sein sizilisches Königreich, bis hin zu

---

der Erinnerung. Grundzüge einer historischen Memorik, München 2004, vor allem 157–66.

94 Ich folge hier Wolfgang Christian Schneider, Die Kaiserapotheose Friedrich Barba-rossas im „Cappenberger Kopf". Ein Zeugnis staufischer Antikenerneuerung, in: Castrum Peregrini 217/218 (1995) 7–56.

95 Chronica regia Coloniensis (Annales maximi Colonienses), ed. Georg Waitz (MGH SS rerum Germanicarum in usum scholarum seperatim editi 18), Hannover 1880, 125.

96 Hansmartin Schaller, Die Kaiseridee Friedrichs II., in.: ders., Stauferzeit. Ausgewählte Aufsätze (MGH Schriften 38), Hannover 1993, 53–83.

Bauelementen des späten Castel del Monte.[97] Einprägsame Wendungen kamen in Umlauf. Friedrich hat die *Romani imperii fastigia* erklommen (so nach dem Proömium der Konstitutionen von Melfi von 1231); er sah sich ganz in römischer Tradition: als Gesetzgeber und Richter, als siegreicher Feldherr, als Gelehrter und Literat.[98] Er stellte sein Kaisertum in die Nachfolge der antiken Caesaren; ja, er allein war ihr legitimer Erbe. Schon sein Titel erinnerte an den „erhabenen Julius, den ersten Caesar".[99] Seine Herrschaft war universal, er selbst *dominus mundi*, „beseeltes Gesetz auf Erden" (*lex animata in terris*), „Vater und Sohn der Gerechtigkeit, ihr Herr und Knecht"; er, der Augustus, besaß Allgegenwärtigkeit (*ubiquitas*). Er führte die Zügel des Erdkreises, zwang alles mit Waffen und Gesetzen; der ganze Erdkreis ruht unter seinen Füßen:

> *Cesar, Auguste, princeps mirabilis, // Qui frena regis orbis instabilis ... Cuncta cohortas armis et legibus. // Orbis stat totus sub tuis pedibus ... Nullus in mundo Cesare grandior, // Nullus sub sole Cesare fortior, // Nullus sub luna Cesare clarior, // Nullus ubique Cesare doctior.*[100]

Der Urheber dieses den Erdkreis lenkenden Imperiums war Gott, der es schuf, um das Evangelium zu verbreiten. Der Kaiser verkündete es durchaus in Kenntnis der üblichen Exegese des Lukasevangeliums und bekundete damit seinen Gehorsam gegen den Schöpfer; er stellte sich damit aber zugleich als Christ in die Nachfolge des Augustus. Gerade nachdem Friedrich von dem Papst Innocenz IV. im Jahr 1245 abgesetzt worden war, erinnerte er diesen an seine Einzigartigkeit: *Imperator Romanus, imperialis rector et dominus maiestatis.*[101]

---

97 Arnold Esch, Friedrich II. und die Antike, in: Friedrich II. Tagung des Deutschen Historischen Instituts in Rom im Gedenkjahr 1994 (Bibliothek des Deutschen Historischen Instituts in Rom 85), hrsg. von Arnold Esch und Norbert Kamp, Tübingen 1996, 201–34, hier 213 ff. zu den antikisierenden Elementen des Castel del Monte.

98 Wolfram von den Steinen, Das Kaisertum Friedrichs des Zweiten nach den Anschauungen seiner Staatsbriefe, Berlin/Leipzig 1922; Ernst Kantorowicz, Kaiser Friedrich der Zweite, Berlin 1927; Schaller (s. Anm. 96); Wolfgang Stürner, Friedrich II., 2 Bde., Darmstadt 1992–2000.

99 Historia diplomatica Friderici secundi sive constitutiones, privilegia, mandata, instrumenta quae supersunt istius imperatoris et filiorum eius, ed. Jean Louis Alphonse Huillard-Breholles, 6 Bde., Paris 1852–61, hier Bd. 4 33 u.ö.; vgl. von den Steinen (s. Anm. 98), 24.

100 Hansmartin Schaller, Zum „Preisgedicht" des Terrisius von Atina auf Kaiser Friedrich II., in: ders., Stauferzeit. Ausgewählte Aufsätze (MGH Schriften 38), Hannover 1993, 85–101, hier 98 Z. 1–2; Z. 13–4 und Z. 21–4.

101 So an Innocenz IV.: Friedrich II., Constitutio 262 [Encyclica contra depositionis sententiam, 1245 Iul.–Sept.], ed. Ludwig Weiland (MGH Constitutiones 2), Hannover 1896, 360–6 Nr. 262 (1245), nach der Absetzung durch den Papst.

Im Jahr 1231 erschienen auch die neuen, schweren Goldmünzen, die der
Kaiser prägen und unter anspruchsvollem Namen kursieren ließ, die „Augustalen" und Halbaugustalen.[102] Sie verkündeten unzweifelhaft ein Programm,
geformt von imperialem Romgedächtnis, Herrschermystik und Eschatologie.
Die Vorderseite zeigte Friedrichs an Prägungen des Augustus, vielleicht auch
des Konstantin und Karls des Großen angelehntes Bild mit Lorbeerkranz und
Kaisermantel, ohne Namen, doch mit der Gesamtheit der Kaisertitel: *IMPerator
ROManus CAESar AUGustus*, zeigte mithin den römischen Kaiser schlechthin;
der Revers indessen identifizierte den dort vergegenwärtigten römischen Adler
mit der Inschrift FRIDERICUS. Der Staufer war der Adler, die *orientalis aquila*;
und für diese, „den Adler aus dem Osten", stand andernorts der Vogel Phönix,
der sich in Ewigkeit aus der Asche erhebt. Beide, Adler und Phönix, galten als
Zeichen der Unsterblichkeit des Kaiserhauses.[103] So verschmolz ein dreifaches
Kaisertum: jenes der Gegenwart mit jenem der alten Caesaren und jenem der
Endzeit. Ein Rekurs auf den Endzeitapostel seiner Epoche, auf Joachim von
Fiore, ist dabei nicht festzustellen. Anders als zahlreiche Zeitgenossen folgte der
Staufer dem Visionär aus Kalabrien nicht.

Friedrichs Kreuzzug im Jahr 1228/29 führte überhaupt zu einer mystisch-
eschatologischen Überhöhung der Kaiserwürde, wie sie dem 12. Jahrhundert
noch fremd gewesen ist. Die Verheißungen von Vergils vierter Ekloge schienen in
Friedrich, dem Kaiser mit dem an die *Pax Augusti* erinnernden Namen, neuerlich
in Erfüllung zu gehen. „Vergils vierte Ekloge kann kühnlich die Geburtsurkunde
der abendländischen Kaiseridee genannt werden."[104] Ein neues goldenes Zeitalter
stand bevor. Die Krone des Königreichs Jerusalem, die der Kaiser seit 1229 trug,
steigerte aber die eschatologischen Erwartungen. Der Kaiser trat nun in die
Nachfolge Davids. Er ließ seinen Großvater Friedrich als *virga Aaron*, sich selbst

---

102 Zu den Augustalen grundlegend: Heinrich Kowalski, Die Augustalen Kaiser Fried-
     richs II. von Hohenstaufen, in: Schweizerische Numismatische Rundschau 55 (1976)
     75–150.
103 *Orientalis aquila*: Rudolf M. Kloos, Ein Brief des Petrus de Prece zum Tode Fried-
     richs II., in: Stupor Mundi. Zur Geschichte Friedrichs II. von Hohenstaufen (Wege
     der Forschung 101), hrsg. von Gunther Wolf, Darmstadt 1966 [u.ö., mit anderer Pagi-
     nierung], 525–49. Zur Auslegung vgl. Hans Martin Schaller, Das Relief an der Kanzel
     der Kathedrale von Bitonto: Ein Denkmal der Kaiseridee Friedrichs II., zuletzt (mit
     Nachtrag) in: ders., Stauferzeit. Ausgewählte Aufsätze (MGH Schriften 38), Hanno-
     ver 1993, 1–23, hier 14 mit Anm. 53. Zum Phönix: Ernst H. Kantorowicz, The King's
     Two Bodies. A Study in Medieval Political Theology, Princeton 1957, 385–401, hier
     Anm. 249 (dt. Die zwei Körper des Königs, München 1990, 383–98; auch Stuttgart
     1992, 389–404).
104 Friedrich Kampers, Vom Werdegang der abendländischen Kaisermystik, Leipzig/Ber-
     lin 1924, 65.

als *virga de radice Jesse*, das staufische Geschlecht als Endkaisergeschlecht feiern, wie die Predigt des Nikolaus von Bari und das einzigartige Kanzelrelief der Kathedrale von Bitonto verdeutlichen.[105] Das römische Kaisertum verschmolz schon hier mit dem Endkaiser der Vaticinien. Als *Cooperator* Gottes und Gottes *Vicarius in terris* konnte Friedrich sich – ungeachtet aller päpstlichen *Plenitudo potestatis* – feiern lassen.[106] Ja, auch eine solche „Fülle der Gewalt" nahm er für sich in Anspruch.

Zumal die Römer konfrontierte Friedrich – durchaus in Konkurrenz zum Papst – mit dem Gedächtnisort einstiger und in ihm selbst vergegenwärtigter Größe. Denn Rom lag im Zentrum seiner Kaiseridee; die Stadt durfte sich seinem Reich nicht entfremden. Er warb um die Römer, drohte ihnen auch, wenn sie sich von ihm wandten. Er wolle sie, die träge und tatenlos schliefen, zu „den Gipfeln der alten Würde" erwecken, während er selbst „nach der Reformation des Reiches und der Zierde Roms" trachte. Es wundere sich ein jeder, „zu dem die alte Erinnerung oder aus Kenntnis des Geschehens der Ruhm der römischen Hoheit gelange", über solche Verwandlung einstigen Adels (*ad quos antiqua memoria vel ex facti notitia Romani culminis fama pervenit*).[107] Die *Urbs* oder der *urbis honor* galt diesem Kaiser, so hieß es bei anderer Gelegenheit, als *causa imperii*,[108] in dem Schreiben nämlich, das der Kaiser der Übersendung des in der Schlacht von Cortenuova (1237) erbeuteten Fahnenwagens der Mailänder beigab:[109]

> Wir können die kaiserliche Würde nicht erhöhen, ohne dabei die Ehre der Hauptstadt zu erhöhen, die wir als den Ursprung unseres Reiches anerkennen. Es würde sich unser Eifer von der Beachtung jeglicher Vernunft entfernen, wenn wir, die uns der Glanz des Römischen Caesars umstrahlt, die Römer des Jubels über den Römischen Sieg unteilhaftig ließen, wenn wir euch um die Frucht des Unternehmens betrögen,

---

105 Rudolf M. Kloos, Nikolaus von Bari, eine neue Quelle zur Entwicklung der Kaiseridee unter Friedrich II., in: Stupor Mundi. Zur Geschichte Friedrichs II. (Wege der Forschung 101), hrsg. von Gunther Wolf, Darmstadt 1966, 365–95; Schaller, Das Relief (s. Anm. 103). Nicht zugänglich war mir die ital. Version: ders., L'ambone della cattedrale di Bitonto e l'idea imperiale di Federico II (Quaderni Bitontini 1), con contributi di Ettore Paratore e Rudolf M. Kloos, Bitonto 1970 (mit dem um einen erweiterten Nachtrag erweiterten Wiederabdruck der Predigt des Nikolaus von Bari); Möhring (s. Anm. 4), 209–16.

106 Jean Louis Alphonse Huillard-Bréholles, Vie et correspondance de Pierre de la Vigne, Ministre de l'Empereur Frédéric II. Avec une étude sur le mouvement réformiste au XIII siècle, Paris 1865, 428–9 Nr. 109; vgl. Schaller (s. Anm. 96), 72–3.

107 Historia, ed. Huillard-Bréholles (s. Anm. 99), Bd. 4, 901–3 (August 1236).

108 Historia, ed. Huillard-Bréholles (s. Anm. 99), Bd. 5, 161–3 (Januar 1238).

109 Historia, ed. Huillard-Bréholles (s. Anm. 99), Bd. 5, 161–3 (Januar 1238). Die folgende Übersetzung nach: Kaiser Friedrich II. in Briefen und Berichten seiner Zeit, hrsg. und übersetzt von Klaus J. Heinisch, Darmstadt 1968, 401–2.

das wir in eurem Namen durchführten, da wir die Empörer gegen das Römische Reich unter dem Schlachtruf des Römischen Namens besiegten, wenn wir den Glanz und den Ruhm unserer Herrschaft nicht in die königliche Stadt trügen, die uns, gleich einer Mutter ihren Sohn, aus ihren Armen nach Deutschland sandte, um den Gipfel des Kaisertums zu erklimmen … Dadurch erinnern wir uns nämlich der alten Caesaren, denen für ihre unter siegreichen Feldzeichen vollbrachten herrlichen Taten Senat und Volk von Rom Triumphzug und Lorbeerkranz zuerkannten, auf daß wir durch das gegenwärtige Vorbild unserer Hoheit euren Wünschen von altersher die Wege bereiten.

Das war mehr als eine Huldigung an die Empfänger, obgleich solche Rom-Feier sonst nicht üblich war. Die ruhmreiche Antike verlangte eine ruhmreiche Gegenwart. Die Römer stellten denn auch das Triumphzeichen an dem einzigartigen Gedächtnisort zur Schau, der ihnen zur Verfügung stand: dem Kapitol. Die Reste des Caroccio-Monuments, das sie zum Teil aus antiken Spolien errichteten, ist noch heute auf dem Kapitol zu besichtigen.[110] Doch die volltönenden Worte konnten über die Wirklichkeit nicht hinwegtäuschen: Friedrich besaß Rom nicht; und die Römer gedachten keineswegs, sich seinem Imperium zu unterwerfen. Zorn und Schmerz erfüllten den Kaiser, als sie zuletzt von ihm abfielen.[111]

Harten Verstandes und neidisch auf unseres Sternes erwiesenes Glück verweigert dieses Volk uns und unserem Imperium, auf das es all sein Recht übertragen hat, seit alters seine Reverenz.[112]

Friedrich starb und sein Enkel Konradin, der letzte Staufer, fiel im Jahr 1268 unter den Schwerthieben des Scharfrichters auf dem Schafott in Neapel. Das Endkaisergeschlecht hatte sein schmähliches Ende gefunden. Alsbald entstand eine Flut theoretischer Schriften des Inhalts *De ortu et fine Romani imperii* (so etwa Engelbert von Admont), über Aufstieg und endzeitlichen Niedergang des Römischen Reichs. Doch Friedrichs Kaiseridee lebte fort. Die Kaisersage erwartete ihn, der wiederkommen wird, um die Welt zu richten;[113] und Dante er-

---

110 Margherita Guarducci, Federico II e il monumento del Carrocio in Campidoglio, in: Xenia Semestrale di Antichità 8 (1984) 83–94; dies., L'iscrizione sul monumento del Carrocio in Campidoglio e la sua croce radiata, in: ebd. 11 (1986) 75–84.

111 Matthias Thumser, Rom und der römische Adel in der späten Stauferzeit (Bibliothek des Deutschen Historischen Instituts in Rom 81), Tübingen 1995.

112 Historia, ed. Huillard-Bréholles (s. Anm. 99), Bd. VI, 95–8 (an Ludwig den Heiligen von Frankreich, 1243).

113 Ernst H. Kantorowicz, Zu den Rechtsgrundlagen der Kaisersage, in: Götter in Uniform. Studien zur Entwicklung des abendländischen Königtums, hrsg. von Eckhart Grünewald und Ulrich Raulff, Stuttgart 1998, 203–34. Doch fehlte keineswegs Kritik an diesen Wiederkehrhoffnungen; vgl. etwa: Heike Johanna Mierau, Eine Kampfschrift gegen die Vorstellungen von der Wiederkehr Friedrichs II. Zur Interpretation

innerte an *Federigo di Soave, ultimo imperadore de li Romani* (Convivio IV,3), an den ‚illustren Heros' *Fredericus cesar* (De vulgari eloquentia I,12), an den Ketzer auch (Inf. X,119), „den dritten und stärksten Sturmwind aus Schwaben" (Paradi-so III,120), der jeder Ehre würdig war, *che fu d'onor sì degno* (Inferno XIII,75). Auch die Nachfolger schloß der Dichter in sein Warten und Hoffen mit ein. Der aus seiner Heimat Florenz Vertriebene ersehnte heiß, doch vergebens das Kom-men Albrechts von Habsburg: „Mein Kaiser, warum kommst du nicht zu mir!" – *Vieni a veder la tua Roma che piange // Vedova e sola, e di e notte chiama: // Ce-sare mio, perchè non m'accompagne?* (Purgatorio VI,112–4) –, hoffte dann mit mehr Berechtigung auf Heinrich VII., den *Romanus princeps, mundi rex et Dei minister*, der das *sacrosanctum Romanorum imperium* regiert (Epistulae [ep.] 6), hoffte in der Tat auf „den Nachfolger Caesars und des Augustus" (*Cesaris et Augusti successor*) und erwartete den „Diener Gottes, den Sohn der Kirche und den Promotor römischer Glorie" (*Dei ministrum et Ecclesie filium et Romane glorie pomotorem*, ep. 7).

In solchem Gedenken wurde der Dichter zum Theoretiker der „Monarchie". Seine Schrift, die eindringlich die Zwietracht zwischen den höchsten Autoritäten – Papst und Kaiser – beklagt und Wege ihrer Überwindung aufweisen möchte, bot Raum für einen umfassenden römisch-imperialen Gedächtnisort.[114] Denn das gegenwärtige Imperium setzte eben das antike römische fort. „Ich behaupte also dies", so schrieb ihr Autor, „daß das römische Volk sich nach Recht, nicht ange-maßt, das Monarchenamt, das man Kaisertum nennt, über alle Sterblichen beige-legt hat … Dem adligsten Volk gebührt vor anderen der Vorzug; das römische Volk war das adligste: also gebührte ihm vor allen andern der Vorzug". „Gott hat für Vollendung des römischen Reiches Wunder vollbracht." Antike Historiogra-phen, auch Cicero, werden vom Dichter und Reichstheoretiker zu Zeugen ge-rufen. Dante zitierte sogar die alten „*Actus b. Silvestri*", deren Kenntnis ihm ver-mutlich über die „*Legenda Aurea*" des Jacobus de Voragine zugeflossen war, mit den Worten: „Das römische Reich wird geboren aus dem Quell der Frömmig-keit" (*pietas*). „Aufhören mögen sie denn, das römische Kaisertum schlecht zu machen (*exprobrare*), die angeblichen Söhne der Kirche, wenn sie sehen, daß der Bräutigam Christus es also zum Eingang und Ausgang seines Heldentums (*in*

---

der Chronik des Johannes von Winterthur, in: Der weite Blick des Historikers. Ein-sichten in Kultur-, Landes- und Stadtgeschichte. Festschrift für Peter Johanek, hrsg. von Wilfried Ehbrecht u. a., Köln u. a. 2002, 555–76.

114 Ernst H. Kantorowicz, Dantes „Zwei Sonnen", in: ders., Götter in Uniform. Studien zur Entwicklung des abendländischen Königtums, hrsg. von Eckhart Grünewald und Ulrich Raulff, Stuttgart 1998, 235–54. – Die folgenden Übersetzungen nach: Wolfram von den Steinen, Dante, Die Monarchie (Heilige und Helden des Mittelalters), Bres-lau 1926, II,3 53; II,4 56; II,5 58; II,12 76; III,10 91 schließlich III,16 93.

utroque termino sue militie) guthieß. Und endlich, dünkt mich, ist zur Genüge offenbar, das römische Volk habe sich nach Recht das Weltkaisertum (*orbis imperium*) beigelegt". Das war eine Kontinuitäts-, keine Erneuerungsdoktrin; von dem Kaiser Augustus (II,8 und 11) bis zur Gegenwart spannte sich der Bogen der Weltmonarchie. Konstantin habe die Würde des Reiches nicht entfremden, und die Kirche sie durch ihn nicht empfangen, die mittelalterlichen Erneuerer der Weltmonarchie, Karl und Otto, die beiden Großen, sie nicht schmälern können. Auch sei bewiesen, „daß der Kaiser oder Weltmonarch sich zu dem Fürsten des Alls unmittelbar verhalte, welcher Gott ist", und von keinem Stellvertreter abhänge. Antikes und mittelalterliches römisches Kaisertum flossen für Dante in der Gedächtnisfigur des Römischen Reiches in eins; der universale Anspruch des gegenwärtigen gewann seine Geltung aus jenem und dasselbe aus Gott.

Wir müssen hier enden, ohne auf Francesco Petrarca oder Cola di Rienzo zu sprechen zu kommen. Beide huldigten Rom und einer neue Maße setzenden Antike, nicht dem „Heiligen Römischen Reich" ihrer Gegenwart und seinen Gedächtnisorten. Der eine bewunderte den anderen. Und als Rienzo, der Sohn eines Schankwirts und einer Wäscherin, sich zum Herrn Roms aufschwang und ohne den Kaiser, ja, gegen Papst und Kaiser, römische Erneuerung anstrebte, da pries und feierte Petrarca den Aufstand:

> Ihr (Römer), die Herren aller Völker, wart Knechte geworden; eure Barone stammten aus der Fremde, vom Rhein, von der Rhone, aus Spoleto. Sie ließen sich ,Herr' anreden, was selbst der Kaiser Augustus, der wirklich aller Völker Herr war, sich verbeten hatte. Nun ist Rienzo der dritte Brutus geworden, der dritte Befreier Roms von der Knechtschaft.
>
> Sei gegrüßt, unser Camillus, unser Brutus, unser Romulus, oder mit welch anderem Namen du genannt werden willst. Sei gegrüßt, du Schöpfer römischer Freiheit, römischen Friedens, römischer Ruhe. Dir verdankt die Gegenwart, daß sie in Freiheit sterben darf, die kommenden Geschlechter, daß sie leben können.[115]

Derartiges hatte sich von Dante weit entfernt, der einst noch, in seiner „*Divina Comedia*", den Caesarmörder Brutus – *e con paura il metto in metro* – im finstersten Orcus, gemeinsam mit Judas Ischariot und Cassius im Rachen Luzifers, des Höllenfürsten, hatte leiden sehen (Inf. XXXIV,10 und 65). Mit Petrarca und Rienzo handelte und schrieb eine neue Generation, die andere Ziele verfolgte

---

115 Petrarca an Rienzo und die Römer: Konrad Burdach, Vom Mittelalter zur Reformation. Forschungen zur Geschichte der deutschen Bildung, Bd. 2: Briefwechsel des Cola di Rienzo, hrsg. von Konrad Burdach und Paul Piur, 5 Bde., Berlin 1913–29, hier 2,3 63–81, Nr. 23 (Juni 1347); zit. nach Karl Brandi, Vier Gestalten aus der italienischen Renaissance. Dante, Cola Rienzo, Machiavelli, Michelangelo, München 1943, 52–3.

und andere Hoffnungen hegte und den bisherigen Gedächtnisort des *Imperium Romanum* hinter sich gelassen hat, um sich einen neuen zu errichten mit einem weltlicheren Rom im Zentrum. Dessen Geschicke sind an dieser Stelle freilich nicht mehr zu verfolgen.

Als dann die Humanisten sich Roms erinnerten, war jenes Rom tot, dem Dante und die früheren Imperatoren nachgesonnen hatten. Nicolò Machiavelli suchte sich eins ums andere Mal Beispiele aus der römischen Geschichte. Livius wurde seine Bibel. „Durch die Lektüre der römischen Geschichte vermag man auch zu erkennen, wie eine gute Regierung gestaltet werden kann" (Discorsi I,10). Die reifste Frucht dieser historischen Studien wurde sein *Principe*, die Anweisungen für erfolgreiches Herrschen und Regieren. Das „Heilige Römische Reich und die Deutsch Nation" hatten daran keinen Teil. Der Gedächtnisort, aus dem sich dessen Doktrinen speisten, fiel wüst und wurde verlassen. Sein römischer Name mochte bleiben, doch verlor dieses Imperium mehr und mehr sein Römertum und wurde von Generation zu Generation immer ‚deutscher'.[116] Die Entdeckung der „Germania" des Tacitus förderte darüber hinaus seit der zweiten Hälfte des 15. Jahrhunderts die später böse Folgen zeitigende ‚Germanisierung' dieses Gebildes, das bald ein Monstrum genannt werden sollte (Pufendorf[117]).

Zusammenfassung

Die vorstehende Skizze konnte vieles nur andeuten; viele Fragen mußten offen bleiben. Doch soviel steht fest: Sich für das *Imperium Romanum* als Gedächtnisort zu entscheiden, war keine Selbstverständlichkeit. Es verlangte großzügige Abstriche von der Geschichte und den eigenen Erfahrungen der Zeitgenossen. Die „Einwanderung einer neuen Generation frischer gentes in die Universalgeschichte", von der Alfred Dove im Hinblick auf die Völkerwanderung sprach, gar „der universale Sieg des gentilen Gedankens über die völkerfeindliche Idee des Weltstaates", hätte es ebensogut verhindern können. Damals, so Dove, wurden selbst die Römer als τὸ Ῥωμαίων γένος oder als τῶν Ῥωμαίων γένος, als ἔϑνος betrachtet, als Volk wie die Franken oder die Goten, später die Langobar-

---

116 Vgl. Peter Moraw, Von offener Verfassung zu gestalteter Verdichtung. Das Reich im späten Mittelalter 1250 bis 1490 (Propyläen Geschichte Deutschlands 3), Berlin 1985, 17.

117 Samuel von Pufendorf, De statu imperii Germanici ad Laelium fratrem dominum Trezolani, VI,9, zuerst (unter Pseudonym) Genf 1667, dann Berlin 1706. Doch hatte schon der Legist Bartolus in seinem Traktat *De regimine civitatum*, c. 7 die Verfassungsform des römischen Reiches *monstruosa* genannt.

den auch.[118] Das *Imperium Romanum* als Gedächtnisort zu errichten, war ein
Programm, das erstmals Karl der Große verkündete, und das in der Folge wiederholt erneuert wurde. Die Abhängigkeit seiner Architekten von semantischem
Gedächtnis und Wissen, von den wechselnden episodischen Konstellationen und
kognitiven Operationskonditionen, von überlieferten und nur allmählich veränderten Konstruktionsmustern ist evident. Nur zögerlich, in einem Jahrhunderte
während Prozeß von dem großen Karl über die Ottonen zu den Staufern setzte
sich denn auch der universale Gedanke durch. Es bedurfte des steten Umdenkens
und wiederholter Anstöße und ‚Renovationen‘, um jene universale Gedenkstätte
zu errichten, welche die hochmittelalterlichen Kaiser immer wieder aufsuchen
konnten. Die Zeiten eines Karls des Großen, Ottos I., der griechischen Römerin
Theophanu und ihres Sohnes Otto III., Friedrich Barbarossas, seines gleichnamigen Enkels und endlich Dantes waren die Stationen, die wir verfolgten. Genese
und Konstruktion dieses Ortes, seine wechselnde Architektur, seine endzeitliche
Beleuchtung, aber auch seine Preisgabe lassen gesellschaftliche, politische und
kognitive Veränderungsfaktoren während dieser Jahrhunderte sichtbar werden,
die sie von anderen Epochen der europäischen Geschichte deutlich unterscheiden.

Die mittelalterlichen Kaiser und ihre Helfer erinnerten in legitimatorischer
Absicht an die alten Traditionen, an die Rechtssätze und panegyrischen Wendungen, die von Rom und dem Wissen von Rom ihren Ausgang genommen hatten,
soweit es den mittelalterlichen Eliten verfügbar war und von ihnen verstanden
wurde: an Augustus und seine Friedenszeit, an Konstantin und Theodosius und
später auch an Justinian, an die Herrschaft über die Kaisersitze und Italien, an die
„Ewige Stadt“, an das „Kaiserrecht“ und die kaiserliche Gesetzgebung, an die
eschatologischen Perspektiven, in die bereits das frühe Christentum das römische
Reich gerückt hatte, an die Vorstellungen vom Endkaiser und endlich auch an
den Schutz des Papsttums und der römischen Kirche, den – wie man glaubte –
Konstantin, dann Pippin, Karl und Otto zugesichert oder beschworen hatten.
Mit Hilfe dieses Wissens konstruierten sie einen wandlungsoffenen Gedächtnisort, der durch Jahrhunderte und in den Auseinandersetzungen mit den Päpsten
immer wieder Rückhalt bot für Umstrukturierung und Neukonzeption von Kaisertum und Reich in ihrer eigenen Gegenwart.

Das Heilige Römische Reich wurde endlich selbst ein Gedächtnisort, der
Fremdes anzog und in sich aufnahm – wie Albrecht Dürers Idealbild Karls des
Großen verdeutlichen mag, eines Karl, der die (Wiener) Reichskrone trägt, die

---

118 Alfred Dove, Studien zur Vorgeschichte des deutschen Volksnamens (Sitzungsberichte
der Heidelberger Akademie der Wissenschaften. Phil.-hist. Klasse 8), Heidelberg
1916, 20, 75 und 85.

der leibhaftige Franke in Wirklichkeit nie zu Gesicht bekommen hatte, und die ihm auch gar nicht gebührte. Die Erinnerungen an Karl, Otto oder die Friedriche wandelten sich kontinuierlich. Die Kaisersage verlagerte sich bekanntlich vom zweiten auf den ersten Friedrich, den Rotbart im Kyffhäuser oder an anderen Ruhestätten. Diese Erinnerungen paßten sich wechselnden Gegenwarten an, zuletzt noch an die nationalstaatlichen Hoffnungen der Deutschen während und nach den „Freiheitskriegen". Als damals freilich, im Jahr 1806, die Rheinbundstaaten unter den Augen des unrömischen Kaisers Napoleon aus dem Reichsverband ausschieden, war alles Römische tatsächlich beiseite gewischt. „Vergeblich suchte man Deutschland mitten im deutschen Staatskörper." Diese traditionslose Formel übernahm auch das letzte traditionsverpflichtete „Reichsoberhaupt", der „von Gottes Gnaden erwählte römische Kaiser Franz der Zweite, zu allen Zeiten Mehrer des Reichs, Erbkaiser von Oesterreich etc., König in Germanien, zu Hungern" usw., als er, ein letztes Mal in mittelalterlich-deutscher Manier an „Augustus" erinnernd, am 6. August 1806 abdankte und „das Band, welches Uns bis jetzt an den Staatskörper des deutschen Reiches gebunden hat, als gelöst" erklärte.[119] Der altehrwürdige Name des „Heiligen Römischen Reiches Deutscher Nation" sah sich bereits gestrichen, noch bevor der letzte Akt vollzogen war. Nur noch vom „deutschen Reich" war die Rede. Allein die Schlußformeln der Abdication ließen noch einmal erahnen, wovon Abschied genommen war: „Gegeben … im eintausend achthundert sechsten, Unserer Reiche, des Römischen und der Erblichen im fünfzehnten Jahre. *Ad Mandatum Sacrae Caesareae ac caes. regiae apost. Maj. proprium.*" Das war das Ende des Gedächtnisortes, den 1000 Jahre zuvor einer der Größten unter den Königen Europas zu errichten begonnen hatte.[120]

Abstract

The article deals with the medieval "lieu de mémoire" of Rome, as it was remembered by Charlemagne to the Ottonians and Staufers up to Cola di Rienzo and Petrarca. The phenomenons to be analysed are twofold: on the one hand, the

---

119 Die beiden Urkunden nach: Quellen zum Verfassungsorganismus des Heiligen Römischen Reiches Deutscher Nation 1495–1815, hrsg. von Hanns Hubert Hofmann (Ausgewählte Quellen zur deutschen Verfassungsgeschichte der Neuzeit. Freiherr vom Stein-Gedächtnisausgabe 13), Darmstadt 1976, 392–6 Nr. 70–1.

120 Der Text wurde für *Erinnerungsorte der Antike. Die römische Welt*, hrsg. von Elke Stein-Hölkeskamp u. Karl-Joachim Hölkeskamp, München 2006 konzipiert, konnte dort jedoch nur in gekürzter Form erscheinen. Ich danke den Herausgebern des Jahrbuchs *Millennium* für die Möglichkeit, ihn hier in einer wesentlich erweiterten Fassung zur wissenschaftlichen Diskussion zu stellen.

historical, but passed incidents, which continuously influence the following events, and on the other hand, the remembered events, which are again continuously underlying a process of transformation. In order to study both aspects, they have to be treated as cognitive conceptions.

Thereby, different facets of the image of Rome are discussed: the Rome of the emperors and heathens, the Rome of the Christians and martyrs, the Rome of the Apostles and the Pope, the Rome of the church, the clerics and the treasures of relics, the Rome of the Romans, the Senate and the Republic, the Rome of the pilgrims and foreigners, the Rome of the Bible and the New Testament, the Rome of the learned, the poets, historians and lawyers, finally the Rome of the visionaries and eschatologists. Rome can be both: Babel and sink of corruption as well as the ideal city. Therefore, in the realms of memory, Rome functions as background of self-definition and as counterpart for the representation of power.

What Constantine Saw.
Reflections on the Capitoline Colossus, Visuality, and Early Christian Studies

LINDA SAFRAN

In the enormous literature devoted to Flavius Valerianus Constantinus, the first Christian Roman emperor, a great deal has already been said about his colossal acrolith in Rome [Fig. 1].[1] Found in pieces in 1486 in the ruins of the great basilica northeast of the Roman Forum, the impressive Parian and Carrara marble fragments are now displayed in a courtyard of Rome's Capitoline Museum.[2] Tourists gaze admiringly at the oversized body parts and pose for photographs next to the huge face with its strikingly enlarged eyes [Fig. 2]. Depending on their training, scholars read stylistic or religious or historical significance into the face and hands. For an art historian such as myself, Constantine's enlarged eyes[3] seem an obvious point of entry into the question of what the emperor may have been

---

1   On Constantine see now Noel Lenski, ed., *The Cambridge Companion to the Age of Constantine* (Cambridge, 2006); the statue that is the subject of this paper stares out from the front cover. The fundamental study of the Capitoline acrolith is by Klaus Fittschen and Paul Zanker, No. 122 in *Katalog der römischen Porträts in den Capitolinischen Museen und den anderen kommunalen Sammlungen der Stadt Rom*, 2 vols. (Mainz, 1985), 1: 147–52, with earlier bibliography; additional recent bibliography in Claudio Parisi Presicce, "L'abbandono della moderazione. I ritratti di Costantino e della sua progenie", in *Costantino il Grande, La civiltà antica al bivio tra Occidente e Oriente*, ed. Angela Donati and Giovanni Gentili (Cinisello Balsamo [Milan], 2005), especially 154n25.

2   The fragments are outdoors in the cortile of the Palazzo dei Conservatori. The head is inv. 757 (ex-1622). Recent identification of the marble underscores that the statue was successively reworked, as Parian marble was not imported to Rome after the Hadrianic era, and the current neck dates to the Renaissance: Patrizio Pensabene, Lorenzo Lazzarini, Bruno Turi, "New archaeometric investigations on the fragments of the colossal statue of Constantine in the Palazzo dei Conservatori", in *ASMOSIA* (Association for the Study of Marble and Other Stone in Antiquity) *5: Interdisciplinary Studies on Ancient Stone,* Proceedings of the Fifth International Conference of the Association for the Study of Marble and Other Stone in Antiquity, Boston 1998, ed. John J. Herrmann, Norman Herz, Richard Newman (London, 2002), 250–255; and Presicce (cf. fn. 1) 146–47.

3   Each eye ca. 0.30 m high; chin to crown 1.74 m; head 2.97 m: Hans Peter L'Orange, *Das spätantike Herrscherbild von Diokletian bis zu den Konstantinsöhnen 284–361 n. Chr.* (Berlin, 1984), 71; Fittschen and Zanker (cf. fn. 1) 147.

looking at and how he was intended to be seen by his audiences. However, no one has attempted to apply recent art historical insights on visuality to the statue and the motives for its original location. Employing this new hermeneutical framework stimulates questions (and suggests a few answers) about this familiar work of late antique public art, and encourages reflections about the problems facing the field of early Christian studies as an interdisciplinary enterprise.[4]

Art history is usually said to have been born in the eighteenth century when Johann Joachim Winckelmann first put the two words "art" and "history" together,[5] but there was a Christian art history, centered on Rome, centuries earlier. Fifteenth-century antiquarians were already interested in Roman catacombs and basilicas,[6] but a veritable Christian archaeology emerged in the succeeding centuries because of the Counter-Reformationists' desire to underscore the antiquity and importance of the Roman Catholic Church.[7] Whether its origins are dated to Winckelmann or to Panvinio, Bosio, Ciampini, and their successors, art history in general and early Christian art history in particular have followed philological and historical models to elucidate objects and images. The study of the visual world has been almost entirely informed by empiricist hierarchies that privileged texts and downplayed images.

The elevation of the verbal over the visual was also a product of a division between the eye and the brain articulated in the early modern period. René Descartes demonstrated through experiments with the camera obscura that the mind, and not the eye, was responsible for vision, that "the perception I have of it [wax], or rather the act by which it is perceived, is a case not of vision … but of

---

4   These reflections were stimulated by my participation in a conference held in June 2005 at the Catholic University of America (Washington, D.C.) on "Early Christianity and the Academic Disciplines". I thank the conference organizers, Philip Rousseau and Bill Klingshirn, for the invitation to speak there, and the conference participants, in particular Mark Vessey, for many excellent suggestions. Karla Pollmann made critical improvements on an earlier draft, and I thank her warmly for her acumen and her generosity. As always, Adam S. Cohen contributed to my work in ways too numerous to mention.

5   In *Geschichte der Kunst des Alterthums* (Dresden, 1764). See Vernon Hyde Minor, *Art History's History*, 2d ed. (Upper Saddle River, N.J., 2001), 85–89.

6   Leon Battista Alberti, *Descriptio urbis Romae,* ed. and trans. Martine Furno and Mario Carpo (Geneva, 2000).

7   Andrea Fulvio, *Antiquitates Urbis* (Rome, 1527); Onofrio Panvinio, *De praecipuis urbis Romae sanctioribusque; basilicis, quas septem ecclesias vulgo vocant, liber* (Rome, 1570; Cologne, 1584); Antonio Bosio, *Roma Sotterranea* (Rome, 1632; new ed. 1998); Giovanni Giustino Ciampini, *Vetera monimenta, in quibus praecipue musiva opera sacrarum profanarumque aedium structura, ac nonnulli antiqui ritus, dissertationibus, iconibusque illustrantur*, 2 vols. (Rome, 1690–99).

purely mental scrutiny".[8] Beginning in the mid-seventeenth century, the mind, and with it the physical and natural sciences, was elevated, while the eye was reduced to being a passive recipient of messages from the brain. Vision came to be understood as connected with the spirit and the imagination; it was flighty, in contrast to the tactile senses that were closer to solid, scientific reality.[9] A gender bias has followed from there, with more women attracted to – that is, directed to – the feminized disciplines of the arts and their history, while men were and are encouraged to pursue philology and math and science.[10]

The issue of gender and the modern scholarly disciplines is worth pursuing, but not here. The more important point is that the Enlightenment's elevation of the active, rational mind over the unreliable eye dramatically changed the ways people thought about seeing and the visual world. Yet the hierarchy of active brain over passive eye and the resulting reification of scholarly disciplines was foreign to the ancient and early medieval worlds. Recent scholarly work on visuality turns back the clock, in a sense, to the pre-Enlightenment age, crossing disciplinary borders to demonstrate that the visual and the textual are inextricably linked in cognition and the denigration of vision is, at the very least, problematic.[11] This new "pictorial turn" challenges the "linguistic turn" that dominat-

---

8 "Second Meditation", French version, in *The Philosophical Writings of Descartes*, trans. John Cottingham, Robert Stoothoff, Dugald Murdoch, 2 vols. (Cambridge, 1984), 2: 21. Cf. the "Sixth Meditation", French version: "My nature ... does not appear to teach us to draw any conclusions from these sensory perceptions about things located outside us without waiting until the intellect has carefully and maturely examined the matter. For knowledge of the truth about such things seems to belong to the mind alone, not to the combination of mind and body" (2: 57). See also Jonathan Crary, *Techniques of the Observer: On Vision and Modernity in the Nineteenth Century* (Cambridge, Mass., 1991).

9 While Christian ideology remained untouched by Enlightenment ideals, Christian archaeology was made into a "real science" by means of rigorous study of inscriptions, systematic measurements of buildings, and photographs instead of sketches. Major figures include Giuseppe Marchi, *Monumenti delle arti cristianae primitive nella metropoli del Cristianismo; Architettura della Roma sotterranea* (Rome, 1844), and especially Giovanni Battista De Rossi, *Inscriptiones christianae urbis romae* (Rome, 1857–61; 2d vol. 1888) and *Roma sotterranea cristiana*, 3 vols. (Rome, 1864–77).

10 Current gender inequities and what to do about them have spawned an enormous literature worldwide. See, e.g., Myra and David Sadker, *Failing at Fairness: How America's Schools Cheat Girls* (New York, 1994); Helsinki Group on Women and Science, "National Reports on the Situation of women and science in Europe" (March 2000), available at www.iiav.nl/epublications/2001/Women_and_Science.pdf.

11 The term "visuality" was coined in 1841 by Thomas Carlyle, but only became widespread as a theoretical construct after the publication of *Vision and Visuality,* ed. Hal Foster (Seattle, 1988); see Nicholas Mirzoeff, "On Visuality", *Journal of Visual Cul-*

ed the twentieth century.[12] While vision concerns the physiological mechanisms of sight, visuality examines the social and cultural specificities of seeing and being seen.[13] These insights are being used by scholars with diverse specialties in the constituent fields of early Christianity.[14]

Constantine's oversized eyes invite, perhaps even demand, a consideration of late Roman visuality. In his era, and for centuries before and after, the eye was understood as active.[15] Though there were dissenting views, most theorists (and presumably most observers) believed that through a process of "extramission" rays went out from the eye and shaped or affected the things they touched before returning to the viewer.[16] The best-known example of this is the evil eye concept, which although it has not entirely disappeared was more pervasive, and frightening, in Antiquity and the Middle Ages. Seeing *did* things: it bewitched or shamed;

---

ture 5, no. 1 (2006): 55. Later stimulating works include Martin Jay, *Downcast Eyes: the Denigration of Vision in Twentieth-Century French Thought* (Berkeley, 1993); Beate Allert, ed., *Languages of Visuality: Crossings between Science, Art, Politics, and Literature* (Detroit, 1996); Barbara Maria Stafford, *Good Looking: Essays on the Virtue of Images* (Cambridge, Mass., 1996); Teresa Brennan and Martin Jay, eds., *Vision in Context. Historical and Contemporary Perspectives on Sight* (New York, 1996); Robert Nelson, ed., *Visuality Before and Beyond the Renaissance* (Cambridge, 2000); Cynthia Hahn, "Vision", in Conrad Rudolph, ed., *A Companion to Medieval Art: Romanesque and Gothic in Northern Europe* (Oxford, 2006), 44–64.

12 Martin Jay, "Vision in Context: Reflections and Refractions", in Brennan and Jay (cf. fn. 11) 3.

13 "[V]isuality belongs to the humanities or social sciences because its effects, contexts, values, and intentions are socially constructed": Robert S. Nelson, "Descartes's Cow and Other Domestications of the Visual", in Nelson (cf. fn. 11) 2.

14 For example, Jaś Elsner, *Art and the Roman Viewer: The Transformation of Art from the Pagan World to Christianity* (Cambridge, 1995), but see the critical review of this work by Elizabeth Bartman in Bryn Mawr Classical Review 96.04.31, available at ccat.sas.upenn.edu/bmcr/1996/96.04.31.html; Georgia Frank, *The Memory of the Eyes: Pilgrims to Living Saints in Christian Late Antiquity,* Transformation of the Classical Heritage 30 (Berkeley, 2000); James A. Francis, "Living Icons: Tracing a Motif in Verbal and Visual Representation From the Second to Fourth Centuries C.E.", *American Journal of Philology* 124 (2003): 575–600.

15 This idea was (and is) widespread outside of Western cultures; see, for example, Susan M. Vogel, *Baule: African Art/Western Eyes* (New Haven, 1997), or Diana L. Eck, *Darshan. Seeing the Divine Image in India*, 3d ed. (New York, 1998).

16 Teresa Brennan, "'The Contexts of Vision' from a Specific Standpoint", in Brennan and Jay (cf. fn. 11) 220–24; Nelson (cf. fn. 13) 4. See also David C. Lindberg, *Theories of Vision from al-Kindi to Kepler* (Chicago, 1976), 1–17.

it could captivate or transform.[17] In other words, the premodern eye was a site of enormous power.[18]

Philo, a Jew writing in the first century C.E. who had a great influence on patristic authors, is very clear on the subject of active vision: The eyes "go with promptness and courage to what is to be seen, and do not wait until the objects themselves are in motion, but go forward to meet them. …"[19] Because sight rays touched their objects, ancient optics were also haptic, tactile as well as visual, though there was a clear hierarchy among the senses. Philo says that while taste, smell, and touch were animal and servile senses, both hearing and sight "have something philosophical and preeminent in them"; eyes were superior to ears, however, because eyes were "less effeminate".[20] Moreover, Philo asserts in several of his writings that of all the senses sight is the most noble because it is akin to, or even an exact image of, the soul.[21]

The Neoplatonic philosopher Plotinus, whose works were published in Rome just before Constantine came to power there, makes a similar analogy between sight and soul: "like sight affected by the thing seen, the soul admits the imprint, graven upon it and working within it, of the vision it has come to."[22] While Plotinus felt that all the senses were inadequate to the task of acquiring

---

17 Carlin Barton, "Being in the Eyes. Shame and Sight in Ancient Rome", in *The Roman Gaze. Vision, Power, and the Body*, ed. David Fredrick (Baltimore and London, 2002), 216–34; Frank (cf. fn. 14) 129–31.

18 Margaret Olin, "Gaze", in *Critical Terms for Art History*, ed. Robert S. Nelson and Richard Shiff (Chicago and London, 1996), 209, 216. I am not suggesting that post-modern eyes and their gaze are any less powerful; they are simply not my focus here.

19 Philo, *De Abrahamo* XXIX, 149–50; trans. Emil Schürer in www.earlyjewishwritings. com/text/philo/book22.html; cited by Frank (cf. fn. 14). See David T. Runia, *Philo in Early Christian Literature: A Survey* (Assen and Minneapolis, 1993).

20 *De Abr.* XXIX, 149–50. This is, of course, an interesting contrast with the modern era's feminization of the visual arts and especially of their study, as noted above.

21 Ibid. Cf. Philo, *Quaestiones et solutiones on Genesis* II, 34 (regarding Gen. 8:6, the windows of Noah's ark): "of these windows, the senses, the more noble portion too, I say, is the sight; inasmuch as that above all the rest is akin to the soul, and it is intimately acquainted with light, the most beautiful of the essences, and it is the minister of sacred things; moreover that is the one which first laid open the road to philosophy", online at www.earlyjewishwritings.com/text/philo/book42.html (the identical text is also available at www.earlychristianwritings.com/yonge/book42. html).

22 Plotinus, *Enn.* I.2.4, in *The Six Enneads*, trans. Stephen MacKenna and B. S. Page (London, 1917–30), available at www.sacred-texts.com/cla/plotenn/enn021.htm; this is translated by A. H. Armstrong, *Enneads*, 7 vols. (Cambridge, Mass., 1984), 1:139, as "A sight and the impression of what is seen, implanted and working in it, like the relationship between sight and its object."

knowledge of the Divine, in the fifth Ennead he did express the un-Platonic belief that art could lead to insight, and even create something of value instead of merely imitating the phenomenal world. He wrote:

> But if anyone despises the arts because they produce their works by imitating nature, we must tell him, first, that natural things are imitations, too. Then he must know that the arts do not simply imitate what they see, but they run back up to the forming principles from which nature derives; then also that they do a great deal by themselves, and since they possess beauty, they make up what is defective in things.[23]

Plotinus then cites Phidias' famous Zeus statue at Olympia, known to us only from copies in other media, as a paradigm of creative art: Phidias "understood what Zeus would look like if he wanted to make himself visible".[24]

The Zeus statue is relevant because ultimately it served as a model for the colossal Constantine. This does not mean that the artists in Rome knew the Olympian statue, already over seven hundred years old; rather, it had already been imitated in Rome itself in the statue of Jupiter Optimus Maximus on the Capitoline. The Phidian Zeus, the Jupiter, and the Constantine were all enormous acroliths: in Olympia ivory was used for the exposed skin and gold for the drapery, while in Constantine's case several kinds of marble and perhaps gilded bronze were less costly imitations of Phidias' chryselephantine work.[25] Constantine or his artisans also may have known about Hadrian's colossal acrolith of Zeus in Athens, or the Augustus and Roma acroliths that Herod erected in Caesarea. Visual and material analogies to Augustus, Hadrian, and/or the chief god of the classical pantheon accord well with other information we have about Constantine's self-image, and with this particular statue: the head was apparently recarved from a colossal head of Hadrian, whose reliefs were also recarved on the Arch of

---

23   Plotinus, *Enn.* V.8.1, trans. Armstrong (cf. fn. 22) 5:239; cf. MacKenna (cf. fn. 22):

> Still the arts are not to be slighted on the ground that they create by imitations of natural objects; for, to begin with, these natural objects are themselves imitations; then, we must recognize that they give no bare reproduction of the thing seen but go back to the Reason-Principles from which Nature itself derives; and furthermore, that much of their work is all their own; they are holders of beauty and add where nature is lacking.

See also Dominic O'Meara, *Plotinus. An Introduction to the Enneads* (Oxford, 1993), 95.

24   Plotinus, *Enn.* V, 8.1, trans. Armstrong (cf. fn. 22) 5:241.

25   For chryselephantine sculpture in antiquity see Kenneth Lapatin, *Chryselephantine Statuary in the Ancient Mediterranean World* (Oxford, 2001).

Constantine.[26] The reuse of earlier monuments is a hallmark of Constantinian sculpture: it now seems clear that the entire Arch of Constantine is composed of spolia blocks,[27] and eleven of the thirteen extant "copies" of the Capitoline Constantine were similarly recarved.[28] However, the first emperor to employ recarved portraits was not Constantine but Gallienus, some decades earlier.[29] Employing first- or second-century heads for late third- and fourth-century portraits resulted in classical-looking heads. The art-historical literature is replete with references to Gallienic classicism, Constantinian classicism, and eventually Theodosian classicism,[30] but we should be very cautious about assessing period or individual artistic styles on the basis of recarved work.

Much has been written about the actual appearance of Constantine.[31] Appearance, however, like other aspects of identity, was (and is) situational, and Constantine's portraits are excellent examples of this. At the beginning of his reign he was depicted as mature and block-headed, like the other tetrarchs; later he would present himself as a new Alexander or Augustus, youthful and handsome; or as godlike, accompanied by Sol Invictus.[32] His imagery participated in ideological argument with the portraits and persons of Maxentius and then Lici-

---

26 For the identification of a Hadrianic original, versus other proposals (Trajan, Maxentius, *et al.*), see Cécile Evers, "Remarques sur l'iconographie de Constantin. À propos du remploi de portraits des 'bons empereurs'", *Mélanges d'Archéologie et d'Histoire de l'École Française de Rome. Antiquité* 103, no. 2 (1991): 785–806, esp. 794; the competing claims are reviewed in Presicce (cf. fn. 1) 146.

27 See the useful review article by Fred S. Kleiner, "Who Really Built the Arch of Constantine?" *Journal of Roman Archaeology* 14.2 (2001): 661–63.

28 Evers (cf. fn. 26) cites Fittschen and Zanker (cf. fn. 1) 149–51; Marina Prusac, "Re-Carving Roman Portraits: Background and Method", *AIACNews* [Association internazionale di archeologia classica] 39–40 (December 2004): online at www.aiac.old/Aiac_News/AiacNews39–40/prusac.html.

29 Prusac (cf. fn. 28).

30 A number of Theodosian portraits reused Julio-Claudian heads: Prusac (cf. fn. 28) after fig. 37; Bente Kiilerich, *Late Fourth Century Classicism in the Plastic Arts: Studies in the So-called Theodosian Renaissance* (Odense, 1993).

31 See, e.g., David Wright, "The True Face of Constantine the Great", *Dumbarton Oaks Papers* 41 (1987): 483–507; Diana E. E. Kleiner, *Roman Sculpture* (New Haven and London, 1992), 433–41; R.R.R. Smith, "The Public Image of Licinius I: Portrait Sculpture and Imperial Ideology in the Early Fourth Century", *Journal of Roman Studies* 87 (1997): 185–87; Presicce (cf. fn. 1) 143–44; Jaś Elsner, "Perspectives in Art", in Lenski (cf. fn. 1) esp. 260–64.

32 The range of possible images and associations was very wide and is now well studied. In addition to the sources cited in the previous note see Neils Hannestad, "The Ruler Image of the Fourth Century: Innovation or Tradition", *Acta ad archaeologiam et artium historiam pertinentia* 15 (2001): 93–107.

nius.[33] Only after 324, when Constantine became sole ruler, did he adopt the diadem, the emblem of Hellenistic rulers, on his coins and medallions.[34] The colossal head in Rome may have been altered at this time to receive a diadem, or perhaps it already wore a rayed crown. What has been termed the most distinctive feature of Constantine's head, the enlarged, staring eyes, proves not to be an individual feature at all. Such eyes are well attested in tetrarchic sculpture, and contemporary panegyrics refer to different emperors' *fulgor oculorum*, the burning gaze that will seek out and destroy moral decay.[35]

In Eusebius's panegyrical *Life of Constantine*, he famously states that Constantine's gold coins showed him with eyes raised to heaven.[36] This was true, at least for a limited number of issues.[37] Eusebius never says that this was the case for statues of the emperor, but the phrase has nevertheless become attached to the colossal statue in Rome.[38] Another statement of Eusebius, this one found in both the *History of the Church* and the *Life of Constantine*, also has been connected with the Roman monument. Here Eusebius says that Constantine "ordered a tall pole to be erected in the shape of a cross in the hand of a statue made to represent

---

33   Smith (cf. fn. 31) esp. 194–202; Gunnar Ellingson, "Some Functions of Imperial Images in Tetrarchic Politics", *Symbolae Osloenses* 78 (2003): 30–44.

34   On the use of the diadem, Smith (cf. fn. 31) 177, with bibliography.

35   Smith (cf. fn. 31) 182, 200. See C.E.V. Nixon and Barbara Saylor Rodgers, *In Praise of Later Roman Emperors: The Panegyrici Latini* (Berkeley and Los Angeles, 1994), and Roger Rees, *Layers of Loyalty in Latin Panegyric: AD 289–307* (Oxford, 2002).

36   VC IV, 14.15: "he had his own portrait so depicted on the gold coinage that he appeared to look upwards in the manner of one reaching out to God in prayer. Impressions of this type were circulated throughout the entire Roman world", in Averil Cameron and Stuart G. Hall, *Eusebius' Life of Constantine. Introduction, Translation and Commentary* (Oxford, 1999), 158, 316.

37   Eugenio La Rocca, "Divina Ispirazione", in *Aurea Roma. Dalla città pagana alla città cristiana*, exhib. cat., December 2000–April 2001, Rome, ed. Serena Ensoli and Eugenio La Rocca (Rome, 2000), 2 (and Fig. 1), credits earlier scholars with the observation that the upward gaze was a pre-Constantinian feature.

38   For instance, in the caption to Fig. 61 in Peter Brown's influential *World of Late Antiquity, A.D. 150–750* (London, 1971, repr. 1980), 82: "'A mighty soul, who acted on the prompting of God.' The raised eyes in this colossal head of Constantine, now outside the Palazzo dei Conservatori, Rome, emphasize the emperor's idea of himself as a man in close contact with God." See also H. A. Drake, *In Praise of Constantine. A Historical Study and New Translation of Eusebius' Tricennial Orations* (Berkeley and Los Angeles, 1975), 3, 47:

> His [Eusebius'] picture of Constantine focusing his thoughts on heaven, for instance, corresponds to a prominent motif in Imperial portraiture developed during this late part of Constantine's reign, a motif commemorated for us in that colossal, hypnotizing piece of statuary that now stands in the Palazzo dei Conservatori.

himself".[39] It is not clear whether this was a new statue of the emperor holding a cross, or a preexisting one that was modified. Because the statement is immediately preceded by one about announcing the sign of the Savior in the middle of the imperial city, the statue in question could be the Capitoline colossus. On the other hand, it could be the bronze colossus whose head is now in the same museum,[40] or a different statue entirely.

On the topic of other hands, <u>two</u> right hands are on display in the Capitoline courtyard. In a photograph published in 1933[41] they are adjacent [Fig. 3], but they are now located on opposite sides of the courtyard, with the "first" hand (on the left in Fig. 3) tucked behind a Hadrianic frieze [Fig. 4].[42] They are nearly identical in size and gesture, which led Hans Peter L'Orange to conclude that the marble colossus is the statue Eusebius had in mind, with a second hand [Fig. 5] (on the right in Fig. 3) holding a now-lost cross substituted for the first hand.[43] But this is not convincing, for why would the artists not simply have attached a cross to the earlier hand? And if they did remove one hand to make way for a second, what was done with the so-called first hand? It was not found in the vicinity of the basilica with the other fragments, but in a later wall under the Capitoline Hill, on the other side of the Forum.[44] Had it been discarded right away, then reused in the wall? Was it displayed near the statue, only later to become separated?[45] Or, following the recent suggestion by Claudio Parisi Pre-

---

39 *Historia ecclesiastica* IX.9.10, copied in *Vita Constantini* I, 40.2, in Cameron and Hall (cf. fn. 36) 85, 218.

40 Sala dei Bronzi 2, inv. 1072, in Fittschen and Zanker (cf. fn. 1) 1:152–155 (No. 123). Now generally considered a portrait of the aged Constantine, rather than his son Constantius II, it is unlikely to be the new Constantinian face of Nero's Colossus as argued by Serena Ensoli, "I colossi di bronzo a Roma in età tardoantica: dal Colosso di Nerone al Colosso di Costantino. A proposito dei tre frammenti bronzei dei Musei Capitolini", in (cf. fn. 37), 66–90; see the critique by Presicce (cf. fn. 1) 150–53. The Colossus Neronis is further discussed below.

41 In Richard Delbrueck, *Spätantike Kaiserporträts* (Berlin and Leipzig, 1933), 122, Abb. 30, credited to Deutsches Institut, Rome; reproduced in L'Orange (cf. fn. 3) taf. 52a.

42 No doubt this lessens the cognitive dissonance of museum-goers faced with two right hands and only one nearby head.

43 L'Orange (cf. fn. 3) 71–74.

44 Fittschen and Zanker (cf. fn. 1) 148; L'Orange (cf. fn. 3) 71.

45 If the first hand was displayed near the altered statue could it possibly have been suspended from above, like the hand of God? The divine hand is depicted in the third-century synagogue at Dura Europos, but interestingly, its next attestation is on the coin struck to commemorate Constantine's death; after that it appears frequently. Could this novel iconography have had a monumental Roman model? Disembodied hands figured prominently on a monumental arch, the "Manus Carnea" (known from medieval texts) located at the entrance to the Forum of Trajan in Rome and depicted

sicce, was the so-called first hand actually the original one – the palm has two different-size holes that could have supported an original scepter and then a substituted cross-staff – and the hand now displayed near the head part of a separate colossal statue?[46]

An important aspect of visuality is acknowledging different points of view, which requires knowing the original position of the statue in the basilica where most of it was found. Built on the site of an earlier *horrea*, one ancient source records that Maxentius began the basilica on the Velia, northeast of the Forum Romanum;[47] other sources call it only "basilica Constantiniana", and it soon came to be known as the "Templum Urbis" for its proximity to the Templum Veneris et Romae, which abuts it on the east.[48] If we accept that the huge building was begun by Maxentius but taken over by Constantine, there is disagreement about who was responsible for the addition of a new north apse and monumental south portico facing the ceremonial route through the Forum.[49] This new apse housed a judges' tribunal; small columns, presumably with curtains, screened it from view.[50] The west apse was apparently destined from the start to house a colossal statue: it got a new reinforced foundation and a sturdy exterior buttress, and the statue was attached to its wall.[51] It is apparent that the emperor wanted

on a large Roman clay stamp found in Pannonia (Ptuj, in Slovenia): see Presicce (cf. fn. 1) 148–50 and fig. 11. A hand belonging to St. Stephen and encased in a golden hand–shaped reliquary was later suspended (or depicted?) in the "Portico of the Golden Hand" used for early Byzantine imperial coronations: see Ioli Kalavrezou, "Helping Hands for the Empire: Imperial Ceremonies and the Cult of Relics at the Byzantine Court", in *Byzantine Court Culture from 829 to 1204*, ed. Henry Maguire (Washington, D.C., 1997), 63–64.

46   Presicce (cf. fn. 1) 146 and n. 42. Presicce implies that inventory numbers for the two hands were switched, which may mean that the "second hand" is actually the one found in the nineteenth century at the base of the Capitoline hill. He promises a fuller study.

47   Sextus Aurelius Victor, *Liber de Caesaribus* 40.26: *Adhuc cuncta opera, quae [Maxentius] magnifice construxerat, urbis fanum atque basilicam Flavii meritis patres sacravere*; L. Richardson Jr., *A New Topographical Dictionary of Ancient Rome* (Baltimore, 1992), 51; Filippo Coarelli, "Basilica Constantiniana, B. Nova", in *Lexicon Topographicum Urbis Romae*, 6 vols., ed. Eva Margareta Steinby (Rome, 1993–2000), 1:171.

48   Coarelli (cf. fn. 47) 170–71.

49   Richardson (cf. fn. 47) 52, credits Constantine with the new apse and portico; Coarelli (cf. fn. 47) 172–73, insists on a post-Constantinian date, perhaps after 384.

50   The platform for the judges was still visible in the sixteenth century: Udo Kulturmann, *Die Maxentius-Basilika. Ein Schlüsselwerk spätantiker Architektur* (Weimar, 1996), 60; Coarelli (cf. fn. 47) 172–73.

51   For the attachment of the statue see Presicce (cf. fn. 1) 145.

his image to be in the west apse, and this is where the statue fragments were found.[52]

The west apse is gone now, along with two-thirds of the building [Fig. 6], but the plan [Fig. 7], elevation, and even the pavement are well known, and reconstructions are possible, at least up to a point. Spectators originally entered the basilica through a long eastern narthex, 8 m wide, reached by a staircase between the new basilica and the preexisting temple of Venus and Rome. Three doors opened into the basilica's 20 m-wide, 35 m-high groin-vaulted nave. Eighty meters away was the seated colossus, towering some 10 to 12 m above floor level.[53]

From the east entryway, which, according to Filippo Coarelli was the only one available for at least half a century, the whole structure would be seen to culminate in the imperial image, sitting in for the emperor himself.[54] That the statue was meant to be alive to its viewers is clear from the pulsing veins in the arms and legs [Fig. 8]. As a living, vital presence the emperor/statue would elicit gestures and actions. We do not know if this statue was consecrated, and thus a locus of asylum for the poor and the slaves; if it was, these individuals presumably acted in its presence in ways that differed from the actions of less needy viewers.[55] The emperor, in his statue, allowed himself to be seen and to be sought, and surely what most people "saw" was imperial power incarnate. The lavish marble fittings, gilded coffered ceiling, and enormous scale of the basilica provided a dramatic setting, with the east-west sightlines reinforced by enormous monolithic columns. Even seated, Constantine towered above the onlookers who were compelled to look about ten meters upward to his enormous visage [Fig. 9]. Because his eyes never met theirs, Constantine could not be insulted or deprived

---

52 With the exception of the additional hand, which probably does not belong to the colossal statue in any case (see above, n 46).

53 Fittschen and Zanker (cf. fn. 1) 148: "ca. 10 m hohen"; Presicce (cf. fn 1) 147: "dieci – dodici metri dal suolo".

54 On the equation of imperial images and their prototypes, see Francis (cf. fn. 14) including the statement by Athanasius, Bishop of Alexandria and contemporary of Constantine:

> In the image (*eikon*) [of the emperor] there is the character (*eidos*) and the form (*morphe*) of the emperor, and in the emperor is that character which is in the image. For the emperor's likeness is exact in the image, so that the one gazing at the image sees the emperor in it … (587);

also La Rocca (cf. fn. 37) 3–7.

55 On statues and their occasional function as places of asylum see Richard Gamauf, *Ad statuam licet confugere: Untersuchungen zum Asylrecht im römischen Prinzipat*, Wiener Studien zu Geschichte, Recht und Gesellschaft 1 (Frankfurt, 1999), esp. 24–38.

of his soul by a shameless gaze,[56] and while viewers could approach him without fear of a withering look, they could not claim to have received even a glance from the emperor. This could be a source of shame, reinforcing an individual's sense of inferiority in the grand space, for "being, for a Roman, was being seen".[57]

With his colossal scale, a pose and materials evoking Jupiter and Zeus, and a tradition of divinized emperors in the background, it seems likely that Constantine was seen as godlike. Contemporary panegyrics often refer to the emperor's divinity and immortality, especially as manifested in his ever-vigilant eyes.[58] Another part of Constantine's anatomy is relevant here [Fig. 1], although as far as I know it has never received comment: bare feet had a long association with divinity in Roman art. One thinks of the Augustus of Prima Porta, accompanied by Cupid, or the image of Claudius as Jupiter.[59] While Rudolf Leeb overstates the case for Constantine's identification with Christ,[60] there is clearly something superhuman in this representation.

Constantine did not look at his viewers or petitioners, for his head and especially his eyes are held high and turned slightly to his left [Figs. 2, 9].[61] Paul Zanker refers to the "irritierende 'Ziellosigkeit'",[62] the irritating aimlessness of this gaze, but this twentieth-century judgment fails to do justice to the fourth-century context. I want to suggest that Constantine not only wanted to be <u>seen</u> in the west apse, but also, and especially, to be seen as <u>seeing</u> from that location. Indeed, this aspect of viewing may have had some influence on the eventual architectural renovations: glancing to the left meant that the emperor was over-

---

56 "Staring a person directly in the eye was the consummate form of insult because it obliged the offended one to witness his or her own visual violation. To force another to watch you watching them with soul-withering contempt was a form of violence – of vivisection – as penetrating, as mutilating, as any that one human being could inflict upon another:" Barton (cf. fn. 17) 224.

57 Ibid.

58 Smith (cf. fn. 31) 198–200.

59 There is no trace of sandals: Delbrueck (cf. fn. 41) 124.

60 Rudolf Leeb, *Konstantin und Christus. Die Verchristlichung der imperialen Repräsentation unter Konstantin dem Großen als Spiegel seiner Kirchenpolitik und seines Selbstverständnisses als christlicher Kaiser* (Berlin and New York, 1992).

61 Delbrueck (cf. fn. 41) 125: "Der Blick geht nach links, und zwar im rechten Auge stärker, so dass die Sehachsen in der richtigen Hauptansicht auf den Beschauer zu konvergierten." Presicce (cf. fn. 1) 147, notes a slight facial asymmetry, with the left half of Constantine's face larger than his right, and explains this as compensation for viewers initially confronting the statue from the new south entry – which, if Coarelli is correct about the later construction of that portico, could not have been the original motive.

62 Fittschen and Zanker (cf. fn. 1) 149.

seeing the tribunal in the north apse. The rays from his eyes would control the actions of the judges and the city prefect whose office was probably there.[63]

Constantine gazes into the distance, eastward, his view directed by the interior colonnade, through the large windows of the atrium[64] to the enormous adjacent Templum Urbis [Fig. 10]. This was the largest building in Rome, begun by Hadrian and recently renovated by Maxentius.[65] It was one of the buildings that Constantius II would most admire in 356,[66] and it was quite possibly the original location of the Hadrianic statue from which the Constantine was recarved.[67] Thus from his vantage point in the west Constantine's gaze took in the two largest structures associated with his predecessor and enemy, the basilica and the temple, and in so doing he made them both his own, just as the Senate had decreed:

> all the monuments which Maxentius had constructed in magnificent manner, the temple of the city and the basilica, were dedicated by the senate to the meritorious services of Flavius.[68]

The rays from his eyes literally and figuratively encompassed the adjacent structure with which the basilica was carefully aligned.[69] These two enormous possessions established Constantine's presence in the heart of the old imperial city and made him, not Maxentius, the *conservator urbis*.

Significantly, nothing impeded Constantine's gaze from going further; indeed, the long flank of the temple encouraged it. Farther along that axis stood the famous bronze Colossus originally erected by Nero, but moved to this location by Hadrian. By the early fourth century, after several imperial transformations, it was known as the Colossus Solis for its rayed solar crown.[70] If the Colossus

---

63 John R. Curran, *Pagan City and Christian Capital. Rome in the Fourth Century* (Oxford, 2000), 58, alleges that Maxentius was "particularly anxious to associate the Prefects of the City closely with his own regime"; their elevation to and departure from office was correlated with his acclamation as Augustus. Hence Constantine's elimination of his rival also spelled new orders for this particular group of subjects.

64 Because we do not know the exact height of the statue or the precise eastern elevation of the basilica, it is impossible to determine whether the imperial gaze aligned perfectly with the windows. Nevertheless, who in fourth-century Rome thought the imperial gaze was constrained by mere brick-faced concrete?

65 Richardson (cf. fn. 47) 409–11.

66 Ammianus Marcellinus, *Res Gestae* 16.10.14; text available through the Ammianus Marcellinus Online Project, www.gmu.edu/departments/fld/CLASSICS/ammianus16.html#10.

67 Evers (cf. fn. 26) 798.

68 For the Latin text see above, n. 47; translation from Curran (cf. fn. 63) 80.

69 Curran (cf. fn. 63) 58.

70 Claudia Lega, "Il Colosso di Nerone", *Bullettino della Commissione Archeologica Comunale di Roma* 93 (1989–90), 339–78.

reached the 35 m height accorded to it by Suetonius, it could indeed have been accessible to the imperial eyes through the east windows of the basilica, which was elevated on the Velia [Figs. 11, 12]. Even if not, oversized scale and quite possibly a radiate crown linked the Colossus Solis with the statue of Constantine, and visitors approaching the basilica atrium likely glimpsed the Colossus and made the visual connection.[71]

Four hundred years later, Bede would quote what must have been an old adage: "As the Colossus stands, so stands Rome; when the Colossus falls, Rome falls; when Rome falls, the world falls."[72] By taking it in with his gaze, Constantine in the basilica is visibly tied to the destiny of the *urbs aeterna,* as symbolized by the Colossus. Finally, we might note that the Colossus of Nero gave its name to the adjacent spectacular heart of Rome, the Flavian Amphitheater, known for the past thousand years as the Colosseum. Perhaps Flavius Valerianus Constantinus included the Amphitheatrum Flavium in his gaze, just as he would make other connections with the Flavian dynasty and its works in Rome.[73] In other words, just because we do not believe in the potential of sight rays to capture and control the urban landscape does not mean that fourth-century Romans did not recognize that possibility, at least in imperial hands (or eyes).

There is no reason why the Cartesian subject-centered viewpoint should be construed as the only mode of vision.[74] Nor should we be bound by the disciplinary divisions and hierarchies that are its consequence. In the preceding pages I have tried to show how an art historical investigation of the colossal Constantine relies not only on the work of earlier art historians, but also, and especially, on the work of archaeologists, classicists, historians, philosophers, and scholars of religion, literature, and law. In turn, I hope that those specialists will recognize that to understand the early Christian period, it is necessary to acknowledge and to restore the visual dimension. The early Christians were not, in practice, opposed to art; on the contrary, as soon as they could create it, they did so.[75] The

---

71 Connections between the Colossus Solis and Constantine would soon be underscored in New Rome with the solar-crowned figure placed atop the porphyry column in Constantine's forum in Constantinople; see Ensoli (cf. fn. 40) 78–80.

72 Cited in Richardson (cf. fn. 47) 94: *quamdiu stabit colossus, stabit et Roma; quando cadet, cadet et Roma; quando cadet Roma, cadet et mundus.*

73 Raymond Van Dam is preparing a book-length study of this topic.

74 Brennan (cf. fn. 16) 228.

75 See Sr. Charles Murray, "Art and the Early Church", *Journal of Theological Studies* 28 (1977): 303–45; Paul Corby Finney, *The Invisible God: the Earliest Christians on Art* (New York, 1994).

visual culture of the surrounding Roman world and the emerging visual culture of the early Christians had an impact on their worldview; it affected behaviors, beliefs, and even texts. Students of early Christianity need to push their own and each other's boundaries to get closer to the views of their subjects.

The challenge, of course, is putting the lofty goal of interdisciplinarity into practice in both scholarship and the classroom. With e-mail and the internet it is not difficult to access colleagues and information in other fields. Much of my bibliography on Constantine's colossus came from diligent online searches, and several of my illustrations were found the same way. With the explosion of information in the twenty-first century, none of us can master all of the areas necessary for contextualized research, and we need the humility to acknowledge our deficiencies.[76]

The interdisciplinary classroom may be harder to achieve. I had some experience with this in an undergraduate honors seminar called "Jesus to Muhammad", taught at the Catholic University of America. Sidney Griffith of the Semitics Department and Bill Klingshirn and I, a historian and an art historian housed in the Department of Greek and Latin, triple-team taught the first year, with all of us attending each other's classes. The next year Bill and I double-teamed, and after that we taught independently. In the first year we were all very protective of turf: I insisted that the students have just as much exposure to primary sources in art history as to those (in translation) in religion or history! The result was an impossible workload for the students, and a lack of time for genuine interdisciplinarity. In the succeeding years we improved, though; we became increasingly fluent at making connections across disciplines, and could draw upon cognate areas we hadn't even thought about earlier.[77] In terms of assessment, we did not find it difficult to construct essay and exam questions that required familiarity

---

76 See now the papers in Eberhard W. Sauer, ed., *Archaeology and Ancient History: Breaking Down the Boundaries* (London and New York, 2004).

77 For instance, we sent students to the coin collection of the Institute for Christian Oriental Research (ICOR), housed in the Semitics Department at Catholic University. They looked at selected coins from ancient Israel, the Herodian dynasty, examples struck by Roman procurators in Judaea, *Judaea Capta* coins, and coins from the Jewish revolts of 66–70 and 132–135, as well as some from Aelia Capitolina. All of these could be connected with readings, maps, and images discussed in class. For another assignment, students read passages from the *Apophthegmata Patrum* (Sayings of the Desert Fathers) about the clothing worn by the monks, and also looked at textile and basketry specimens at ICOR. In constructing these assignments Dr. Monica Blanchard, the ICOR curator and Semitics librarian, was a most generous colleague.

with more than one discipline or methodology.[78] Encouraging students to think outside the disciplinary box is one of my highest goals and most satisfying achievements as a teacher.

Whether taught as part of a team or on one's own, a successful interdisciplinary course definitely requires more time than a narrowly focused one. It calls for big blocks of time to prepare, fine-tune, evaluate, and re-evaluate content and performance. Painful excisions of cherished texts or monuments or concepts are necessary. It requires personal commitment to communication and institutional commitment to professional development, so that each participating faculty member gets credit for a full course even if she is initially "just sitting in" on her colleague's half. In an ideal world, faculty would be remunerated for the time they spend meeting with colleagues and learning new skills. The result is worth the effort, both for the individual and the institution, because the whole will be greater than its parts.

The broadening of one's mind in the classroom can lead to scholarly breadth and depth as well. I believe that my goals and questions overlap with those of my early Christian colleagues in other fields. Attending to such things as visuality requires the sort of boundary-crossing that will help us avoid judgments about the past that are essentializing and too narrowly disciplinary.[79] I would go so far as to say that without the interdisciplinary enterprise there is only early Christian

---

78 Essay questions required consideration of both textual and visual material. Some examples:
   (A) Many Christians (such as Melito of Sardis, in Eusebius, *History of the Church* IV.26) believed it was a result of divine providence that Christianity had its beginnings in the Roman empire. Discuss other ways (not divine providence) in which the spread of Christianity was affected – both favorably and adversely – by its origins in the Roman empire. Support your arguments with specific references to the whole range of primary sources you have read and seen in this class.
   (B) Discuss Christian attitudes toward the human body – living, not dead – in the fourth and fifth centuries. Draw your evidence from a wide range of textual and artistic sources, both monastic and non-monastic. Don't forget the "ordinary" Christians!
   (C) For what communion does light have with darkness?
       And what concord does Christ have with Belial?
       How can Horace go with the Psalter, Virgil with the Gospels,
       Cicero with the apostle [Paul]? – Jerome, *Letter 22*
   Discuss the appropriation and rejection of classical culture by Christians in the fourth and fifth centuries, as evidenced in both texts and art/architecture.
79 As phrased succinctly by Nelson in (cf. fn. 13) 2. A recent and stimulating discussion of theory in early Christian studies is David Brakke, "The Early Church in North America: Late Antiquity, Theory, and the History of Christianity", *Church History* 71.3 (2002): 473–91 – but "art" appears nowhere in the article.

art, or church history, or patristics, or theology; there is no "Early Christian Studies".

Unfortunately, a survey of online syllabi in English reveals very few courses that attempt to cross disciplinary boundaries in a meaningful way. I found one "World of Late Antiquity" course directing students to sites with images, preceded in every case by "For fun". This kind of directive, and even more insidious unwritten ones, will hardly encourage students to take early Christian art seriously. It is also possible, apparently, to teach courses on "Early Christian Women" without including any depictions of early Christian women, or at least not according them, or the monuments that contain them, the stature of texts required in the syllabus.

Nor do scholarly gatherings of those with an interest in early Christian studies give equal weight to different aspects of the field. Most notable, at least to me, is the paucity of conference papers devoted to the art and architecture of the early Christians. At the North American Patristic Society (NAPS) annual meeting in 2005, there were four papers in a session on domestic space and one other paper on iconography, representing a total of 3 percent of the 141 speakers; that was even worse than the previous year, when 8 percent of the papers dealt in some way with visual material. The preliminary program for the 2006 conference suggests that 10 of some 150 papers dealt with art history in some way: a total of 6.6 percent. Of the 2006 papers, not a single speaker comes from an art history department or program, and only three have significant background (an undergraduate degree, coursework toward the Ph.D., or an interdisciplinary dissertation topic) in art.[80] Thus it comes as no surprise that "art history" papers at NAPS have been almost entirely text-based and virtually untouched by developments in art history of the past thirty years (the "new art history")[81] – or that students and scholars who identify themselves principally as art historians are not attracted to NAPS conferences. The excellent NAPS website listing internet resources contains only two direct links to works of art: the Roman catacombs and a fifth- or sixth-century basilica in Cilicia (listed under Miscellany and

---

80 The speakers come from departments of Religion, Theology, Religious Studies, New Testament, and the like. The same holds true for the Canadian Society of Patristic Studies; its most recent Bulletin, including a list of speakers at the annual meeting held in May 2006, is available at www.ccsr.ca/csps/april2006.htm.

81 The "new art history", a term in general use since 1982, refers to a broadening of the discipline from its earlier twin focuses on style and iconography to a range of other approaches rooted in social and political activism: Marxism, feminism, psychoanalysis, semiotics, structuralism; these have been supplemented more recently by post-structuralism, reception aesthetics, visuality, and anthropological and other post-modern critical-theory perspectives. See Jonathan Harris, *The New Art History: a Critical Introduction* (London, 2001), with the 1982 date on p. 6; Minor (cf. fn. 5).

Archaeology, respectively).[82] Where is the visual component of the early Christian world?

Lest it be thought that this is an exclusively North American omission, one may note the same dearth of art history papers at the Oxford Patristics Conference.[83] In addition, the first volume of the projected nine-volume *Cambridge History of Christianity*, titled *Origins to Constantine* (2006), contains thirty-two contributions, only one with significant art historical content. It is the very last essay in the volume.[84] Even if this is Volume One, and there was no discernably Christian art for the first 200 years after Christ, the third century witnessed a great deal of sculpture and painting and portable artwork, and even some architecture and mosaics. One can only hope that subsequent volumes, scholarly meetings, and syllabi will do a better job of analyzing appropriately the visual realities of the early Christian landscape. We need to look outside our (disciplinary) walls, as Constantine did, to take it all in, to see the early Christian period with eyes attuned to both words and images, to vistas and visions of all kinds.

Abstract

The colossal marble statue of Constantine in Rome often serves as a visual symbol of the early Christian era. The most arresting feature of the statue, its oversized eyes, are used here as a point of entry into a discussion of fourth-century visuality and twenty-first century early Christian studies. While the eyes have long attracted comment, Constantine's gaze has not heretofore been contextualized in the statue's original setting, the basilica constructed by Maxentius northeast of the Roman Forum and west of the Temple of Venus and Rome. This article argues not only that the statue stimulated perceptions and responses by its viewers based on contemporary conventions of visuality, but also that it was understood to be seeing actively beyond the walls of the basilica. Through the process of extramission, rays literally went out from Constantine's eyes to see,

---

82   Available at moses.creighton.edu/NAPS/napslinks/index.htm.

83   Unlike the North American Patristic Society, the Oxford meeting occurs every four years. It is sponsored by the International Association for Patristic Studies; see www.cecs.acu.edu.au/aiep/aiep.htm. The last meeting, the Fourteenth, was in 2003.

84   The uninspiring "Towards a Christian Material Culture", written by Robin M. Jensen of the Department of Religion at Vanderbilt University. Only three other chapters have fewer footnotes than this one. In the extensive general bibliography of secondary sources "referred to by authors in several chapters in this volume" (ed. Margaret M. Mitchell and Frances M. Young, 613), only 11 of 292 titles (3.7 percent) indicate that Jensen's co-authors availed themselves of secondary literature on early Christian art.

touch, and possess the basilica and the neighboring structures associated with his imperial predecessors. This pre-Cartesian viewpoint was the dominant one in Antiquity and the Middle Ages, and it should be restored to our study of early Christian art and thought. The Enlightenment's invalidation of extramission as a theory of vision, and the concomitant denigration of sight itself, has had significant impact on the development of the academic disciplines. While an art historical interpretation of the colossal Constantine from the perspective of visuality is fundamentally and neccessarily interdisciplinary, art history is marginalized in early Christian syllabi, conference programs, and handbooks. The author urges greater attention to the visual component of early Christianity by non-art historians, and more interdisciplinary approaches to early Christianity in classrooms and in scholarship.

Fig. 1. Rome, Capitoline Museum, Palazzo dei Conservatori courtyard. Fragments of colossal Constantine acrolithic statue. Photo: author.

Fig. 2. Face of colossal Constantine acrolith. Photo: author.

Fig. 3. Fragments of colossal Constantine acrolith, as displayed in 1933. Photo: from H. P. L'Orange, *Das spätantike Herrscherbild von Diokletian bis zu den Konstantin-söhnen 284–361 n. Chr.* (Berlin: Gebr. Mann Verlag, 1984), Taf. 52a.

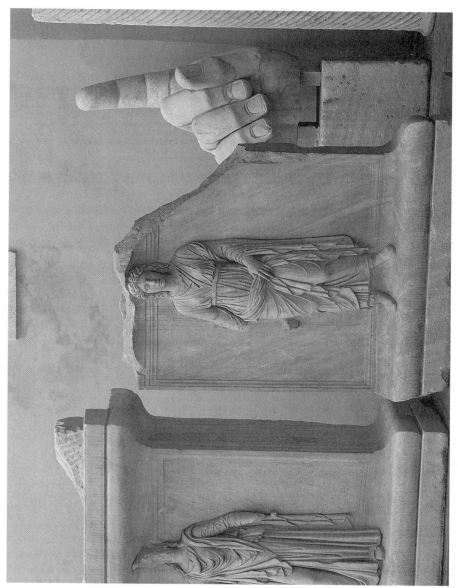

Fig. 4. "First" hand of colossal Constantine acrolith. Photo: author.

Fig. 5. "Second" hand of colossal Constantine acrolith. Photo: author.

Fig. 6. Rome, Basilica Constantiniana (originally Basilica of Maxentius), view from the southwest. Photo: David Redhouse, www.arch.cam.ac.uk/~dir21/gallery/; used by permission.

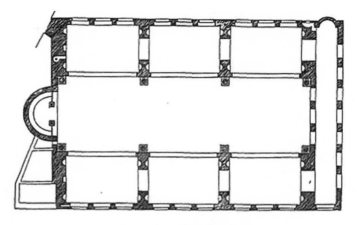

Abb. 3. Die Maxentiusbasilika. Grundriß

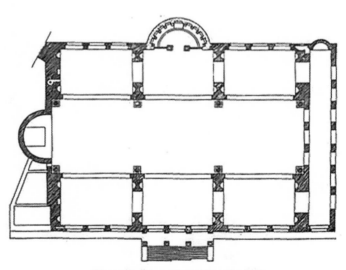

Abb. 4. Die Konstantinsbasilika. Grundriß

Fig. 7. Plans of Basilica Constantiniana, original plan (top) and later additions (bottom).
Photo: from Heinz Kähler, "Konstantin 313", *Jahrbuch des deutschen Archäologischen Instituts* 67 (1952), Abb. 3–4.

Fig. 8. Right arm of colossal Constantine acrolith. Photo: author.

Fig. 9. Head of colossal Constantine acrolith from below. Photo: author.

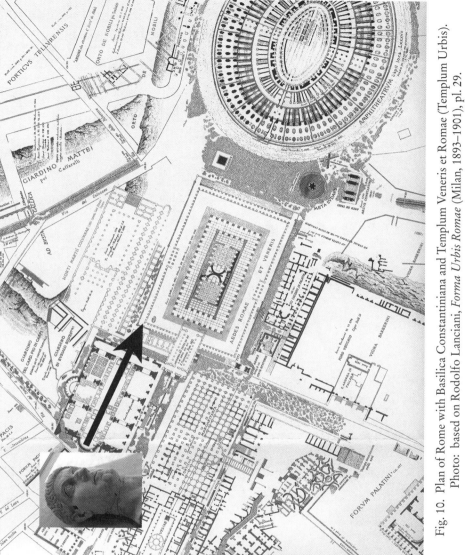

Fig. 10. Plan of Rome with Basilica Constantiniana and Templum Veneris et Romae (Templum Urbis). Photo: based on Rodolfo Lanciani, *Forma Urbis Romae* (Milan, 1893–1901), pl. 29.

Linda Safran

Fig. 11. Plan of Rome with Basilica Constantiniana, Templum Veneris et Romae (Templum Urbis), and Colossus Solis. Photo: based on Rodolfo Lanciani, *Forma Urbis Romae* (Milan, 1893–1901), pl. 29.

Fig. 12. Model of Rome from the northeast, with Basilica Constantiniana, Templum Veneris et Romae, Colossus Solis, and Amphitheatrum Flavium at left edge. Photo: based on model by André Caron (www.maquettes-historiques.net/P6.html); used by permission.

Panegyrik im Quadrat:
Optatian und die intermedialen Tendenzen
des spätantiken Herrscherbildes

MEIKE RÜHL

Dieser Aufsatz widmet sich einer Sammlung von Gedichten, von denen die Sekundärliteratur sagt, sie seien „monsters in the literal sense".[1] Von Publilius Optatianus Porfyrius[2] sind uns Gedichte überliefert, deren Ziel es ist, eine Art der Panegyrik zu lancieren, die in der Tat für sich in Anspruch nehmen kann ‚monströs' zu sein, denn die Gedichte verfügen über eine ausgesprochene visuelle Qualität und können und sollen nicht nur gelesen oder gehört, sondern vor allem auch gezeigt und betrachtet werden. Bei diesen Gedichten handelt es sich im weitesten Sinne um Figurengedichte (*carmina figurata*), die Ulrich Ernst folgendermaßen definiert: „eine intermedial konzipierte Text-Bild-Komposition, bei der ein in der Regel versifizierter und im weitesten Sinn lyrischer Text zu einer graphischen Figur formiert ist, die mimetischen Charakter aufweist und eine mit der verbalen Aussage koordinierte Zeichenfunktion übernimmt."[3]

Entstanden sind sie in der Regierungszeit Konstantins, verfaßt wurden sie zum Lob und Preis des Herrschers. Über Optatians Biographie weiß man verhältnismäßig wenig; spärlich sind die Daten, die sich aus seinem Werk oder aus anderen Quellen rekonstruieren lassen:[4] Geboren wurde er zwischen 260 und 270 n. Chr., von Konstantin wurde er aus unbekanntem Grund 315 ins Exil geschickt. Von dort aus widmet er ihm wohl um das Jahr 324 eine Sammlung der Gedichte 1–20, die mit einem eigenen Proömium (*carm.* 1) versehen ist und aufgrund derer er offensichtlich 325 zurückberufen wird: *Porphyrius misso ad Constantinum insigni volumine exilio liberatur*, vermerkt die Chronik des Hieronymus zum Jahr 329 (p. 232 ed. Helm). Als *praefectus urbi* wird er 329 und 333 genannt.

1   Levitan, W. „Dancing at the End of the rope. Optatian Porfyry and the Field of Roman Verse". *Transactions and proceedings of the American Philological Association* 115 (1985): 245–269, 246.

2   Namensschreibweise lt. *carm.* 21,2 (in v. int.).

3   Ernst, Ulrich. *Carmen figuratum. Geschichte des Figurengedichts von den antiken Ursprüngen bis zum Ausgang des Mittelalters.* Pictura et Poesis 1. Köln (1991): 7.

4   Vgl. Barnes, T. D. „Publilius Optatianus Porfyrius". *American journal of philology* 96 (1975): 173–186.

Anders als die bisherigen wenigen Arbeiten zu Optatian, die sich der Bestandsaufnahme der technischen Varianten der metrischen und textuellen Umsetzung der Gedichte widmen,[5] wollen die folgenden Überlegungen der medialen Komplexität der Gedichte Optatians auf den Grund gehen und sowohl danach fragen, aus welchem literaturhistorischen Kontext sie entstanden sind, worin ihre Eigenartigkeit besteht, als auch besonders, warum sie ein hohes Innovationspotential für Panegyrik besitzen.

Dazu wird in den ersten beiden Abschnitten die textuelle Ebene der Gedichte betrachtet, um zum einen die literaturgeschichtliche Tradition aufzuzeigen, in die das Figurengedicht als Textphänomen einzuordnen ist, und zum anderen ihren panegyrischen Inhalt mit dem zeitgenössischen Herrscherlob zu vergleichen. Um die mediale Komplexiät der Gedichte angemessen würdigen zu können, werden sodann die verschiedenen Wahrnehmungsschichten untersucht, bevor in Abschnitt 4 danach zu fragen ist, inwiefern Optatian sich in seinen Gedichten gewisse Wahrnehmungsgewohnheiten seiner Zeit zunutze macht. Schließlich werden in einem letzten Schritt die zuvor gewonnenen Erkenntnisse zusammengeführt und das neuartige und innovative Konzept von Optatians Panegyrik vorgestellt.

1. Die formale Seite des Textes: Literaturgeschichtliche Einordnung

In Optatians Gedichten fließen mehrere Traditionsstränge zusammen, denen allen ein kreativ-spielerischer Umgang mit dem Phänomen Text gemeinsam ist. Zum einen ist als Vorbild die Art der hellenistischen Figurengedichte zu nennen, die eigentlich Umrißgedichte[6] sind und deren Verse durch die Verwendung unterschiedlich langer Metren den Gegenstand, den sie inhaltlich beschreiben oder nennen, auch graphisch darstellen. Als prominente Beispiele können hier

---

5   Hier sind als Einzelbesprechungen eigentlich nur Levitan (s. Anm. 1) und Polara,
     Giovanni. „Le parole nella pagina. Grafica e contenuti nei carmi figurati latini". in:
     Retorica ed esegesi biblica. Il rilievo dei contenuti attraverso le forme. Hg. v. Marcello
     Marin – Mario Girardi. Bari (1996): 201–245 zu nennen. Ansonsten wird Optatian
     zumeist im Verbund mit anderen Figurengedichten behandelt, etwa bei Ernst, Ulrich.
     „Zahl und Maß in den Figurengedichten der Antike und des Frühmittelalters. Beob-
     achtungen zur Entwicklung tektonischer Bauformen". in: *Mensura. Maß, Zahl, Zah-
     lensymbolik im Mittelalter.* Hg. v. Albert Zimmermann. Miscellanea Mediaevalia 16.2.
     Berlin – New York (1984): 310–332, Ernst (s. Anm. 3) oder Grimm, Reinhold.
     „Poems and/as Pictures. A Quick Look at Two and a Half Millennia of Ongoing
     Aesthetic Intercourse". in: *From Ode to Anthem. Problems of Lyric Poetry.* Hg. v.
     Reinhold Grimm – Jost Hermand. Wisconsin (1989): 3–85.
6   Begriffsbildung nach Ernst (s. Anm. 3) 9 mit Anm. 52.

das Beil und das Ei des Simias von Rhodos oder die Syrinx Theokrits angeführt werden.[7] Obwohl es von Optatian auch Umrißgedichte gibt – hier wären etwa *carm.* 20, 26, 27 zu nennen, die, anders als ihre hellenistischen Vorgänger, ihre Umrißgestalt nicht durch die unterschiedliche Länge des Versmaßes, sondern duch die unterschiedliche Wortlänge bei gleichbleibendem Versmaß erhalten –, sollen in vorliegendem Aufsatz die von Optatian selbst als *carmina cancellata*[8] bezeichneten Gedichte analysiert werden. Hierbei handelt es sich um Gedichte, die sich (1) aus dem eigentlichen, meist in 35 Hexametern mit je 35 Buchstaben auf einem quadratischen Grundgerüst geschriebenen Text ergeben sowie (2) aus vertikal, horizontal oder figürlich andersfarbig indizierten Buchstaben, die für sich genommen wiederum (a) als neuer Text und (b) als Figur/Ornament wirken. Damit ist bei Optatian eine weitere Wahrnehmungs- und Bedeutungsebene hinzugetreten.[9] Denn während in den hellenistischen Figurengedichten Inhalt und Form mannigfache Beziehungen eingehen, die sich jedoch hauptsächlich im Rahmen literarischen Spiels und dichtungstheoretischer Überlegungen bewegen und gleichsam sich selbst genügend ein geschlossenes System bilden,[10] komplettieren sich Inhalt und Form zwar auch bei Optatian, jedoch zum übergeordneten Ziel des Herrscherlobs. Darüber hinaus ist die ikonische Struktur der hellenistischen Figurengedichte durch ihre Umrißhaftigkeit deutlicher erkennbar als in den quadratischen Textgebilden Optatians.

Allerdings ist das spielerische Element, das die Beherrschung des dichterischen Handwerks demonstriert, bei Optatian ohne Zweifel vorhanden und zeigt sich darin von einer weiteren literarischen Erscheinung beeinflußt: den in der späteren lateinischen Literatur häufig anzutreffenden Technopaignien und Centos, die die Faszination an der einzelnen und neu kontextualisierten Formulierung widerspiegeln.[11] Hierunter sind zum einen Gedichte zu subsumieren, die

---

7 Die Texte sind am bequemsten zugänglich in den *Bucolici Graeci* von A.S.F. Gow, Oxford 1952 oder in der *Anthologia Palatina*. Hg. v. H. Beckby. Bd. 4. München 1957 (*AP* 15,21–27). Sekundärliteratur in Auswahl: Ernst (s. Anm. 3); G. Wojaczek. *Daphnis. Untersuchungen zur griechischen Bukolik.* Meisenheim am Glan (1969); S. Plotke. „Selbstreferentialität im Zeichen der Bimedialität oder die Geburt einer Gattung". *arcadia* 40,1 (2005): 139–152. Eine moderne Variante des Umrißgedichtes ist die sog. ‚Konkrete Poesie', ein Überblick über die Gattung findet sich bei Ernst (s. Anm. 3) und Grimm (s. Anm. 5).

8 *Carm.* 22,2 (in v. int.).

9 Zu den einzelnen Wahrnehmungsebenen siehe Abschnitt 3.

10 Vgl. Ernst (s. Anm. 3) 90–94.

11 Vgl. dazu Charlet, Jean-Louis. „Die Poesie". in: *Die Spätantike*. Hg. v. Lodewijk J. Engels – Heinz Hofmann. NHL 4. Wiesbaden (1997): 495–564, 553–75, Malamud, Martha A. *A Poetics of Transformation. Prudentius and Classical Mythology.* Ithaca – London (1989) und Roberts, Michael. *The Jeweled Style. Poetry and Poetics in Late*

entweder mit den unterschiedlichen Positionierungsmöglichkeiten eines Wortes im Vers und den daraus resultierenden unterschiedlichen Sinnmöglichkeiten spielen,[12] oder zum anderen Gedichte, die mit der Dekontextualisierung und einen neuen Sinn generierenden Zusammensetzung von Halbversen oder Versen berühmter Dichter operieren.[13] Vor allem diese letztgenannte Tendenz zur fragmentierenden mehrfachen bzw. wiederholten Verwendung vorangegangener Kunst- und Literaturwerke läßt sich auch, wie noch zu zeigen sein wird,[14] in archäologischen Denkmälern beobachten. Bei Optatian mündet dies in eine Art selbstreferentieller Wiederverwertung, indem sich in seinen *carmina* mehrere Sinnebenen aus demselben Material konstruieren lassen.

Schließlich darf nicht vergessen werden, daß es sich bei Optatians *carmina cancellata* inhaltlich um panegyrische Dichtung handelt, so daß im folgenden ein Blick auf das zeitgenössische Herrscherlob in Prosa angebracht ist, das im Corpus der *Panegyrici Latini* für diese Zeit prägnant überliefert ist.[15]

2. Die inhaltliche Seite des Textes: Elemente des Herrscherlobs

Als Vergleichsobjekt bietet sich aufgrund der Überlieferungslage eben jenes Corpus von Prosapanegyriken an, von denen allein sieben (Paneg. 4–10) in die Zeit Konstantins fallen. Doch läßt sich sogleich der generelle Unterschied zwischen Prosa und Dichtung in der Behandlung der einzelnen Topoi ausmachen:[16] Bei den Prosapanegyriken handelt es sich um Reden zu institutionalisierten Anlässen wie Ankunft, Abreise, Hochzeit, Geburtstag etc. des Kaisers oder um Danksagungen für ein verliehenes Amt. Die Bandbreite der Anlässe und unterschied-

---

Antiquity. Ithaca – London (1989), dessen Monographie einen aussagekräftigen Titel trägt. Der Terminus ,Technopaegnion' ist zuerst belegt bei Auson. 16,1,13–15: *libello Technopaegnii nomen dedi, ne aut ludum laboranti aut artem crederes defuisse ludenti.*

12 Diese finden sich auch bei Optatian *carm.* 13; 25.

13 Etwa *AP* 9, 381f., *Anth. Lat.* 7–15 oder Auson. 18.

14 Siehe Abschnitt 4.

15 Ob es sich bei der Spätantike tatsächlich um „the Golden Age of panegyrics" handelt, wie Mac Cormack, Sabine. „Latin prose Panegyrics: tradition and discontinuity in the later Roman Empire". *Revue des Études Augustinienne* 22 (1976): 29–77, 29 behauptet, wird von Mause, Michael. *Die Darstellung des Kaisers in der lateinischen Panegyrik.* Palingenesia 50. Stuttgart (1994): 8 wieder in Zweifel gezogen.

16 Zum generellen Unterschied in der Panegyrik zwischen Dichtung und Prosa s. Th. Payr. „Enkomion" in: *Reallexikon für Antike und Christentum.* Bd. 5. (1962): 332–343. und Sotera Fornaro – Jochachim Dingel. „Panegyrik" in: *Der Neue Pauly.* Bd. 9. (2000): 240–44.

lichen Reden spiegelt sich in den vermutlich zur selben Zeit entstandenen Rhetorik-Handbüchern des Menander Περὶ ἐπιδειϰτιϰῶν und der etwas früher zu datierenden und unter dem Namen des Dionys überlieferten Abhandlung Τέχνη περὶ τῶν πανηγυριϰῶν wider.[17] Durch die enge Verbindung der Redner mit dem Rhetorikunterricht[18] ergibt sich ein gleichmäßiges Gerüst für den Aufbau einer Rede, das vor allem an der Biographie des Herrschers abgearbeitet wird (etwa: Herkunft, Erziehung, Leistungen in Krieg und Frieden, Tugenden).[19] Hiervon unterscheiden sich Verspanegyriken zum Teil beträchtlich, da ihr Umfang eine solch ausführliche Behandlung nicht zuläßt oder weil die Passagen des Lobes in eine andere Gattung eingebettet sind.

Ein kurzer Überblick über die bei Optatian vorkommenden Themen soll die von ihm gewählten Schwerpunkte verdeutlichen. Daß bei einer Länge der Gedichte von jeweils 35 Versen nicht das gesamte Spektrum zur Geltung kommen kann, liegt auf der Hand. Auch sind die *carmina cancellata* aufgrund ihrer medialen Komplexität nicht zum Vortrag bei einem öffentlichen Anlaß, sondern nur zum Einzelstudium geeignet. Gleichwohl finden sich in ihnen die gleichen Topoi, die auch in Prosapanegyriken verwendet werden. Hierzu gehört vor allem die Vorstellung der hereinbrechenden resp. schon verwirklichten *aurea saecla*, die bei Optatian mehrfach wiederkehrt und prominent auch jeweils im Intext erwähnt wird: *aurea sic mundo disponas saecula toto* (2,2 in v. int.) oder: *aurei saecli restaurator* (10,5 in v. int.).[20] Das Goldene Zeitalter ist in den Prosapanegyriken ebenfalls ein häufig anzutreffender Topos. Er entspringt der Vorstellung vom Vorbildcharakter des Kaisers, dessen segensreiches Wirken sich unmittelbar auf seine Umgebung auswirkt.[21] Bei Optatian ist dieser Gedanke mit einem buchstäblichen Aufblühen des Reiches verknüpft:

> *per te perque tuos sunt omnia mitia, victor,*
> *natos, res populi florent ad gaudia mentis,*
> *Caesaribusque tuis toto Victoria in orbe*
> *semper iure comes felix in saecula pollet.*

Durch dich, mein Sieger, und deine Kinder ist alles milde, der Staat steht zur Freude des Geistes in Blüte und Victoria ist deinen Caesares zurecht dauerhaft eine erfolgreiche Begleiterin und auf der ganzen Welt in Ewigkeit mächtig.

7,27–30

---

17 Vgl. Mac Cormack (s. Anm. 15) 32 und Mause (s. Anm. 15) 30–42.

18 Ein großer Teil der Verfasser der *Panegyrici Latini* sind Rhetorikprofessoren, s. Mause (s. Anm. 15) 47 f.

19 Vgl. die bei Menander 368 ff. Sp. genannten Argumente des βασιλιϰὸς λόγος.

20 *Carm.* 2,18–20; 3,13–18; 5,28; 7,24; 10,34 f., 14,19.

21 Vgl. Mause (s. Anm. 15) 222.

Ein weiteres Motiv, das auch im gegebenen Zitat vorkommt, ist die Freude (*gaudia*), die allen aus der Herrschaft Konstantins erwächst,[22] denn Konstantins Herrschaft zeichnet sich durch eine große Ruhe und Stabilität (*quies*) im Innern aus; auch dies ist topisch für die Panegyrik der Zeit.[23] Dieser Ruhe- und allgemeine Friedenszustand ist zumeist das Ergebnis zuvor gewonnener Kriege, so daß der Kaiser nicht nur als siegreicher Feldherr, sondern auch als Friedensstifter dargestellt werden kann. Bei Optatian werden vor allem der Sieg über Licinius 324 (*carm.* 5; 9; 14) und der Krieg gegen die Sarmaten und Goten 322 (*carm.* 6; 18) zum Anlaß eines Lobliedes auf den Herrscher genommen; *carm.* 16, das allerdings kein Gittergedicht im strengen Sinne ist, preist allgemein die Weltherrschaft Konstantins.[24] Weltherrschaft und dauernder Friede sind ferner Themen, die in nahezu allen Gedichten wiederkehren; sie kulminieren in der Vorstellung von Konstantin als *salus mundi*, als Retter der Welt:[25] Alle unterworfenen Völker profitieren von Konstantins Größe, Milde, Gerechtigkeit und Zuverlässigkeit; damit sind mit *virtus, clementia, iustitia* und *pietas* die klassischen Herrschertugenden bedient, die auch schon auf dem *Clupeus Virtutis* des Augustus zu finden sind und seitdem zum festen Repertoire eines vorbildlichen Herrschers gehören. Schließlich ist auch der Einsatz von Lichtmetaphorik zur Überhöhung Konstantins durchaus topisch zu nennen.[26]

Während die meisten der Gittergedichte sich zwar ungefähr datieren lassen, in ihrer Thematik jedoch (von den oben erwähnten Siegen abgesehen) eher im Allgemeinen verbleiben, ist *carm.* 5 zu einem konkreten Anlaß, nämlich dem 20jährigen Regierungsjubiläum Konstantins im Jahre 325 verfaßt. Allerdings kehren auch hier die bereits bekannten Gemeinplätze wieder: Durch den Sieg über Licinius 324 herrscht Konstantin nunmehr auch über den östlichen Teil des Imperiums, das sich willig dem neuen Herrscher unterwirft und seine Wünsche zum Regierungsjubiläum darbringt (*iam vota ferunt*, 13). Programmatisch beginnt das Gedicht deswegen mit *victor sidereis pollens virtutibus ibis* (Als Sieger wirst du gehen, mächtig durch deine gottgleichen Leistungen, 1). Dies ist sozusagen verpflichtend auch für Konstantins Söhne, die gleichzeitig ihr 10jähriges Jubiläum begehen, denn ihr Vater überläßt ihnen ein Goldenes Zeitalter (*aurea saecla | indulgens natis patriae pietatis honore*, 28f.).

---

22 2,3; 3,19; 5,6; 7,13: *gaudia mundi instituunt*, 34f.: *iam compos gaudet tua, Romule, pubes: | rector rite suus nobis per saecula floret*; 8,3. 21; 9,30; 18,16. *florentibus rebus* auch noch: 14,35.

23 Stellen: Paneg. 8,20,2; 7,10,2; 4,35,3f. Mause (s. Anm. 15) 222.

24 Ich folge den Datierungen und Zuordnungen von Polara (s. Anm. 5).

25 *Carm.* 9,23; 14,1: *sancte, deus mundi ac rerum summa salutis*.

26 Vgl. Mause (s. Anm. 15) 220. Stellen bei Optatian: 7 (in v. int.); 7,13; 9,32; 18,15 u. ö.

3. Die verschiedenen Wahrnehmungsebenen
des *carmen cancellatum*

Das Gittergedicht, wie Optatian es entwickelt, hat im Prinzip keine lautliche Ebene,[27] sondern ist vor allem zum lesenden Betrachten bestimmt. Damit unterscheidet es sich deutlich von den oben skizzierten Technopaignien, da eine lautliche Realisierung von Optatians Werken nur einen Bruchteil des inhaltlichen Bestandes ausdrücken könnte; seine Gedichte sind vielmehr auf die visuelle Wahrnehmung angewiesen. Der bildhafte Effekt seiner Werke wird dadurch hervorgerufen, daß einzelne Buchstaben und Buchstabengruppen aus dem Grundtext, also den 35 Hexametern zu je 35 Buchstaben, farblich hervorgehoben werden und ein graphisches Muster, ein Bild oder neue Buchstaben ergeben. Daß die betreffenden Buchstaben andersfarbig gekennzeichnet waren, erfährt man aus Optatians Proöm zu der Konstantin überreichten Sammlung.[28]

Graphische Muster finden sich in *carm.* 2, 10 und 18, ‚Bilder‘ lassen sich in folgenden Gedichten erkennen: *carm.* 6 stellt Konstantins Heer in Aufstellung eines *quincunx* dar, *carm.* 7 stellt als Zeichen für einen erfolgreichen Krieg einen Schild mit gekreuzten Speeren und *carm.* 9 eine Siegespalme dar; neue Buchstaben bzw. Buchstabengruppen ergeben sich in den Gedichten 5 (zu lesen: AUG XX CAES X), 8 (Christusmonogramm und IESUS) und 14 (Christusmonogramm). Eine Kombination aus beidem stellt schließlich *carm.* 19 dar, das nicht nur ein komplettes Schiff abbildet, sondern auch noch das Christusmonogramm als Mast, daneben die Buchstabenfolge VOT und im Schiffsrumpf die Zahl des Regierungsjubiläums XX. Den meisten Gedichten ist im Grundtext eine Leseanweisung beigegeben, wie etwa in *carm.* 2:

> *… signato partes ut limite claudat*
> *iure pari carmen, mediis ut consona in omni*
> *sit nota prima sui, et sit pars extima talis*
> *ceu media, e primis occurrens aptius istic*
> *ad laterum fines, et pars, quae dividit orsa*
> *e medio, caput esse queat versuque referre:*
> *Sancte, tui vatis, Caesar, miserere serenus.*

… und zwar so, daß das Lied die Teile auf vorgezeichnetem Pfad in gleicher Weise beschließt, in der Mitte so, daß in jedem Vers der erste Buchstabe gleichlautend ist mit dem mittleren, und der äußerste Buchstabe sei so wie der mittlere; und daß es dabei

---

27 Das hängt davon ab, ob man für die Entstehungszeit davon ausgehen will, ob generell laut oder leise gelesen wurde.

28 Zitiert auf S. 90.

zweckdienlicher von den ersten Buchstaben zu den Enden der Seite läuft und so der Text, welcher das Gedicht aus der Mitte heraus teilt, die Hauptsache sein kann und folgendes metrisch verkünden kann: Ehrwürdiger Caesar, erbarme dich gelassen deines Sängers.

2,12–18

Oder der Intext benennt in Quintessenz das Dargestellte. Auf alle Fälle korrespondieren bzw. ergänzen sich sämtliche Ebenen des Gedichtes. Besonders einfallsreich sind in dieser Hinsicht Text und Intext von *carm*. 3, dessen Intext wie folgt lautet:

fingere Musa queat tali si carmine vultus
Augusti et metri et versus lege manente,
picta elementorum vario per musica textu
vincere Apelleas audebit pagina ceras.
Grandia quaerentur, si vatis laeta Camena.

Wenn die Muse in einem solchen Gedicht die Gesichtszüge des Augustus abbilden könnte, in dem Vers und Versmaß gleichmäßig gebaut sind, dann wird meine Seite es wagen, gemalt in einem kunstvoll verschiedenfarbigen Gewebe von Elementen, die Bilder des Apelles zu übertreffen. Großartiges wird unternommen, wenn die Muse des Dichters frohen Mutes ist.

3 in v. int.

Aufgrund der fehlenden technischen Möglichkeiten hat der rubrizierte Intext dann aber eben nicht die Form von Konstantins Konterfei, sondern nur die eines Musters, das Ähnlichkeit mit einem vierblättrigen Kleeblatt besitzt.

Wie gesehen, werden alle weiteren Ebenen des Gittergedichts aus den Buchstaben des Grundtextes gebildet. Um diesen erfassen zu können, muß von dem gewohnten Umgang mit Schrift abstrahiert werden. Deswegen soll im nächsten Schritt gefragt werden, welche Eigenschaften Schrift hat, wie Schrift eigentlich ‚funktioniert‘. Dabei wird sich herausstellen, daß Schrift viel mehr ist als nur aufgeschriebene Sprache. Was tut man also, wenn man einen Text liest? Ein einfaches Beispiel mag dies verdeutlichen: Folgende Meldung fand sich in der Frankfurter Allgemeinen Zeitung:

Die Bcuhstbaenrehenifloge in eneim Wrot ist eagl

23. September 2003 pps. FKARFNRUT, 23. Sptbemeer. Ncah eienr nueen Sutide, die uetnr aerdnem von der Cmabirdge Uinertvisy dührruchgeft wrdoen sien slol, ist es eagl, in wlehcer Rehenifloge Bcuhstbaen in eneim Wrot sethen, Huaptschae, der esrte und ltzete Bcuhstbae snid an der rhcitgien Setlle. Die rsetclhien Bshcuteban kenönn ttoal druchenianedr sien, und man knan es tortzedm onhe Poreblme lseen, wiel das mneschilhce Gherin nhcit jdeen Bcuhstbaen enizlen leist, snodren das Wrot als gnazes. Mti dme Pähonemn bchesfätgein shci mhrerere Hhcochsluen, auch die aerichmkianse Uivnäseritt in Ptstbigurh. Esrtmlas üebr das Tmeha gchseibren hat aebr breteis

1976 – und nun in der rgchitien Bruecihhsetnafoelngbe – Graham Rawlinson in sieenr Dsiestraiton mit dem Tetil „The Significance of Letter Position in Word Recognition" an der egnlsicehn Uitneivrsy of Ntitongahm.

Frankfurter Allgemeine Zeitung vom 24.09.2003, Nr. 222/Seite 9

Auch wenn mittlerweile erwiesen ist, daß die Buchstabenreihenfolge in einem Wort nur bis zu einem gewissen Grade beliebig ist, illustriert dieser Text sehr eindrücklich, daß man beim Lesen die Augen in Sprüngen (sog. Saccaden) fortbewegt und also offenbar keine einzelnen Buchstabenfolgen, sondern eine Art ‚Wortbild' in einer Länge von etwa acht Buchstaben wahrnimmt und dies bereits bekannten Wortbildern zuordnet. Bleibt etwas unerkannt oder zweideutig, gibt es eine Rückwärtsbewegung zur Verifizierung des Erfaßten.[29] Der einzelne Buchstabe als Zeichen wird dabei zugunsten der Erfassung des Wortganzen in seiner Materialität zurückgedrängt.[30] Nachdem anhand dieses Beispiels die Bildhaftigkeit der Schrift deutlich geworden ist, sollte weitergefragt werden, wodurch sich Schrift als solche bestimmen läßt. Dazu lassen sich folgende drei Kriterien zugrundelegen:[31]

> *1. Wie alle Zeichen muß Schrift auf etwas referieren.*
> *2. Schrift hat eine ästhetische Präsenz, d.h. im Gegensatz zu Lauten bleibt Schrift dauerhaft bestehen. In dieser Präsenz hat Schrift ikonische Qualitäten und kann visuell wahrgenommen werden.*
> *3. Im Gegensatz zu Bildern, die auch auf etwas verweisen und visuell dauerhaft wahrnehmbar sind,[32] besitzt Schrift daneben operative Qualitäten, d.h. es ist möglich, mit Schriftelementen nach eindeutigen Regeln zu operieren und umzugehen.*

Vor allem die letzten beiden Punkte sind entscheidend: Die Wirkung der Schrift basiert damit weniger auf ihrer Zuordnung zur (gesprochenen) Sprache, sondern auf ihrer visuell-ikonischen Dimension. Sybille Krämer spricht diesbezüglich

---

29 Vgl. Albrecht W. Inhoff – Keith Rayner. „Das Blickverhalten beim Lesen". in: *Schrift und Schriftlichkeit*. Hg. v. H. Günther – O. Ludwig. Handbücher zur Sprach- und Kommunikationswissenschaft 10.2. Berlin – New York (1996): 942–957.

30 Vgl. Gross, Sabine. *Lese-Zeichen. Kognition, Medium und Materialität im Leseprozeß*. Darmstadt (1994): 57: „Schrift lesen heißt, die Signifikanten auf ihre symbolische Signifikation einzuschränken und der Verlockung ihrer Ikonizität zu widerstehen."

31 Nach Grube, Gernot – Kogge,Werner. „Zur Einleitung. Was ist Schrift?". in: Grube, Gernot – Kogge,Werner – Krämer, Sybille. (Hgg.) *Schrift. Kulturtechnik zwischen Auge, Hand und Maschine*. München (2005): 9–19, 12–18.

32 Definition nach Sachs-Hombach, Klaus. „Konzeptionelle Rahmenüberlegungen zur interdisziplinären Bildwissenschaft". in: *Bildwissenschaft. Disziplinen, Themen, Methoden*. Hg. v. Klaus Sachs-Hombach. Frankfurt (2005): 11–20, 13.

von „Schriftbildlichkeit".[33] Die geschriebene Sprache besitzt damit im Vergleich zur gesprochenen Sprache einen verschobenen Wirkungsraum: Durch Schrift können weitere Sinnebenen gleichzeitig angelegt und hervorgebracht werden. Einzelne Grapheme können dabei mehrere Funktionen bedienen, wie beispielsweise beim schriftlichen Addieren:[34] Wenn man die Zahlen 19789 und 16601 addiert, indem man sie untereinander schreibt und die einzelnen Ziffern vertikal zusammenzählt, dann hat etwa die Ziffer 7 in der Zahl 19789 nicht nur eine horizontale Funktion im Dezimalsystem, indem sie ebendiese Zahl mit darstellt, sondern auch vertikal, wo sie durch den Vorgang des Addierens eine eigene Wertigkeit besitzt.

Überträgt man diese Erkenntnisse auf Optatians Gedichte, so ist festzustellen, daß dort die einzelnen Grapheme auf vielfältige, sinnstiftende Weise engagiert sind. Die Materialität der Zeichen, die normalerweise beim Lesen zurückgedrängt wird, ist hier gerade Verständnisprinzip und tritt gleichberechtigt neben die Signifikatsfunktion.[35]

Dies sei an einem Beispiel kurz illustriert: *Carmen* 2 besteht aus 35 Buchstaben im Quadrat (vgl. Abb. 1).[36] Eine horizontale Abfolge bildet jeweils einen Hexameter. Vers 1, der *sancte, tui vatis, Caesar, miserere serenus* (ehrwürdiger Caesar, erbarme dich gelassen deines Sängers) lautet, kehrt in der Mitte als Vers 18 und als letzter Vers wieder. Gleichfalls läßt er sich jeweils vom ersten, mittleren und letzten Buchstaben des ersten Verses aus vertikal nach unten lesen. In der Mitte der sich so ausbildenden Quadrate ist fernerhin von links oben nach rechts unten laufend der Hexameter *aurea sic mundo disponas saecula toto* (so ordne du auf der ganzen Welt das Goldene Zeitalter) eingeschrieben. Während der erste Vers dreimal auch im Laufe der linearen Lektüre des Gedichtes gelesen werden kann, bleibt der vertikal geschriebene Text der visuellen Wahrnehmung vorbehalten, die die bereits vorhandenen Buchstaben des Grundtextes unter Zuhilfenahme der farblichen Hervorhebung zu neuen Wörtern zusammensetzen muß. Der mehrfach wiederkehrende Vers *sancte, tui vatis, Caesar, miserere serenus* bil-

---

33 Krämer, Sybille. „‚Operationsraum Schrift'. Über einen Perspektivenwechsel in der Betrachtung der Schrift". in: Grube – Kogge – Krämer (s. Anm. 31): 23–61, 24.

34 Beispiel nach Krämer (s. Anm. 33) 27.

35 Assmann, Aleida. „Die Sprache der Dinge. Der lange Blick und die wilde Semiose". in: *Materialität der Kommunikation*. Hg. v. Hans Ulrich Gumbrecht – K. Ludwig Pfeiffer. Frankfurt (1988): 237–251, 239 spricht für dieses Verfahren von „wilder Semiose": „Wilde Semiose bringt die Grundpfeiler der etablierten Zeichenordnung zum Einsturz, indem sie auf die Materialität des Zeichens adaptiert und die Präsenz der Welt wiederherstellt."

36 Alle Abbildungen sind der maßgeblichen Ausgabe von Polara (Turin 1973) entnommen.

II

```
   S A N C T E T V I V A T I S C A E S A R M I S E R E R E S E R E N V S
   A V G V S T E O M N I P O T E N S A L M O M O R T A L I A C V N C T A
   N V M I N E L A E T I F I C A N S N O B I S A D G A V D I A N O M E N
   C O N S T A N T I N E T V V M F E C V N D I C A R M I N I S E X H O C
 5 T E D V C E D E T M V S A S N A M T R I S T I S C V R A R E C V S A T
   E G R E G I O S A C T V S I A M S E D E N T C R I M I N A P A R C A E
   T V N C M E L I V S D O M I N V M T E V O X S E C V R A S O N A B I T
   V I R T V T V M R E C T O R P O T V I T V I X P A N G E R E V E R S V
   I S T A M O D O E T M A E S T O S I C S A L T I M D I C E R E V A T I
10 V I X M I H I C A L L I O P E P A V I T A N T I C O N S C I A N V T V
   A D N V I T A V S A P R E C E M V A T I S Q V E E D I C E R E F A T A
   T R I S T I A S I G N A T O P A R T E S V T L I M I T E C L A V D A T
   I V R E P A R I C A R M E N M E D I S V T C O N S O N A I N O M N I
   S I T N O T A P R I M A S V I E T S I T P A R S E X T I M A T A L I S
15 C E V M E D I A E P R I M I S O C C V R R E N S A P T I V S I S T I C
   A D L A T E R V M F I N E S E T P A R S Q V A E D I V I D I T O R S A
   E M E D I O C A P V T E S S E Q V E A T V E R S V Q V E R E F E R R E
   S A N C T E T V I V A T I S C A E S A R M I S E R E R E S E R E N V S
   A L M E S A L V S O R B I S R O M A E D E C V S I N C L I T E F A M A
20 R E M E L I O R P I E T A T E P A R E N S A D M A R T I A V I C T O R
   M I T I O R A D V E N I A M P E R M V L C E N S A S P E R A L E G V M
   I V S T I T I A A E T E R N A E V I R E S E T G L O R I A S A E C L I
   S P E S D A T A P L E N A B O N I S E T F E L I X C O P I A R E B V S
   E X I M I V M C O L V M E N V E T E R V M V I R T V T E F I D E Q V E
25 R O M A E M A G N E P A R E N S A R M I S C I V I L I B V S V L T O R
   E T S V M M I L A V S G R A T A D E I M E N S C L A R A S V P E R N E
   R E B V S M I S S A S A L V S P E R T E P A X O P T I M E D V C T O R
   E T B E L L I S S E C V R A Q V I E S S A N C T A O M N I A P E R T E
   S O L I S I V R A S V I S F I D I S I M A D E X T R A M A R I T I S
30 E T S O C I A L E I V G V M P R A E B E T C O N S O R T I A V I T A E
   R E S P I C E M E F A L S O D E C R I M I N E M A X I M E R E C T O R
   E X V L I S A F F L I C T V M P O E N A N A M C E T E R A C A V S A E
   N V N C O B I E C T A M I H I V E N I A V E N E R A B I L E N V M E N
   V I N C E P I A E T S O L I T O S V P E R A N S F A T A L I A N V T V
35 S A N C T E T V I V A T I S C A E S A R M I S E R E R E S E R E N V S
        5        10        15        20        25        30        35
```

Abb. 1

det dabei nicht nur äußerlich, sondern auch inhaltlich das Rahmenthema des Gedichtes: In der ersten Gedichthälfte (V. 1–18) spricht der Dichter von seiner gegenwärtigen mißlichen Lage und erklärt das Dichtungs- und Aufbauprinzip des vorliegenden kleinen Werkes, das er trotz allem (oder gerade deswegen) an den Kaiser zu senden wagt. Dabei wird der Intext sowohl funktional-beschreibend zitiert als auch gleichzeitig erneut vom Dichter geäußert. In der anderen Hälfte schließt sich ein erinnerndes Lob der Kaisertugenden an, das in die Bitte des Dichters mündet, die Verbannung zu beenden und, ringkompositorisch aufnehmend, sich des armen Dichters zu erbarmen. Der zweite, nur auf der operativen Ebene zu lesende Hexameter *aurea sic mundo disponas saecula toto* kann zweifach bezogen werden: Angewandt auf die diskursive Ebene weist das *sic* auf die dort aufgezählten Tugenden und Verdienste Konstantins hin. Bezogen auf die ikonisch-operative Ebene ist es jedoch ein Hinweis darauf, daß auch und gerade die Begnadigung eines Dichters zu den Obliegenheiten eines lobenswerten Kaisers gehört.

Deutlicher wird dies noch bei *carm.* 5 (vgl. Abb. 2), wo die hervorgehobenen Buchstaben des Grundtextes nicht nur einen selbständigen Text, sondern als Buchstabensatz wiederum Versalien bilden und die Abkürzungen AUG XX CAES X ergeben, die für das 20jährige Regierungsjubiläum des Augustus und das 10jährige Jubiläum der Caesares stehen. Der erste Eindruck, der sich dem Leser aufdrängt, ist damit der einer Ehreninschrift, die die Vicennalia ankündigt. Die zweite Ebene ist der Text, der in die Ehreninschrift buchstäblich eingeschrieben ist:

> *cum sic scripta placent, audent sibi devia Musae*
> *per varios signare modos devotaque mentis*
> *gaudia, quae pingens loquitur mea, Phoebe, Camena.*
> *summe parens, da voce pia tricennia fari.*

Wenn so Geschriebenes Gefallen findet, dann erlauben es sich die Musen auf verschiedene Arten Ungewöhnliches und die ergebenen Freuden des Geistes zu zeichnen, die meine Muse, Phoebus, malend sagt. Höchster Vater, gestatte es, mit ehrfurchtsvoller Stimme auch von deinem 30jährigen Jubiläum zu künden.

5 in v. int.

Der Intext verweist auf das Dichtungskonzept sämtlicher Ebenen. Was Optatian dichtet, ist etwas vollkommen Neues und es findet auf mehreren Ebenen seinen Ausdruck. Der Grundtext schließlich umfaßt die auf den beiden anderen Ebenen gemachten Aussagen, denn er enthält in lobender Zusammenfassung die von Konstantin bisher erbrachten Leistungen und die Erklärung, daß das vorliegende Dichtungskonzept die alleinige angemessene Ausdrucksweise für diesen Anlaß darstellt:

V

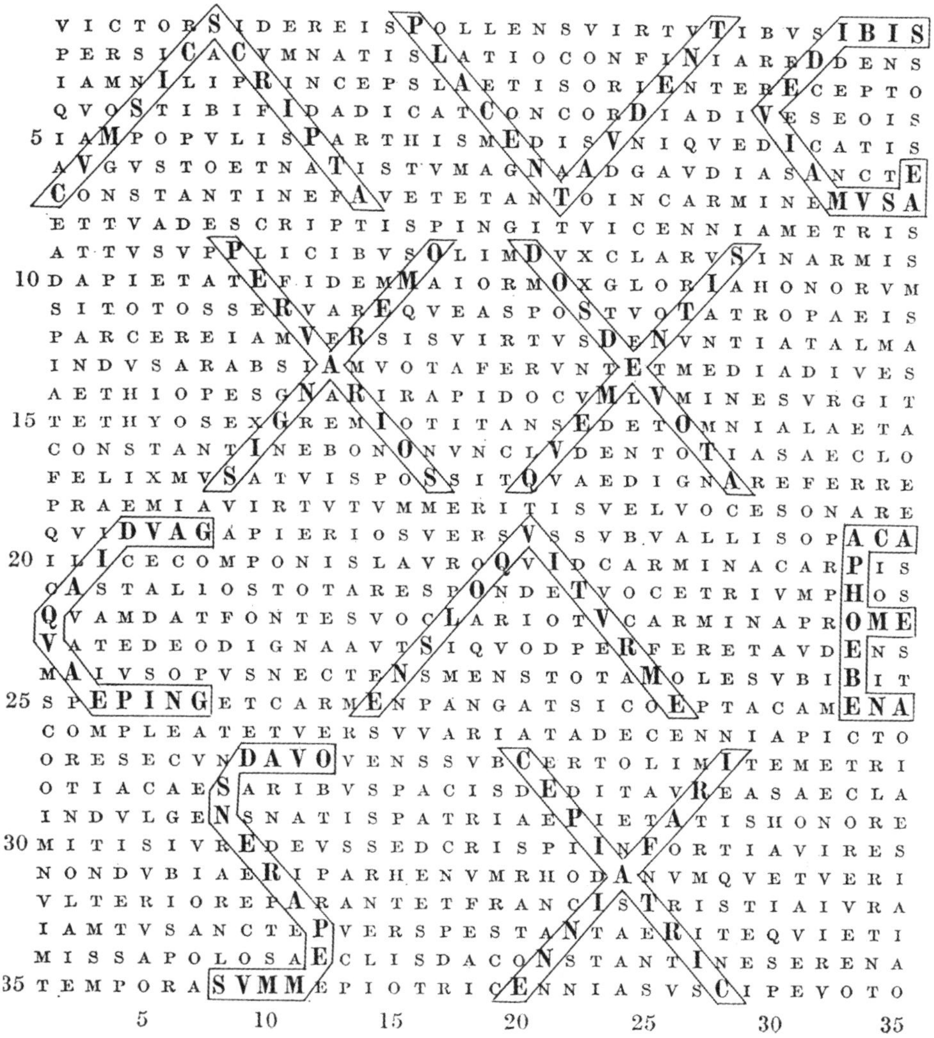

```
    V I C T O R S I D E R E I S P O L L E N S V I R T V T I B V S I B I S
    P E R S I C A C V M N A T I S L A T I O C O N F I N I A R E D D E N S
    I A M N I L I P R I N C E P S L A E T I S O R I E N T E R E C E P T O
    Q V O S T I B I F I D A D I C A T C O N C O R D I A D I V E S E O I S
 5  I A M P O P V L I S P A R T H I S M E D I S V N I Q V E D I C A T I S
    A V G V S T O E T N A T I S T V M A G N A A D G A V D I A S A N C T E
    C O N S T A N T I N E F A V E T E T A N T O I N C A R M I N E M V S A
    E T T V A D E S C R I P T I S P I N G I T V I C E N N I A M E T R I S
    A T T V S V P P L I C I B V S O L I M D V X C L A R V S I N A R M I S
10  D A P I E T A T E F I D E M M A I O R M O X G L O R I A H O N O R V M
    S I T O T O S S E R V A R E Q V E A S P O S T V O T A T R O P A E I S
    P A R C E R E I A M V E R S I S V I R T V S D E N V N T I A T A L M A
    I N D V S A R A B S D A M V O T A F E R V N T E T M E D I A D I V E S
    A E T H I O P E S G N A R I R A P I D O C V M L V M I N E S V R G I T
15  T E T H Y O S E X G R E M I O T I T A N S E D E T O M N I A L A E T A
    C O N S T A N T I N E B O N O V N C I V D E N T O T I A S A E C L O
    F E L I X M V S A T V I S P O S S I T Q V A E D I G N A R E F E R R E
    P R A E M I A V I R T V T V M M E R I T I S V E L V O C E S O N A R E
    Q V I D V A G A P I E R I O S V E R S V S S V B V A L L I S O P A C A
20  I L L I C E C O M P O N I S L A V R O Q V I D C A R M I N A C A R P I S
    C A S T A L I O S T O T A R E S P O N D E T V O C E T R I V M P H O S
    Q V A M D A T F O N T E S V O C L A R I O T V C A R M I N A P R O M E
    V A T E D E O D I G N A A V T S I Q V O D P E R F E R E T A V D E N S
    M A I V S O P V S N E C T E N S M E N S T O T A M O L E S V B I B I T
25  S P E P I N G E T C A R M E N P A N G A T S I C O E P T A C A M E N A
    C O M P L E A T E T V E R S V V A R I A T A D E C E N N I A P I C T O
    O R E S E C V N D A V O V E N S S V B C E R T O L I M I T E M E T R I
    O T I A C A E S A R I B V S P A C I S D E D I T A V R E A S A E C L A
    I N D V L G E N S N A T I S P A T R I A E P I E T A T I S H O N O R E
30  M I T I S I V R E D E V S S E D C R I S P I N F O R T I A V I R E S
    N O N D V B I A E R I P A R H E N V M R H O D A N V M Q V E T V E R I
    V L T E R I O R E P A R A N T E T F R A N C I S T R I S T I A I V R A
    I A M T V S A N C T E P V E R S P E S T A N T A E R I T E Q V I E T I
    M I S S A P O L O S A E C L I S D A C O N S T A N T I N E S E R E N A
35  T E M P O R A S V M M E P I O T R I C E N N I A S V S C I P E V O T O
```

    5   10   15   20   25   30   35

Abb. 2

felix Musa, tuis possit quae digna referre
praemia virtutum meritis vel voce sonare.
… Clario tu carmina prome
vate deo digna: aut siquod perferet audens,
maius opus nectens, mens tota mole subibit,
spe pinget carmen, pangat si coepta Camena,
compleat et versu variata decennia picto,
ore secunda vovens sub certo limite metri.

Glücklich die Muse, die einen deiner Verdienste würdigen Lohn für deine Leistungen berichten oder ertönen lassen kann. […] Du bringe Lieder hervor, die eines berühmten göttlichen Sängers würdig sind: Wenn er etwas wagemutig ertragen wird, ein größeres Werk flechtend, wird sein intellektuelles Vermögen die ganze Last auf sich nehmen, wird er hoffnungsvoll ein Lied malen, wenn die Muse sein Vorhaben dichtet und mit einem gemalten Vers die buntgefärbten Decennien ausfüllt, Glück wünschend auf dem sicheren Pfad des Metrums.

5,17 f. 22–27.

Schließlich gibt es die Möglichkeit, wie in *carm.* 19 (vgl. Abb. 3), daß der Intext ein Bild formen kann. In diesem Gedicht tritt zu den eben vorgestellten Wahrnehmungsebenen eine weitere Raffinesse hinzu: Will man den in das Christusmonogramm eingeschriebenen Text lesen, so muß man das Schriftsystem wechseln, denn diese Buchstabenfolge ergibt nur dann einen Sinn, wenn griechische Buchstaben aufeinanderfolgen:

τὴν ναῦν δεῖ κόσμον, σὲ δὲ ἄρμενον εἰνὶ νομίζιν
θούροις τεινόμενον σῆς ἀρετῆς ἀνέμοις.

Das Schiff soll das Universum sein, du aber die Takelage darauf, die sich ausbreitet für die raschen Winde deiner Leistungsfähigkeit.

19 in v. int.

Darüber hinaus sind die übrigen Intexte zwar wieder aus lateinischen Buchstaben gebildet, doch gibt es für den Rumpf des Schiffes mehrere Möglichkeiten, vom Heck zum Bug zu gelangen, je nachdem, in welche Richtung man an einer Textverzweigung abbiegt. Beginnt man oben am Heck, lautet der hexametrische Vers *navita nunc tutus contemnat, summe, procellas*; vom selben Ausgangspunkt, aber nach unten laufend heißt er *nigras nunc tutus, contemnat, summe procellas*, vom Deck aus in den Rumpf absteigend läßt sich *tutus contemnat summis cumulata tropaeis* lesen und so weiter. Die Kombinationsmöglichkeiten sind beinahe unerschöpflich. Das bedeutet, daß die Buchstaben, die sich im Schiff befinden, auf vielfache Weise immer wieder neu kontextualisiert werden können. Besonders gilt dies für das N in der Mitte (Vers 22 Buchstabe Nr. 16), das nicht nur in besagten wiederholbar unterschiedlich zusammensetzbaren Versen des Intextes ver-

XIX

```
   PRODENTVRMINIOCAELESTIASIGNALEGENTI
   CONSTANTINEDECVSMVNDILVXAVREASAECLI
   QVISTVAMIXTACANATMIRAPIETATETROPAEA
   EXVLTANSDVXSVMMENOVISMEAPAGINAVOTIS
 5 AEMVLAQVAMCLARIIGENITORISCALLIOPEAE
   COMPOSVITTALINVNCMENSPERFVSALIQVORE
   VERSIFICASHELICONINGAVDIAPROLVATVNDAS
   CLEMENTIQVENOVVMNVMENDEPECTOREVERSET
   NAMQVEEGOMAGNANIMIDICAMNVMEROSACANENDO
10 SCEPTRADVCISGAZZAENOBISDATGRAECIADONA
   SAECLAQVEBLEMMYICOSOCIALILIMITEFIRMAS
   ROMVLALVXCONDIGNANOVISFLORENTIAVOTIS
   VOTOSCRIPTACANOOΘALIMARSCARDINETECTO
   IAMBELLISTOTVMMÖSEVMPERPLECTERECIVEM
15 VTPATEATRVBICONPARILIPETITAETHERAIVRE
   NVNCFELIXPROPRIOSPAKISMESCRYPEAVISVS
   IAMSTIMVLATSIGNISEXVLTANSMVSANOTARE
   GAVDIALAETVSNVNCPERMENOTATAIAPHOEBVS
   RETITOQVOQVETEXTANOVOCANELAVREAPLECTRO
20 ARTENOTISPICTAFELICIASAECVLAPLAVDENS
   SICAESTVSVATESFIDODVCEPYTHIDECARPENS
   NVNCTVTVSCONTEMNATSVMMEPROCAXEGOVERO
   NVNCMARESIGAEVMVALEAMBFENEFRANGEREREMO
   CARBASANOCTIFERVMTOTVMSISCRVPEATENDO
25 PVLPITADEPORTANSVISAMCONTEXERENAVEM
   MVSASINITCONIVNCTATVOSPESINCLITAVOTO
   MENTEMPERTORTVMFESSAMNONFRANGATHIVLCO
   LAVSMEAFICTAPEDESTANSMAGNAMOLEDOCENDI
   SIGNAPALAMDICAMVAETISSIMAFLVMINESANCTO
30 MENTEBONACONTEMNATSVMMISCVMSIBIAGONEM
   VOTISPOSTFRACTVMMARTEMCLEMENTIAREDDET
   SICNOBISLECTOVOCRESCVNTAVREASAECLA
   MOXLATIOVINCENSIAMBISVICENNIAREDDES
   CARMINEQVAEPIETASMIRODENOMINEFORMET
35 FLORENOTANSVOTVMVARIODATPAGINAFELIX
   AVGVSTAESOBOLISMEMORANSINSIGNIAFATA
   IVDICETEVELTESTEPIOCONDIGNAPARENTIS
   IVNGENTVRTITVLISFELICIAFACTANEPOTVM

     5      10     15      20      25      30      35
```

Abb. 3

wendet wird, sondern auch noch als v des griechischen Textes; ganz zu schweigen
natürlich vom Grundtext. Mehr als in den anderen vorgestellten Gittergedichten
ist hier der operative Charakter der Schrift im Einsatz und ist die Mitarbeit des
Lesers resp. Betrachters gefragt. Das Gedicht hat so viele Bedeutungen, wie der
Leser ihm zu entlocken vermag. Das bedeutet aber auch, daß das Lektüreergeb-
nis vom Leser abhängt und jedesmal anders ist.

4. Mediale Wahrnehmungsgewohnheiten und ihre Instrumentalisierung bei Optatian

Es ist bereits deutlich geworden, daß Optatians Werke die visuelle Präsenz zur
Entfaltung ihres Potentials benötigen. In der Praefatio zur Sammlung (*carm. 1*)
kommentiert Optatian selbst die Erscheinungsform seines Gedichtbuches folgendermaßen:

> *Quae quondam sueras pulchro decorata libello*
> *carmen in Augusti ferre Thalia manus,*
> *ostro tota nitens, argento auroque coruscis*
> *scripta notis, picto limite dicta notans.*
> *scriptoris bene compta manu meritoque renidens*
> *gratificum, domini visibus apta sacris,*
> *pallida nunc, atro chartam suffusa colore,*
> *paupere vix minio carmina dissocians,*
> *hinc trepido pede tecta petis venerabilis aulae,*
> *horrida quod nimium sit tua nunc facies.*
> *hos habitus vatis praesentia fata merentur;*
> *vix locus hoc saltem praebuit unde venis.*

Die du es einst gewohnt warst, Thalia, dem Augustus hübsch dekoriert in einem schönen Buch ein Gedicht zu überreichen, ganz glänzend von Purpur, und geschrieben
mit silbernen und goldenen Buchstaben, auf gemaltem Pfad die Worte aufzeigend,
fein zurechtgemacht von der Hand des Schreibers und verdientermaßen gefällig glänzend, passend für den erhabenen Blick des Herrn, jetzt bist Du ganz blaß, das Papier
mit schwarzer Farbe beschriftet, und unterscheidest kaum die Gedichte mit einem
ärmlichen Zinnoberrot; von hier aus suchst du die altehrwürdige Kaiseraula zaghaften
Schrittes auf, weil dein Aussehen jetzt zu grausig ist: diesen Aufzug hat das gegenwärtige Schicksal des Dichters verdient; der Ort, woher du kommst, gab zumindest
kaum dies her.

carm. 1,1–12

Das geplante und z. T. auch durchgeführte Aussehen der Gedichtsammlung liegt
damit im Trend der Zeit: In der Spätantike wird der Codex zunehmend zum

Luxusgegenstand. Dies wird nicht nur durch prächtige Illustrationen erreicht,[37] sondern auch durch Verwendung teurer Tinten. Eine besonders luxuriöse Variante stellt die Einfärbung des Pergaments mit Purpur und dessen Beschriftung mit Gold- und Silbertinte dar.[38] Die Entwicklung des Codex und vor allem die Möglichkeit, den Blatthintergrund einzufärben, hat damit die Entstehung dieser Art von Dichtung begünstigt. Ferner scheint die Eigenschaft des Codex, über feste Seitenbegrenzungen zu verfügen, wie gemacht für Optatians Gedichte, die in ihrer quadratisch-flächigen Form einen festumgrenzten Raum beanspruchen, so daß sowohl ein isoliertes Gedicht auf einem Einzelbogen präsentiert werden kann, als auch eine bibliophile Sammlung zum Blättern. Der Konstantin nun übersandte Gedichtband läßt von all diesem Prunk nichts mehr sehen. Statt dessen ist der Grundtext mit schwarzer Tinte geschrieben und wurde der Intext in zinnoberroten Buchstaben hervorgehoben. So hat das Exil des Dichters also unmittelbar sichtbare Auswirkungen. Statt des Dichters in Sack und Asche tritt nun – wie es sich für ein Gedichtbuch aus dem Exil seit Ovid gehört – das ärmlich ausgestattete und Mitleid heischende Buch als Bittsteller vor Konstantin.[39]

Der quadratische Grundriß scheint mit einem weiteren äußerlichen Detail der Gedichte zu korrespondieren: Da es in den Gedichten auf eine geschlossene und gleichmäßige Wirkung des geordneten Buchstabenmusters ankommt, ist es wahrscheinlich, daß als Schrift eine *capitalis quadrata* resp. *monumentalis* verwendet wurde. Diese Schrift, die vor allem für monumentale Inschriften verwendet wurde,[40] zeichnet sich dadurch, daß ihre Buchstaben auf einem Quadrat konzipiert sind, und durch eine klare Wirkung und hohe Lesbarkeit aus. Der Einsatz dieser Schrift stellt Optatians Gedichte in eine Reihe mit Ehreninschriften und läßt das Pergament gleichsam zum steinernen Monument werden.

Schließlich hat das oben bereits erwähnte[41] poetische Verfahren der fragmentierenden und semantisch veränderten Verwertung früherer Textzeugnisse eine

---

37 Vgl. exemplarisch die Illustrationen des Vergilius Vaticanus (Cod. Vat. lat. 3225).

38 Ein vergleichbares Objekt wäre der allerdings später entstandene sog. Codex argenteus, eine gotische Bibel, zu Beginn des 6. Jh. in Ravenna geschrieben, heute aufbewahrt in der Universitätsbibliothek Uppsala (einsehbar unter http://www.ub.uu.se/ arv/codex/faksimiledition/jpg_files/001k_003.html). Zum Bücherluxus der Spätantike Zimmermann, Barbara. „,Illustrierte Prachtcodices'. Bücherluxus in der Spätantike". in: *Epochenwandel? Kunst und Kultur zwischen Antike und Mittelalter.* Hg. v. Franz Alto Bauer – Norbert Zimmermann. Mainz (2001): 45–56, zur Luxuskritik vgl. Hier. *epist.* 22,32: *at nunc plerasque videas armaria stipare vestibus, tunicas mutare cotidie et tamen tineas non posse superare. inficitur membrana colore purpureo, aurum liquescit in litteras gemmis codices vestiuntur et nudus ante fores earum Christus emoritur.*

39 Vgl. Ov. *trist.* 1,1.

40 Vgl. Bernhard Bischoff. *Paläographie des römischen Altertums und des abendländischen Mittelalters.* Berlin (1979): 77f.

41 Siehe oben S. 78.

archäologische Parallele zumal im Konstantinsbogen.[42] Der Bogen wurde zum
Dank für den Sieg über Maxentius innerhalb von drei Jahren fertiggestellt und
315, im Jahr des 10jährigen Regierungsjubiläums Konstantins, geweiht. Von früheren Triumphbögen hebt sich der Konstantinsbogen dadurch ab, daß er keine
genuine architektonische Neuschöpfung ist, sondern originale Versatzstücke
früherer Monumente (vor allem aus der Zeit Trajans, Hadrians und Marc Aurels)
in den Bogen einbaut und neu kontextualisiert. So sind beispielsweise die Tondi
auf der Südseite Spolien von einem hadrianischen Bogen und zeigen den Kaiser,
der nun Konstantins Gesichtszüge trägt, beim Opfer und auf der Jagd. Der Konstantinsbogen universalisiert damit seine Aussage über den ursprünglichen Anlaß, den Sieg über Maxentius, und erweitert den Blick auf die generellen Eigenschaften und Aufgaben eines Kaisers. Dies ist eine Technik, die typisch ist für
Konstantinische Architektur: So ist vor allem auch die neue Hauptstadt Konstantinopel zum großen Teil mit Bild- und Kunstwerken vergangener Zeiten im
Original ausgestattet worden. Auf diese Weise ergibt sich für die Spolien wie
auch für die transferierten Kunstwerke eine neue Umgebung und ein veränderter
Wahrnehmungsstandpunkt. Konstantins imperiales Bildprogramm ist eine dezi-
dierte Synthese von Altem und Neuem, die Vergangenheit soll so im Fokus der
Gegenwart neu gedeutet werden und mündet sozusagen in Kostantins gegenwärtige Politik.[43] Bei solchen synkretistischen Bildprogrammen ist die aktive
Mitarbeit des Betrachters gefragt. Denn ein versierter Betrachter kann entweder
das gesamte Programm rezipieren oder auch nur das Bildprogramm einer
bestimmten Epoche (wie z. B. die Abbildungen aus der Zeit Hadrians auf dem
Konstantinsbogen) auswählen.

Überträgt man diese Verfahrensweise auf Optatians Gedichte, so läßt sich
eine prinzipielle Analogizität feststellen. Der Leser von Optatians Gedichten
muß in der Lage sein, die oben skizzierten verschiedenen Wahrnehmungsebenen
auseinanderzudividieren. Dabei bleibt es ihm überlassen, ob er sich mit dem
luxuriösen, in Purpur und Gold gehaltenen Gesamteindruck begnügen will, oder
ob er in die einzelnen Textebenen vordringen möchte. Welche Ebene er dabei
zuerst entziffert, bleibt ihm überlassen. Allerdings scheint es plausibel, daß auf-

---

42 Siehe dazu Elsner, Jas. „From the Culture of Spolia to the Cult of Relics. The Arch of
    Constantine and the Genesis of Late Antique Forms". *Papers of the British School at
    Rome* 68 (2000): 149–184.
43 Elsner (s. Anm. 42) 155 weist darauf hin, daß es ein solches Verfahren zwar auch
    schon früher unter Augustus gegeben habe, daß es jedoch in diesem Umfange eine
    komplette Neuerung darstelle: „All this spolia represents an urge to turn to the mate-
    rial culture of the past in order to bolster the present. The distinction and authority of
    a new dynasty and a new capital were underwritten by an intense visual programme
    appealing to and rooted in the past."

grund der Ikonizität und Materialität des Intextes immer zuerst dieser wahrgenommen wird, bevor der Text des Intextes und am Ende der Grundtext erfaßt
wird. Je intensiver der Leser sich mit dem Gedicht auseinandersetzt, desto mehr
Sinngehalt wird er ihm entlocken. Der Reiz des Gedichtes liegt damit in der
jeweils individuellen Interaktion zwischen dem Text und seinem Leser.

In einem nächsten Schritt soll überprüft werden, inwiefern der Medienwechsel
bei Optatian bewußt vollzogen wird und wie das Changieren zwischen den verschiedenen Gedichtebenen thematisiert wird. Auffallend ist, daß es mehrere
Wortfelder sind, mit denen Optatian sein Dichtungskonzept charakterisiert und
die die unterschiedliche Zusammensetzung der Gedichte unterstreichen. Besonders deutlich wird die Synästhetik an *carm.* 3, das mit Abstand dasjenige ist, das
über Optatians Dichten am meisten reflektiert. Bereits im oben zitierten Intext[44]
deutet Optatian programmatisch an, daß der Gedanke, es mit der bildenden
Kunst aufzunehmen, durchaus nicht abwegig ist und macht damit den Vergleich,
der realiter nicht stattfinden könnte, verbal bereits möglich. Die Dichotomie
zwischen Text und Bild zieht sich durch das gesamte Gedicht. Zu Beginn betont
Optatian wie im Intext, daß er zu gerne Konstantins Züge abbilden möchte,
wenn ihn die Vernunft nicht davon abhielte. Statt dessen zählt er sich lieber zur
Reihe der glücklichen Dichter, die von Konstantin inspiriert seine Taten besingen
dürfen. Denn, so erfährt man im weiteren (7–10), Konstantin ist ein williger
Zuhörer von *docta Camenae dicta* (8f.). Diese Eigenschaft wird daraufhin in den
unmittelbaren Zusammenhang mit dem bereits angebrochenen Goldenen Zeitalter gesetzt, wonach Optatian fortfährt:

> ... *haec nexus lege solutis*
> *dicturus metris magno movet agmine Musas,*
> *at mea vix pictis dum texit carmina Phoebi*
> *Calliope modulis, gaudet, si vota secundet*
> *Delius, intexta ut parili sub tramite Musa*
> *orsa iuvet, versu consignans aurea saecla.*

Die Verbindung, die im Begriff ist, solches zu sagen, setzt in regelmäßiger Prosa die
Musen mit großem Aufwand ins Werk, doch während meine Calliope in gemalter
Weise Phoebus' Lieder unter Mühen webt, freut sich der Delier, wenn er den Wün-
schen sekundieren darf, so daß die in einem gleichmäßigen Pfad eingewebte Muse das
dichterische Unternehmen unterstützt, im Vers gleichfalls verbürgend das Goldene
Zeitalter.

3, 13–18

---

44 Siehe S. 82.

In Abgrenzung zu den herkömmlichen Panegyriken unterstreicht Optatian die
Komplexität seiner Gedichte, insbesondere den im Vergleich zur Prosa mühe-
volleren Produktionsprozeß, dessen Besonderheit darin besteht, die *aurea saecla*
Konstantins auch durch die Gestalt des Gedichtes ausdrücken zu können (*con-
signans*), vor allem aber durch die komplementäre Erstellung eines Intextes. Auffallend ist die bildhafte Sprache, die auf der einen Seite eine geradezu martialisch
anmutende Musentruppe aufmarschieren läßt, um dieser auf der anderen Seite
die kleinen und feinen *picti moduli* Optatians entgegenzusetzen, die ihre Wirkung nicht durch bloße Wucht entfalten, sondern durch ihr gesteigertes Raffinement. Die handwerkliche Meisterleistung dieser Dichtung wird noch mehr durch
das Bild des Webens eines Textes (*texit, intexta*) verdeutlicht, eine Metapher,
deren ursprüngliche Bedeutung hier unbedingt mitzulesen ist, vor allem da es
sich um farbig-flächige Elemente handelt (*picta metra*), mit denen der Dichtungs-
stoff durchwirkt ist. Dabei scheint Optatian bewußt die paradoxe Dichotomie
zwischen sichtbaren und hörbaren Elementen seiner Dichtung aufrechtzuerhal-
ten; mitunter stehen beide Kognitionsmöglichkeiten direkt nebeneinander, wie
in: *verba tueri* (3,21) oder: *nodosos visus artis cata praeferat ex hoc | et tamen ausa
loqui tanto mens aestuat ore* (3,30f.).[45]

In *carm.* 6 (vgl. Abb. 4), mit dem Optatian Konstantins Sieg über die Sarmaten verherrlicht, wird das Aufeinandertreffen der gegensätzliche Sinne anspre-
chenden Ausdrücke sogar für die Darstellung des Inhalts instrumentalisiert. Zu
sehen ist an den rubrizierten Buchstaben die schematische Skizze eines Heeres in
einer *quincunx* genannten Aufstellung, wie die Anfangsverse verdeutlichen: *Mar-
tia gesta modis audax imitata sonoris | Musa per effigiem turmarum carmina texit*
(1f.), in volltönender Weise werden also im Gedicht die Kriegstruppen abgebildet. Der Intext des Gedichtes kann auf unterschiedliche Weise zusammengesetzt
werden. In ihm verkündet der Dichter: *dissona Musarum vinciri stamine gaudens |
grandia conabor Phoebeo carmina plectro*, er wolle mithilfe von Phoebus' Plectrum großartige Gedichte in Angriff nehmen, voller Freude darüber, daß durch
den Faden der Musen *dissona* geheftet werde. Polara erklärt in seinem Kommentar zur Stelle, *dissona* beziehe sich auf die Möglichkeit, die Worte auf unter-

---

45 Weitere Stellen in Auswahl: *carm.* 5: *Musa … pingit metris* (8); *voce sonare* (18); *tota
    respondet voce* (21); *spe pinget carmen* (25); *carm.* 7: *virtutum specimen* (in v. int.),
    augustum specimen (1); *picto sub carmine fari* (7); *carm.* 8: *scripta micant, resonans
    nominibus domini* (in v. int.); *carm.* 10: *canoros nexus* usf.
        Zwar können *pingere* und *texere* auch jeweils im übertragenen Sinne auf eine
    sprachliche Ausgestaltung bezogen werden, vgl. für *pingere* Thesaurus Linguae
    Latinae s.v. II B 1 und für *texere* Oxford Latin Dictionary s.v. 3, doch ist es bei
    Optatian die Häufung der Begriffe, die deutlich macht, daß die ursprüngliche Be-
    deutung intendiert ist.

VI

```
   M A R T I A G E S T A M O D I S A V D A X I M I T A T A S O N O R I S
   M V S A P E R E F F I G I E M T V R M A R V M C A R M I N A T E X I T
   E T N V N C A G M E N A G I T Q V I N O S V B L I M I T E R E C T V M
   M V S I G E N O S P A T I V M S E P T E N O M I L I T E D I S T A N S
 5 N V N C E A D E M V E R S O R E L E G E N S V T C V M Q V E M E A T V
   M I T T I T I N A M F R A C T V S N O N V N A L E G E C A T E R V A S
   D I S S O N A C O M P O N I D I V E R S O C A R M I N E G A V D E N S
   G R A T A N I M I S F L E X V D O C I L I D E P E R P E T E M E T R O
   O R S A I T E R V M F I N I S O C I A N S C O N F I N I A C O N T R A
10 P R A E P O N E N S O R S I S N V L L O D I S C R I M I N E M E T R I
   Q V I N E T I A M P A R T E S M E D I A E S V A M V N I A D O C T A E
   E X P E D I V N T V E R S I S V I C I B V S N A M F I N E S E D V N O
   Q V A M V I S A M B I G V O S C V R S V S E T D E V I A C L A V D I T
   O S T E N T A N S A R T E M V I N C I R I S C R V P E A P R A E B E T
15 S A R M A T I C A S S V M M E S T R A G E S E T T O T A P E R A C T A
   V O T A P R E C O R F A V E A S S V B C E R T O C O N D I T A V I S V
   F A C T O R V M G N A R V M T A M G R A N D I A D I C E R E V A T E M
   I A M T O T I E N S A V G V S T E L I C E T C A M P O N A C R V O R E
   H O S T I L I P O S T B E L L A M A D E N S A R T I S S I M A T O T O
20 C O R P O R A E V S A S O L O S V B M E R S A S A M N E R E P L E T O
   V I C T R I X M I R E T V R T V R B A S A C I E M Q V E F E R O C E M
   P L V R I M A C O N A R E R P H O E B E O C A R M I N E G A V D E N S
   M A R G E N S I S M E M O R A R E B O N I C A E L E S T I A F A C T A
   I N T R O I T V S E T B E L L A L O Q V I P E R C V L S A R V I N I S
25 Q V I S D E V I C T A I A C E T G E N S D V R O M A R T E C A D V C A
   T E S T I S M A G N O R V M V I C I N A B O N O N I A P R A E S E N S
   S I T V O T I C O M P O S E X C I S A Q V E A G M I N A C E R N E N S
   D E T I V G A C A P T I V I S E T D V C A T C E T E R A P R A E D A S
   G R A N D I A V I C T O R I M O L I M V R P R O E L I A P L E C T R O
30 D I C E R E N E C S A T I S E S T V O T V M S I C O M P L E A T O R E
   M V S A S V O Q V A E C V M Q V E P A R A T S V B L E G E S O N A R E
   S C R V P O S I S I N N E X A M O D I S P E R F E C T A C A M E N I S
   V V L T R E S O N A R E M E I S E T T E S T I S N O T A T R O P A E A
   D E P I C T I S S I G N A R E M E T R I S C V M M V N E R E S A C R O
35 M E N T I S D E V O T A E P L A C A R I N T F A T A P R O C E L L A S
         5        10        15        20        25        30        35
```

Abb. 4

schiedliche Weise miteinander zu verbinden. Das ist sicherlich richtig, denn wie
zuvor schon zu *carm.* 19 gesehen, kann das Muster des Intextes in verschiedene
Richtungen gelesen werden. Durch die Wahl just dieses Wortes ergibt sich jedoch
noch eine weitere Sinnrichtung, die die bei Optatian neu hinzugefügte visuelle
Komponente wiederum mit der lautlichen Ebene verbindet und das dargestellte
Schlachtengetümmel in der ursprünglichen Bedeutung des Wortes lautlich untermalt.[46]

Neben den eben skizzierten Begriffsfeldern gibt es zwei weitere, die programmatisch wiederkehren. Zum einen handelt es sich dabei um das Wort *pagina*,
das deutlich macht, daß Optatians Gedichte als isolierte Einzelstücke auf einer
Seite gedacht werden müssen: *quae nostrum pagina sola | ex Helicone licet, com-
plebit, munus amoris* (dies wird eine einzige Seite von uns erfüllen, mit Zustimmung des Helikons, ein Beweis unserer Zuneigung, 3,33f.). Auch *carm.* 4, das
selbst kein Gittergedicht ist, sondern offensichtlich als Praefatio zu *carm.* 5 konzipiert ist und mit ihm zusammen Konstantin übersandt wurde, betont, daß
Optatians Muse Konstantin auseinandersetzen solle, wie kompliziert eine *sim-
plex pagina* (9) des Textes bei ihm ist.

Auf der anderen Seite wird ein Begriff häufiger gesetzt, der bereits in Zusammenhang mit den panegyrischen Topoi begegnete:[47] Die Freude, die der Bevölkerung aus Konstantins Herrschaft erwächst, ergreift auch den Dichter und seine
Muse, wenn er für den Kaiser seine *carmina* verfaßt: Wenn die Muse fröhlich ist,
kann der Dichter Großes leisten (*grandia quaerentur, si vatis laeta Camena*, 3 in
v. int.); schließlich inspiriert der Kaiser seinen Dichter und lenkt so immer die
Gefühle der Freude auf sich (*tu mentem inspiras vatis; tu gaudia semper | in te,
sancte, vocas*, 3,7f.); ein Gedicht Optatians ist folgerichtig Ausdruck ebendieser
empfundenen Freude (*... audent sibi devia Musae | per varios signare modos
devotaque mentis | gaudia ...*, 5 in v. int.).[48]

Die zu Beginn dieses Abschnittes aufgestellten Beobachtungen zu verwandten Verfahrensweisen in anderen Medien haben sich an Optatians Aussagen insoweit verifizieren lassen, als zum einen mit der Materialität des Mediums bewußt
gespielt wird und zum anderen in der eigens belassenen Unterschiedlichkeit zwischen Text und Bild auf den synästhetischen Charakter der Gittergedichte auf-
merksam gemacht wird.

---

46 Zur häufigen Iunktur von *dissonus* und *clamor* vgl. Thesaurus Linguae Latinae s. v.
    dissonus c. 1506.
47 Siehe oben S. 80.
48 Weitere Stellen: 5,6; 6,7. 22; 6 in v. int.; 7,17.

5. Die medialen Ebenen der Panegyrik

In diesem letzten Abschnitt sollen die zuvor am Einzelphänomen aufgezeigten Tendenzen zusammengefaßt und gefragt werden, aus welchen medialen Komponenten Optatians Gedichte bestehen und inwiefern diese gerade für panegyrische Inhalte prädestiniert sind.

5.1 Diskursive Ebene

Auch bei Optatian wird in gewohnter Textmanier der Gedichtinhalt im linear lesbaren Text ausgedrückt. Hier war zu sehen, daß Optatian dieselben Topoi wie die zum Vergleich herangezogenen Prosapanegyriken der Spätantike verwendet, wenn auch aufgrund der eingeschränkten Verszahl in reduziertem Umfang. Dabei ließen sich als wiederkehrende Themen das nunmehr verwirklichte Goldene Zeitalter nennen, das auf außen- und innenpolitischer Stabilität basiert, die Konstantin aufgrund seiner überragenden Feldherrenfähigkeiten dauerhaft einzurichten versteht. Wahrnehmbar werden die anbrechenden *aurea saecla* durch eine allerorten spürbare Freude in der Bevölkerung über diesen friedlichen Zustand. Das Pendant auf der Seite des Dichters ist die Freude Optatians, mithilfe kaiserlicher Inspiration in seinen Gedichten ein adäquates Ausdrucksmittel für ebendiese frohe Stimmung gefunden zu haben. Im Grundtext finden sich dementsprechend neben panegyrischen Inhalten poetologische Aussagen zum Habitus des Dichters, vor allem zur Situation der Verbannung, sowie Anweisungen, wie die Gedichte aufgebaut und zu lesen sind.

Um auf diese eigentliche Textebene vorzudringen, erfordert es allerdings des vorläufigen Ignorierens der anderen Ebenen.

5.2 Materielle Ebene

Neu für die Panegyrik Optatians ist, daß sie neben der diskursiven Ebene auch eine optisch-haptische Qualität besitzt: Das Herrscherlob wirkt nicht allein durch seine inhaltliche, sondern auch durch seine visuelle Präsenz. An der Verwendung von Purpur – der ‚klassischen‘ Farbe erhabener Majestät[49] – für die Färbung des Hintergrundes und der Beschriftung mit Gold- und Silbertinte ist der einmalige Stellenwert der an den Kaiser übersandten Gedichte auf den ersten

---

49 Siehe hierzu Schneider, K. „purpura". in: *Paulys Real-Encyclopädie der classischen Altertumswissenschaft*. Bd. 46. Stuttgart (1959): 2000–2020.

Blick erkennbar, auch wenn dem Erhalt der Gedichte keine intensive Beschäftigung mit ihnen folgen sollte.

Umgekehrt ist die alternativ erzwungene Erscheinungsform mit ungefärbtem
Pergament und schwarzen resp. zu Indizierung zinnoberroten Buchstaben, so
wie sie Optatian in seiner Praefatio zu der Konstantin übersandten Gedichtsammlung (*carm.* 1.) entschuldigt, ein Ausweis der veränderten Situation des im
Exil befindlichen Dichters, der somit augenfällig demonstriert, daß unter der
Verbannung auch die Qualität der Panegyrik leidet.

5.3 Ikonische Ebene

Eng verwoben mit der materiellen Ebene ist die ikonische. Anders als bei gewöhnlichen Gedichten, die – denkt man sie sich laut oder leise gelesen – eine temporäre Ausdehnung haben, eignet Optatians *carmina* auch eine spatielle. Die
räumliche Ausdehnung ist eine wesentliche, sinnstiftende Konstante seines Dichtungskonzeptes. Sein Gedicht beansprucht Raum und zwar nicht nur durch die
natürliche Ausbreitung der Buchstaben in zwei Richtungen, sondern zusätzlich
auch durch die sie umgebende farbige Grundierung und verschafft sich so nicht
nur räumlich Relevanz: Da ein Gedicht jeweils eine Seite füllt, ist jedes *carmen*
ein Einzelstück, bedacht auf alleinige Wirkung und keine ‚Konkurrenten‘ neben
sich duldend.

Ferner kommt hinzu, daß durch die vermutliche Vewendung einer *capitalis*
nicht nur zweidimensional-quadratischer Raum beansprucht, sondern auch die
Assoziation mit steinernen Inschriften geweckt wird, so daß das *carmen cancellatum* gleichsam als Ehrenmonument erscheinen kann.

Durch die farbliche Hervorhebung einzelner Elemente wird vom gewohnten
Lesevorgang abgelenkt, und der Leser wird gezwungen, das Gedicht zunächst als
‚Bild‘ wahrzunehmen, bevor er die nächste Verstehensstufe erfassen kann, indem
er bemerkt, daß das ‚Bild‘ wiederum aus lesbaren, sinnvollen Buchstabenfolgen
geformt ist.[50]

---

50 Eine Schwierigkeit besteht darin, von heutigen Lese- und Wahrnehmungsgewohnheiten auf die antiken Fähigkeiten zu schließen. Der antike Leser war schließlich wesentlich geübter darin, *scriptio continua* zu erfassen als der heutige. Zur Textgliederung
und Texterfassung vgl. Krämer (s. Anm. 33) 32–34 und Cancik, Hubert. „Der Text als
Bild. Über optische Zeichen zur Konstitution von Satzgruppen in antiken Texten“. in:
Wort und Bild. Hg. v. Helmut Brunner – Richard Kannicht – Klaus Schwager. München (1979): 81–100.

5.4 Operative Ebene

Optatians Gedichte sind mehr als andere auf die aktive Mitarbeit des Lesers angewiesen. Nur wenn dieser bereit ist, alle Ebenen zu durchdringen und seine Lesegewohnheiten aufzugeben, vermag er die Komplexität und Vielschichtigkeit der *carmina* zu erfassen. Eine gleichzeitige Erfassung aller medialen Ebenen ist jedoch nicht möglich. Deswegen bleibt es dem Rezipienten überlassen, mediale Prioritäten zu setzen. Da sich alle Bereiche aufeinander beziehen und sich quasi gegenseitig kommentieren, ist ein Changieren zwischen den einzelnen Ebenen nicht nur möglich, sondern sogar erwünscht. Dabei muß jeweils ein neuer Sinn generiert werden. Optatians Gedichte brauchen also den Leser, um ihr Potential auszuspielen.

Insbesondere brauchen sie ihren primären Adressaten Konstantin als Leser, denn er ist schließlich ein grundlegender Aspekt ihres Inhalts. Durch die optische und materielle Gegenwart der Gedichte und durch die inhaltliche Präsenz des Dichters und des Kaisers entsteht so ein sehr enges Verhältnis, und Sender und Empfänger werden im Medium gleichsam performativ gebannt. Wenn beispielsweise Optatian in *carm.* 2 Konstantin im Grundtext dreimalig mehr oder weniger direkt dazu auffordert, den Dichter aus dem Exil heimkehren zu lassen, so führt die Entzifferung des Intextes *aurea sic mundo disponas saecula toto* durch den Kaiser dazu, eine gedankliche Verbindung zu der im Umfeld geäußerten Bitte ziehen zu müssen, und entfaltet persuasive und durchaus autosuggestive Kraft.

An anderer Stelle wiederholt und vollzieht Konstantin durch die Lektüre und Betrachtung des überreichten Gittergedichtes noch einmal die von ihm schon erbrachten Leistungen. So ist *carm.* 6 die textuelle Wiederholung des Sieges über die Sarmaten. Der Intext bildet das Heer in Schlachtaufstellung ab, die Muse agiert hier buchstäblich als Feldherr: Sie schickt ihren Intext von fünf Wörtern als Heereszug durch den Grundtext und die je sieben Buchstaben, die die Wörter des Intextes bilden, marschieren als kleine Soldaten; auf diese Weise werden die Worttruppen in verschiedene Richtungen dirigiert:

… Musa per effigiem <u>turmarum</u> carmina texit,
et nunc <u>agmen</u> agit quino sub limite rectum
Musigeno, spatium septeno <u>milite</u> distans,
nunc eadem verso relegens utcumque meatu
mittit in amfractus non una lege <u>catervas</u>, …

6,2–6

Optatian vollzieht auf diese kongeniale Weise nicht nur Konstantins Sieg nach (vgl. auch v. 14 f.), sondern kämpft und siegt gewissermaßen zusammen mit seinem Kaiser. Konstantin kann bei jeder Lektüre aufs neue diese Schlacht für sich entscheiden. Der poetische Feldzug hat damit einen entscheidenden Vorteil gegenüber dem realen Sieg: Sobald der Kaiser nur bereit ist, sich auf Optatians Dichtung einzulassen und in den Dialog mit Text und Dichter einzutreten, kann er immer wieder in der Lektüre den Krieg gewinnen.

Ähnlich verhält es sich mit *carm.* 7, das ebenfalls dem erfolgreichen Feldzug gegen die Sarmaten gewidmet ist: Im Grundtext heißt es nach einer Aufzählung der Tugenden des Kaisers in Kriegs- und Friedenszeiten (20–30): *tantorum merita statues captiva tropaea | victor Sarmatiae totiens* (31 f.), ebenjene Siegestrophäen, die Konstantin für seine Verdienste, vor allem als Sieger über die Sarmaten, aufstellen wird, kann er bereits im Intext dieses Gedichtes finden, das einen Schild mit zwei gekreuzten Speeren darstellt.

Wollte man eine Siegeschronik aufstellen, so müßte nun noch *carm.* 9 folgen, mit dem Optatian Konstantin nach dem Sieg über Licinius die Siegespalme überreicht, die freilich Konstantin wie bei den anderen Gedichten lesenderweise auch sich selbst überreicht: *Castalides, domino virtutum tradite palmam. | Contantinus habet bellorum iure tropaeum* (1 f.).

Schließlich und endlich ist ein kurzer Blick auf *carm.* 19 zu werfen, das in einem Vers in nuce die operative Seite der Gedichte offenlegt; dort klingt noch einmal das Grundthema der *carmina cancellata* Optatians an, das sich nicht nur inhaltlich, sondern auch äußerlich wiederfinden läßt: Die Herrschaft Konstantins zeichnet sich durch ein neues Goldenes Zeitalter aus, das sich nicht nur im Text, sondern auch optisch-haptisch am Text und seinem Beschreibstoff buchstäblich greifen läßt: *sic nobis lecto quo crescunt aurea saecla | mox Latio vincens iam bis vicennia reddes ...* (So wächst für uns nach der Lektüre des Gedichtes das Goldene Zeitalter und du wirst bald schon als Sieger für Latium zweimal dein Zwanzigjähriges begehen, 32 f.).

Gerade durch den letzten Aspekt wird der mediale Vorsprung deutlich, den Optatians Gedichte vor herkömmlichen, rein textuellen Panegyriken haben: Durch die mediale Vielschichtigkeit, die ihr Potential erst entfalten kann, wenn sie einen aktiven Rezipienten gefunden hat, kann es gelingen, Konstantin nicht nur wie bei gewöhnlichen Panegyriken zum passiven Hörer bzw. Leser des Herrscherlobs zu machen, sondern ihn interaktiv am Preis seiner Person teilhaben zu lassen. Persuasive und paränetische Strategien haben auf diese Weise eine viel höhere Durchsetzungskraft.

Freilich ist es ein intelligenter und versierter Rezipient, den diese mediale Komplexität voraussetzt. Das Ein- und Durchdringen der Vielschichtigkeit macht das intellektuelle Vergnügen an der Lektüre bzw. Betrachtung der *carmina cancellata* aus. Die Zueignung eines solchen Gedichtes weist den Kaiser als rezeptionsfähig und als Connaisseur subtilen intellektuellen Spiels aus.

Zum offensichtlichen Erfolg wurde Optatians Konzept dadurch, daß er die medialen Strategien und Tendenzen seiner Zeit – und zwar vor allem die von Konstantin in seinem Bild- und Bauprogramm praktizierten – kongenial für seine eigenen Bedürfnisse anzuwenden und fruchtbar zu machen vermochte. Spätantike und Mittelalter haben den Stil seiner Gedichte kopiert, seine Komplexität und sein Raffinement konnten sie allerdings nicht erreichen.

Abstract

In this essay I adopt a new approach to the poems of Publilius Optatianus Porfyrius, a contemporary of Constantine the Great. Porfyry's poems are in every respect extraordinary, since they offer new forms of panegyrics: most of them are so-called figurative poems (*carmina figurata*), or, as Porfyry himself puts it, poems enclosed in a grid (*carmina cancellata*), i.e. poems, which express their meaning not only through the text, but also through their form and shape, adding to their literal also a visual dimension.

Whereas scholars' interest so far has focussed mostly on metrical and textual patterns of Porfyry's poems, this chapter tries to gain insight into the complex structures and levels of perceiving and understanding pattern poetry. A first paragraph considers the poems in the frame of their literary context: What is the influence of Porfyry's poems on the development of pattern poems and to what extent do they offer excellent potential for new modes of praising an emperor in contrast to contemporary panegyrics?

Furthermore, it will be asked, how the different perceptual levels of the poems are intertwined with each other and to what extent Porfyry utilizes contemporary modes of perception (e.g. the use of the colour purple in illuminating late antique codices or the fragmenting reuse of spolia in constructing the Arch of Constantine) for highlighting certain aspects of his work.

Putting together all aspects and insights gained in this investigation, it becomes clear, that in combining in his poems elements of different media and different sensual modes of perception Porfyry offers a strikingly innovative concept of panegyrics.

‚Gastmahl der Zeiten' und ‚Gastmahl des Lebens':
Zur Bildlichkeit der Zeit und einem spätantiken Mosaik
aus Antiochia[1]

Anja Wolkenhauer

Jedes Reden über die Zeit braucht Bilder. Denn Zeit ist unanschaulich; wir können sie nur an ihren Wirkungen erkennen. Die aristotelische Definition, Zeit sei das Maß der Veränderung gemäß dem Früher und dem Später,[2] verknüpft die Vorstellungen von Orts- und Zeitveränderungen über den Begriff der Kinesis unlösbar miteinander und macht es möglich, die Ausdrücke der Bewegung im Raum auf die Zeit zu übertragen.[3] Daher gehören die Metaphern von der laufenden und schleichenden, andrängenden oder fliehenden Zeit schon früh zum unauffälligen Gemeingut der Sprache.[4] Zugleich wird in ihnen eine personalisierte Auffassung der in der Zeit wirkenden Kraft kenntlich, wie sie auch die antike Kunst kennt und in den enthüllenden, zeugenden, verzehrenden Zeitgottheiten darstellt.[5]

---

1 Dieser Aufsatz knüpft an meine Forschungen zur Zeitordnung und ihre Behandlung in fiktionalen und nichtfiktionalen Texten an. Er basiert auf einem Vortrag, den ich auf der Tagung „Ikonotexte II" im Februar 2006 in Gießen gehalten habe. Mein Dank gilt neben den Teilnehmern der Tagung besonders Martin Dreher, Dorothea Frede, Dorothee Gall, Tonio Hölscher, Katharina Luchner, Peter v. Möllendorff, Susanne Muth und Pascal Weitmann.

2 Arist. *Ph.* IV 11,219b1–2. Eine konzise Einführung in die antiken Zeittheorien findet sich bei Kurt Flasch, *Was ist Zeit? Augustinus von Hippo, das XI. Buch der Confessiones. Historisch-philosophische Studien*, Frankfurt/Main 1993, 109–159.

3 Vgl. Arist. *Ph.* IV 10,218a25–30; IV 11,219a14–15.

4 Beispiele ‚lexikalisierter' Metaphern bei Pind. *Ol.* 2,17; Eur. *Heracl.* 900 (Personifikationen); Arist. *Ph.* IV 12,221a30–221b2 und 223b24–27; Cic. *nat.* 2, 64 (zahlreiche Beispiele dazu der Kommentar von Arthur Stanley Pease, Cambridge/Mass. 1958, ad loc.). Ovids Rede des Pythagoras (*Met.* 15, bes. 165–238) versammelt eine große Zahl lexikalisierter und hier neubelebter Zeitmetaphern – *tempora labuntur, fugiunt, veniunt; tempus edax* etc. Vgl. auch August Otto, *Die Sprichwörter und sprichwörtlichen Redensarten der Römer*, Leipzig 1890 (unveränderter Nachdruck Hildesheim 1962), *tempus* 5; *dies* 1.

5 Übersichten bieten die entsprechenden Artikel im Lexicon Iconographicum Mythologiae Classicae (Aion, Annus, Chronos, Horae, Kairos, Kronos, Menses) sowie die Arbeiten von David Parrish, *The mosaic of Aion and the Seasons from Haidra (Tunisia): An interpretation of its meanings and importance*, Antiquité tardive 3, 1995, 167–191; Derselbe, *Annus-Aion in Roman mosaics*, in: Yvette Duval, *Mosaique romaine tar-*

Die antike Zeitikonographie zeigt einen deutlichen Schwerpunkt bei der Darstellung zeitlicher Zyklen (Jahreszeiten, Monate …); hinzu kommen die personifizierten Zeitgötter (Kronos/Chronos, Kairos usw.). Diese werden sowohl in kosmischer Ordnung (z. B. in Merida und Philippolis)[6] als auch in charakteristischer, metaphernübertragender Handlung gezeigt – die Wechselwirkung von textlichen und bildlichen Darstellungen des ‚rechten Moments‘ zeigt deutlich, wie eng beide Künste hier beieinander liegen; exemplarisch sei auf den Kairos des Lysipp und seine Ekphrasis in der Dichtung verwiesen.[7] Das antiochenische Mosaik, das im Mittelpunkt der folgenden Überlegungen steht, läßt sich jedoch in keine der genannten Kategorien unmittelbar einfügen.

1. Ein Mosaik aus Antiochia

Das Mosaik wurde 1939 bei einer Grabungskampagne im Stadtgebiet der antiken Metropole Antiochia am Orontes entdeckt. Die Stadt, heute Antakya in der Südtürkei, gehörte damals zum französischen Protektorat Syrien. Die Grabungen wurden bei Ausbruch des 2. Weltkriegs abgebrochen;[8] das Mosaik verblieb daher *in situ*. Nach der Publikation des Grabungsberichts wurde es von Doro Levi in seiner Monographie über die Mosaikböden in Antiochia behandelt; in

---

dive. L'iconographie du temps. Les programmes iconographiques des maisons africaines, Paris 1981, 11–25. M. A. Hanfmann, *The season sarcophagus in Dumbarton Oaks*, Cambridge/Mass. 1951 (Nachdruck London 1971). Zu Zeitpersonifikationen s. die Studien von Fritz Saxl, *Veritas filia temporis*, in: *Philosophy and History presented to E. Cassirer*, Oxford 1936, 197–222; Erwin Panofsky, *Vater Chronos*, in: Derselbe, *Studien zur Ikonologie der Renaissance*, Köln 1997, 109–152 (engl. OA zuerst NY 1939, erweitert 1962). Raymond Klibansky/Erwin Panofsky/Fritz Saxl, *Saturn und Melancholie. Studien zur Geschichte der Naturphilosophie und Medizin, der Religion und der Kunst*, Frankfurt/Main 1990 (engl. OA 1964).

6   Abb. im *Lexicon Iconographicum Mythologiae Classicae*, Aion 13 (Merida, 2. Jhdt. n. Chr.) und Aion 3 (Philippolis, 3. Jhdt. n. Chr.); s. auch Andreas Alföldi, *Aion in Merida und Aphrodisias*, Mainz 1979.

7   Anth. Pal. 16, 275 (Poseidippos); s. dazu Karin Moser v. Filseck, *Der Apoxymenos des Lysipp und das Phänomen von Zeit und Raum in der Plastik des 5. und 4. Jahrhunderts*, Bonn 1988, 151–168.

8   Einen Überblick über die Grabungsgeschichte bietet (neben den Grabungsberichten) Glanville Downey, *A history of Antioch in Syria from Seleucus to the Arab Conquest*, Princeton 1961, 28 f; vgl. auch den hervorragenden, von Christine Kondoleon herausgegebenen Katalog: Christine Kondoleon, *Antioch. The lost ancient city*. Katalog zur Ausstellung im Worcester Art Museum, Worcester/Princeton 2000; zur Grabungsgeschichte 5 ff.

einem Aufsatz zur Darstellung des Aion machte er es einem größeren Publikum bekannt.[9]

Auf diesen Beschreibungen und den damaligen Schwarzweiß-Photographien basieren alle späteren Überlegungen. Weitere Aufnahmen gibt es m. W. aufgrund der Umstände nicht; da es nicht mehr zugänglich ist, fehlt das Mosaik in vielen Publikationen.[10] Ebenso fehlen Informationen über die Ausdehnung des Raumes und der Ruinen oder Mutmaßungen über die Funktion des Gebäudes, die über den Grabungsbericht hinausgehen. Er läßt lediglich erkennen, daß es sich um einen größeren Gebäudekomplex mit umfangreicher musivischer Ausstattung gehandelt haben muß.[11] Die Unbill der politischen Geschichte hat dafür gesorgt, daß das gesamte Umfeld des Mosaiks im Dunkel geblieben ist: ein dekontextualisiertes Kunstwerk *par excellence*.

Bisherige Deutungen des Mosaiks bemühten sich vor allem darum, herauszufinden, welches Zeitkonzept hier bildlich gefaßt wurde und ob hier eine Trivialisierung (Levi, Downey) oder eher eine höchst komplexe Darstellung philosophischer Konzepte (Zaccaria Ruggiu) vorliege.[12] Probleme der Mediendifferenz

---

9 Richard Stillwell (Hrsg.), *Antioch-on-the-Orontes III*, Princeton 1941, 11 f; fig. 10; Plan 4 auf 257; 176 f, Nrn 110–111, Taf. 50–51. Doro Levi, *Aion*, Hesperia 13 (1944) 269–314. Doro Levi, *Antioch Mosaic Pavements*, Princeton 1947; zum besprochenen Mosaik Bd. 1, 195–198. Die Photographien der Grabungskampagne liegen in der Universität Princeton; sie sind über ein im Internet zugängliches Verzeichnis recherchierbar: http://www.princeton.edu/~visres/rp/archarch.html (zuletzt eingesehen am 27.04.2006). Ich bilde die Nummern 5601 (seitliche Ansicht) und 5602 (frontal) ab und danke der Universität Princeton für die freundliche Genehmigung zum Abdruck.

10 Exemplarisch sei das von Fatih Cimok herausgegebene *corpus* der antiochenischen Mosaiken genannt: F.C., *Antioch mosaics. A corpus*, Istanbul 2000.

11 Alles Ergrabene ist abgebildet bei Sheila Campbell, *The mosaics of Antioch*, Toronto 1988 (Subsidia mediaevalia 15) 57–59 mit Taf. 169.

12 Levi, *Aion* (s. Anm. 9), 279 f und 313 rückt die Darstellung in das Umfeld des Neoplatonismus und weist die drei Bezeichnungen der Chronoi bei Sextus Empiricus nach. Erika Simon, *Zeit-Bilder der Antike. Rede zur Verleihung des Ernst-Hellmut Vits-Preises 1983*, in: E.S., *Ausgewählte Schriften 2: Römische Kunst*, Mainz 1998, 221–231, hier 227, entwickelt auf der Basis von Platons *Timaios* eine Interpretation, die das Verhältnis von Enestos und Aion im Sinne eines *carpe diem!* fokussiert; Le Glay, *Aion, Lexicon Iconographicum Mythologiae Classicae* 1, 399–400, betont den Gegensatz von Aion und Chronos nach Platon, Timaios 37. Der Aufsatz von Annapaola Zaccaria Ruggiu in: *Ancient Roman mosaics. Paths through the classical mind. Acta of the Conference March 2000 in Luxembourg*, ed. by Ch. M. Ternes, Luxembourg 2003, ist in keiner bundesdeutschen Bibliothek zugänglich; er wird demnächst in überarbeiteter Form unter dem Titel *La polimorfia di Aion: i tempi a simposio. Lettura di un mosaico di Antiochia* wieder erscheinen (in: A. P. Zaccaria Ruggiu, *Le forme del tempo,* Padova 2006). Ich danke Frau Zaccaria Ruggiu herzlich dafür, daß sie mir vorab Einblick in ihr Manuskript gewährt hat.

und medialen Wechselwirkung oder die Verteilung der fünf *tituli* auf vier Figuren werden nicht thematisiert; auch die Bildformel des Gastmahls wird – als Zugeständnis an oder Nachweis für eine Anbringung im Triclinium – weitgehend aus der Interpretation ausgeschlossen. Ich möchte bei meinen Überlegungen daher genau hier, bei der Bildformel und auffälligen Diskrepanz von Ikonographie und *tituli* ansetzen und hoffe, mit dieser Perspektive zum besseren Verständnis des Mosaiks und der ihm zugrunde liegenden medialen Konstruktion beitragen zu können.

2. Der historische Ort des Mosaiks

In Antiochia sind bislang ungefähr 80, überwiegend private Bauten und einige Bäder mit zusammen rund 300 Mosaiken ergraben worden, die zwischen dem 2. und 6. nachchristlichen Jahrhundert entstanden sind. Antiochia war in dieser Zeit Hauptstadt der Provinz Syria und eine der bedeutendsten Metropolen des römischen Reiches; ihr Reichtum und ihre Kultur waren legendär. Das Mosaik wird in die Jahre zwischen 235 und 312 datiert;[13] ungefähr zu dieser Zeit besang Libanios die Schönheit der Stadt in seinem Stadtlob (*or. 11, Antiochikos*). Eine dezidiert christliche Darstellung ist zu dieser Zeit nicht zu erwarten; ob christliche Vorstellungen von Mahl- und Substanzgemeinschaft die Rezeption des Mosaiks geprägt haben, ist nicht zu klären.[14]

Charakteristisch für die antiochenischen Mosaiken ist die auffällige Häufigkeit allegorischer Darstellungen und – mit dem hohen Abstraktionsgrad einhergehend – die intensive Verwendung von *tituli*: die Bimedialität ist neben aller innerbildlichen Notwendigkeit auch eine regionale Mode, die nicht nur bildimmanenten Bedürfnissen folgt.[15] Die Häufigkeit von Personifikationen wurde

---

13 Le Glay (s. Anm. 12) 400 datiert in die Mitte des 3. Jahrhunderts; Campbell (s. Anm. 11) 57–59, auf 235–312 n. Chr.; beide vermutlich nach externer oder stilistischer Evidenz, jedoch ohne weitere Begründung.

14 Entstehungsort und -zeit erlauben es durchaus, einen christlichen Hintergrund in Betracht zu ziehen. Antiochia war das wichtigste christliche Zentrum der Region. Die Datierungsvorschläge umschließen die Zeit der Christenverfolgungen unter Decius und Diokletian bis zur Annahme des Christentums unter Konstantin 312. – Auf die paganen Wurzeln der Mahlgemeinschaft verweist Zaccaria Ruggiu (s. Anm. 12), 21 des Manuskripts. Vgl. auch Susan Ashbrook Harvey, *Antioch and Christianity*, in Kondoleon (s. Anm. 8) 39–49.

15 Christine Kondoleon, *Mosaics of Antioch*, 63–78, in Kondoleon (s. Anm. 8) 63–78, hier 64: "A prevalent feature of Near Eastern mosaics is the use of Greek inscriptions to label figures and provide titles for scenes. Unfortunately, very few of these provide internal evidence for dating the mosaics. […] The reasons for their use are not clear.

in der Forschung als Ausdruck populärphilosophischer und pädagogischer Interessen gedeutet, die bei der Gestaltung des Raumschmuckes mitwirkten.[16] Ich möchte vorsichtiger formulieren: In der musivischen Ausstattung ihrer Häuser versicherten sich die wohlhabenden Bürger Antiochias ihrer hellenistischen Kultur und des gemeinsamen Wertekanons; dem hier vorgebrachten Bildungswissen vor allem einen didaktischen Impetus zu unterstellen, schränkt den Blickwinkel unnötig ein.[17]

Neben dem ‚Gastmahl der Zeiten' sind im sogenannten ‚Haus des Aion' zwei weitere figurale Mosaiken gefunden worden. Sie zeigen berühmte Paare der antiken Dichtung, Achill und Briseis und Menander mit der Hetäre Glykera.[18] Was das Verhältnis von Bild und Text angeht, scheinen sie weit unproblematischer zu sein. Zwar sind sie ebenfalls mit *tituli* versehen, diese verzeichnen jedoch lediglich die Namen der Handlungsträger; auch die Motive sind weit weniger ‚exotisch' als im Gastmahlsmosaik. Wie dieses bezeugen sie Bildungsbewußtsein und dessen Repräsentation.

Einige andere antiochenische Mosaiken stehen dem ‚Gastmahl der Zeiten' in ihrem gedanklichen Gehalt durchaus nahe, ohne jedoch seine Komplexität zu erreichen. Sie zeigen Mutter Erde (*Ge*) oder die Erneuerung (*Ananeosis*) in Verbindung mit den Jahreszeiten (*Karpoi, Horai*) als Sinnbilder der ewigen Wiederkehr.[19] Andere Parallelen lassen sich zu den allegorischen Mahldarstellungen aus

---

Some scholars suggest that the written cues were needed because the compositions were less familiar, but labels are not applied consistently, which undermines this argument."

16 G. Downey, *Personifications of Abstract Ideas in the Antioch Mosaics*, in: Transactions and Proceedings of the American Philological Association 69 (1938) 349–363, dort 350: "A great part of the peculiar importance of the personifications at Antioch is that they represent the ideas of wider circles of society than do the literary expressions of the same period, and that they speak in a more direct and essential vocabulary, representing, as they do, the reduction to the simplest possible terms of ideas and concepts which, if expressed through literary media, might be clothed in elaborate and possibly deceptive forms."

17 Zu den antiochenischen Spezifika und dem daran ablesbaren Selbstverständnis der Stadt zwischen Griechenland und Rom s. Shelley Hales: *The Houses of Antioch: A Study of the Domestic Sphere in the Imperial Near East*, in: *Roman Imperialism and Provincial Art*, ed. by S. Scott, J. Webster, Cambridge 2003, 171–192.

18 Campbell (s. Anm. 13) 57 f mit Taf. 168. Das Motiv (nach Alkiphron 4, 18/19) gehört zum festen pseudo-biographischen Bestand in der Vita Menanders; es ist auch in Antiochia mehrfach dargestellt worden (vgl. die Abb. in Bieber, *History of the Greek and Roman Theatre*, ²1961, Abb. 321). Zu den Alkiphron-Briefen s. Joh. Josef Bungarten, *Menanders und Glykeras Brief bei Alkiphron*, Diss. Bonn 1967.

19 Abb. bei Campbell (s. Anm. 11), 7 ff und Taf. 9 (*Ge*); 27 ff und Taf. 82 (*Ananeosis*). Andernorts werden Ge und die Horai von Aion mit dem Tierkreis begleitet (so etwa

Antiochia ziehen, bei denen das Gastmahl keine Leerformel ist, sondern durchaus inhaltliche Relevanz besitzt, z.B. das Land und seine Ernte beim gemeinsamen Mahl, bedient vom personifizierten Wein (*Opora, Agros* und *Oinos*) oder der ,Leichenschmaus', der zugleich ein Mahl der Erinnerung (*Mnemosyne*) ist.[20]

Die Mosaiken weisen einen unterschiedlichen Grad an Öffentlichkeit auf; dort, wo der Kontext rekonstruierbar ist, entstammen sie öffentlichen Bädern oder den teils halböffentlichen, teils privaten Räumen großer Villenanlagen; selten Gräbern. Eine eindeutige Zuordnung des hier diskutierten Mosaiks zu einem bestimmten Raumtyp ist nicht möglich. Dadurch, daß man in der Forschung Raumschmuck und Raumhandeln gleichsetzte, wurde die Gastmahlsikonographie stets als ein Hinweis auf die Anbringung in einem Triclinium gedeutet.[21] Wenn diese Annahme zutrifft und wenn darüber hinaus die U- oder T-U-Form der Raumausstattung auch bei der Fußbodengestaltung berücksichtigt wurde, ergeben sich zumindest zwei grundverschiedene denkbare Positionen für das Mosaik: Zwischen den Klinen im Zentrum des Raumes, oder aber am Eingang, auf die Eintretenden ausgerichtet. Damit wären auch zwei mögliche Funktionen des Mosaiks in der Lebenswirklichkeit der Hausbewohner und ihrer Gäste angelegt: Es könnte auf das Triclinium hingewiesen und die eintretenden Besucher dorthin gelenkt haben – dann wäre sein Gegenüber der eintretende, sich bewegende Gast gewesen. Es könnte aber auch in der Mitte des Tricliniums als Abbild des Mahles selbst und als Anknüpfungspunkt für das conviviale Gespräch gedient haben; dann wären seine ,Adressaten' die verharrenden und betrachtenden Gäste gewesen.

---

im Mosaik aus Sentinum, heute in München, Abb. im *Lexicon Iconographicum Mythologiae Classicae*, Aion 13). Auch das häufige, jedoch ebenfalls auf *tituli* verzichtende und in Antiochia nicht vertretene Bildsujet des Aion mit dem Tierkreis, durch den die Jahreszeiten hindurchschreiten, kann in diesem Kontext genannt werden. Man könnte fragen, welchen ikonographischen Gewinn das antiochenische Mosaik daraus zieht, die drei oder vier ,Putti' der Jahreszeiten durch drei erwachsene Männer zu ersetzen.

20 Abb. bei Kondoleon (s. Anm. 8) 73 (*Agros*), 121 (*Mnemosyne*). Katherine M. Dunbabin, *The Roman Banquet. Images of Conviviality*, Cambridge 2003, 222 (*Agros*).

21 Dunbabin (s. Anm. 20), 222 nimmt darüber hinausgehend zwei Speiseräume im Hause des Aion an, wobei der öffentliche mit Aion, der private ihrer Ansicht nach mit dem fragmentarisch erhaltenen Mosaik von Menander und Glykera geschmückt gewesen sei.

3. Zum Bildaufbau

Das Mosaik mißt ungefähr 3×1,2 m; es ist als Emblem in einen größeren, nur zum Teil ergrabenen Pavimentsbereich eingelegt (siehe die Abbildungen).[22] Die untere Hälfte des Bildes wird von der Darstellung des Raummobiliars – Tisch und Klinen –, die obere von vier annähernd gleichgroßen Figuren beherrscht. Die Figur auf der linken Seite ist durch spätere Überbauungen stark beschädigt; an den übrigen sind nur geringe Beschädigungen festzustellen.

Oberhalb der Kopfzone und im unteren Rand finden sich insgesamt fünf *tituli* in verschiedenen Farben:[23] Im oberen Register ΑΙΩΝ, ΜΕΛΛΩΝ, ΕΝΕΣΤΩΣ und ΠΑΡΩΧΗΜΕΝΟΣ in schwarz, im unteren mittig und rot ΧΡΟΝΟΙ. Den vier schwarzen *tituli* zugeordnet sind die vier Figuren: Aion zur Linken, deutlich von den übrigen getrennt; dann die drei anderen auf einer gemeinsamen Kline in der Bildmitte, deren geraffter Stoffbehang die Einzelfiguren zugleich betont und verbindet. Kränze und Trinkgefäße charakterisieren alle Figuren als Symposiasten.

Die Bezeichnung ΧΡΟΝΟΙ ist keiner Gestalt direkt zugeordnet, was die Forschung gelegentlich irritiert hat.[24] Die Position des *titulus* läßt nicht eindeutig darauf schließen, ob er als Gesamttitel des Mosaiks oder aber nur als Sammelbegriff für die drei Zeitpersonifikationen auf der Kline anzusehen ist. Nimmt man den Bildaufbau zur Hilfe, so sprechen für den ersten Vorschlag (Gesamttitel) die isolierte Position im unteren Register; für den zweiten (Teiltitel) die Nähe zur Kline. Die farbliche Differenzierung markiert zweifelsohne einen semantischen Unterschied zwischen diesem Begriff und den übrigen; vermutlich seine kollektivierende Funktion. Sie gibt jedoch keinen Aufschluß darüber, ob hier drei oder vier Zeitaspekte zusammengefaßt werden sollen.

Derartige ‚polifunktionale' *tituli* lassen sich auch bei einem anderen antiochenischen Mosaik nachweisen, wenngleich dort eine farbliche Differenzierung fehlt: Das schon genannte, einem Grab zugehörige *Mnemosyne*-Mosaik zeigt insgesamt sechs Frauen beim Totenmahl (Perideipnon), dazu Beischriften, die die anwesenden Personifikationen (*Mnemosyne, Agora, Eukarpia*), aber auch das

---

22 Die mit geometrischen Figuren gefüllten Rahmungen des Emblems sind ausführlich beschrieben bei Campbell (s. Anm. 11) 58. Die Maße des Mosaiks sind an der Photographie abgelesen; im Grabungsbericht sind sie nicht verzeichnet.

23 Es existieren nur Schwarzweiß-Photographien des Mosaiks; die Farbangaben entstammen dem Grabungsbericht bzw. Levis Arbeiten (alle s. Anm. 9).

24 Die Ausgräber sahen es als Gesamttitel an: Stillwell (s. Anm. 9), 12: "a symposium which is labelled 'Chronoi'". Levi, *Mosaics* (s. Anm. 9) 1,197 führt es als als "general title" ein, benutzt es aber später nur für die Figuren auf der Kline. Als Teiltitel für Mellon, Enestos und Paroichomenos findet es sich bei Le Glay (s. Anm. 12) 400.

Abb. 1

Abb. 2

Mahl (Aiochia = Euochia) und seinen Zweck (Mnemosyne) beschreiben. Zumindest dem letztgenannten *titulus* kommt eine den XPONOI vergleichbare Doppelfunktion zu, da er sowohl einen Bildgegenstand als auch eine über das Abgebildete hinausreichende Funktion bezeichnet.[25]

Ich möchte dem zweiten Vorschlag (Teiltitel) den Vorzug geben, wobei ich allerdings auf ein externes Argument zurückgreifen muß: Die Dreigliedrigkeit der Zeit wird zwar seit von alters her in der Dichtung vorausgesetzt – es sei hier nur an den Seher Kalchas erinnert, der erkennt, was ist, was sein wird und was zuvor war[26] –, die Nennung hierarchisch strukturierter Kategorien im Mosaik verweist jedoch auf die Herkunft aus einem systematisch geordneten, eher wissenschaftlichen als poetischen Zusammenhang. In den antiken Zeittheorien bilden Aion und Chronos seit Platon ein wohletabliertes Gegensatzpaar. Im *Timaios* definiert er beide Begriffe aneinander. Dort heißt es, der Demiurg habe nicht nur die Himmelskörper erschaffen, an deren Bewegung das Vergehen der Zeit abzulesen ist, sondern mit ihnen zugleich die dreigeteilte, dem beständigen Werden und Vergehen unterworfene Zeit (Chronos) hervorgebracht. Diese sei ein veränderliches Abbild der Ewigkeit (Aion), dieser so ähnlich wie möglich, doch durch Meßbarkeit (*kath'arithmon*) und Bewegung (Kinesis) von ihr unterschieden. Aion existiere ewig, die Zeit (Chronos) hingegen sei in einem fort vergangen, gegenwärtig und zukünftig.[27]

Wenn man als Gegenprobe den Versuch unternähme, Aion unter die Chronoi zu subsumieren, wie es ein Gesamttitel XPONOI erfordern würde, müßte man Chronos zu einem allumfassenden Zeitbegriff ausweiten; eine derartige Begriffsdehnung könnte sich jedoch auf keinen antiken Beleg stützen. Wenn nun XPONOI nicht als Gesamt- sondern als Teiltitel zu verstehen ist, dann ist der Tenor der *tituli* nicht Zusammenführung, sondern Kontrastierung, und die

---

25 Siehe dazu ausführlich Levi, *Mosaics* (s. Anm. 9) 295 ff.
26 Hom. *Il.* A 70.
27 Plat. *Tim.* 37d–39e; der Wortlaut der *tituli* ist jedoch nicht platonisch, und auch ein Plural Chronoi ist in seiner Zeitkonzeption nicht vorhanden. Vgl. Arist. Ph. IV 221b23–222a9. Man kann hier einen Bogen zu Seneca schlagen, der die Vorstellung der dreigeteilten Zeit (*tempus*) um die Differenzierung nach *spatium* und *vita* ergänzt, hingebrachte Zeit oder bewußt gestaltetes Leben. Die neu eingeführte Kategorie der *vita* wiederum eröffnet einen Weg zur subjektiven Ewigkeit, die in der Zeit selbst gefunden werden kann: *Sapientis ergo multum patet vita [...] omnia illi saecula ut deo serviunt. Transiit tempus aliquod? Hoc recordatione comprendit; instat? hoc utitur; venturum est? hoc praecipit. Longam illi vitam facit omnium temporum in unum collatio.* Sen. *brev.* 15,5. („Für den Weisen besitzt das Leben eine große Weite ... Alle Jahrhunderte sind ihm wie einem Gott zu Diensten. Eine Zeit ist vergangen? Er hat sie mit seinem Erinnerungsvermögen umfaßt. Sie ist da? Dann nutzt er sie. Sie wird kommen? Er nimmt sie vorweg. Das Zusammenfügen aller Zeiten zu einer einzigen bereitet ihm ein langes Leben.")

Funktion des Teiltitels liegt darin, die Gemeinschaft der drei Zeiten auf der Kline nachdrücklich hervorzuheben: Bei aller Verschiedenheit im Detail stehen sie dem Aion doch gemeinsam gegenüber.

Bemerkenswert bleibt, daß für den Mosaizisten Eindeutigkeit offenbar nicht das entscheidende Kriterium war – denn er hätte den *titulus* XPONOI auf den Behang oder die Polsterung der Kline oder auch im Fußbodenbereich weiter nach rechts setzen können, um eine höhere Eindeutigkeit zu erreichen. Vielleicht war das Gegensatzpaar so bekannt, daß keine Mißverständnisse zu erwarten waren; vielleicht waren auch andere Kriterien – etwa das Bemühen, Überschneidungen von Bild und Text zu vermeiden und/oder die Schrift durch Kontrastreichtum möglichst lesbar zu gestalten – ausschlaggebend.

Bei der Betrachtung der einzelnen Figuren benutze ich im Folgenden der Einfachheit halber die *tituli*, um die jeweiligen Figuren zu bezeichnen. Ich folge dabei der durch die *tituli* dem Bild selbst eingeschriebenen Leserichtung von links nach rechts. Zaccaria Ruggiu hat gezeigt, daß unterschiedliche Betrachterstandpunkte jeweils andere Lesarten und Interpretationen ermöglichen; das Mosaik selbst scheint mir aber keinerlei Hinweise darauf zu geben, daß die Leserichtung des Textes und diejenige des Bildes nicht übereinstimmen sollten.[28]

Aion, bärtig und bekränzt, hat seinen Platz auf dem *lectus imus;* Kissen und Kline sind stark beschädigt und kaum mehr zu erkennen.[29] Wenn die Gepflogenheiten der Sitzordnung hier berücksichtigt wurden, ist er in der Position des Gastgebers dargestellt. Zugleich wird sein Ehrengast kenntlich: Es ist Mellon auf dem ihm nächsten Platz des *lectus medius.*

Aion hält in der erhobenen Rechten einen großen, metallisch anmutenden Reifen, der auch ohne explizite Darstellung der Tierkreiszeichen als Zodiakus zu identifizieren ist. Als typisches Zeitattribut ruft er die zyklische Zeit in Erinnerung, die weder Anfang noch Ende kennt und daher ewig genannt werden kann. Die ikonographische Tradition zeigt Aion/Annus stets so, daß er den überdimensionalen Ring mit einer Hand – meist der rechten – stützt.[30] Demjenigen, der das Mosaik entworfen hat, war die Wahrung dieser etablierten Bildformel offenbar so wichtig, daß er dafür Zugeständnisse in der Bildlogik in Kauf nahm: Denn der Ring verhindert durch die Blockade der rechten Hand die Teilnahme *des Aion* am Gastmahl; es bleibt allein der Kranz, um ihn als Symposiasten zu charakterisieren. Wieso die Bildformel so hoch eingeschätzt wurde, daß der Entwerfer keine Veränderungen an ihr vornehmen wollte, wird noch deutlich werden.

---

28 Zaccaria Ruggiu (s. Anm. 12) 13–15 im Manuskript.
29 Campbell (s. Anm. 11) 58 bezeichnet ihn als "probably standing".
30 Dazu ausführlich Parrish, *Haidra* (s. Anm. 5).

Mellon, die Zukunft, zeigt ebenso wie seine beiden Banknachbarn keine
Attribute, die im Zusammenhang mit Zeitdarstellungen etabliert wären. Sein
Habitus kann aber in Abhängigkeit vom *titulus* als bedeutungtragend verstan-
den und damit interpretabel werden:[31] Mellon ist dem ‚Gastgeber' Aion am näch-
sten; er wendet sich seinem Nachbarn, Enestos, zu und scheint in seiner Gestik
Paroichomenos zu spiegeln.

In der Mitte von Bild und Kline sitzt Enestos, die Gegenwart. Er ist unbe-
stimmten, aber eher jüngeren Alters, da bartlos; die *tunica clavata* zeichnet ihn
vor den anderen aus. Nur er schaut den Betrachter direkt an, nur er handelt und
greift über die Kline hinaus auf das dreibeinige Tischchen, sei es, um zu opfern,
sei es, um mit dem Essen zu beginnen.[32] Seine Kopfhaltung greift diejenige des
Aion auf.

Paroichomenos, die Vergangenheit, scheint der Älteste der Symposiasten auf
der Kline zu sein; er ist bärtig. Seine Figur ist als Gegenpol zu derjenigen des
Mellon angelegt. Wie dieser ist er bekränzt und hält einen Kranz in der einen und
eine Trinkschale in der anderen Hand, doch in gleicher Weise, wie Mellon dem
Enestos zugewandt ist, wendet Paroichomenos sich von ihm ab.[33]

---

31 Levi, *Aion* (s. Anm. 9) 272 bezeichnet den Oberkörper als nackt. Es ist offensichtlich,
    daß das Gewand auf der linken Schulter und am linken Arm voluminöser ausfällt
    (was jedoch durch den Lichteinfall von der linken Seite wenn nicht erzeugt, so doch
    zumindest verstärkt wird); Kennzeichen der Nacktheit (Muskulatur, Nabel oder
    Brust?) vermag ich auch bei starker Vergrößerung nicht zu erkennen. Levi folgt dem
    Deutungsangebot der *tituli* und interpretiert Mellons dunkle Hautfarbe als Hinweis
    darauf, daß die Zukunft noch im Dunkel liege (313: "His torso seems to be painted
    with colors entirely different from those generally used for naked bodies; with dark
    tawny tones, with shades of red and violet; they may be meant, consequently, to
    signify the mist which is still enveloping the Future, before he acquires the clear
    appearance of present reality").
32 Die ältere Forschung spricht hier gewöhnlich von einem Thymiaterion; so Levi, *Aion*
    (s. Anm. 9) 272; Simon (s. Anm. 12) 227 folgt ihm darin; Campbell (s. Anm. 11) 58
    scheint hingegen skeptisch ("Levi suggests that he is putting incense into an incense
    burner"). Dunbabin (s. Anm. 20) 70 hat keine Einwände; Zaccaria Ruggiu (s. Anm. 12)
    lehnt es rundweg ab. Nach Durchsicht des Kataloges von Cristiana Zaccagnino, *Il
    Thymiaterion nel mondo greco. Analisi delle fonti, tipologia, impieghi*, Rom 1998 (Stu-
    dia archeologica 97) möchte ich den Skeptikern beipflichten. Zaccagnino geht leider
    nicht explizit auf das antiochenische Mosaik ein, doch ihre Typologie zeigt auch
    nichts, das dem Tischchen und seinem Aufsatz auch nur annähernd vergleichbar wäre.
33 Das Strukturelement der Spiegelung bleibt allerdings der Bildlogik untergeordnet:
    Eine vollkommene Spiegelung hätte Paroichomenos die Trinkschale in die Linke
    geben müssen, er hält sie jedoch, der Konvention des rechtshändigen Trinkens ent-
    sprechend, in der Rechten; der Spiegelungscharakter wird durch die gekreuzte Arm-
    haltung bewahrt (zum rechtshändigen Trinken s. z.B. das Doppelmosaik von Bios
    und Tryphe, ebenfalls in Antiochia, abgebildet in Levi, *Mosaics*, s. Anm. 9, 2, Taf. 51).

4. Alternierende Charakterisierung durch Ikonographie und *tituli*

Die Darstellung der Zeiten in der vorliegenden Weise ist singulär; aus der antiken Kunst ist kein auch nur entfernt ähnlicher Bildentwurf bekannt. Damit scheiden die viel diskutierten Vorlagenbücher als möglicher Referenzpunkt aus und ein unbekannter Entwerfer tritt an ihre Stelle. Welche Quellen, welches Vorgehen lassen sich für seinen Entwurf erschließen? Auf den ersten Blick lassen sich zwei zentrale Bereiche unterscheiden, die eine nähere Untersuchung lohnen: Die vier Personifikationen der Zeit auf der einen Seite, das ,Setting', d.h. die Gastmahls-szenerie auf der anderen.

Die Ikonographie der Zeit ist in der Antike wenig ausdifferenziert; Attribute wie etwa der Zodiakus treten im Zusammenhang mit verschiedenen Zeitpersoni-fikationen (Sol, Annus, Aion …) auf. Der Aion des Mosaiks ist im Rückgriff auf diese ikonographische Tradition durchaus klassisch gebildet; mit seiner Darstel-lung ist aber ein zentrales Attribut bereits ,verbraucht'.

Für die anderen drei Figuren mußten daher andere Strategien zur Kenntlich-machung eingeschlagen werden. Der Entwerfer hat bei ihnen jedoch weder etablierte Attribute anderer Zeitdarstellungen – z.B. Flügel – eingeführt noch neue Attribute entwickelt. Die drei Figuren auf der Kline sind lediglich durch gelagetypische Attribute gekennzeichnet: Kränze, Trinkschalen, das Tischchen. Unterschiede sind in Alter und Kleidung festzustellen und in den Bezügen, die optisch oder gestisch zu anderen Bildfiguren bzw. zum Betrachter aufgebaut werden. Eine Identifikation als personifizierte Darstellung einer abstrakten Größe erfolgt jedoch allein durch die *tituli*.

Wenn man sich auf sie einläßt, laden jede Bewegung und jeder Blick zur Deutung ein.[34] Dann zeigt das Mosaik keine beliebigen Symposiasten, sondern die Gegenwart selbst – wem opfert sie? Wieso ist sie vor den übrigen ausgezeich-net? Spricht der Blick der Vergangenheit von Erinnerung, der der Zukunft von Vorausschau? Erblickt die Zukunft in der Gegenwart ihren eigenen Ursprung? Neigt sich der ewige Aion über Mellon hinweg ganz platonisch der Gegenwart als seinem veränderlichen Abbild zu?[35]

---

34 Levi, *Aion* (s. Anm. 9) 312 charakterisiert sie als "argument for an evening's discus-sion"; ähnlich Dunbabin (s. Anm. 20) 70, die die Funktion des Mosaiks darin sieht "to stimulate discussion of a philosophical nature among the guests before whom it is dis-played".

35 Aus dieser Perspektive deutet etwa Simon (s. Anm. 12) 227 das Mosaik: „Kopfwen-dung, Weihrauchopfer und Bekränzung schließen Aion und Gegenwart zusammen. Diese erscheint als der verjüngte, wiedergeborene Aion im Sinne eines weitverbreite-ten antiken Glaubens. Aus ihm ergibt sich der Zuspruch an den Betrachter: *Carpe diem*, nutze die Gelegenheit, die Gegenwart, denn sie ist der Ewigkeit ähnlicher als Vergangenheit und Zukunft."

Es sind die *tituli*, die aus der einfachen Gastmahlsszene eine Darstellung der Zeiten machen. Denn keines der Attribute der drei Figuren auf der Kline ist so geartet, daß es im Zusammenhang eines Symposions nicht auch ‚natürlich‘ erklärt werden könnte. Allein der Zodiakus wäre dort nicht unmittelbar verständlich. Als Aufmerksamkeitssignal kennzeichnet er seinen Träger als eine über sich selbst hinausweisende Figur, als Personifikation. Aufgrund dieser Schlüsselfunktion ist die etablierte Bildformel so wichtig, daß sie auch auf Kosten der Bildlogik beibehalten worden ist und alles andere ihr untergeordnet wurde. Sie markiert einen ‚Einstiegspunkt‘ für die Betrachter (ein weiteres Argument für die klassische Leserichtung von links nach rechts und gegen die variierenden Leserichtungen, die Zaccaria Ruggiu vorgeschlagen hat).[36]

Für die anderen gilt: Die *tituli* ersetzen eine bildliche Charakterisierung. Erst durch sie wird im alltäglichen Bild eine latente Bedeutungsschicht aktualisiert, die die Gäste des Symposions zu Personifikationen der Zeit macht und die Dinge, die sie umgeben, zu interpretablen Zeitattributen werden läßt. Ikonographie und *tituli* gemeinsam spezifizieren das Gelage als ein ‚Gastmahl der Zeiten‘, an dem die personifizierte Vergangenheit, Gegenwart und Zukunft sowie die Ewigkeit teilnehmen. Es muß die Schriftfixierung unserer Kultur sein, die dem Mosaik seine von allen Interpreten vertretene scheinbare Eindeutigkeit verleiht, denn sie entsteht erst, wenn man die *tituli* ernster nimmt als das Bild selbst.

5. Komplexe Zeitbilder

Haben andere Bilder Wege gefunden, die Aufgabe, Vielfalt und Einheit der Zeit darzustellen, auf bildlicher Ebene zu lösen? Ich möchte zwei Beispiele anführen, die die Herausforderung in anderer Weise bewältigt haben.[37]

Manche Darstellungen der Zeit zeigen sie als ein einziges, dreigestaltiges oder dreiköpfiges Wesen. Erika Simon hat ein Elfenbeinrelief, das um 500 n. Chr. in Ägypten entstanden ist, als Darstellung der Zeit gedeutet.[38] Dort trägt die Zeit in

---

36 S. o. Anm. 28.

37 Simon (s. Anm. 12), 224 f. behandelt noch eine weitere, durch mediales Crossover gekennzeichnete Kunstform, die hier unberücksichtigt bleibt: die Prozession des Ptolemaios II Philadelphos in Alexandria (um 270 v. Chr.), an der mehrere personifizierte Darstellungen der Zeit beteiligt waren. Sie ist bei Athenaios überliefert. E. E. Rice, *The Grand Procession of Ptolemy Philadelphus*, Oxford 1983.

38 Elfenbeinrelief, vermutlich Alexandria, um 500 n. Chr. Simon (s. Anm. 12), hier 230 f. Panofsky scheint diese Darstellung nicht gekannt zu haben; er verweist stattdessen auf mittelalterliche Darstellungen der angewandten Klugheit und der Zeiten; auffällig ist die Begleitung durch Jahreszeitzyklen und die Auszeichnung der Gegenwart, wie sie auch bereits im Mosaik des ‚Gastmahls der Zeiten‘ zu beobachten ist. Erwin

Schauspielertracht eine Maske, deren drei Gesichter wie drei Seiten eines Würfels im rechten Winkel zueinander stehen. Eines ist alt, eines mittleren Alters, eines jung; nach Simon Vergangenheit, Gegenwart und Zukunft darstellend. Eine vergleichbare Altersdifferenzierung deutet sich auch im untersuchten Mosaik an; die Einheit der Figuren ist aber – ungleich schwächer – nur durch die Kline gewährleistet, die durch diese Beobachtung argumentative Kraft bekommt: Die Kline ist das verbindungsstiftende Element der Chronoi, sie macht sie zu einer dreileibigen Einheit (ermöglicht zugleich aber auch eine pragmatische Lesart der Bankettszene). Was hingegen im Mosaik möglich, in der Maske nicht denkbar ist, sind die dialogischen Bezugnahmen der Chronoi aufeinander.

Als zweites sei ein klassischer lateinischer Text aus der Zeit des Prinzipats angeführt, der sich explizit darum bemüht, abstrakte Gliederungen der Zeit bildlich zu fassen, zugleich aber die Schwierigkeit des Unterfangens erkennen läßt. Ovid beschreibt in den *Metamorphosen* zu Beginn der Phaetonerzählung das Schloß des Sonnengottes. Die Geschichte beginnt mit der Ekphrasis der Palasttüren, auf denen in klassischer Dreiteilung Land, Wasser und Himmel dargestellt sind. Phaeton läuft an diesem Bild des geordneten Kosmos achtlos vorbei und stürzt in den Thronsaal. Geblendet bleibt er stehen: Vor ihm stehen auf der einen Seite des Throns der Tag, der Monat, das Jahr und das Jahrhundert, auf der anderen Seite die vier Jahreszeiten, die mit ihren typischen Attributen bildhaft vorgestellt werden.[39]

> In ein Purpurgewand gekleidet saß Phoebus auf dem Thron, der von strahlenden Edelsteinen leuchtete. Von rechts und links: der Tag, der Monat, das Jahr und die Jahrhunderte und die Horen, in regelmäßigen Abständen aufgestellt: der neue Frühling stand dort, bekränzt mit einer blühenden Krone; es stand dort der nackte Sommer und hielt ein Ährengebinde; dort stand auch der Herbst, ganz schmutzig, denn er hatte die Trauben gestampft, und auch der eisige Winter, die weißen Haare zerrauft.

Panofsky, „*Signum triciput*". *Ein hellenistisches Kultsymbol in der Kunst der Renaissance*, in: Derselbe, *Hercules am Scheidewege und andere antike Bildstoffe in der neueren Kunst*, Berlin 1930 (Studien der Bibliothek Warburg, 18) 1–35, hier 2–4 und Taf. 1–3.

39 Ov. *Met.* 2,23–30: … *purpurea velatus veste sedebat / in solio Phoebus claris lucente smaragdis. / a dextra laevaque Dies et Mensis et Annus / Saeculaque et positae spatiis aequalibus Horae / Verque novum stabat cinctum florente corona, / stabat nuda Aestas et spicea serta gerebat, / stabat et Autumnus, calcatis sordidus uvis, / et glacialis Hiems, canos hirsuta capillos.* Die *horae* bezeichnen m. E. hier ebenfalls die Jahreszeiten und nicht, wie gelegentlich vermutet, die Stunden. Zur Diskussion vgl. den Metamorphosen-Kommentar von Franz Bömer ad loc.

Dies, mensis, annus und *saeculum* werden im Gegensatz zu den Jahreszeiten nicht anschaulich; Ovid setzt kein einziges Attribut; das Unübliche und Ungeübte, das einer derartigen Darstellung anhaftet, in seinem Schweigen andeutend. Allein die Gruppierung in einem gemeinsamen Raum, die Dualität der Ordnungssysteme und die Klimax von kleinen zu größeren Einheiten in je vier Schritten vermitteln hier eine Struktur. Die Zeitabschnitte stehen nach Größe geordnet in einer Reihe, deutlich unterschieden von den Jahreszeiten auf der anderen Seite des Thrones. Am deutlichsten wird dieses doppelte Schema bei der Nennung des *annus*: Auf der linken Seite steht es als Vielfaches von *mensis* und Teil des *saeculum*; auf der rechten ist es in der Summe der Jahreszeiten inbegriffen. Die Redundanz entsteht dadurch, daß am Thron des Sonnengottes zwei unterschiedliche Zeitordnungen – eine ,lineare' und eine ,zyklische' – vorgeführt werden.

Die Schilderung des Thronsaals gleicht dem Gastmahlmosaik darin, daß der Ort der Figuren im Raum funktionalisiert wird, um das diffizile Gewebe der Zeiten darzustellen. Position ersetzt hier ganz bildnerisch die Bewegung, Zeitpunkte die Kontinuität des Zeitverlaufs. Jede Zeit wird dabei als einzelne, von den anderen physisch getrennte Einheit aufgefaßt. Ähnlich verfährt das Mosaik, wenn es jeder Zeit gleichen Raum gibt und ihre Gleichrangigkeit durch Isokephalie betont. Sol/Aion scheint in beiden Fällen dem Ablauf der Zeiten enthoben. Alle Kategorien der Zeitordnung – Jahreszeiten ebenso wie hierarchisch definierte Zeitabschnitte – lassen sich auf ihn hin ordnen.

Ovid ist derjenige unter den antiken Dichtern, der die größte Aufmerksamkeit gegenüber Zeitphänomenen an den Tag legt; sein „Thronsaal" zeigt den Versuch, andernorts – in der naturwissenschaftlich-technischen und antiquarischen Literatur – verwendete Ordnungsschemata der Zeit poetisch zu fassen. Daß er die Personifikationen von Tag, Monat, Jahr und Jahrhundert derart ,nackt' auftreten läßt, läßt vermuten, daß ihm die kontrastierende Gegenüberstellung hier wichtiger war als weiteres *decorum* – weder entwickelt er neue Attribute der Zeit (wozu er andernorts durchaus in der Lage war) noch greift er zu bereits etablierten, um seinen Thronsaal zu schmücken (zu denken wäre hier etwa an *aurea saecula*).

Beide Versuche, der Ordnung der Zeiten eine bildliche Gestalt zu geben, hätten dem Entwerfer des Gastmahlmosaiks bekannt sein können; er hätte ihre Vorstellungen von dreileibiger Einheit und Raumordnung aufgreifen können. Die Anordnung der Zeiten auf der Kline und die Isokephalie mögen auf diese oder ähnliche Entwürfe zurückverweisen. Als prägende Bildformel für seine Darstellung der Zeiten hat er jedoch das Gastmahl ausgewählt. Ist diese Wahl wirklich nur dem Anbringungsort geschuldet, oder gab es irgendwo in der antiken Kultur Bilder, die den Verlauf der Zeiten und die Vorstellung des Gastmahls miteinander verbunden hätten?

6. ,Gastmahl der Zeiten' und ,Gastmahl des Lebens'

Es gibt in der Antike keine bekannte bildliche Tradition dafür, Personifikationen der Zeit in Verbindung mit einem Gastmahl darzustellen. Aus der antiken Literatur hingegen ist eine Allegorie bekannt, die eine zeitliche Valenz besitzt, wenngleich sich der Akzent stärker auf die subjektiv erfahrene Zeit verschiebt: Das ,Gastmahl des Lebens'.

Das Motiv ist seit hellenistischer Zeit über viele Jahrhunderte hinweg in den unterschiedlichsten Textgenera und in beiden Sprachen immer wieder aktualisiert worden. In der griechischen Literatur ist es zuerst bei Bion im 3. Jhdt v. Chr. greifbar. Er beschreibt den menschlichen Körper als ein Haus und das Leben als ein Gastmahl, an dem man teilhabe, das man jedoch zu gegebener Zeit verlassen müsse.[40] Andere entwickeln das Gastmahl als realen Gesprächsort und Metapher zugleich, so Lukrez, der ein Gastmahl schildert, dessen Teilnehmer in topischer Weise die Kürze des Lebens beklagen. Als Mittelweg zwischen Todesfurcht und der Hoffnung auf ein ewiges Leben empfiehlt er die Haltung des Symposiasten, der am Gastmahl des Lebens teilhat, bis er schließlich gesättigt aufsteht und geht, als *plenus vitae conviva* den Tod gelassen annehmend:[41]

> Das machen die Leute, wenn sie sich zu Tisch gelegt haben und den Kelch in der Hand halten und das Gesicht mit Kränzen beschatten: Daß sie aus tiefstem Herzen sagen ,Kurz ist dieser Genuß für uns kleine Menschen; schon gleich ist er vorbei und man wird ihn niemals zurückrufen können.' [...] Was weinst und klagst du über den Tod? Denn wenn dir das bis dahin gelebte Leben lieb war, und wenn nicht alles wie in ein löchriges Gefäß geschüttet, ganz hindurchgeflossen und ungedankt vergangen zu sein scheint, warum gehst du dann nicht fort wie ein Gast, der des Lebens voll ist, und nimmst die sichere Ruhe freudig an, du Dummkopf?

---

40 Bion F 68 Kindstrand; das Fragment ist bei Stobaios überliefert. Im Kommentar trägt Kindstrand zahlreiche spätere Verwendungen des Motivs zusammen (281f).

41 Lucr. 3,912–915: *Hoc etiam faciunt ubi discubuere tenentque / pocula saepe homines et inumbrant ora coronis, / ex animo ut dicant ,brevis hic est fructus homullis; / iam fuerit neque post umquam revocare licebit.* 3, 934–939 (aus der Rede der Natura): *Quid mortem congemis ac fles? / nam si grata fuit tibi vita ante acta, priorque / et non omnia pertusum congesta quasi in vas / commoda perfluxere atque ingrata interire, / cur non ut plenus vitae conviva recedis / aequo animoque capis securam, stulte, quietem?* Vgl. 3, 960.

In ähnlicher Weise benutzen auch andere das Motiv;[42] es bleibt durch alle philosophischen Schulen hindurch und über viele Jahrhunderte hinweg immer wieder aktualisierbar und erreicht sprichwörtlichen Status, wenn gnomologische Sammlungen Aristoteles den Spruch zuschreiben, man solle aus dem Leben scheiden wie von einem Symposion: weder durstig noch betrunken.[43]

Seine ausführliche Behandlung bei Dion von Prusa (Chrysostomos, 40–120 n. Chr.) setzt nicht nur einen chronologischen Schlußpunkt; sie dürfte auch aus rezeptionsgeschichtlichen und sprachlichen Gründen diejenige sein, die denjenigen, die das Mosaik erdachten, und den Betrachtern des Mosaiks in Antiochia am ehesten vertraut gewesen sein dürfte. Dion benutzt das Motiv als tragendes Element in dem Dialog über den Tod seines Schülers Charidemos, wo es fast 20 Kapitel einnimmt.[44] Charidemos stellt in bildlicher Rede zwei gegensätzliche Lebensentwürfe einander gegenüber. In einem erscheint das Leben als Kerker, im zweiten, vermittelt durch einen ‚Landmann‘, in dem manche Bion oder Cleanthes entdecken wollten,[45] wird es zum Gastmahl.

Der Landmann vergleicht das Universum mit einem von den Göttern erbauten und reich ausgestatteten Haus (30, 28), in dem die Menschen zum Gastmahl geladen seien. Die Plätze fänden sich an verschiedenen Orten, und die Tische seien mit je verschiedenen Gaben der Natur gedeckt (30, 29–30). Bedient würde man von den Jahreszeiten (30, 31: *Horai*). Der Griff der Gäste nach der einen oder anderen Speise sei der Jagd oder dem Landbau zu vergleichen (30, 32). Nicht jeder fände gleichen Gefallen am Gastmahl, manche äßen wie die Schweine, ohne etwas zu sehen und zu hören; andere interessierten sich besonders für das, was auf ferneren Tischen stehe, wieder andere sammelten aus Angst vor dem Hunger alles Eßbare zusammen, was sie erreichen könnten, dürften es aber am Ende

---

42 Horaz etwa nutzt das Bild als Schlußpointe seiner ersten Satire. Einer langen Klage darüber, daß niemand mit dem zufrieden sei, was er habe, stellt er das Bild des glücklichen Lebens als Gastmahl, des Todes als zufriedener Lebenssattheit entgegen: „Daher kommt es, daß man nur selten jemanden findet, der sagt, er habe glücklich gelebt und gehe zufrieden aus dem Leben, wenn seine Zeit vorbei sei, so wie ein gesättigter Gast." (Hor. *serm.* 1,1,117–119: *inde fit, ut raro, qui se vixisse beatum / dicat et exacto contentus tempore vita / cedat uti conviva satur, reperire queamus*; vgl. *epist.* 2,2,214–215: *Lusisti satis, edisti satis, atque bibisti / tempus abire tibi est).* weitere Belege bei Kindstrand (s. Anm. 40).

43 Arist. *Sent.* 15 Rose; überliefert u. a. bei Maximus Confessor, *Loci communes*, 65 (= 36 Max II) 16./15. Ihm.

44 Dion 30, 28–44. Die Echtheit des Dialogs ist gelegentlich angezweifelt worden; vgl. dazu die Diskussion bei Mariella Menchelli, *Dione di Prusa, Caridemo (or. XXX). Testo critico, introduzione, traduzione e commento*, Napoli 1999, hier 29–37.

45 Dazu John Moles, *The Dionian Charidemus*, in: *Dio Chrysostom. Politics, letters, and philosophy*, ed. by Simon Swain, Oxford 2000, 187–2000, 187–210, hier 200–204.

nicht mitnehmen (30, 33–34). Jedem Gast stünden zwei Mundschenke zur Seite, Verstand und Unmäßigkeit (*Nous, Akrateia*), die für sie das Verhältnis bestimmten, in dem der Wein mit dem Wasser der Mäßigung (*Sophrosyne*) gemischt würde (30, 36–38). Die übelsten Gäste seien die Trunkenen, d.h. diejenigen, die sich den sinnlichen Genüssen ungehemmt hingäben. Sie würden am Ende unter großen Klagen von den Dienern fortgeschafft, der Philosoph aber ginge leichten Herzens und mit frohem Abschied von seinen Freunden (43).

Anknüpfungspunkte für die Konzeption des Mosaiks ergeben sich nicht nur aus der reich ausdifferenzierten Allegorie, sondern auch aus der schon hier angelegten Mehrfigurigkeit. Inhaltlich bietet die Allegorie ein Loblied des gegenwärtigen Genusses im Bewußtsein des unabwendbaren Endes. Gerne würde ich hier stehen bleiben und vorschlagen, in dieser Allegorie das Substrat zu sehen, von dem ausgehend der Entwerfer des Mosaiks, möglicherweise auch seine Betrachter agiert haben. Dadurch gewönnen die vier Personifikationen des Mosaiks an Leben; der Betrachter hätte die Möglichkeit, alle vier auch subjektiv als Gäste beim Gastmahl seines eigenen Lebens zu verstehen. Das Mosaik wäre nicht als Veranschaulichung abstrakter Differenzierungen, sondern eingebettet in die allegorische Erzählung eines Lebens anzusehen; es wäre sowohl pragmatisch (als Abbild des stattfindenden Gastmahls) als auch bildhaft (als Teil eines Sinnbildes des Lebens) mit der Betrachtersituation verknüpft. Ein vergleichbares Verfahren läßt sich bei dem bereits mehrfach angesprochenen *Mnemosyne*-Mosaik beobachten, bei dem das ,reale' Totenmahl und die Gedenkfunktion des Mahles über die *tituli* miteinander in Verbindung gesetzt werden.

Vielleicht kann man aber auch noch einen Schritt weitergehen, was ich mit aller Vorsicht versuchen möchte. Wenn man die Allegorie vom „Gastmahl des Lebens" bildlich fassen will, muß man einen Weg finden, mit dem Modus der Erzählung, d.h. der Ereignisfolge von Teilnahme, Erfüllung und Abschied umzugehen. Die Sequenzialität der Schilderung muß in irgendeiner Weise für den Betrachter deutlich werden.

Eine nahe liegende Möglichkeit, die Narration, die fortschreitende Bewegung ins Bild zu übersetzen, wäre sicher eine mehrszenige Darstellung gewesen. Vielleicht ließen die Räumlichkeiten es nicht zu, vielleicht schien die Konzentration in einer Szene reizvoll. Doch könnte man nicht auch die *tituli* als einen Versuch verstehen, eben diesen Anspruch zu erfüllen? Dadurch, daß sie das Bild des Gastmahls mit den philosophischen Kategorien der fortschreitenden Zeit verknüpfen, fordern sie dazu auf, beide Vorstellungen in ein Verhältnis zueinander zu setzen: das Gastmahl des Lebens, zu dem die Zeiten geladen sind, da sie in sich die Folge von früher, jetzt und danach, von Teilnahme, Erfüllung und Abschied tragen. Das hieße, in den drei Chronoi nicht so sehr die Zeitpunkte, sondern die Sequenzialität, die Folge verkörpert zu sehen. Auch in der ovidischen Ekphrasis haben wir bemerkt, daß zeitliche Bewegung als eine Anreihung von

Zeitpunkten visualisiert wurde – könnte hier dasselbe Verfahren angewendet worden sein? Methodisch gefragt: Handelt es sich um eine narrative und nicht – wie anfänglich angenommen – um eine deskriptive Darstellung?

7. Schlußüberlegungen

Faßt man die im Vergleich gewonnenen Beobachtungen zusammen, wird deutlich, daß die Ikonographie des Mosaiks singulär sein mag; der Versuch, unterschiedliche Aspekte der Zeit in einem Bild personalisiert darzustellen, ist es nicht.

Das Mosaik zeigt ein Gastmahl; seine textlichen Bestandteile definieren es als ein ‚Gastmahl der Zeiten‘, in dem zwei populärphilosophische Vorstellungen – die drei Aspekte des Chronos und das Gegensatzpaar von Chronos und Aion – vorgeführt werden. Hinter der Gastmahlsikonographie steht möglicherweise die Vorstellung vom ‚Gastmahl des Lebens‘, die durch die literarische Tradition mit Dion Chrysostomos als ihrem nächsten Vertreter vermittelt wurde. Die Zusammenfügung von bildlicher Vorstellung und philosophischem Konzept zu einem bimedialen Kunstwerk (einem Ikonotext) ist ein höchst anspruchsvolles Vorhaben. Die fehlende Rezeption könnte bedeuten: Es ist nicht überzeugend gelungen.

In dem Mosaik werden Zeitpersonifikationen, ihre sprachliche Fixierung und eine literarische Allegorie im mehrfachen medialen Crossover kombiniert. Der Aion etwa ist durch den Zodiakus und einen unterstützenden *titulus* doppelt definiert. Für den dreigliedrigen Chronos gab es aus Sicht des Entwerfenden resp. des Auftraggebers offenbar keine hinreichend etablierten Attribute, um seine Differenzierung kenntlich zu machen; die Identifikation erfolgt allein über den *titulus*. Damit wären die *tituli* hier – zugespitzt formuliert – als ein Eingeständnis des Versagens innerbildlicher Erklärungsmuster zu verstehen; ein Sieg der Sprache. Nur sie vermochte es, drei Symposiasten in die Personifikationen von Vergangenheit, Gegenwart und Zukunft zu verwandeln.

Im Rezeptionsprozeß rücken gewöhnlich andere Aspekte als die feinsinnige Dechiffrierung des Kunstwerks in den Vordergrund, seine Komplexität wird im alltäglichen Umgang kaum je erschlossen. Anderes ist wichtiger; hier könnte man es vielleicht mit dem klassischen Begriffspaar von *decorum* und *doctrina* erfassen: die angemessene Gestaltung eines repräsentativen Raumes und ein Bildcharakter, der gleichviel Bildung demonstriert wie er fordert. War die Rätselhaftigkeit (bei allem Streben nach Eindeutigkeit, das das Werk auszeichnet!) aus Sicht der damaligen Betrachter möglicherweise weit weniger problematisch, als mein Versuch, die Funktion und Funktionsweise einzelner Bildbestandteile auszuloten, es vermuten läßt? Wenn das Mosaik zur Ausstattung eines Speiseraumes gehörte, dann sind Motiv, Funktion und Publikum aufs Engste miteinander verbunden und lassen vieles selbstverständlich werden. Die Diskrepanz von Ikonographie und *tituli* wurde vielleicht außerbildlich, im für uns unsichtbaren Spiegel des täglichen Gebrauchs und im symposiastischen Gespräch gedeutet, genossen oder gar aufgelöst.[46]

Abstract

In ancient literature and art only very few attempts to describe the order of time can be found. Representations or metaphors for the organisation of time(s) seldom appear outside philosophical contexts. One of the few examples is a strange mosaic of Antiochia from the so-called "House of Aion", showing four men at dinner, who bear the names "Eternity", "Future", "Present" and "Past" and, as a kind of subtitle, "Times" in Greek.

After a survey of the different categories in which time was visualised – cycles, personifications, structured spaces – I start to analyse the two media used in the mosaic and the different connections between iconography and *tituli*. The presence of five *tituli* for four 'items' makes clear that the use antiochian artists made of *tituli* is not simple, but quite sophisticated, in that they used colour and position as semantic and/or syntactic instruments.

Second, I try to find out why the "times" are at dinner. Previous research never doubted that the *convivium*-scene was chosen according to the *triclinium* in which the mosaic probably laid. I want to propose a different reading, which gives more significance to the iconography, connecting the "meal of times" with the famous allegory of the "meal of live", which e.g. Dion Chrysostomos used in extenso in his speech "Charidemos".

---

46 Trotz der Differenzen bei der Klärung des Bildmotivs und seiner Ikonographie stimme ich in dieser groben Verortung mit Levi überein, der die Situation folgendermaßen beschreibt (*Aion*, s. Anm. 9, 312): "On the mosaic of Antioch we have perhaps an illustration of the arguments of discussion in the intellectual classes of the Antiochene society: a subject of philosophical discussion fit to entertain the nobility of the luxuriuos town during the sumptuous and everlasting banquets celebrated in the very halls and triclinia which similar mosaics were destined to embellish. The inscriptions of the mosaic seem to present to us the title of an argument for an evening's discussion, corresponding almost exactly the title of the book of Plotinus' *Enneads.*"

The *wanderings* of the Sacred Band: Uses and *Ab*uses of an erotic tradition[1]

Aristoula Georgiadou

1. The Sacred Band: a 'troubled' tradition

Only a handful of authors mention explicitly the short-lived existence of the Theban Sacred Band in the fourth century, the elite infantry unit which was organized by Gorgidas after the liberation of Thebes from Spartan occupation in 379 BCE: Dinarchus (1.72–73),[2] Plutarch, in the *Lives of Pelopidas* (18–19, 23) and *Alexander* (9.2), Polyaenus (2.5.1), Dio Chrysostom (*Or.* 22.2), Maximus of Tyre (*Dissert.* 18.2) and Athenaeus (13.561 f; 602a),[3] who draws on Hieronymus of Rhodes, the Peripatetic (13.602a = fr. 34 Wehrli).[4] According to Plutarch this Band consisted of 300 select citadel guardians who played a decisive role at Tegyra, in 375 BCE (*Pel.* 19.4) and Leuctra (*Pel.* 23.3–5), in 371 BCE, and were finally annihilated at Chaeronea, in 338 BCE (*Pel.* 18.7; *Alex.* 9.2), by Alexander's cavalry. There is a wide divergence in the texts that survive regarding the amount of details they provide about this special corps. They disagree, for instance, over the specific number of the Sacred Band,[5] the persons credited with its erotic for-

---

1 A preliminary version of this essay was read at the 7th International Congress of the Plutarch Society held at Rethymno, Crete, in May 2005. The current paper has benefited greatly from members of the audience who attended that presentation.

2 Dinarchus is our earliest reference to the Sacred Band.

3 Athenaeus explicitly mentions that he draws from Hieronymus of Rhodes, the Peripatetic philosopher (13.602a). The latter's remarks about the Sacred Band may come from his Ἱστορικὰ Ὑπομνήματα, as is the case of the anecdote about Sophocles and his *paidika* (13.604de).

4 A comprehensive list of explicit references to the Sacred Band is furnished by D. Leitao, *The legend of the Sacred Band*, in: M.C. Nussbaum and J. Sihvola (eds.) *The Sleep of Reason* (Chicago 2002) 143–169, esp. 164 n. 17.

5 Diodorus (15.37.1), drawing from Ephorus, recounts a victory of 500 Theban select troops (he refers, most likely, to the Sacred Band) at Orchomenus. It is very likely that the numerical force of the Sacred Band, which is traditionally established at 300, does not represent its actual power force. The fact that the numbers 3, 30, 300, 3000, but especially 300, recur with an astonishing frequency in historical texts is highly suggestive of the stock use of these figures. Another such instance seems to be the number 50 or 52, on which see B. Sergent, *L'homosexualité dans la mythologie grecque* (Paris 1984) 173–5. I thank Ewen Bowie for drawing my attention to the possibility of number three functioning as a *topos* in Greek literature.

mation,[6] the role it played at the battlefield and the major battles in which it participated.[7] In sum, there is hardly any important aspect of the Sacred Band upon which our sources converge including what constitutes perhaps the most intriguing aspect of this fighting force, namely its erotic composition.

Our purpose here is not to establish or question the historicity of the Sacred Band in the 4th cent. BCE and its erotic constitution.[8] Rather it is to explore some of the ways in which writers of the empire, like Plutarch, exploited the ideological potential generated by the Band's erotic constitution (real or fabricated) and accommodated the material found in the tradition of writing about *eros* in accordance with the specific socio-political contexts implied in each narrative, as well as the leading idea(s) governing it. The tradition on *eros* went all the way back to Plato (or even earlier) and was probably shaped by enthusiasts of pederasty who attempted to explain the invincibility of the city's elite military force by granting pederasty a prominent place in it. In doing so, this tradition contextualized the Sacred Band's erotic practices with Thebes' struggle for liberation from Spartan rule. No doubt the model to follow was the Athenian democracy's foundational mythology which credited Harmodius and Aristogeiton with the overthrow of the tyranny in the sixth century. The Athenian model must have been an integral part of this tradition, because several writers have used it as an *exemplum* in their discussion of the civic benefits of *eros*.[9] Even the 'romanticized' image of Thebes, in Plutarch's *Pelopidas* (31.6), fighting to overthrow other tyrannical regimes beyond the Boeotian borders (Messenia, Thessaly, Macedonia), may have grown out of or inspired by the same tradition.

---

6   Pammenes, "a man versed in love", is credited in *Amatorius* 761B with "changing and transposing the order of the (Theban) hoplites' battle-line". The arrangement of these hoplites in erotic pairs – the Sacred Band is here implied – is attributed to Pammenes (on the erotic constitution of the Band, see [c] and [d], below). The same anecdote, repeated almost verbatim in *Pelopidas* 19.1, links explicitly this tactical novelty with the Sacred Band, although Pammenes' role in it is not acknowledged; cf. also *Quaest. Conv.* 618CD. Maximus of Tyre (*Dissert.* 18.2) and Dio Chrysostom (*Or.* 22.2) assign the erotic formation of this select unit to Epameinondas, while Hieronymus of Rhodes (ap. Athen. 13.602a) makes Epameinondas responsible for organizing at Thebes the Sacred Band (ὁ συνταχθεὶς Θήβησιν ὑπὸ Ἐπαμινώνδου ἱερὸς λόχος) and probably considers him responsible for its erotic constitution.

7   On this aspect, see section 2.

8   In his discussion of the Sacred Band and the problematics regarding its erotic constitution Leitao (cf. fn. 4) 159–62 argues convincingly that this select force owes its distinctive erotic dimension to the erotic political philosophy of men like Plato and the stoic Zeno of Citium and their views about the political advantages of pederastic love.

9   For instance, Pl. *Smp.* 182c; Plut. *De garr.* 505E; *Amat.* 760C; 770BC; *De es. carn.* 995D; Hieronymus of Rhodes ap. Athen. 13.602a (cf. 13.562a); Maximus of Tyre *Dissert.* 18.2.

2. Dissenting voices: Plutarch, Diodorus and Xenophon

Before we turn to the issue of the erotic composition of the Sacred Band and the role played by moralistic philosophers like Plutarch in shaping the erotic tradition we will present briefly a representative spectrum of dissenting views on circumstantial details regarding this select fighting unit and its reputation in the fourth century BCE. The sources selected here are biographical and historical, and they either mention explicitly the Sacred Band by name, or are expected to mention it, but fail to do so.[10] While its existence should probably not be questioned, the evidence shows that the Band's main achievements were subject to manifold modifications, while its role was expanded, deflated or simply ignored (intentionally or deservedly so), as it suited, apparently, in each case. For the purpose of our study the following accounts obtain greater value if "read as illustrations of the historian's own ideology (or those of his sources or audience) than as records of historical fact".[11]

Plutarch, who provides in the *Pelopidas* the most extensive account of the Theban Sacred Band, its origin, exploits, formation and unique characteristics of its composition, claims that Gorgidas organized it first (συνετάξατο Γοργίδας πρῶτος) by distributing its 300 members among the first ranks of the entire phalanx of hoplites (18.1; cf. 19.3).[12] What he probably means is that Gorgidas was the first to turn it into a regular, professional force soon after the liberation of the Cadmea, in the spring of 379, although Plutarch is quite vague about specifying the period during which this military novelty took place. The origin of the select Theban force may, in fact, be traced back to a special group known as κρείττους, who encamped at night at the foot of the Cadmea (*De Gen.* 598E).

---

10   Pausanias constitutes yet another source for parts of the period of the Theban hegemony. His account of the battle of Leuctra (9.13.3–12) centering on Epameinondas (Pelopidas is nowhere mentioned in the pertinent section) is believed to have derived from Plutarch's lost *Epameinondas*, which, in turn, was probably heavily indebted to Ephorus; see further, G. Shrimpton, *The Epaminondas Tradition* (PhD dissertation Stanford 1970) 47–54; J. Buckler, *Plutarch on Leuktra*, Symbolae Osloenses 55, 1980, 75–93, esp. 75–6 and n. 29 (below).

11   Th. Hubbard, *Homosexuality in Greece and Rome. A Sourcebook of Basic Documents* (Berkeley 2003) 55.

12   Similar special units are reported to have been operating in several city-states, such as Syracuse, Sparta, Argos, Elis and Arcadia, on which see J. DeVoto, *The Theban Sacred Band*, *The Ancient World*, 23, 1992, 3–19, esp. 5–7; R.J. Buck, *Boiotia and the Boiotian League, 423–371 B.C.* (Edmonton 1994) 110. Leitao (cf. fn. 4) 144, rightly points out that a number of earlier references to a special Theban force composed of 'charioteers and footmen' at the Battle of Delium in 424 BCE are not a secure witness of the Sacred Band's military activities prior to the liberation of the Cadmea.

According to Plutarch, the Sacred Band was also stationed on the citadel and on the night of the coup the κρείττους fled to it along with many Theban Laconizers. It is, in fact, possible that the new elite unit was formed under Gorgidas, after the liberation of the Theban citadel, to replace the old elite force. The Boeotian writer further credits Pelopidas with the idea of employing the Band as an integral unit operating separately from the large body of inferior troops until its destruction at Chaeronea (*Pel.* 19.4). Drawing upon a pro-Boeotian historiographical tradition for the Theban *Life*,[13] probably Callisthenes and not Ephorus,[14] Plutarch attributes the victory at Tegyra to Pelopidas and the Sacred Band alone. We are told that the Theban general coordinated cavalry and infantry (i.e. the Sacred Band) and had the latter strike the final blow against a numerically superior army (*Pel.* 17.3).[15] As for the battle of Leuctra Plutarch considers both Pelopidas and Epameinondas as the chief architects of the Theban victory (23.6), with the former stationed with the Sacred Band at the head of Epameinondas' left wing and striking a masterful blow at the Spartan line (23.1–3).[16] Traces of the use or the knowledge of a different historical tradition (Ephorus perhaps?) for the *Life* can be detected in the *Pelopidas/Marcellus syncrisis*, where Plutarch shows some scepticism about Pelopidas' actual share in some of the enterprises which he undertook jointly with Epameinondas (31(1).3.[17]

Diodorus drawing chiefly on Ephorus[18] mentions a stiff battle that took place at Orchomenus, not Tegyra (mentioned by Plutarch), between 500 picked Thebans and some Spartans, twice their number. He names neither Pelopidas nor the Sacred Band in connection with this Theban achievement (15.37.1–2). Likewise, in his description of the battle of Leuctra (15.53.3–56.4), Pelopidas is not

---

13 Plutarch, although generally reticent in revealing any of his sources in the *Pelopidas*, does mention three authorities for the composition of the Spartan *mora* in his account of the battle of Tegyra (*Pel.* 17.4), Callisthenes, Ephoros and Polybius, on which see A. Georgiadou, *Plutarch's Pelopidas. A Historical and Philological Commentary* (Stuttgart and Leipzig 1997) 21–2, 142–3; Ead. *Pro-Boiotian Traditions in the Fourth Century BC. Kallisthenes and Ephoros as Plutarch's Sources in the Pelopidas*, Boeotia Antiqua 6, 1998, 77–90.

14 Georgiadou (cf. fn. 13) 154; Leitao (cf. fn. 4) 147–8.

15 J. Buckler, *The Battle of Tegyra, 375 BC*, Boeotia Antiqua 5, 1995, 43–58.

16 On Leuctra, see J. Buckler, *The Theban Hegemony 371–362 BC.* (Cambridge, Mass. (1980) 46–69; Id. (cf. fn. 10) 75–93; Georgiadou (cf. fn. 13) 172–9.

17 On Plutarch's shift of emphasis on and occasional ambivalence about Pelopidas' shared exploits, see Georgiadou (cf. fn. 13) 32–7. For a sceptical attitude towards Plutarch's reliability with regard to the use of his sources, see E.N. Tigerstedt, *The Legend of Sparta in Classical Antiquity*, vol. 2 (Stockholm 1974) 226–64.

18 On Diodorus' borrowing from Ephorus' account of the Theban hegemony, see G.L. Barber, *The Historian Ephorus* (Cambridge 1935, repr. New York 1979) 34–8, and bibliography in Georgiadou (cf. fn. 13) 17 n. 37.

mentioned at all and Epameinondas alone is held responsible for the victory,[19] while the Sacred Band is not named explicitly by name.[20] Later on, however, in Pelopidas' obituary notice, Diodorus recapitulates Pelopidas' exploits (15.81) and credits him this time with the victories at Tegyra and Leuctra. But even in this section of the account, which has been suspected to derive from Callisthenes, Diodorus fails to mention the presence of the Sacred Band at Tegyra, and portrays Pelopidas as the commander of the elite unit only at Leuctra. Epameinondas is, surprisingly enough, out of the picture here.

So far, we observe the presence of two different pro-Boeotian historical traditions in Diodorus' account of the period of the Theban hegemony, with the one centering around the figure of Pelopidas and the Sacred Band, and the other around Epameinondas.[21] Callisthenes has been suggested as the fountainhead of the 'pro-Pelopidas' tradition and Ephorus for the other. Both Plutarch and Diodorus seem to have used a common source in their description of Pelopidas' and the Sacred Band's exploits, with the exception of Plutarch's digression on the erotic constitution of the unit (18–19.2). This digression probably derives, as mentioned earlier [section 1], from a long-lived and well-established erotic tradition. Plutarch's and Diodorus' common source may well be the fourth-century historian and philosopher Callisthenes, who is believed to have dealt extensively with the period of the Theban hegemony and to have exaggerated, "if not invented",[22] the role of Pelopidas and that of the Sacred Band.

The most puzzling, however, of the three major sources for the period of the Theban hegemony is Xenophon, who provides the only contemporary account of the military events in this period.[23] His silence on the battle of Tegyra,[24] the presence of the Sacred Band[25] and Pelopidas at Leuctra, as well as Epameinondas'

---

19 Epameinondas, according to Diodorus (15.87.6), considered the battle of Leuctra as his own victory.
20 They may be the *epilektoi*, mentioned twice in Diodorus' account (15.55.4; 56.2).
21 The presence of two distinct pro-Boeotian traditions in Diodorus' account is noticeable in the two obituary notices: 15.81.1–4 (on Pelopidas) and 15.88 (on Epameinondas); see further Shrimpton (cf. fn. 10) 36–9.
22 Leitao (cf. fn. 4) 147 and n. 26.
23 The section of the *Hellenica* that treats the Theban hegemony begins at the peace conference at Sparta (6.3.1) and ends with the battle of Mantinea (7.5.27), on which see Buckler (cf. fn. 16) 263–8.
24 Xenophon confines Theban activity in 375 BCE to two brief notices (5.4.62–63, 6.1.1), but he seems to have known about the Spartan defeat, which he locates at Orchomenus, not Tegyra (6.4.10); see further, Georgiadou (cf. fn. 13) 142–3; Leitao (cf. fn. 4) 148.
25 Xenophon may be alluding to the Sacred Band only once in his *Hellenica*, at 7.1.19 (τῶν Θηβαίων τοῖς ἐπιλέκτοις).

tactical innovations attributed to him by Ephorus, has generated much contro-
versy. Scholars have generally ascribed Xenophon's 'omissions' to his anti-
Theban bias,[26] which, they argue, prompted him to downplay or even suppress
the two Theban generals' achievements from his account.[27] Meanwhile, his late
recognition of Epameinondas' strategic ability in Mantinea, at the end of the
Hellenica (7.5.19–26), has not contributed much to restoring his reputation as a
reliable historian. On the other hand, Ephorus' and Callisthenes' ignorance of
military tactics was already a matter of severe criticism in antiquity.[28]

The above sources disagree over key events and 'innovative' military tactics
taking place in the Theban army after the liberation of the Cadmea and down to
the battle of Mantinea. Who is right and who is wrong? Whose author's testi-
mony should be trusted more? Did the Sacred Band play the significant role
attributed to it by Plutarch or his source(s)? Was Plutarch's source laudatory and
therefore unreliable, as has been suggested by some scholars? What sort of details
would Plutarch have provided regarding the activities of the elite unit and the
role of Pelopidas in the lost *Epameinondas*?[29] What should we infer from Xenophon's silence? Could he not appreciate adequately the high points of the Theban
hegemony or was there simply nothing special to report about Pelopidas, the
Sacred Band or Gorgidas, the Band's organiser and one of the architects of
Theban power?[30] The issues of praise and blame, inaccuracy and partiality, rhetorical amplification and imaginative reconstruction, objectivity and falsification
loom large here, as elsewhere, and recall the variety and multi-vocality of the
historiographical tradition noted by Lucian in his essay on "How to Write
History". Attempting to provide answers to such tantalizing questions is bound
to give rise to new sets of thorny questions. The status of the Sacred Band in
strictly historical terms will, perhaps, remain permanently unresolved. As for the
account of a historian like Xenophon, who was a contemporary historian and a
keen student of military tactics, it may, in the end, gain more credibility, despite

---

26   G.L. Cawkwell, *Epaminondas and Thebes*, CQ n.s. 66, 1972, 254–278; Buckler (cf.
     fn. 16) 263–8; for a survey of scholarly views on Epameinondas' 'revolutionary' tac-
     tics at Leuctra, see V. Hanson, *Epameinondas, the Battle of Leuctra (371 B.C.), and
     the 'Revolution in Greek Battle Tactics'*, Classical Antiquity 7, 1988, 190–207, esp. 191
     n. 3; 193 n. 12.
27   Xenophon's 'inability' to recognize the historical changes in warfare that Epameinon-
     das had created has been another type of criticism levelled against him.
28   Polyb. 12.17–22, 12.25 f.3–4; see Hanson (cf. fn. 26) 202; Leitao (cf. fn. 4) 148.
29   An epitome of the lost *Epameinondas* is thought to be found in Pausanias (9.13.15),
     on which see L. Peper, *De Plutarchi 'Epameinonda'* (Jena 1912) 16 ff.
30   Gorgidas was praised by Ephorus as one of the architects of Theban power along
     with Pelopidas and Epameinondas, Diod. 15.39.2, 50.6; see Cawkwell (cf. fn. 26) 256.

his omissions and possible bias, than the second-hand narratives of Plutarch and Diodorus.[31]

The results of this preliminary study offer definite signs of a 'troubled' tradition surrounding the activities of this select military unit during the period of the Theban hegemony. With this in mind we can now turn to the Sacred Band's admittedly most renowned aspect, namely its erotic composition. By problematizing the historical reality of this elite 'erotic' fighting force, Leitao has reawakened attention to the limits set by the genres within which later moralists like Plutarch, Dio of Chrysostom and Maximus of Tyre articulated their views over moral and political issues.

3. The erotic constitution of the Sacred Band: the 'inclusion/exclusion' hypothesis

Before launching into his account of the battle of Tegyra Plutarch offers in the *Pelopidas* (18-19) a lengthy digression on the Sacred Band's origins and exploits and includes, without indicating his source (not an uncommon practice in the Theban *Life*), a rather elaborate version of its erotic constitution (18.2–7). It has been rightly suggested by Leitao that Plutarch derives his account from "a tradition of writing about *eros* that goes all the way back to Plato".[32] It is noteworthy, however, that in the *Amatorius*, a work clearly situated in the same tradition, Plutarch is reticent about retailing this particular erotic version of the Sacred Band in his discussion of Theban military practices and the workings of *eros* (761B–761D). He does not even mention the Sacred Band by name. A closer study of the digression in the *Life*, – which is, in fact, one of the lengthiest digressions in the Plutarchan *Lives* –, may elucidate the unexpected discrepancy between the two Plutarchan works:

> Some people say that this band was composed of lovers and beloveds, and tradition records a witty remark of Pammenes to this effect. He said that Homer's Nestor was not a shrewd tactician when he ordered that the Greeks be drawn up according to tribe and clan, "so that clan might aid clan, and tribe tribe", and that what he should have done was station lover beside beloved. For when the going gets tough, tribesmen don't give much thought for their fellow tribesmen, nor clansmen for their fellow

---

31 Hanson (cf. fn. 26) 202–3, and nn. 33 and 38, arguing in favor of Xenophon's account, its factual detail and emphasis, points to the absence of any mention of Epameinondas' so-called revolutionary military tactics in the works of fourth-century orators or contemporary historians, such as Theopompus or the author of the *Hellenica Oxyrhynchia*; see also Leitao (cf. fn. 4) 148.

32 Leitao (cf. fn. 4) 146–7.

clansmen. But a battalion joined together by erotic love cannot be destroyed or broken: its members stand firm beside one another in times of danger, lovers and beloveds alike motivated by a sense of shame in the presence of the other. And this is not surprising, when you consider that they even feel more concern for the opinion of loved ones who are absent than before others who are present. A good example is the man who pleaded with an enemy soldier who was about to slaughter him as he lay on the ground to plunge the sword through his chest "in order that my beloved not see my dead body pierced through the back and be ashamed". It is said also that it was as Heracles' beloved that Iolaus joined in the hero's labours and stood by his side in battle. And Aristotle says that in his own day beloveds and lovers still swore pledges of loyalty at the tomb of Iolaus (sc. at Thebes). It is therefore natural that Thebes' band was called "sacred", just as Plato too referred to the lover as a "divinely inspired friend".[33] It is said that the band remained undefeated until the Battle of Chaeronea, and that when Philip, surveying the casualties after the battle, stood at that place where the three hundred chanced to lie dead, men who had faced the Macedonian long spears and were now a jumble of bodies and armor, he was struck with admiration. And when he learned that this was the band of lovers and beloveds, he wept and exclaimed, "May utter destruction fall upon those who suppose these men did or suffered anything disgraceful!" (18.2–7)[34]

When we turn to the *Amatorius* we instantly notice that the Sacred Band, so extensively discussed in the *Life*, does not make it to the list of examples in which *eros* promotes military valor. One would perhaps expect to see here quite the reverse, namely that a debate on the erotic nature of the (Theban) Sacred Band and the civic benefits of *eros* would be featured in a Boeotian dialogue on *eros* rather than in a biographical work. Two of the anecdotes listed in the *Pelopidas* appear also, in a slightly different version, in the *Amatorius*, namely Pammenes' jocular criticism of Homer's un-erotic battle formation (761B) and the oaths sworn by Theban lovers and their beloveds at the tomb of Iolaus (761D).[35] The Theban general's anecdote could have become a suitable conduit for a discussion about the erotic composition of the Sacred Band in the *Amatorius* also, but its potential is not exploited here. Its absence from the treatise does look like a textual *lacuna*. In order to account for this baffling *omission* Leitao suggests that Plutarch, being cautious about the historicity of the erotic tradition, was reluctant to commit it to writing in the *Amatorius*, though willing to report it at length in the *Life*. Leitao lays emphasis on Plutarch's use of qualifiers such as "as they say" (ὥς φασι), "some say" (ἔνιοι δέ φασιν) and "it is said" (λέγεται) in the

---

33 Pl. *Smp*. 179a.
34 Transl. by Hubbard (cf. fn. 11) 70–1.
35 Two more examples of military *eros* at Thebes are listed in the *Amatorius* (761B, D): the Theban lovers' present of a suit of armour to their beloveds, when the latter were enrolled as adults, and the anecdote about Epameinondas' two beloveds.

digression in the Theban *Life* and argues that the unusual number of such qualifiers demonstrates clearly the biographer's desire to distance himself from the
tradition about the erotic composition of the Sacred Band.[36] Leitao thus *accepts*
Plutarch's 'inclusion' of this erotic tradition in a moralizing biography like the
Pelopidas and equally *rationalizes* its 'exclusion' from a rhetorical-philosophical
work like the *Amatorius*. But he does so, on rather shaky grounds. In other
words, he assumes that the 'inclusion' or 'exclusion' of this sort of material in
these two diverse works is dictated by the writer's cautious stance to the ambivalent historicity of an erotically constituted fighting force in Thebes in the
4th cent. BCE. His assumption stands, therefore, on the discomfiting premise that
Plutarch can utilize cautiously in a moralistic biography anecdotal material of
questionable historicity, whereas he is not likely to do so in a philosophical treatise. However inaccurate this assumption may eventually prove to be, it is at
pains to explain some of the ways in which Plutarch chooses, limits, excludes or
appropriates material in different types of discourse or in different contextual
environments. This tendency conforms, of course, to the common practice
whereby writers are expected to stress different points to different degrees in different genres. The *Life of Pelopidas* and the *Amatorius* are no exception. What
makes things slightly more complicated here is that although the two works
belong to two distinct genres – biography and philosophy/rhetoric – they are both
moralistic and thus they are both equally amenable to some blurring of historical
accuracy for the sake of their individual purposes. In this sense, either text could
reasonably host the above anecdote without compromising, in any significant
way, the *authenticity* of the surrounding narrative, or the reliability of the writer,
in general. Furthermore, what is relatively certain about Plutarch's handling of
the anecdotal tradition regarding the Sacred Band is that he neither guarantees its
historicity nor questions it explicitly. Unless we overstretch the frequency and
the significance of the interjected qualifiers, we can hardly infer from their presence in the digression that they are intended to undermine seriously the reliability of the erotic tradition upon which Plutarch draws, as Leitao argues. Tactfully
sceptical though Plutarch may be towards this tradition, he exploits it voracious-
ly for a variety of obvious reasons: to make up for the lack of adequate information on the battle of Tegyra and to lend support to a tradition that promoted or
even idealized Pelopidas' skill in military matters. Furthermore, the need to maintain a balance in the formal comparison of the Theban and the Roman hero seems

---

36 A number of anecdotes reported in a similar fashion are also to be found in the *Amatorius* (cf. 760C: Alexander and Theodorus; 761E: Alcestis; 768D: Camma, 750F) and
they do not suggest, in any particular way, Plutarch's 'distance' from them.

to have determined extensively his choice of source-material.[37] To these reasons one may equally add Plutarch's desire to explain in more rational terms the un-interrupted invincibility of the Band until 338 BCE. The use then he makes of the erotic tradition in the *Life* is entirely justifiable, regardless of the discomfort he may have *felt* with regard to its 'questionable' reliability.

So far, I have argued that genre conventions do not seem to have been re-sponsible for the exclusion of the account of the Sacred Band's erotic composition from the *Amatorius*. This disclaimer, however, does not explain the considerable prominence given to the erotic composition of the Sacred Band in the *Life* – the length of the digression and its centrality in the narrative structure of the *Life* are too conspicuous to ignore – and its unexpected absence from the treatise. The causal nexus underlying the entire Sacred Band episode still remains elusive. A closer look at the contextual environment of the digression in the *Pelopidas* in conjunction with the debate on *eros* in the *Amatorius* may shed some light on Plutarch's 'hide-and-seek' with the erotic tradition.

4. Reconfiguring Leitao's argument: Plutarch *responds* to the erotic tradition

When Plutarch tells us in the *Life* that this special corps was exclusively formed of lovers and beloveds and that its invincibility remained unchallenged until the battle of Chaeronea he probably had no intention of titillating his audience's sexual fantasies about Theban military life, especially as he situates this lengthy digression immediately after Pelopidas' triumphant victory at Tegyra. As men-tioned earlier [section 2], Plutarch gives all the credit for the Theban victory to Pelopidas and the Sacred Band. This was the first major Theban victory over the Spartans after the liberation of the Cadmea, even though it gained no celebrity from Xenophon's pen. Nevertheless, the unexpected outcome of the numerically unequal encounter between the Thebans and the Spartans and its continuing invincibility required some plausible explanation and this could be furnished by the long-standing tradition of writing about *eros*. Recourse to this tradition could explain not only the erotic extravaganzas possibly ascribed to this elite unit, but

---

37 On the extent to which Plutarch's choice of source-material was determined by the type of *syncrisis* he drew between his paired heroes, see C.B.R. Pelling, *Synkrisis in Plutarch's Lives*, Giornale Filologico Ferrarese 8, 1986, 83–96; Id. *Plutarch's Adapta-tion of his Source Material*, Journal of Hellenic Studies 100, 1980, 127–39 [repr. in: B. Scardigli (ed.), *Essays on Plutarch's Lives* (Oxford 1995) 125–54]; A. Georgiadou, *Bias and Character-portrayal in Plutarch's 'Lives of Pelopidas and Marcellus'*, Auf-stieg und Niedergang der römischen Welt 2.33.6, 1992, 4222–4257.

also the heavily-criticized pederastic practices in Thebes. Plutarch could exploit this tradition and supply it with a civic context in which to explicate the fine points of the erotic bonding of the Sacred Band and the so-called prominence of the Theban (Boeotian) pederastic *eros* within Athenian debates on *eros*. More importantly, however, he could respond as a native Boeotian to criticisms surrounding his compatriots' sexual indulgence.

Plutarch's reader will recall from Xenophon's *Symposium* Socrates' criticism of the Thebans' sexual laxity in the army and the contradistinction he makes between Theban/Elean and Spartan erotic practices in the army. Socrates claims that the Thebans and the Eleans, in contrast to the Spartans "assigned to their beloveds places alongside themselves in the battle-line, even though they are sleeping with them". And the reason for this arrangement, he adds, is that "the lovers are probably suspicious that their objects of their love, if left by themselves, will not perform the duties of brave men. Such practices, though normal (νόμιμα) among them are considered most shameful (ἐπονείδιστα) by us" (8.34).[38] Socrates further argues against the salutary effect of shame in motivating battle bravery in lovers and their *paidika*. The juxtaposition of the Boeotian/Elean and the Spartan pederastic practices recurs also in the *Constitution of the Lacedaemonians*, where Xenophon revisits the theme (2.12–13).

Plutarch's reader will also bring to mind Pausanias' speech in Plato's *Symposium*,[39] where he discusses the conditions under which sexual favors are granted in different cities. He argues that

> [...] while sexual conventions in other states are clear-cut and easy to understand, here [and in Sparta?], by contrast they are complex. In Elis, for example or Boeotia, and places where they are not sophisticated in their use of language, it is laid down, quite straightforwardly, that it is right to satisfy your lover.[40] No one, old or young, would say it was wrong, and the reason, I take it, is that they don't want to have all the trouble of trying to persuade them verbally, when they're such poor speakers. On the other hand, in Ionia and many other places under Persian rule, it is regarded as wrong. [...] In short, the convention that satisfying your lover is wrong is a result of the moral weakness of those who observe the convention – the rulers' desire for power, and their subjects' cowardice. The belief that it is always right (sc. to gratify one's

---

38 See B. Huss, *Xenophons Symposion. Ein Kommentar* (Stuttgart and Leipzig 1999) 420–2 *ad loc*, and K. Dover, K., *Greek Homosexuality* (Cambridge, Mass. 1989 [1978]) 191–2.

39 On the relative chronology of Plato's *Symposium* and Xenophon's homonymous work, see K. Dover, The Date of Plato's *Symposium*, Phronesis 10, 1965, 2–20, esp. 9–16; Leitao (cf. fn. 4) 152; Huss (cf. fn. 38) 13–15 (with a comprehensive bibliography on the on-going debate).

40 It is, of course, obvious that Pausanias in his speech has always his mind on the lover-beloved homoerotic relationship.

lover) can be attributed to (the law-makers')[41] mental laziness (ἀργίαν). Our customs (sc. in Athens) are much better, but, as I said, not easy to understand. (182b–d) [42]

There is hardly any flattering inference to be drawn from Pausanias' description of the Boeotian pederastic practices. Pausanias charts out three classes of sexual *mores* which are represented by Boeotia and Elis, Ionia and Athens/Sparta respectively: the first two regions exhibit 'lack of sophistication' in their ways of dealing with pederastic practices, while the third one is characterized by 'complexity'. One may argue that it is the contrast between Athens and Boeotia that is implicitly posed here in Pausanias' speech, as he goes on to explicate the high level of sophistication exhibited by the Athenian legislation, while the link between sexual self-indulgence and lack of cultural refinement is hard to miss. It is not just the erotic 'otherness' of the Boeotians that differentiates them from the Athenians, but also their cultural 'otherness'.[43] This was hardly a novel reproach for the Boeotians, whose reputation for boorishness and stupidity was proverbial.[44] Pausanias seems to suggest here that the Boeotians' simplistic ordinances which regulated their homoerotic practices are the product of an inferior culture. For it is their lack of rhetorical skills and persuasiveness that necessitated the imposition of such laws. And what is more, the legislators are also to blame for their intellectual ineptness.

Several centuries later, Plutarch offers an 'aetiology' of the Sacred Band's victory at Tegyra under the leadership of Pelopidas and its subsequent invincibility (*Pel.* 18.2–7; 19.3–4) and recognizes that such homoerotic relationships constituted a conspicuous component of the Theban social life (19.1–2). In fact, it was due to the law-givers' sagacity that this type of *eros* became prevalent in the Theban *Life*.[45] The entire digression on the Sacred Band appears then to have been packaged as though Plutarch were responding to Socrates' and Pausanias' past critiques. For he retorts not as an apologist for the Sacred Band's pederastic

---

41 In Hubbard's translation of this line the role of the Theban 'law-givers' in the establishment of permissive laws with respect to pederastic practices is totally obscured. The line should better read: "And where it (sc. the act of gratifying one's lover) was accepted as noble without any reserve, this was due to a sluggishness of mind in the law-makers".

42 Transl. by Hubbard (cf. fn. 11) 185.

43 On the depiction of Thebes as an 'anti-Athens' in dramatic discourse, see F. Zeitlin, *Thebes: Theater of Self and Society in Athenian Drama*, in: J. Winkler and F. Zeitlin (eds.), *Nothing to Do with Dionysos?* (Princeton, NJ 1990) 130–167, esp. 131–2.

44 R. Roberts, *The Ancient Boeotians: their character and culture, and their reputation* (Cambridge 1895) 1–9; D.W. Roller, *The Boiotian Pig*, Teiresias Supplement 3, 1990, 139–144.

45 The context here prompts the reader to view the Theban legislation regarding the institutionalization of pederastic *eros* as a wisely planned initiative.

relationships, but as the defender of a culture which made it possible for Pelopidas, who had actively participated in the liberation of Thebes from the pro-Spartan oligarchy, to challenge for the first time Sparta's power as a commander of the elite unit. The example of Harmodius and Aristogeiton and the political advantages of pederastic love in bringing down the tyranny at Athens no doubt provided Plutarch with an appropriate parallel for the Sacred Band and their struggle in the toppling of the Spartan oligarchy in Thebes.[46]

It is unnecessary to uncover what Plutarch's personal outlook on the practice of pederasty in social life was,[47] but it is safe to assume that he recognized the potential that such relationships offered to the Theban military life and to Thebes' aspiration for hegemony in Greece during the period in question. He clearly makes no attempt to deny claims about the prominence of the homoerotic *eros* in the fourth century Theban society. If this Theban *reality* had raised eyebrows at the time (note also Xenophon's emphasis on the physicality of the Theban lovers' and beloveds' relationship)[48] Plutarch felt no obligation either to speak out on its behalf or to refute it several centuries later.

What he does instead is to build the Theban biography against a philosophical and a civic context through which he can problematize equally the so-called sexual and cultural 'otherness' of the Boeotians[49] and suggest thereby their relative 'sameness' with the Athenians and the Spartans.[50] To achieve this, first he lends a Platonic flavor to the name of the Sacred Band – a 'dubious Platonic etymology' –[51] and to the erotic bonding of its pairs, thus implying the purely Platonic aspect in the friendship of its members.[52] The Sacred Band embodies, in Plutarch's account, the optimal realization of Phaedrus' proposal,[53] when he envi-

---

46   For references in Plutarch, see n. 9 (above).

47   Given that the meaning(s) of a literary text *cannot* be disengaged from the role the reader takes in decoding it the task of unveiling the author's/narrator's *own* views and attitudes becomes unrewarding, even when the latter's statements seem to be expressed explicitly and unambiguously throughout.

48   Xen. *Smp*. 8.34: "He (Pausanias) said that though they (sc. the Thebans and the Eleans) were sharing common beds, they assigned to their *paidika* places alongside themselves in the battle-line"; see also Leitao (cf. fn. 4) 153–4.

49   The target group in the Theban *Life* is, of course, the Thebans, not the Boeotians, whose homoerotic rituals are mentioned in the *Amatorius* (761B).

50   He pursues this further in the *Amatorius* (761D), when the Boeotians, the Spartans and the Cretans are depicted to indulge on equal terms in homoerotic practices.

51   See Leitao (cf. fn. 4) 150.

52   "It was natural", says Plutarch, "that the Band should be called Sacred, because even Plato calls the lover a friend inspired of God." (*Pel*. 18.6); cf. Pl. *Smp*. 179a; *Phdr*. 255b; Plut. *Amat*. 752C, 761C.

53   On Phaedrus' 'utopian' proposal, see Leitao (cf. fn. 4) 152.

sions an entire city or an army composed of lovers and their beloveds in Plato's *Symposium* (178e; cf. Xen. *Smp.* 8.32). Having established a philosophical framework for the Band Plutarch can now adapt it to fit a well-devised civic context and demonstrate thereby the wisdom of the Theban legislators' educational planning at work. Such a legislation in Thebes could only promote a noble form of *eros*. The Theban code of sexual ethics is inextricably woven with the intellectual achievement of the city's lawmakers. Plutarch explains in the *Pelopidas*:

> The Thebans' practice of intimacy with lovers, to speak more generally, did not have its origins, as the poets say, in the passion of Laius.[54] Rather the practice grew out of deliberate policies[55] that the lawgivers adopted in order to temper and soften the Thebans' fiery and violent nature right from childhood. One thing they did was to introduce a major role for the flute in every aspect of work and play, and, indeed they elevated the instrument to a degree of honor and pre-eminence. The other was to cultivate a conspicuous reverence for *eros* in the wrestling establishments, and thereby moderate the impetuous character of the young men. This is also the reason for their wise decision to introduce the goddess Harmony into the city. The goddess is said to be the child of Ares and Aphrodite, and their theory was that where combativeness and belligerence consort and mingle with persuasion and charm, all elements of society can be brought into the most harmonious and most orderly whole. (19.1–2)[56]

The liberation of the Cadmea by Pelopidas, his first major victory over the Spartans as the leader of the Sacred Band, the role of the Band in the toppling of tyrannical regimes, its invincible fighting spirit, the Platonic touch of the Band's erotic bonding, the establishment of the Theban hegemony through the harmonious collaboration of its leaders (a *leitmotiv* that runs throughout the *Life*), all these are the product of a wisely-governed city, which secures the well-being of its citizens. In it Harmony reigns, which nurtures tempered and self-controlled people through the mingling of the necessary ingredients, of which one is persuasion. Thebes is clearly no inferior in sophistication to Athens or Sparta. Phaedrus' utopian model emerges in Plutarch's discourse as a Theban reality. One is wondering, indeed, if the reader is expected to recall at this point Pausanias' speech in Plato's *Symposium* or Socrates' criticism in Xenophon's homonymous work, or even an entire (Athenian?) tradition which presumably indulged in stereotyping 'excessive' behaviour (moral, political etc) of different groups.

---

54 Laius seems to have been, according to Plato, the initiator of homosexual *eros*, *Leg.* 836c.
55 A more accurate translation would be "because they wished".
56 Transl. by Hubbard (cf. fn. 11) 71.

5. 'Contextualizing' the Sacred Band

The lengthy digression on the Sacred Band, situated right in the middle of the *Pelopidas*, constitutes the high point of the entire *Life*. It gains special attention because of its privileged placement[57] and provides a core around which to organize interpretations of the Theban *Life*. In other words, the extensive account of the Band placed at a crucial juncture in the narrative – after the liberation of the Cadmea and before the victory at Leuctra – is neither a mere space-filler nor context-free. On the contrary, it is noticeable, especially if it is read against a particular socio-political context, such as the one suggested in the previous section. If the *Life* is not read from the limited perspective of its Theban protagonist but from that of Thebes, which is presented all along as an emerging hegemony in the Greek world of the 4th century, then we may be justified in saying that Plutarch *exploits* effectively the Sacred Band's role and its reported erotic constitution in order to heighten the importance of the city itself.[58] The emphasis therefore on the elite unit in the *Life*, and also its repression from the *Amatorius*, varies with or depends upon the given context (social, cultural, political) supporting each discourse. In the *Life* Plutarch is *seen* to advocate the erotic Band's emblematic value making it stand for the entire 'erotic' city of Thebes.

The Sacred Band becomes then a metaphor for Thebes. Based on this line of interpretation, one can argue that what the biographer composes is not a *bios*, in the limited sense of the term, but an encomium of Thebes. Consequently, he is more concerned to highlight the political role played by Thebes in this period, restore its shaken image, which was no doubt heavily undermined in the midst of (Athenian?) philosophical circles, and place the city on a par with the other major Greek cities, and far less troubled about issues, such as the historicity of the erotic tradition about the Band.

The situation in the *Amatorius* is distinctly different. Plutarch builds here a Platonizing discussion on love around a dramatic incident, which frames and determines the course of the debate, in the Boeotian town of Thespiae, some time in the first century AD. The newly married Plutarch, who is the principal speaker in the dialogue, is reportedly visiting the shrine of Eros on family business during the festival of Erotidaea. The actual debate on the nature of love, recounted several years later by his son Autobulus, is interrupted by regular reports con-

---

57 For a discussion of 'privileged positions' in a literary text in narrative theory, see P.J. Rabinowitz, *Before Reading. Narrative Conventions and the Politics of Interpretation* (Ithaca 1987) 58–65.

58 The reader's interpretation of a literary text depends on the construction of his/her own interpretative grid, which does not necessarily overlap with what the author wished or intended.

cerning the public 'drama'. The focus of this dramatized event is a respectable
widow of Thespiae, well-born, rich and good-looking, who fell in love with a
Thespian *ephebe*, considerably younger than her and also less rich. She is pursuing the young man with a view to marry him, but some of his male lovers are
against this wedding. The most enthusiastic of his admirers vehemently opposes
this union, while a relative of his endorses it. To make the situation more complicated, Plutarch portrays the young man as having reservations of his own about
marrying the widow. Plutarch and his friends are asked to act as arbitrators to
decide the fate of the young man. And although they agree to arbitrate the dis-
pute, during the debate over the relative merits of homosexual and heterosexual
love, Plutarch casts off the guise of arbitrator and enters the 'contest' on the side
of those favoring the marriage. He emerges, in fact, from the debate as the principal advocate for the conjugal relationship and as the widow's most eloquent
supporter. News arrives that the widow has kidnapped the apparently reluctant
ephebe from the palaestra and is now making preparations for the wedding. The
report of the young man's abduction arouses a public disturbance in the town,
for a crowd has gathered outside the widow's house and the two gymnasiarchs
disagree as to what course of action they should take. A misogynist supporter of
the young man announces that the whole order of the world is upset and that the
public places of the *polis*, the *gymnasia* and the *Bouleuterion*, should be handed
over to women, 'now that the *polis* is completely emasculated' (755C).

   This is the civic context where Plutarch chose to situate his debate on *eros* in
the *Amatorius*. It is a context that allowed him to present a striking example of
female-assertion which challenges traditional male roles and also to articulate
male insecurities and anxieties with regard to female dominance. It is also a context in which the 'masculine *polis*' was liable to emasculation and 'male social
values became harder to define'.[59] How pertinent would then be to Plutarch's
purpose to mention the example of the fourth century BCE Sacred Band and
explain anew its homoerotic constitution? Thespiae was a small town of the
Roman Empire, which, like Thebes in this period, was not engaged in the overthrow of tyrannies or in the establishment of any sort of hegemonial power in the
Greek world. Furthermore, how could Plutarch exploit the panegyric tradition
about the homoerotic constitution of the Sacred Band in order to advance his
own arguments about the superiority of heterosexual *eros* of which he emerges
the principal advocate in the dialogue? Plutarch was fully aware that the cultural
relevance of a 'story' varied with the social and political context in which it was

---

59   See further J. Harries, "The cube and the square: Masculinity and male roles in Ro-
     man Boiotia" in: L. Foxhall and J. Salmon (eds.), *When men were men. Masculinity,
     power and identity in classical antiquity* (London and New York 1998) 192.

narrated. He may have spiced his works with different versions of the same 'story', but had a pretty good sense of where he should stop. In the *Amatorius* he *carefully* chose to remain silent.[60]

Abstract

Our most extensive source for the Sacred Band is Plutarch's *Pelopidas* (18–19). In his lengthy digression on its origins and exploits Plutarch introduces an erotic version of the constitution of this select fighting unit recounting that it was exclusively formed of lovers and beloveds. In this tradition, the invincibility of the Band until the battle of Chaeronea is linked with the very nature of its composition. The emphasis on the special role of the Sacred Band in the *Life* has rightly been attributed to the pro-Boeotian sources used by Plutarch for the composition of this biography, while the prominence of its erotic constitution may indeed derive from a tradition of writing about *eros* that goes all the way back to Plato. It is noteworthy, however, that in the *Amatorius*, a work clearly situated in the tradition of Platonic writing about *eros*, Plutarch is totally reticent about retailing this particular erotic account of the Sacred Band in his discussion of Theban military practices and the workings of *eros* (761B–761D). He does not even mention the Sacred Band by name. One would, in fact, expect to see here quite the reverse, namely that a debate on the so-called erotic nature of the Sacred Band and the civic benefits of military *eros* would be featured in a dialogue on *eros* rather than in a biographical work. The recent suggestion by Leitao that Plutarch may have been cautious about the historicity of this tradition and thus reluctant to commit it to writing in the *Amatorius*, though willing to report it at length in the *Life*, is unsatisfactory. Our purpose here is not to establish or question the historicity of an erotically constituted fighting force in Thebes in the 4th cent. BCE, but rather to explore the dynamics that are at play in two generically different texts, which, without being at odds with each other, present a puzzling discrepancy in the amount of information pertaining to the role of *eros* played in binding a fighting force together.

---

60 My special thanks go to David Leitao for providing valuable tips on the questionable historicity of Plutarchan narratives during our brief correspondence.

Theologie und historische Semantik: Historisierung von Wissen in Isidor von Sevillas *Etymologiae*

Peter Kuhlmann

1. Person und kulturelles Umfeld

Der heilige Isidor von Sevilla, der heute meist als Mittler zwischen Antike und Mittelalter gilt, wurde um 560 wahrscheinlich in Hispalis/Sevilla geboren.[1] Er stammte aus einer vornehmen katholischen Familie, die aus der Provinz Carthaginiensis nach Sevilla übergesiedelt war. Er war das vierte und jüngste Kind seiner Eltern und wurde von seinen älteren Geschwistern, insbesondere von seinem ältesten Bruder Leander erzogen. Die ganze Familie schlug eine kirchlich-geistliche Laufbahn ein: Isidors Schwester Florentina wurde Nonne, die Brüder Fulgentius und Leander Bischöfe von Sevilla. Nach dem Tode seines Bruders Leander folgte ihm Isidor auf den Bischofsstuhl von Sevilla (vor Ende 601). Die Familie unterhielt gute Kontakte zu führenden Persönlichkeiten ihrer Zeit: Leander war eng mit Papst Gregor dem Großen befreundet und Isidor selbst Ratgeber der westgotischen Könige Sisebut (612–21) und Swinthila (621–31). Isidor machte sich als Bischof um die Wiederherstellung der hispanischen Kirche verdient und leitete 633 das vierte Konzil von Toledo. Am 4.4.636 starb er in Sevilla. Bald nach seinem Tode wurde er in Spanien als Heiliger verehrt und 1722 von Papst Benedikt XIV. zum Kirchenlehrer erklärt. Heute gilt Isidor – vor allem in Spanien – als Schutzpatron der Geisteswissenschaften.

Das kulturelle Umfeld des Isidor ist von mehreren Faktoren entscheidend geprägt:[2] Zum einen von der konfessionellen und kulturellen Koexistenz zwischen ursprünglich arianischen Westgoten und katholischen Romanen in Spanien, dann auch zwischen katholischen Spaniern und orthodoxen Byzantinern, die unter Kaiser Justinian Südspanien besetzt hatten; zum anderen vom bereits spürbaren Verfall der antiken Bildung. Dazu kommt noch ein für das Werk Isidors zentraler Gegensatz zwischen antiker paganer und antiker christlicher

---

1 Allgemein zu Leben und kulturellem Umfeld: H.-J. Diesner, Isidor von Sevilla und das westgotische Spanien, Trier 1978; J. Fontaine, Isidore de Seville et la culture classique de l'Espagne wisigothique, I–III 1983²; J. Fontaine, Isidor IV, in: Reallexikon für Antike und Christentum XVIII (1998) 1002–1005.
2 Hierzu ausführlich Diesner (s. Anm. 1) passim.

Bildungskultur. Die Iberische Halbinsel war mittlerweile vermutlich vollständig christianisiert, so dass es keine tatsächlichen Glaubenskämpfe mehr zwischen Heiden und Christen gab;[3] dafür existierten allerdings Spannungen zwischen den drei in Spanien vertretenen verschiedenen christlichen Konfessionen untereinander (Arianer, Katholiken, Orthodoxe). Von antihäretischer Polemik sind auch die Werke Isidors gekennzeichnet.

Der Gegensatz zwischen ursprünglich arianischen Goten und der einheimischen katholischen Bevölkerung war bereits im Jahre 587 mit dem Übertritt des Westgotenkönigs Rekkared zum Katholizismus und zwei Jahre darauf mit der offiziellen Konversion der Goten auf dem 3. Konzil von Toledo aufgehoben. Dies ermöglichte in der Folgezeit eine kulturelle Annäherung von Goten und Romanen. Im Zuge dieser Entwicklung traten unter Isidors maßgeblichem Einfluss die Goten das kulturelle Erbe Roms auf der Iberischen Halbinsel an. Isidors Hauptanliegen war es, zum einen die ursprünglich barbarischen Goten mit der antiken Bildung vertraut zu machen, aber zum anderen auch, die antike Bildung unter seinen Zeitgenossen vor dem Untergang zu bewahren. Die Werke Isidors sind insbesondere im Kontext dieser pädagogischen Anstrengungen entstanden.

Dabei sieht man freilich in Isidor lediglich den großen Kompilator, der noch einmal am Ausgang der Antike bzw. an der Schwelle zum Mittelalter antikes Wissen ohne eigenes innovatives Potential enzyklopädisch zusammenfasst. Im Folgenden soll jedoch gezeigt werden, wie Isidor auf dem Gebiet von Etymologie und Begriffsgeschichte zu neuartigen Konzeptionen gelangt, die sich deutlich von der christlich-theologischen Tradition seiner Vorläufer abheben. In einem ersten Schritt wird die im antiken sprachtheoretischen Kontext eigentümliche Auffassung Isidors von der Etymologie im Sinne einer „historischen Semantik" herausgearbeitet. In einem zweiten Schritt wird dann anhand einzelner Etymologien gezeigt, wie sich dieses Konzept auf die etymologischen Erklärungen im Bereich der religiösen bzw. theologischen Terminologie auswirkt.

---

3   Positive Zeugnisse für die Existenz paganer Kulte um 600 im westgotischen Machtbereich scheinen jedenfalls zu fehlen. Zum Grad der Christianisierung auf der Iberischen Halbinsel vgl. A. v. Harnack, Die Mission und Ausbreitung des Christentums in den ersten drei Jahrhunderten, II, Leipzig 1906, 20–32; H. Schlunk / T. Hauschild, Hispania antiqua. Die Denkmäler der frühchristlichen und westgotischen Zeit, Mainz 1978, 35–73 u. 87–95; Ch. u. L. Piétrie, Die Geschichte des Christentums, II, Freiburg/Br. 1996, 142–144.

2. *Etymologiae* und Etymologie

Eine zentrale Position nehmen dabei die 20 unvollendet gebliebenen Bücher *Etymologiae* Isidors ein – eine Mischung zwischen Etymologikon und Enzyklopädie, in der alles relevante Wissen der Antike für Gegenwart und Nachwelt gesammelt ist. Methodisch steht dieses Werk in der Tradition sowohl der antiken Sprachwissenschaft, speziell der Etymologie, als auch der antiquarischen Schriftstellerei. Schon Varro hatte in seinem Werk beides zu einer umfassenden Synthese vereint. Der antiquarische Ansatz gewinnt für Isidor deswegen an besonderer Bedeutung, weil nach dem Zerfall des römischen Reiches und der barbarisch-germanischen Herrschaft das überlieferte Wissen der Antike im Begriff war unterzugehen. So spricht Isidors bedeutendster Schüler, der Bischof Braulio in einem seiner Briefe von Isidors Bemühungen *ad restauranda antiquorum monumenta*.[4] Dass für Isidor die Etymologie bzw. Sprachbetrachtung den Ansatzpunkt für seine Wissensvermittlung bildete, beruht auf der von ihm selbst beobachteten linguistischen Ausdifferenzierung des Lateinischen in verschiedene Sprachregister: Gemeint ist die beginnende Diglossie zwischen schriftlich gebrauchtem, mehr oder weniger „klassischem" Latein und dem protoromanischen „Vulgärlatein" als Sprechsprache.[5] Doch auch das tradierte Schriftlatein war bereits in seiner Substanz bedroht, da es Anfang des 7. Jh. vermutlich niemandes Muttersprache mehr war:[6] Zwar wurde es von den westgotischen Königen als Kanzlei- und Verwaltungssprache benutzt, aber Muttersprache der Goten war zunächst möglicherweise noch Gotisch.[7] Dass aber auch die gebildete romanische Bevölkerung nicht mehr in der Lage war, auch nur die grammatikalischen Normen des klassischen Lateins in vollem Umfang zu berücksichtigen, zeigt

---

4 Braulio, renotatio librorum domini Isidori 358 L./G.

5 Vgl. R. Lapesa, Historia de la lengua española, Madrid 1981⁹, 111–128; R. Wright, Late Latin and Early Romance in Spain and Carolingian France, Liverpool 1982, 45–103.

6 Vgl. etwa Isidor, etymologia 1,32–34; 9,1,7.

7 Wie stark romanisiert die Westgoten im 7. Jh. bereits waren, ist umstritten: R. Menéndez Pidal, Los godos y el origen de la epopeya española, in: I Goti in occidente, Spoleto 1956, 285–322, geht von einer vollständigen sprachlichen Romanisierung zu dieser Zeit aus; ähnlich Lapesa (s. Anm. 5) 118: „[los visigodos] romanizados pronto, abandonaron el uso de su lengua, que en el siglo VII se hallaba en plena descomposición". Vorsichtiger hingegen hält P. Scardigli, Die Goten. Sprache und Kultur, München 1973, 201–203, die Existenz literarischer Produktion in gotischer Sprache im 7. Jh. noch für möglich; ähnlich D. Claude, Geschichte der Westgoten, Stuttgart 1970, 42 f.

gerade die Sprache Isidors selbst:[8] So begegnen bei ihm häufig Verstöße gegen Formenlehre und Syntax, die teilweise bereits in die Richtung des Romanischen verweisen.[9] Allerdings sollten die *Etymologiae* den Zeitgenossen offensichtlich nicht nur wie ein Konversationslexikon reines Faktenwissen vermitteln, sondern auch mithilfe etymologischer Erklärungen die Sprachrichtigkeit erhalten helfen. Dies war überhaupt ein Anliegen Isidors, wie auch die anderen, in der Tradition der *(ars) grammatica* entstandenen Werke *de differentiis* und *Synonyma* zeigen.

Doch was bedeutet eigentlich „Etymologie" im Kontext der antiken Sprachwissenschaft und dann bei Isidor genau? Sofern man auf eine Definition stößt, findet man meist die Erklärung, die antike Etymologie versuche, die „wahre Bedeutung" im Sinne des „Ursprungs" der Wörter herauszufinden.[10] Doch zuständig für die wahre Bedeutung ist nicht die Etymologie, sondern nach dem Zeugnis von Varro auch schon in der Antike die Semantik.[11] So bliebe noch, wie übrigens die modern-linguistische Auffassung ohnehin suggeriert, die Suche nach dem „Ursprung" der Wörter als Aufgabe der Etymologie übrig. In der Tat scheint gerade die stoische Sprachwissenschaft mit ihrer besonderen Betonung der Etymologie etwas Vergleichbares nahezulegen. In Anlehnung an ältere Vorstellungen (Platons *Kratylos*) geht die stoische Sprachentstehungslehre von sog. πρῶται φωναί, d.h. „Urwörtern", aus, die gleichsam onomatopoetisch die Eigenschaften oder Funktionen ihrer Referenzobjekte sprachlich abbilden.[12] Theoretische Grundlage ist die schon für die Sophistik bezeugte und in der Stoa voll ausgebaute Vorstellung der Konvergenz von Realität und sprachlichen Zeichen. Diese sind damit von Natur aus (φύσει) richtig und nicht, wie heute in der Linguistik angenommen, „arbiträr", d.h. auf Konvention (νόμῳ) beruhend. Zwar existierte nach dem Zeugnis von Platons *Kratylos* bereits in der Sophistik

---

8   Vgl. hierzu etwa J. Sofer, Lateinisches und Romanisches aus den Etymologien des Isidorus von Sevilla, Göttingen 1930; R. Maltby, Late Latin Etymologising in Isidore of Seville, in: Latin vulgaire – latin tardif V, hg. H. Petersmann / R. Kettemann, Heidelberg 1997, 441–450.

9   *Quod*-Sätze statt Accusativus cum infinitivo; Akkusativ als Objektkasus statt Ablativ bei *uti*; Ausgleich zwischen i- und konsonantischer Deklination bei Adjektiven.

10   Vgl. etwa K. Sallmann, Etymologie, in: Der Neue Pauly 12,2 (2003) 956; K. Grubmüller, Etymologie als Schlüssel zur Welt?, in: FS Friedrich Ohly, München 1975, 218; R. Klinck, Die lateinische Etymologie des Mittelalters, Bd. I, hg. H. Fromm, München 1970, 22; zu dem Problem gut C.-P. Herbermann, Antike Etymologie, in: Geschichte der Sprachtheorie, II, hg. P. Schmitter, Tübingen 1991, 357f.

11   Varr. ling. Lat. 5,2; dazu Herbermann (s. Anm. 10) 358.

12   Ausführlich hierzu K. Barwick, Probleme der stoischen Sprachlehre und Rhetorik, Berlin 1957, 58–69.

auch die Vorstellung von der Arbitrarität der sprachlichen Zeichen,[13] durchgesetzt hat sich aber durch die stoische Sprachwissenschaft insbesondere für die antike etymologische Forschung die andere Auffassung von der natürlichen Richtigkeit der Sprache.[14] Betrachtet man nun weiter antike Definitionen von „Etymologie", wie sie z.B. in den griechischen Scholien zu dem Grammatiker Dionysios Thrax (2. Jh. v. Chr.) und in der lateinischen Literatur von Cicero über Quintilian bis hin zu Cassiodor oder Boethius vielfach erhalten sind, so ergibt sich folgendes Bild: Zunächst einmal sollte die Etymologie – wie der Name sagt – tatsächlich „das Wahre" oder auch „das Glaubwürdige" zeigen; dies geschieht mithilfe der Erklärung bzw. „Entflechtung" von Wörtern: Ἐτυμολογία ἐστὶν ἡ ἀνάπτυξις τῶν λέξεων, δι᾽ ἧς τὸ ἀληθὲς σαφηνίζεται „Etymologie ist die Entflechtung der Wörter, durch die das Wahre deutlich gemacht wird".[15] Die lateinischen Übersetzungen des griechischen Terminus verweisen ebenfalls auf die exegetische Funktion dieses Teilbereichs der antiken Grammatik: So bezeichnet Cicero *veriloquium* als die wörtliche Übersetzung des Terminus, bevorzugt allerdings selbst die freiere Übersetzung durch *adnotatio*, eigentlich „Bezeichnung".[16] Daneben bezeugt Quintilian auch die an die moderne Etymologie erinnernde Übersetzung als *originatio* „Herkunft".[17] Das auf den ersten Blick verwirrende Bild ergibt m.E. dann einen Sinn, wenn man mit den griechischen Grammatikern die primäre Aufgabe der Etymologie in der Suche nach den Benennungs-*Motiven* sucht: Warum ist ein Referenzobjekt *A* mit der sprachlichen Bezeichnung *X* versehen? Dabei ist die „Wahrheit" der Bedeutung des jeweiligen sprachlichen Zeichens nach Ausweis der Scholien bereits als Präsupposition zu sehen; sie muss nicht mehr bewiesen werden, denn nach stoischer Auffassung sind ja die Bedeutungen sprachlicher Bezeichnungen ohnehin φύσει, d.h. „von Natur aus", richtig. Ähnlich wie schon gemäß Kratylos' Ausführungen bei Platon soll die Etymologie aber auch das Wesen des Referenzobjekts in der außersprachlichen Realität erhellen, d.h. als Ziele der etymologischen Forschungen werden Ausdrücke genannt wie: δήλωμα τοῦ πράγματος „Offenbarung der Sache"[18] oder ἐπίστασθαι καὶ τὰ πράγματα „die Dinge verstehen".[19] Dabei ist sogar die Rede von ἐτυμολογία τῶν ὄντων „die Etymologie der

---

13 Diese Auffassung vertritt im Dialog der Gesprächspartner Hermogenes, nach dem sprachliche Bezeichnungen ἀπὸ τοῦ αὐτομάτου (397a) oder auch τῷ ἐπιτυχόντι (434a) – also „arbiträr" – seien.

14 Herbermann (s. Anm. 10) 361 f.

15 Schol. Dion. Thr. ed. Hilgard, Gramm. Graec. I 3, p. 14.

16 Cic. top. 8,35.

17 Quint. inst. 1,6,28.

18 Pl. Crat. 433d1–2.

19 Pl. Crat. 435d5–6.

Sachen";[20] ebenso: *haec* [= Etymologie] *habet aliquando usum necessarium, quotiens interpretatione res, de qua quaeritur, eget* „die Etymologie hat bisweilen eine notwendige Verwendung, wenn die zu untersuchende Sache einer Erläuterung entbehrt".[21] Diese Doppelfunktion von Erklärung des Benennungsmotivs und Sacherklärung ergibt sich wiederum plausibel durch die Annahme der Konvergenz von Realität und sprachlichen Zeichen.

Die Methodik der antiken Etymologie nun lässt sich am ehesten mit dem Begriff der *Spekulation* und entgegen landläufiger Auffassung als primär *synchrones* Verfahren charakterisieren. Spekulativ ist das Verfahren insofern – zumindest aus moderner Sicht –, als nicht wirkliche, lautgesetzlich korrekte etymologische Anschlüsse zwischen verschiedenen Lexemen gesucht wurden, sondern solche nur aufgrund der Semantik spekulativ ermittelt wurden. Dass ich das Verfahren primär synchron nenne, mag überraschen, hat aber seine Berechtigung deswegen, weil nicht wie in der modernen Etymologie nach dem jeweils ältesten erhaltenen Lautstand eines bestimmten Lexems gesucht wurde, um ein Rekonstrukt zu ermitteln.[22] Stattdessen wurden Wörter nach rein synchronen Kriterien aufgeschlüsselt, bzw. ein semantischer Anschluss an das synchron vorhandene Sprachmaterial gesucht. Im Allgemeinen fehlte in der antiken Sprachwissenschaft das Konzept einer Wurzel oder gar eines Rekonstrukts, das der Etymologe bei der etymologischen Erklärung eines Lexems zu ermitteln hat. Als Beispiel sei hier die „Etymologie" von *sapiens* „der Weise" angeführt, das in der Antike von *sapientia* „Weisheit" abgeleitet wurde.[23] Begründung: die „Weisheit" als abstraktes Prinzip ist älter als der einzelne „Weise". Wegen der Konvergenz von Sprache und Realität muss dann naturgemäß auch der Begriff für den „Weisen" jünger als der für die „Weisheit" sein. Ein Konzept von einer historisch anzusetzenden Wurzel *sap-*, von der dann die weiteren Lexeme jeweils als Derivate abgeleitet wurden, fehlte. Überhaupt ist diachrones Etymologisieren nur schwer mit dem theoretischen Konzept der natürlichen Richtigkeit der sprachlichen Zeichen vereinbar: Historisch fassbare Bedeutungsverschiebungen sind nämlich nach diesem Sprachkonzept nicht recht erklärbar: Beispiele wären etwa dt. *Uhr*, das letztlich über französische Vermittlung von lat. *hora* „Stunde" (vgl. engl. *hour* „Stunde") abstammt und dessen Bedeutung sich von „Stunde" zu „Stunden-Messer" verschoben hat,[24] oder auch *Tisch*, das über lat. *discus* letztlich auf griechisch δίσκος

---

20 Schol. Dion. Thr. ed. Hilgard, Gramm. Graec. I 3, p. 568.
21 Quint. inst. 1,6,29.
22 Wieder anders Opelt, Etymologie, in: Reallexikon für Antike und Christentum VI (1966) 797 f., wo moderne und antike Auffassung letztlich nicht säuberlich getrennt werden.
23 Vgl. etwa Donat zu Ter. Phorm. 420 oder Porphyrio zu Hor. sat. 2,4,44.
24 H. Paul, Deutsches Wörterbuch, Tübingen 1992[9], 929 (s. v.); F. Kluge, Etymologisches Wörterbuch der deutschen Sprache, Berlin 2002[24], 939 (s. v.).

„runde Scheibe" zurückgeht.[25] Die Referenzobjekte bzw. die von den sprachlichen Zeichen losgelösten Wortinhalte sind hingegen konstant geblieben. Nach stoisch-antiker etymologischer Auffassung hätte die Bedeutungsverschiebung zumindest durch eine Funktionsverschiebung der jeweiligen Referenzobjekte motiviert sein müssen.

Eine gewisse Ausnahmeerscheinung scheint in diesem System die Methodik Varros gewesen zu sein:[26] Zumindest indirekt scheint es Hinweise auf ein rekonstruierendes Verfahren Varros zu geben, wobei Varro zu einigen Wörtern bewusst die ältest belegte Lautform für eine mögliche Rekonstruktion sucht. So ermittelt er z.B. anhand alter lateinischer Inschriften als korrekten ursprünglichen Anlaut für den Götternamen *Iu-ppiter/Iov-is* ein *DIOV-*, wobei das anlautende *D-* im Laufe der Zeit geschwunden ist.[27] Diese Besonderheit Varros hängt aber mit seinen antiquarischen Interessen zusammen, die ihn nach besonders alten Sachen, Wörtern und so auch nach alten Lautstrukturen suchen lassen.

Betrachtet man nun die Etymologie-Definition und Sprachauffassung Isidors, so lassen sich einige auf den ersten Blick kleinere, aber doch signifikante Unterschiede zur früheren Auffassung feststellen: Im Gegensatz zu früheren Definitionen scheint hier die *etymologia* nicht mehr nur die Wissenschaft bzw. Methodik zur Wort-Erklärung zu bezeichnen, sondern die Worterklärung selbst, ganz so wie man heute von der „Etymologie eines Wortes" spricht. Das machen auch Aussagen deutlich wie: *Etymologia est origo vocabulorum* „E. ist der Ursprung der Bezeichnungen"[28] oder *omnium nominum etymologiae non reperiuntur* „nicht für alle Nomina gibt es Etymologien".[29] Hier wird zum ersten Mal suggeriert, dass eine Etymologie der Ursprung eines Lexems selbst ist. Ein weiterer, wohl gewichtigerer Unterschied ist die doppelte Sprachauffassung Isidors, wonach Bezeichnungen nicht nur aufgrund der Funktionen oder Eigenschaften ihres Referenzobjekts entstanden und damit „naturgemäß" richtig sind. Isidor greift nämlich in anomalistischer Tradition auch wieder das Konzept der Arbitra-

---

25 Paul (s. Anm. 24) 888 (s.v.); Kluge (s. Anm. 24) 917f. (s.v.).

26 Ausführlich W. Pfaffel, *Quartus gradus etymologiae*, Königstein/Ts. 1981.

27 Varro de ling. Lat. 5,55; vgl. speziell Pfaffel (s. Anm. 26) 42–47. Übrigens ist hier die Erklärung Varros prinzipiell korrekt, da lat. *Iup(p)iter* auf ein älteres **djeu pater* (aus indogermanisch **dyew ph₂ter*) zurückgeht und lautlich dem griechischen Ζεῦ πάτερ „Vater Zeus" entspricht; vgl. A. Sihler, New Comparative Grammar of Greek and Latin, Oxford 1995, 189.

28 Is. etym. 1,29,1. Zur Diskussion um Übersetzung und Kontext dieses Satzes ausführlich W. Schweickard, Etymologia est origo vocabulorum, in: Historiographia linguistica 12 (1985) 1–19. Schweickard weist (3–8) zu Recht frühere Emendationen bzw. unplausible Übersetzungsvorschläge zurück, insbesondere den von J. Engels, La portée de l'étymologie isidorienne, in: Studi medievali (3a serie) 3 (1962) 99.

29 Is. etym. 1,29,3.

rität von Sprache auf, wonach einige sprachliche Bezeichungen auf menschlicher Willkür beruhen: *non autem omnia nomina a veteribus secundum naturam inpositam sunt, sed quaedam et secundum placitum ... quaedam* [= Sachen] *... iuxta arbitrium humanae voluntatis vocabula acceperunt* „nicht alle Nomina wurden von den Alten der Natur gemäß gegeben, sondern einige auch arbiträr ... Einige Sachen erhielten nach menschlicher Willkür ihre Bezeichnung."[30] Diese Auffassung entspricht zwar noch keineswegs der modernen Auffassung von einer prinzipiellen Arbitrarität der sprachlichen Bezeichnung, ist aber insofern doch auffällig, als hier die stoische Auffassung von einer universellen Sprachrichtigkeit nicht mehr anerkannt wird.[31] Bemerkenswert und offenbar durch die Zeitumstände bedingt ist in dem zuletzt zitierten Passus die Betonung des Benennungsaktes durch die „Alten", was auf eine gewisse historische Dimension der Sprachauffassung hinzuweisen scheint, da die von den Alten geschaffenen Zustände oder Dinge sich im Laufe der Zeit ändern können. Genau dies kann Isidor am Lateinischen beobachten: Hier ist der Sprachwandel seit der Zeit des Plautus oder Vergil korrekt erfasst. Hierauf kommt Isidor an anderer Stelle in den *Etymologiae* zurück, wo er eine kurzgefasste Sprachgeschichte des Lateinischen konzipiert:[32] Das älteste vorliterarische Latein des Salierlieds (*carmen saliare*)[33] bezeichnet er als *prisca (lingua Latina)*, das Altlatein der Zwölf-Tafel-Gesetze als *lingua Latina*; dagegen ist *Romana (lingua)* das „normale" literarische Latein von Vergil oder Cicero seit Plautus; das gegenwärtige, ins Romanische abgleitende Latein bezeichnet er schließlich als *lingua mixta*.

3. Isidors Etymologien im Einzelnen

Betrachtet man nun die Etymologien Isidors im Einzelnen und vergleicht sie mit den vor ihm bzw. teilweise etwa zeitgleich aufgestellten Etymologien derselben Lexeme, so lässt sich ebenfalls die eben genannte historische Dimension in Form von „Begriffs-Geschichte" finden. Dies lässt sich besonders gut im Bereich der religiös-theologischen Terminologie zeigen, da hier viele Etyma bereits im paga-

---

30 Is. etym. 1,29,2.
31 Neben der herrschenden stoischen Doktrin wurde freilich auch im Skeptizismus und teilweise im Neuplatonismus die Auffassung von der natürlichen Richtigkeit sprachlicher Zeichen abgelehnt, so vielfach bei Sextus Empiricus (Pyrrh. hyp. 2,214; 268; adv. math. 1,36–38; 240 etc.), ähnlich bei Plotin (enn. 5,1,38–40; 5,19–28) und Porphyrios (in cat. 57,20–58,5; epist. ad Aneb. 2,10); vgl. auch R. Loredana Cardullo, Skeptiker und Neuplatoniker, in: Geschichte der Sprachtheorie, II, hg. P. Schmitter, Tübingen 1991, 238–272.
32 Is. etym. 9,1,6.
33 Fragmenta Poetarum Latinorum epicorum et lyricorum 1–9.

nen Sprachgebrauch existierten und im Zuge der Christianisierung eine christliche Umdeutung erfuhren. Aufgrund der von den Christen übernommenen stoischen Sprachauffassung ergaben sich für die christliche Etymologie große Schwierigkeiten bei der Erklärung dieser terminologischen Kontinuität, der natürlich keine Kontinuität auf der Referenzebene zugebilligt werden konnte. Dies erforderte denn auch vielfach eine Um-Etymologisierung. Im Folgenden sollen anhand ausgewählter Einzelbeispiele jeweils verschiedene Aspekte von Isidors Arbeitsweise gezeigt werden.

Als erstes Beispiel sei hier die relativ ausführliche Definition von lateinisch *homo* „Mensch" bei Isidor angeführt:[34]

> *homo dictus, quia ex humo est factus, sicut in Genesi dicitur: ‚Et creavit Deus hominem de humo terrae.' abusive autem pronuntiatur ex utraque substantia totus homo, id est ex societate animae et corporis. nam proprie homo ab humo. Graeci autem hominem* ἄνϑϱωπον *appellaverunt, eo quod sursum spectet sublevatus ab humo ad contemplationem artificis sui.*

> der Mensch heißt so, weil er aus Erde gemacht ist; so heißt es in der Genesis [Gen 2,7]: ‚Und Gott schuf den Menschen aus Erde'. Uneigentlich wird jedoch der ganze Mensch nach den beiden Substanzen definiert, nämlich der Vereinigung von Seele und Körper. Denn eigentlich (rein lautlich) kommt *homo* von *humus*. Die Griechen nannten den Menschen so, weil er nach oben blickt, erhoben von der Erde, um seinen Schöpfer zu betrachten.

Hier kombiniert Isidor die traditionelle Etymologie *homo < ex humo*[35] mit der griechischen bekannten Ableitung ἄν-ϑϱω-πος < ἄνω ϑϱεῖν „nach oben blicken",[36] d.h. der Definition des Menschen als eines „Auf-Blickenden" (im Gegensatz zu den zu Boden blickenden Tieren). Hier trennt Isidor ganz auffällig zwischen einer lautlichen Etymologie einerseits und der tatsächlichen Eigenschaft des Referenzobjekts „Mensch", wie an den Formulierungen *abusive* (katachrestisch) vs. *proprie* (= lautliche Etymologie) erkennbar ist. Da der Mensch aus „Erde" und der Seele besteht, ist nach Isidor die lautliche Herleitung für sich allein defizitär. Hier macht sich also die im ersten Buch der *Etymologiae* erwähnte

---

34 Is. etym. 11,1,4–6.

35 Übrigens ist auch hier zufällig der etymologische Anschluss korrekt, da sowohl *homo* als auch *humus* auf die indogermanische Wurzel *$d^h\hat{g}^hem$-/$d^h\hat{g}^hom$- „Erde" zurückgehen, so dass *homo* eigentlich den „Erdling" bezeichnet; vgl. Sihler (s. Anm. 27) 41–43. In Gen 2,7 (אַ חָזְחִי רֵצִיﬞיﬞוֹלﬞחָﬞא סֹֿה-נְﬞמ רָﬞﬞﬞפָﬞﬞﬞﬞﬞﬞﬞﬞﬞ סָﬞﬞראָﬞה-הָﬞמָﬞרﬞﬞאָה) geht die Etymologie natürlich auf das hebräische Wortspiel אָﬞﬞﬞﬞﬞﬞﬞﬞﬞﬞﬞﬞﬞﬞﬞﬞﬞﬞﬞﬞﬞﬞﬞﬞﬞﬞﬞﬞﬞ סָﬞﬞﬞﬞﬞﬞ *ādām* „Mann, Mensch" הָﬞﬞﬞﬞﬞﬞ חָﬞﬞﬞﬞﬞמﬞﬞﬞﬞﬞﬞﬞﬞﬞﬞﬞﬞﬞﬞﬞﬞﬞﬞﬞﬞ *adāmāh* „(lockere) Erde, Land" zurück, wobei eine etymologische Verbindung der beiden Lexeme lautlich nicht ausgeschlossen ist.

36 Et. Magn. s. v.

Auffassung von der Arbitrarität der Sprache bemerkbar: Sprachliche Bezeichnung und Realität sind nicht deckungsgleich. Daneben handelt Isidor noch ausführlich die genannte griechische Etymologie ab und zitiert hierzu eine Passage aus einem paganen Text, nämlich Ovids Metamorphosen als einschlägigen Beleg:[37]

> (... *ille opifex rerum* ...)
> *pronaque cum spectent animalia cetera terram,*
> *os homini sublime dedit caelumque videre*
> *iussit et erectos ad sidera tollere vultus.*

> und während alle anderen Lebewesen mit dem Gesicht zum Boden blicken, gab der Schöpfer dem Menschen ein aufblickendes Antlitz und befahl ihm, den Himmel anzuschauen und den Blick zu den Sternen zu erheben.

Die pagane Erklärung wird dann aber christlich umgedeutet: Der Mensch blickt in den Himmel, um dort Gott zu suchen. Diese Eigenschaft wird mit der Anfangsdefinition des Menschen als beseelt verbunden: Als Gott suchendes Wesen ist der Mensch nicht nur ein körperliches, sondern auch ein geistiges Wesen (mit Seele). Auffällig ist der Kontrast von Isidors Etymologie zur entsprechenden Erklärung von *homo ex humo* beim heiligen Ambrosius. Hier wird die lautliche Etymologie als alleinige Erklärung zugelassen und – natürlich – christlich durch den Anschluss an *humilis* „demütig" und *humanitas* „Mitmenschlichkeit" ausgedeutet und als Aufruf des Menschen zu sozialem Verhalten verstanden.[38] Die Etymologie erhält bei Ambrosius eine primär appellative Funktion und steht im Dienste der christlichen Ethik.

Eine vergleichbare Synthese verschiedener, ursprünglich konkurrierender Vorstellungen findet sich in Isidors Etymologie von *religio* „Religion": Ausgehend von Ciceros[39] etymologischer Ableitung von *relegere* „sorgfältig (alles) erwägen (was zur Verehrung der Götter gehört)" und weiter seiner Ableitung dieses Verbs von *legere* „(aus)lesen, (aus)wählen" findet sich bei Laktanz eine Polemik gegen diese Deutung: Laktanz verknüpft *religio* mit *religare* „binden" und erklärt Religion als die unbedingte, zwanghafte Bindung des Menschen an Gott.[40] Dagegen nähert sich Augustinus wieder an Cicero mit der Ableitung von *religere* im Sinne von *relegere* „wählen" > „sich entscheiden" an.[41] Danach sei Religion die immer wieder neue Entscheidung für Gott. Bei Isidor finden sich

---

37 Ov. met. 1,84 ff.
38 Ambr. off. 3,3,16 (J. P. Migne (Hrsg.) *Patrologiae cursus completus, series Latina* 16,158B).
39 Cic. de nat. deor. 2,72.
40 Lact. inst. 4,28,3.
41 Aug. retract. 1,13,9.

beide Etymologien, also die Verknüpfung mit *religare* und *relegere* verbunden:[42] Danach „bindet" der Mensch seine Seele an Gott, aber durch eine freie Entscheidung bzw. Wahl (*relegere* ~ *eligere*). Dies ist keine „sinnentstellte" Kontamination, wie es in der Forschung heißt,[43] sondern eine semantisch stimmige Synthese unter der Annahme einer für die Antike lautlich plausiblen etymologischen Verbindung von *religare* und *(r)eligere*.

Eine ursprünglich pagane, dann aber mit christlichem Inhalt gefüllte Bezeichnung ist das Wort für „Gott", lateinisch *deus*. Hier übernimmt Isidor die pagane Etymologie von Pompeius Festus, die *deus* als Fremdwort auf griechisch δέος „Furcht" zurückführt.[44] Isidor begründet diese Herleitung damit, dass jeder Gott fürchten müsse. Die früheren christlichen Autoren brachte diese Bezeichnung in besondere Schwierigkeiten, da der christliche Gott dieselbe Bezeichnung wie eine pagane Gottheit hatte, was bei der Annahme einer Konvergenz von Sprache und Realität natürlich höchst problematisch war. Eine Lösung hierfür versuchte der Apologet Tertullian durch die Erklärung von *deus* als Gottes Eigenname, der keine weitere etymologische Deutung zulasse.[45] In demselben Kontext polemisiert Tertullian gegen pagane Erklärungen von Gottesbezeichnungen wie z.B. die bei Platon bezeugte Herleitung von griechisch ϑεός < ϑέειν.[46] Isidor akzeptiert selbst bei diesem zentralen Begriff die historische Dimension der sprachlichen Bezeichnung, einmal durch die Annahme einer Entlehnung, zum anderen durch die postulierte historische Bedeutungsverschiebung.

Verwandt hiermit sind auch christliche Bezeichnungen für kultische Gegenstände oder Orte, die bereits in der paganen Terminologie existierten; so etwa die Bezeichnung *hostia* „Hostie", für die Isidor ohne religiöse Scheu die pagane Erklärung aus Servius' Vergilkommentar übernimmt:[47] Hostien hießen im paganen Kultus ursprünglich die Opfer, die vor dem Zusammentreffen mit dem Feind, lat. *hostis*, vollzogen wurden. Eine christliche Etymologie fehlt. Dafür erklärt Isidor mithilfe der historischen Semantik die durch die Christianisierung bedingte Bedeutungsentwicklung des Begriffs. Implizit ist damit auch wieder klar, dass eine Trennung zwischen Sachfunktion und Bezeichnung angenommen werden kann: Während sich Sachfunktion und Wortinhalt ändern, bleibt die Bezeichnung – das heißt die „Ausdrucksseite" des sprachlichen Zeichens in diesem Falle konstant.

---

42 Is. etym. 8,2,2.
43 Klinck (s. Anm. 10) 131.
44 Is. etym. 7,1,5; vgl. Paul. Fest. 71.
45 Tert. ad nat. 4,4.
46 Pl. Crat. 397cd.
47 Is. etym. 6,19,33 aus Serv. Aen. 1,334.

Ein typisches Beispiel für die bei den christlichen Etymologen dominante rein synchrone bzw. ahistorische Worterklärung ist die Etymologie von *ido(lo)-latria* „Götzendienst". Unter anderem Cassiodor versucht hier mithilfe einer innerlateinischen Ableitung von *dolus* „List" eine bestimmte theologische Deutung:[48] Damit wäre der Götzendienst ein religiöser Betrug. Gegen diese Fehldeutung polemisiert Isidor ausdrücklich mit den Worten: *quidam vero Latini ignorantes Graece imperite dicunt idolum ex dolo sumpsisse nomen, quod diabolus creaturae cultum divini nominis invexit* „einige Lateiner ohne Griechischkenntnisse behaupten fälschlich, Idol stamme von *dolus* ‚List', weil der Teufel den Kult für ein Geschöpf mit göttlicher Bezeichnung eingeführt hat".[49] Er gibt die historisch korrekte Etymologie mit der Ableitung von λατρεία „Dienst" und εἶδος „Götzenbild".[50] Im Vordergrund steht also nicht ein theologisches Konzept für die Worterklärung, sondern die historisch korrekte Herleitung. Dasselbe gilt auch für andere Fälle wie etwa „Häresie", lat. *haeresis*, was Isidor gegen einige Zeitgenossen im 7. Jh. nicht von lat. *haerere* im Sinne von „falschen Lehrmeinungen *anhängen*" ableitet, sondern korrekt von griechisch αἵρεσις, das er mit lateinisch *electio* „Wahl" übersetzt.[51] Sogar die historische Bedeutungsverschiebung von ursprünglich pagan „Wahl zwischen verschiedenen philosophischen Richtungen" hin zu der spezifisch christlichen Bedeutung wird berücksichtigt. Da aber in der Religion im Gegensatz zur Philosophie keine wirkliche Wahl bestehe, sondern nur die allein wahre Lehre Christi Gültigkeit besitze, habe *haeresis* die bekannte negative Konnotation erhalten.

Zum Abschluss beispielhaft ausgewählter Einzeletymologien soll noch ein Blick auf die Bezeichnung paganer Gottheiten geworfen werden: Überraschend ist zunächst überhaupt, dass Isidor den paganen Gottheiten in seinen *Etymologiae* immerhin ein ganzes Kapitel widmet.[52] Etwas Ähnliches hatte schon der heilige Augustinus in Buch 7 seiner Schrift *de civitate dei* unternommen. Allerdings ist seine das ganze Buch durchziehende Absicht eine scharfe Ablehnung aller Formen paganer Religiosität. Erklärungen von Götterbezeichnungen und Göttermythen werden allein zu dem Zweck angeführt, die Absurdität der paganen Religion zu beweisen. Ganz anders verfährt Isidor. Zwar finden sich an drei relativ isolierten Stellen kurze Hinweise, dass man nicht an die paganen Götter glauben dürfe und viele Mythen nur Erfindungen der Dichter seien,[53] aber ca. 97 % des Textumfangs nehmen doch die sachlich-neutralen Schilderungen paga-

---

48 Cassiodor in Psalm. 96,7 l. 141.
49 Is. etym. 8,11,14.
50 Is. etym. 8,11,11–13.
51 Is. etym. 8,3,1.
52 Is. etym. 11,8.
53 Is. etym. 8,11,29; 36; 39.

ner Mythen und die etymologischen Erläuterungen von Götternamen ein. So werden in Kap. 53–55 ausführlich die Taten des Gottes Apollo geschildert, und im Kap. 77 wird die in der Antike gängige griechische Etymologie der Göttin Aphrodite als „Schaum-Geborene" mithilfe der Ableitung von ἀφϱός „Schaum" und δύομαι „auftauchen" detailliert erläutert. Aus diesen Schilderungen lässt sich einerseits die Kenntnis von Augustins Schrift erkennen, es fehlt aber andererseits immer die entsprechende antipagane Polemik. Angeführt werden in der Regel die aus paganen Grammatikern bekannten Etymologien der Götter, die oft noch um eine zustimmende Diskussion durch Isidor erweitert werden; so etwa im Falle der Nymphen in ihrer Funktion als Wassergottheiten: Deren Name wird nach paganer Quelle von *nubes* „Wolken" abgeleitet,[54] da aus den Wolken Wasser herabregnet.[55] Dazu kommt der Nachsatz, manche nennten die Nymphen auch „Musen", was Isidor mit den Worten kommentiert: *nec immerito, nam aquae motus musicen efficit* „und nicht zu Unrecht, denn die Bewegung des Wassers bewirkt Musik". Hier versucht Isidor ähnlich wie in der stoischen Allegorese von Göttern eine Gleichsetzung der Nymphen mit dem Wasser, das sie nach paganer Vorstellung eigentlich beleben, plausibel zu machen.

4. Isidors Leistung

Die Ausführungen dürften gezeigt haben, worin die durchaus selbständigen und innovativen Leistungen des in der Regel als „reiner Kompilator" gescholtenen Isidor liegen. Zum einen unterscheidet sich seine Definition und auch sein Gebrauch des Begriffs Etymologie in einigen wichtigen Punkten von früheren bzw. zeitgenössischen sprachtheoretischen Ansätzen. Zwar entwickelt Isidor noch keineswegs so etwas wie ein theoretisches Konzept einer „historischen" Sprachwissenschaft, aber die historische Dimension der Sprachbetrachtung und speziell der Worterklärung ist doch stärker als in der nicht-varronischen paganen Sprachwissenschaft und überhaupt zum ersten Mal in der christlichen Etymologie spürbar. Dies gilt nicht nur für das im ersten Buch der *Etymologiae* entwickelte Konzept, sondern macht sich vor allem in vielen Etymologien praktisch bemerkbar, wie besonders gut im Bereich der christlich-theologisch relevanten Begrifflichkeit gezeigt werden konnte. Hintergrund dieser Arbeitsweise ist wie bei Varro der antiquarische Ansatz. Isidor benutzt, wie in der Forschung auch bekannt, sowohl christliche als auch pagane Quellen für seine Erklärungen. Dabei kann aber – wie z.B. bei der Etymologie von „Mensch" oder „Religion"

---

54 Philarg. in Verg. ecl. 2,47 (rec. I): *nymphas deas aquarum putant dictas a nubibus.*
55 Is. etym. 8,11,96.

gezeigt wurde – nicht von einer rein additiven und unorganischen Kompilation gesprochen werden. Vielmehr ergibt sich meistens eine stimmige Synthese, vor allem wenn man Isidors partielle Annahme der Arbitrarität sprachlicher Zeichen ernst nimmt. Die gleichsam enzyklopädische Darstellung paganen Wissens bereitete Isidor aus verschiedenen Gründen keine Probleme: Zunächst einmal konnte er bereits die pagane Religion als nur noch „historisches" Phänomen betrachten, das der fernen Vergangenheit angehörte. Die Gegenwart Isidors war mit antihäretischen Kämpfen beschäftigt. Insofern war antipagane Polemik überflüssig geworden. Aus dieser religiösen Entspannung heraus kann auch das pagane Wissen als historischer Teil der vor dem Untergang zu rettenden antiken Gesamtkultur wieder einen zentralen Stellenwert einnehmen. Dazu kommt, dass Isidor als Theologe generell nicht mehr die Bildungsfeindlichkeit vieler christlicher Autoren teilt, die sich auf den von Paulus im ersten Korintherbrief[56] aufgestellten Gegensatz zwischen Bildung und christlicher Gesinnung berufen.[57] Isidor erweist in seinem an König Sisebut gerichteten Vorwort zu seiner naturwissenschaftlichen Schrift *de rerum natura* unter Berufung auf die alttestamentliche *Sapientia Salomonis* gerade die *sapientia* „die Weisheit" als gottgegeben und damit auch den Drang, die Welt zu erforschen, als gottgewollt.[58]

5. Ausblick: Isidor zwischen Antike und Mittelalter?

Zum Abschluss zu der Frage, ob Isidor mit seinen *Etymologiae* eher der Antike oder dem Mittelalter zuzurechnen ist: Mit seiner Methodik stellt Isidor eine Synthese der verschiedenen antiken sprachwissenschaftlichen Richtungen her. Obgleich er sich deutlich von der christlichen Etymologie unterscheidet und auch im Vergleich zur paganen Etymologie gewisse innovative Tendenzen zeigt, führt er doch im Ganzen nur *in nuce* vorhandene antike Traditionen fort. Im lateinischen Mittelalter werden zwar die Einzeletymologien Isidors weitest-

---

56 1Cor 1,20f. (in Anlehnung an Jes 29,14): ποῦ σοφός; ποῦ γραμματεύς; ποῦ συζητητὴς τοῦ αἰῶνος τούτου; οὐχὶ ἐμώρανεν ὁ θεὸς τὴν σοφίαν τοῦ κόσμου; ἐπειδὴ γὰρ ἐν τῇ σοφίᾳ τοῦ θεοῦ οὐκ ἔγνω ὁ κόσμος διὰ τῆς σοφίας τὸν θεόν ... („wo ist ein Weiser? Wo ein Schriftgelehrter? Wo ein Wortefechter dieser Welt? Hat Gott nicht die Weisheit der Welt als Dummheit erwiesen? Denn da die Welt in der Weisheit Gottes Gott nicht durch ihre Weisheit erkannte ..."); ähnlich 1Cor 8,1.
57 Z.B. Cassiodor in Ps. 95,5.
58 Praef. 2: *Ipse mihi dedit horum quae sunt scientiam veram, ut sciam dispositionem caeli et virtutes elementorum ...* [= Sap 7,17f.] („Gott selbst gab mir die wahre Erkenntnis der Dinge, die da existieren, damit ich den Bau des Himmels und die Wirkungen der Elemente ... kenne").

gehend in die Etymologika übernommen, während andere Traditionsstränge nicht weitergeführt werden. Allerdings unterscheidet sich die mittelalterliche Etymologie mit ihrer wieder rein synchron und theologisch-spekulativ angelegten Methodik theoretisch und konzeptionell ganz beträchtlich von Isidor. Genannt sei hier als besonders instruktiv die ab dem 12. Jh. entstehende Worterklärung durch die so genannte *expositio*-Etymologie. Ein Beispiel wäre etwa die Etymologie von *deus* als <u>*d*</u>ans <u>*e*</u>ternam <u>*ui*</u>tam <u>*sui*</u>s.[59] Dabei erhält jeder Buchstabe/Laut die Funktion eines Signifikanten, ohne dass allerdings jedem einzelnen Buchstaben/Laut ein konstantes Signifikat zugeordnet wäre. Dieses ergibt sich erst in der Kombination der Elemente miteinander. Zugleich ist hier wieder das Konzept der Einheit von Referenzobjekt und sprachlichem Zeichen konsequent durchgesetzt, dazu der Primat der theologischen Erklärung – beides Charakteristika auch der sich chronologisch anschließenden scholastischen Sprachtheorie, insbesondere der *grammatica speculativa* und der Modisten.[60] Ein näherer methodisch-theoretischer Bezug zu Isidor ist nicht herstellbar. Damit wäre Isidor bei dieser Sicht der Dinge der letzte Etymologe und Sprachwissenschaftler der Antike.

Abstract

Isidor's definition and concept of etymology differ from other theories of language prevalent in antiquity in many important aspects. Hence, he cannot be thought of as a mere writer of compilations. Most remarkably, an historical dimension of linguistic contemplation in Christian etymology first becomes discernible with Isidor, as can be observed in many word explanations in the *Etymologiae*: Building on certain of his pagan predecessors (Varro) Isidor already partially assumes an arbitrary concept of linguistic signs and thus detaches himself from the stoic notion of the natural accuracy of linguistic expressions. In consequence, Isidor's understanding of language must be sharply distinguished from medieval concepts which regard semantics and definitions as remote from historical considerations and entirely subordinate to the primacy of theological truth.

---

59 So bei Johannes Balbus (fol 17vb); vgl. ausführlich zur Expositio-Etymologie Klinck (s. Anm.) 65–70.

60 Dazu ausführlich J. Pinborg, Die Entwicklung der Sprachtheorie im Mittelalter, Münster 1967.

Neues zu den Quellen der *Vita Antonii* des Athanasius[1]

OLIVER OVERWIEN

Beschäftigt man sich unter philologischen Gesichtspunkten mit Werken antiker christlicher Autoren, muß man zwangsläufig immer auch die Frage nach den paganen Quellen, nach der literarischen Tradition stellen. Eine derartige Fragestellung bietet sich um so mehr an, wenn die jeweilige Schrift die erste ihrer Art ist, also einen literarischen Übergang vom Heidentum zum Christentum markiert. Dies ist beispielsweise bei der *Vita Antonii* der Fall, der ersten „asketischen Mönchsbiographie".[2] Athanasius hat sie vermutlich unmittelbar nach dem Tod seines Protagonisten, d.h. kurz nach 356 n.Chr., in seinem eigenen Exil in der ägyptischen Wüste verfaßt.[3] Ihre Verbreitung erfolgte daraufhin ziemlich schnell,

---

1   Die vorliegende Studie ging aus einer Art Kolloquium im Rahmen des Jenaer Gradu-
    iertenkollegs „Leitbilder der Spätantike" hervor. Verschiedene Diskussionsbeiträge
    wurden hier berücksichtigt, ohne daß sie im Einzelnen kenntlich gemacht werden
    konnten. Ich danke des weiteren den Herausgebern des „Millennium", namentlich
    Prof. H. Leppin und Prof. P. v. Möllendorff, für verschiedene wertvolle Hinweise.
    Frau Dr. B. Szlagor war schließlich so freundlich, mir den polnischen Aufsatz von
    P. Nehring ins Deutsche zu übersetzen.
2   Diese Bezeichnung geht zurück auf H. Hofmann (Die Geschichtsschreibung, in:
    Neues Handbuch der Literaturwissenschaft, Bd. 4: Spätantike, hrsg. v. L. Engels, H.
    Hofmann, Wiesbaden 1997, S. 447). Unter den zahlreichen weiteren Kategorisierun-
    gen, die in der Forschung Verbreitung gefunden haben („erstes Exemplar der Hagio-
    graphie", „Heiligenlegende", „Mönchsheiligenlegende", „christliche Biographie",
    „erste Heiligenvita" u.ä.), scheint sie am besten geeignet, die vorliegende Schrift
    innerhalb der mannigfaltigen Formen christlich-biographischer Literatur zu bezeich-
    nen, da sie gleich mehrere Aspekte wie Gattung, Person und inhaltliche Schwer-
    punktsetzung umfaßt.
3   Die Autorschaft des Athanasius wird heute allgemein akzeptiert. Leichte Bedenken
    äußert allerdings wieder Ph. Rousseau (Antony as Teacher in the Greek Life, in:
    Greek Biography and Panegyric in Late Antiquity, ed. by T. Hägg, Ph. Rousseau
    (The Transformation of the Classical Heritage 31), Berkeley u.a. 2000, 89–109, hier:
    100ff.), während T. Barnes (Athanasius and Constantine, Cambridge–London 1994,
    240 Anm. 64) die Verfasserschaft des Athanasius sogar ganz in Zweifel zieht. Dagegen
    argumentiert aber überzeugend D. Brakke, Athanasius and the Politics of Asceticism,
    Oxford 1995, 15 Anm. 31. Vgl. auch A. Cameron, Eusebius' Vita Constantini and the
    Construction of Constantine, in: Portraits, ed. by M. Edwards, S. Swain, Oxford
    1997, 145–174, hier: 170ff.
    Zu Autor und Werk s. im übrigen K. Metzler, Athanasius von Alexandrien, in: Lexi-
    kon der antiken christlichen Literatur, hrsg. v. S. Döpp, W. Geerlings, Freiburg u.a.

und zwar in zweifacher Hinsicht. Erstens wurde sie in mehrere Sprachen übertragen. So ersetzte die freie lateinische Übersetzung des Euagrius, die um
370 n.Chr. entstand, bereits eine etwas ältere wörtliche anonymer Herkunft.
Weitere koptische, syrische, arabische und auch äthiopische Fassungen schlossen
sich an. Sie dokumentieren zusammengenommen die große Beliebtheit dieser
Schrift über Jahrhunderte hinweg in nahezu allen bedeutenden Regionen vor
allem des östlichen Mittelmeerraumes.[4] Zweitens diente sie als Vorlage für zahlreiche Heiligenviten anderer Autoren und begründete damit geradezu einen eigenen Zweig innerhalb der christlich-biographischen Literatur. Hier wären vor
allem die *Vita Pauli* und die *Vita Hilarionis* des Hieronymus zu nennen, die sich
ebenso wie die *Vita prima graeca Pachomii* ausdrücklich auf die vorliegende
Schrift berufen, und noch im 8. Jh. begegnet uns mit der *Vita Guthlaci* ein Werk,
das in enger Anlehnung an die Mönchsbiographie entstanden ist.[5] Nicht unerwähnt bleiben soll auch der vielzitierte Bericht des Augustinus, daß Hofbeamte
in Trier nach der Lektüre der *Vita Antonii* ihren Beruf aufgaben und fortan als
Mönche lebten (*conf.* VIII.6.15). Er kann noch einmal abschließend veranschaulichen, welche Bedeutung der *Vita Antonii* bereits gegen Ende des 4.Jhs. zukam.

Während wir über die Rezeption der *Vita Antonii* vergleichsweise viele
Informationen besitzen, konnte in der Forschung über die literarische Tradition,
d.h. über die paganen Quellen, bisher kaum Klarheit gewonnen werden, obwohl
derartige Aspekte, wie A. Cameron zu Recht anmerkt, gerade bei einem komplexen Werk wie der Mönchsbiographie für das Verständnis von elementarer Bedeutung sind.[6] Diese mißliche Situation liegt einerseits darin begründet, daß Athanasius seine Quellen und Gewährsmänner nicht nennt. Andererseits führten die
zahlreichen Untersuchungen in dieser Richtung, die vor allem aus dem ersten
Drittel des 20. Jhs. stammen, zu keinem konkreten Ergebnis, obgleich die Forschung im Bereich „pagane Biographie" durch die richtungsweisende Arbeit von
F. Leo damals große Fortschritte machte.[7] So vertrat der Autor, kurz gesagt, die
Theorie, daß sich die Gattung sowohl in eine sogenannte plutarchisch-peripate-
tische als auch in eine suetonisch-alexandrinische Richtung aufteilt. Folgerichtig

---

1998, 58ff. sowie die ausführliche Einleitung in: Athanase d'Alexandrie, Vie d'Antoine,
par G.J.M. Bartelink (Sources Chrétiennes 400), Paris 1994, 27ff.

4   S. dazu G. Garitte, Le texte grec et les versions anciennes de la Vie de saint Antoine,
in: Studia Anselmiana 38 (1956): 1–12 sowie Bartelink (s. Anm. 3) 95ff.

5   S. zur Rezeption T. Baumeister, Vita, in: Döpp-Geerlings (s. Anm. 3) 630f. und
M. Schütt, Vom heiligen Antonius zum heiligen Guthlac, in: Antike und Abendland 5
(1996): 75–91, hier: 80ff.

6   A. Cameron, Form and Meaning: The Vita Constantini and the Vita Antonii, in: Hägg-
Rousseau (s. Anm. 3) 72–88, hier: 75; 86.

7   F. Leo, Die griechisch-römische Biographie nach ihrer litterarischen Form, Leipzig
1901.

griff H. Mertel dessen Kategorisierungen für seine Untersuchung zu den Quellen und der literarischen Tradition der *Vita Antonii* umgehend auf. Seiner Ansicht nach gehört sie der plutarchisch-peripatetischen Tradition an, wenngleich er ihr aufgrund der offenkundigen Abweichungen eine gewisse Selbständigkeit zuschreiben mußte.[8] Zwar versuchte sich K. Holl von dieser Kategorisierung zu lösen, indem er sie als Aufstiegsbiographie interpretierte, wie sie uns im *Herakles* des Antisthenes oder in der *Vita Apollonii* Philostrats vorliegt.[9] Doch bereits R. Reitzenstein kehrte wieder zur Einordnung „plutarchisch-peripatetisch" zurück und postulierte als konkrete Vorlage eine Pythagorasbiographie, wofür er sowohl wörtliche als auch inhaltliche Parallelen zu den Versionen des Iamblich und vor allem des Porphyrios geltend machte.[10] A. Prießnig versuchte wiederum die Ergebnisse von Mertel auszubauen bzw. zu verfeinern, indem er die *Vita Antonii* wie dieser grundsätzlich als zur plutarchisch-peripatetischen Tradition gehörig ansah, einige Abschnitte aber eher der suetonisch-alexandrinischen Biographierichtung zurechnete.[11] Eine völlig neue Richtung schlug J. List ein.[12] Er hielt die Schrift für ein Enkomion, das die theoretischen Vorgaben, wie wir sie z.B. aus den *Progymnasmata* kennen, zur Gänze erfüllt. S. Cavallin betonte dagegen die Nähe zur Historiographie und machte gewisse Ähnlichkeiten zum xenophontischen *Agesilaos* geltend, was ihn abschließend zur Bezeichnung „enkomiastische Lebensbeschreibung" veranlaßte.[13]

8   H. Mertel, Die biographische Form der griechischen Heiligenleben, Diss. München 1909. Einen guten Überblick über die Forschungsgeschichte bieten vor allem G.J.M. Bartelink, Die literarische Gattung der Vita Antonii. Struktur und Motive, in: Vigiliae Christianae 36 (1982): 38–62 und W. Berschin, Biographie und Epochenstil, Bd. I: Von der Passio Perpetuae zu den Dialogi Gregors des Großen (Quellen und Untersuchungen zur lateinischen Philologie des Mittelalters 8), Stuttgart 1986, 116–120. An dieser Stelle werden nur die wichtigsten Beiträge behandelt.

9   K. Holl, Die schriftstellerische Form des griechischen Heiligenlebens, in: Neue Jahrbücher für das klassische Altertum 29 (1912): 406–427 (Nachdruck in: K. Holl, Gesammelte Aufsätze zur Kirchengeschichte, Bd. II, Tübingen 1928, Nachdruck Darmstadt 1964, 249–269).

10 R. Reitzenstein, Des Athanasius Werk über das Leben des Antonius. Ein philologischer Beitrag zur Geschichte des Mönchtums (Sitzungsberichte der Heidelberger Akademie der Wissenschaften, Philosophisch-historische Klasse, Bd. 5, 1914–8), Heidelberg 1914, bes. 3–39.

11 A. Prießnig, Die biographischen Formen der griechischen Heiligenlegenden in ihrer geschichtlichen Entwicklung, Diss. München 1924.

12 J. List, Das Antoniusleben des Hl. Athanasius d. Gr. Eine literaturhistorische Studie zu den Anfängen der byzantinischen Hagiographie (Texte und Forschungen zur byzantinisch-neugriechischen Philologie 11), Athen 1930.

13 S. Cavallin, Literarhistorische und textkritische Studien zur Vita Caesarii Arelatensis (Lunds Universitets Årsskrift, N.F. Avd. 1,30.7), Lund 1934, 5–17.

Bereits aus diesem kurzen Überblick geht hervor, daß die Forscher zu ganz verschiedenen Ergebnissen kamen, die sich mitunter sogar widersprachen, was sich nicht zuletzt darin manifestiert, daß nahezu jeder der genannten Beiträge als Widerlegung des jeweiligen Vorgängers gedacht war. Die Gründe für das aus unserer heutigen Sicht fast als zwangsläufig zu betrachtende Scheitern dieser Untersuchungen sind verschiedener Natur:

Zunächst einmal war die oben skizzierte Einteilung der Biographie nach Leo viel zu schematisch, um die vielfältigen Ausformungen dieser Gattung auch nur annähernd erfassen zu können.[14] Wenngleich seine Arbeit auch heute noch ein unentbehrliches Nachschlagewerk darstellt, haben neuere Forschungen aus den letzten drei Jahrzehnten gezeigt, daß die Biographie einerseits weitaus komplexer, andererseits weniger festgelegt ist als ursprünglich geahnt.[15] Plutarch und Sueton scheinen mittlerweile keineswegs mehr als Modelle für zwei Hauptzweige herhalten zu können. Vielmehr müssen sie ebenso wie viele andere Biographien als spezielle Spielarten der Gattung angesehen werden, die dem Verfasser innerhalb eines vorgegebenen Rahmens großen Freiraum für seine Gestaltungsmöglichkeiten bot.[16] Man ist heute folglich mehr denn je davon entfernt, einheitliche Schemata für die antike Biographie aufzustellen.[17]

Weiterhin scheinen zu Beginn des 20. Jhs. die Gattungsgrenzen fließender bzw. weniger festgelegt gewesen zu sein, als es heute der Fall ist. Dies zeigt sich insbesondere bei den Arbeiten von List und Cavallin, die – gleichfalls noch unter

14 Bereits Cavallin (s. Anm. 13) 5 f. merkte an, daß eine Kategorisierung anhand der beiden paganen Biographieformen plutarchisch-peripatetisch und suetonisch-alexandrinisch der Komplexität und Andersartigkeit christlicher Biographien nicht gerecht wird. Zur Kritik an Leos Theorie s. außerdem neben anderen A. Momigliano, The Development of Greek Biography, Cambridge, Mass. 1993³, 18 ff. und H. Sonnabend, Geschichte der antiken Biographie, Stuttgart 2002, 18 f.

15 Aus der Vielzahl an Literatur seien stellvertretend genannt: C. Talbert, Biographies of Philosophers and Rulers as Instruments of Religious Propaganda in Mediterranean Antiquity, in: Aufstieg und Niedergang der römischen Welt II 16.2 (1978): 1619–1651, P. Cox, Biography in Late Antiquity (The Transformation of the Classical Heritage 5), Berkeley u. a. 1983, A. Dihle, Die Entstehung der historischen Biographie, Heidelberg 1987, Momigliano (s. Anm. 14), S. Swain, Biography and Biographic in the Literature of the Roman Empire, in: Edwards–Swain (s. Anm. 3), La biographie antique, par. W.W. Ehlers (Fondation Hardt. Entretiens sur l'Antiquite Classique 44), Genf 1998 und Sonnabend (s. Anm. 14).

16 S. dazu z. B. W. Steidle, Sueton und die antike Biographie, München 1963³, 176 und Dihle (s. Anm. 15) 7.

17 S. dazu Ehlers (s. Anm. 15) 1 ff. oder R. Pelling, Biography, in: OLD, Oxford – New York 1996, 241.

dem dem Einfluß der Arbeit von Leo – nicht zwischen Enkomion und Biographie unterschieden.[18]

Schließlich wurde in fast allen genannten Untersuchungen der klassisch-biographischen Tradition zu viel Bedeutung beigemessen. Es wurde stillschweigend vorausgesetzt, daß sich Athanasius ein einzelnes Werk zur Vorlage genommen hat, ohne in Erwägung zu ziehen, daß er sich ebensogut aus mehreren Quellen, ja sogar aus ganz verschiedenen Gattungen bedient und zudem auch Anleihen bei christlichen Autoren gemacht haben könnte, wodurch sich sein Werk noch viel weniger in scheinbar feststehende Schemata der Gattung „pagane Biographie" fügt.[19]

Welche Bedeutung gerade dem letzten Punkt zukommt, geht aus einigen Untersuchungen der letzten Jahre hervor, die ausdrücklich darauf verweisen, daß sich in der *Vita Antonii* ganz unterschiedliche Einflüsse bemerkbar machen.[20] Es scheint also an der Zeit, den Blickwinkel und damit die Herangehensweise zu verändern. Da es nach dem derzeitigen Forschungsstand offenbar nicht möglich ist, die *Vita Antonii* auf einen einzelnen antiken Biographen zurückzuführen oder sie zumindest mit einem bestimmten biographischen Zweig zu verbinden, sollte man folglich auch von dem Gedanken Abstand nehmen, sie in eine bestimmte Schablone der paganen Biographie pressen zu können, und sich vielmehr darauf beschränken, die Herkunft einzelner Puzzleteile zu bestimmen, aus denen sich die Schrift zusammensetzt. Dabei können auch inhaltliche oder motivische Aspekte eine Rolle spielen. Da sie häufig jedoch zu allgemein gehalten sind und nicht selten als Topoi auch in vielen anderen Werken vorkommen, ist es ratsam, sie lediglich ergänzend zu bereits gewonnenen Ergebnissen heranzuziehen. Entscheidender für unsere Zwecke sind daher deutlich erkennbare wörtliche Parallelen, vor allem wenn sie sich auf wichtige zentrale Begriffe oder Passagen

---

18 Wenngleich auch in der modernen Forschung noch keine klare Abgrenzung zwischen Biographie und Enkomion erzielt wurde, so ist man doch weit davon entfernt, beide als identisch anzusehen, da für sie eindeutig unterschiedliche Regeln und Bedingungen gelten. S. Dihle (s. Anm. 15) 8 ff. Entsprechend weisen T. Hägg und Ph. Rousseau (Introduction: Biography and Panegyric, in: Hägg-Rousseau (s. Anm. 3) 1 ff.) zwar darauf hin, daß Elemente der Biographie und des Enkomions in den Heiligenlegenden häufig in Kombination vorkommen, ziehen aber ebenfalls eine Trennlinie zwischen beiden Gattungen.

19 Man vergleiche dazu den Beitrag von M. v. Uytfanghe, La biographie classique et l'hagiographie chrétienne antique tardive, in: Hagiographica 12 (2005): 223–248, hier: 238.

20 S. dazu Bartelink (s. Anm. 3) 47 ff., Cameron (s. Anm. 6) 85 f. und Hofmann (s. Anm. 2) 449.

beziehen.[21] Daß dieser Ansatz in dem gegebenen Rahmen als weitaus produktiver zu betrachten ist, hat, wenn auch unfreiwillig, R. Reitzenstein bereits aufgezeigt.[22] Aufgrund mehrerer wörtlicher Übereinstimmungen konnte er eindeutig nachweisen, daß Athanasius für die Darstellung des Mönches auf eine pagane Quelle zurückgegriffen hat (*Vita Antonii* 12; 14). Zu unserem Leidwesen haben sich die Probleme in diesem speziellen Punkt nur verschoben. Denn besagte Parallele findet sich in der *Pythagorasvita* des Porphyrios (Kap. 34–35), der sich an dieser Stelle allerdings auf die *Wunder jenseits von Thule* des Antonios Diogenes beruft, so daß wir wiederum vor der Frage stehen, welche der beiden Quellen Athanasius benutzt hat.[23] Da er in einigen Punkten vom Text des Porphyrios abweicht, folgerte Reitzenstein, daß er hier dessen Vorlage herangezogen haben

---

21 S. zur Methodik auch A. Festugière, Sur une nouvelle édition du «De Vita Pythagorica» de Iamblique, in: Revue des Études Grecques 50 (1937): 470–494, hier: 489. Wie problematisch allein inhaltlich-motivische Aspekte für den Nachweis der literarischen Tradition sind, haben verschiedene Untersuchungen gezeigt, die auf Parallelen der *Vita Antonii* zu den Biographien des Iamblich, Philostrat und Porphyrios hinweisen. Diese Gemeinsamkeiten beziehen sich z. B. auf die Darstellung des Antonius als „göttlichen Menschen", wie sie in seiner Wundertätigkeit, seinen asketischen Übungen oder seiner Überlegenheit gegenüber verschiedenen Widersachern zum Vorschein kommt (Reitzenstein (s. Anm. 10) 38 f.; Bartelink (s. Anm. 3) 47; Cameron (s. Anm. 6) 82 ff., auf die verschiedenen Askesestufen (List, s. Anm. 12) 27 ff., auf die Bedeutung der Tugenden (M. George, Tugenden im Vergleich: Ihre soteriologische Funktion in Iamblichs Vita Pythagorica und in Athanasius' Vita Antonii, in: Iamblich, Pythagoras: Legende, Lehre, Lebensgestaltung, v. M. v. Albrecht u. a., Sapere 4, Darmstadt 2002, 303 ff.) und anderes mehr. Sie lassen es zusammengenommen als nicht unwahrscheinlich erscheinen, daß Athanasius mit seinem Werk auf spätantik-neupythagoreische Biographien reagiert oder sich zumindest von ihnen hat beeinflussen lassen (vgl. u. S. 183). Auf der anderen Seite fehlen uns die konkreten Anhaltspunkte für eine direkte Abhängigkeit, wie sie mit einiger Sicherheit nur deutlich erkennbare wörtliche Parallelen bieten. Beachtenswert ist in diesem Zusammenhang auch der kurze Beitrag von A. Prießnig (Die biographische Form der Plotinvita des Porphyrios und das Antoniosleben des Athanasios, in: Byzantinische Zeitschrift 64, 1971, 1–5), der als Reaktion auf derartige Überlegungen nachgewiesen hat, daß die drei neupythagoreischen Viten des Porphyrios bzw. Iamblich über Plotin und Pythagoras aufgrund struktureller Unterschiede zumindest nicht als Quelle für die Gesamtkonzeption der *Vita Antonii* in Frage kommen können.

22 Wie Anm. 10, 13 ff. Wenn D. v. der Nahmer (Die lateinische Heiligenvita, Darmstadt 1994, S. 60) das Vorgehen von Reitzenstein mit den Worten kritisiert: „Eine solchermaßen … zerrissene Vita erscheint danach nicht mehr als gestaltetes Ganzes, sondern als ein Konglomerat von … überall her zusammengelesenen Versatzstücken – ein Ergebnis, das nichts anderes widerspiegelt, als den Fehler der Methode", verkennt er die derzeitige Forschungssituation zur *Vita Antonii*, in der das Suchen nach einzelnen Quell-Puzzleteilen der einzig gangbare Weg ist.

23 Die Texte finden sich aufgeführt in Reitzenstein (s. Anm. 10) 14 f.

muß.[24] Berücksichtigt man jedoch, daß Athanasius nur einzelne, wenn auch zentrale Begriffe aus seiner Vorlage übernimmt und aus ihnen einen eigenständigen Text formt, ließe sich mit gleichem Recht postulieren, daß diese Abweichungen auf ihn selbst zurückgehen. Demnach läßt sich letztlich nicht entscheiden, ob er auf Porphyrios oder auf Antonios Diogenes zurückgegriffen hat.[25]

Gleichwohl hat die Untersuchung von Reitzenstein trotz aller Unsicherheiten im Detail grundsätzlich gezeigt, daß eine derartige Vorgehensweise von Erfolg gekrönt sein kann. Denn die von ihm herausgearbeitete Parallele ist die bisher einzige, die in der Forschung durchgehend als solche akzeptiert wurde und daher als Nachweis dienen kann, daß die *Vita Antonii* auch nach dem Vorbild paganer Philosophenbiographien, in diesem Fall nach einer *Pythagorasvita*, gestaltet wurde. Der vorliegende Beitrag hat es sich nun zum Ziel gesetzt, das von Reitzenstein genannte Puzzleteil um ein weiteres zu ergänzen, also eine weitere pagane Quelle zu benennen, die der *Vita Antonii* zugrunde liegt. Es handelt sich dabei ebenfalls um eine Philosophenvita, um Lukians *Demonax*, für den auf den folgenden Seiten versucht wird nachzuweisen, daß er sowohl das literarische Selbstverständnis des Athanasius beeinflußt als auch für einige Passagen der Schrift als Vorlage gedient hat. Bevor wir uns jedoch diesem Nachweis zuwenden, soll die Schrift vorweg kurz vorgestellt werden.

Lukian aus Samosata hat den *Demonax* nach dem Tod des gleichnamigen Philosophen verfaßt. Dieser wirkte bis in die 70er Jahre des 2. Jhs. n. Chr. vornehmlich in Athen.[26] Sofern man der Darstellung Glauben schenken darf, scheint Demonax eine bekannte Persönlichkeit gewesen zu sein, da er mit berühmten Zeitgenossen wie Favorinus von Arelate (*Demonax* 13) oder Herodes Atticus (*Demonax* 24) Umgang hatte. Wenngleich Lukian betont, daß Demonax keiner bestimmten Schule anhing (*Demonax* 5), treten insbesondere kynische Elemente

---

24 Wie Anm. 10, 15 f. Aufgrund einer weiteren – allerdings wenig nachvollziehbaren – Parallele zu einem Text bei Iamblich geht Reitzenstein davon aus, daß Athanasius jedoch auch nicht Antonios Diogenes, sondern eine gemeinsame pythagoreische Quelle benutzt hat.

25 K. Reyhl (Antonios Diogenes: Untersuchungen zu den Roman-Fragmenten der „Wunder jenseits von Thule" und zu den „Wahren Geschichten" des Lukian, Diss. Forst-Lausitz 1969, 135 ff.) hält eine Benutzung von Antonios Diogenes für wahrscheinlich. Dieser Meinung schloß sich E. des Places (Porphyre, Vie de Pythagore, Lettre a Marcella, Paris 1982, 16) an. Zu den Quellen vergleiche man auch: Porfirio, Vita di Pytigora, di A. Sodano, G. Girgenti, Mailand 1998, 64 f. mit Anm. 59.

26 S. dazu C. Jones, Culture and Society in Lucian, Cambridge–London 1986, 91 f.

in seiner Charakterisierung deutlich zutage.[27] Diese inhaltliche Ausrichtung wird durch den Aufbau der Lebensbeschreibung untermalt, da er ganz offensichtlich dem Muster sogenannter Kynikerbiographien folgt, wie wir sie z.B. aus dem sechsten Buch der *Philosophenviten* des Diogenes Laertios kennen:[28]

1–2:   Proömium
3:        Genos, Lehrer, natürliche Anlage zur Philosophie
4:        körperlich-geistige Ausbildung (Askese)
5–9:   Art seiner Philosophie
10:       Freundschaft als Prinzip
11:       Anklage in Athen
12–62:   Sprüche-Apomnemoneumata
63–67:   Alter, Tod, Begräbnis

Nun fällt auf, daß ein besonderes Kennzeichen dieser Schrift darin besteht, daß sie sich überwiegend aus Sprüchen (Gnomen, Apophthegmata), bisweilen auch aus kurzen Anekdoten (Apomnemoneumata) zusammensetzt (s. *Demonax* 12–62). Sie dienen gerade in einer Kynikerbiographie dazu, den Charakter des Philosophen sowie die Art seiner Philosophie zu veranschaulichen.[29] Hält man die Struktur der *Vita Antonii* dagegen, zeigt sich sofort, daß der *Demonax* keineswegs als Vorlage für ihren kompletten Aufbau in Frage kommen konnte. Denn gerade die genannten literarischen Kleinformen spielen in der *Vita Antonii* nur eine untergeordnete Rolle. Vergleichbar wären hier höchstens die anekdotisch-apophthegmatisch gestalteten Auseinandersetzungen des Antonius mit den heidnischen Philosophen (*Vita Antonii* 72–73), dazu vielleicht noch seine lange

---

27   Daher wird er in der modernen Forschung meistens auch zu den Kynikern gerechnet. S. z.B. M.-O. Goulet-Cazé, Démonax de Chypre, in: Dictionnaire des philosophes antiques, vol. II, publié par R. Goulet, Paris 1994, 718f. Vgl. auch H.-G. Nesselrath, Lucien et le Cynisme, in: L'Antiquité Classique 67 (1988): 121–135, hier: 131f.

28   S. H. Cancik, Bios und Logos. Formengeschichtliche Untersuchungen zu Lukians „Leben des Demonax", in: Markus-Philologie, hrsg. v. H. Cancik, Tübingen 1984, 115–130, hier: 118. Man vergleiche dazu nur den Aufbau der Biographie über den Kyniker Diogenes in den *Philosophenviten* des Diogenes Laertios (VI.20ff.). S. dazu Leo (s. Anm. 7) 49; 83 und M.-O. Goulet-Cazé, Le Livre VI de Diogène Laerce, in: Aufstieg und Niedergang der römischen Welt II 36.6 (1992): 3892ff. Zum *Demonax* s. im übrigen jetzt auch den Beitrag von B. Szlagor, Verflochtene Bilder. Lukians Porträtierung „göttlicher Männer" (Bochumer Altertumswissenschaftliches Colloquium 63), Trier 2005, 127–151.

29   Zur Bedeutung dieser literarischen Kleinformen für den *Demonax* s. R. Branham, Authorizing Humor: Lucian's Demonax and Cynic Rhetoric, in: Semeia 64 (1993): 33–48, für den Kynismus allgemein O. Overwien, Die Sprüche des Kynikers Diogenes in der griechischen und arabischen Überlieferung (Hermes Einzelschriften 92), Stuttgart 2005.

Unterweisung der Mönche in Form von Mahnsprüchen, Gnomen (*Vita Antonii* 16ff.), die sich jedoch bereits deutlich von der dialogischen Struktur der Sprüche im *Demonax* unterscheiden.[30] In der *Vita Antonii* dominieren stattdessen ausführliche Erzählungen über das Leben des Mönches, über seine Kämpfe mit dem Teufel und anderen Dämonen, über sein Leben in der Wüste oder über seine Visionen.[31] Und doch weisen beide Werke einige auffällige Gemeinsamkeiten auf, die darauf schließen lassen, daß Athanasius Lukians *Demonax* bei der Konzeption seiner eigenen Schrift berücksichtigt hat. Sie betreffen eine programmatische Äußerung zur literarischen Tradition bzw. Vorgehensweise des Autors sowie mehrere Topoi, die für die Gestaltung der einzelnen Lebensabschnitte des Antonius herangezogen wurden.[32]

Beginnen wir mit dem zuerst genannten Punkt, der programmatischen Äußerung. Im Prolog kommt Athanasius auf die Glaubwürdigkeit des Berichteten zu sprechen und fügt einschränkend hinzu, daß auch er selbst sich an nur Weniges aus dem Leben des Antonius erinnert:

ὀλίγα τῶν ἐκείνου μνημονεύσας (*Vita Antonii* Pr. 4)

Dieser Ausdruck begegnet uns nahezu wörtlich in Lukians *Demonax*:[33]

ταῦτα ὀλίγα πάνυ ἐκ πολλῶν ἀπεμνημόνευσα … (*Demonax* 67)
Diese wenigen Aspekte habe ich aus der Masse an Material aus der Erinnerung heraus mitgeteilt …

Nun heißt es bei Lukian weiter, daß es möglich ist, aus seiner Darstellung zu schließen, was für ein Mann Demonax war:

… καὶ ἔστιν ἀπὸ τούτων … λογίζεσθαι, ὁποῖος ἐκεῖνος ἀνὴρ ἐγένετο (*Demonax* 67)

---

30 Bartelink (s. Anm. 8) 53 f. sieht die apophthegmatisch gestaltete Auseinandersetzung des Antonius mit den Philosophen entsprechend eher durch die Mönchstradition als durch Philosophenbiographien bedingt.

31 Zum Aufbau der *Vita Antonii* s. neben anderen Bartelink (s. Anm. 3) 65 ff. und F. Frazier, L'Antoine d'Athanase. A propos des chapitres 83–88 de la *Vita*, in: Vigiliae Christianae 52 (1998): 227–256, hier: 229 mit Anm. 7.

32 Als Textausgaben dienen für die *Vita Antonii* die Edition von Bartelink (s. Anm. 3), für den *Demonax*: Luciani Opera, rec. M.D. Macleod, t. 1, Oxford 1972 sowie Lucien, Œuvres, par J. Bompaire, t. 1, Paris 1993.

33 Es sei an dieser Stelle angemerkt, daß auch Reitzenstein (s. Anm. 10) 6 diese Parallele aufgefallen ist. Überhaupt notiert er noch einige weitere Gemeinsamkeiten zwischen dem *Demonax* und der *Vita Antonii* (s. z.B. *loc. cit.*, 29 Anm. 3), ohne jedoch ihre Bedeutung zu erfassen.

Derselbe Gedanke findet in identischem Wortlaut ebenfalls in der *Vita Antonii*
Erwähnung:

ἀπὸ τούτων λογίζεσθε …, ὁποῖος ἦν ὁ τοῦ θεοῦ ἄνθρωπος Ἀντώνιος *(Vita
Antonii* 93.1)

Daraus folgt, daß der komplette Abschlußparagraph aus Lukians *Demonax*
(Kap. 67) fast wortwörtlich in die *Vita Antonii* übertragen wurde, wenn auch
aufgeteilt auf den Prolog und den Epilog. Nun sollte man beachten, daß wir es
hier nicht mit beiläufigen Bemerkungen, sondern mit programmatischen Aussagen zu tun haben, die kurze Einblicke in das literarische Vorgehen der Autoren
erlauben und dadurch die bewußte Nachahmung des Athanasius noch unterstreichen.

 Zunächst einmal beanspruchen beide Autoren keinerlei Vollständigkeit für
ihre Schrift. Sie weisen explizit darauf hin, nur einen Ausschnitt (ὀλίγα) aus dem
Leben ihres Protagonisten zu bieten, was als Bescheidenheitstopos zu bewerten
ist und vermutlich vor Kritik schützen soll.[34] Für unsere Zwecke ungleich wichtiger ist jedoch die Tatsache, daß sich Athanasius und Lukian für die Biographie
auf ihre eigene Erinnerung berufen. Welche literarische Bedeutung diesem
Aspekt zukommt, zeigt der von Lukian gewählte Begriff ἀπομνημονεύω (vgl.
Vita Antonii: μνημονεύω), durch den die sogenannte Apomnemoneumata-Literatur evoziert wird.[35] In diesem konkreten Fall hat der Samosatener die *Apomnemoneumata* Xenophons im Blick, ein Werk, das ebenfalls „aus der Erinnerung
heraus" über Sokrates verfaßt wurde.[36] Und auch wenn eine wichtige Gattungs-

---

34 Dieser Bescheidenheitsaspekt hat in der späteren hagiographischen Literatur eine gewisse Verbreitung gefunden. S. A. Festugière, Lieux communs littéraires et thèmes de
  folk-lore dans l'Hagiographie primitive, in: Wiener Studien 73 (1960): 123–152, hier:
  132 f.

35 Unter „Apomnemoneumata-Literatur" werden Schriften subsumiert, die den entsprechenden Begriff Ἀπομνημονεύματα im Titel tragen. Er impliziert die persönliche Beteiligung des Autors am Erzählten und konzentriert sich auf Worte und Taten
  des Protagonisten. Xenophons gleichnamiges Werk ist das einzige komplett erhaltene
  dieser Art. S. dazu E. Köpke, Ueber die Gattung der ἀπομνημονεύματα in der
  griechischen Litteratur, Brandenburg 1857. In der Forschung herrscht eine gewisse
  Ratlosigkeit bzgl. ihrer Einordnung in Gattungskategorien. Im Umfeld der biographischen Literatur sehen sie Cox (s. Anm. 15) 7 f., Momigliano (s. Anm. 14) 17; 52 ff.
  oder auch A. Dihle (Studien zur griechischen Biographie, Abhandlungen der Akademie der Wissenschaften in Göttingen, Philologisch-historische Klasse III.37, Göttingen 1956, 29 ff.), während sie V. Gray (The Framing of Socrates, Hermes Einzelschriften 79, Stuttgart 1998) der Weisheitsliteratur zurechnet.

36 S. O. Overwien, Zwei literarisch-philosophische Vorbilder für Lukian und seinen
  „Demonax", in: Gymnasium 110 (2003): 533–550. Man vergleiche dazu eine Bemerkung Xenophons, mit der er seine Darstellung über Sokrates einleitet: τούτων δὴ

komponente, die ἀπομνημονεύματα – worunter nach der antiken Lehrbuch-
theorie aus den *Progymnasmata* apophthegmen- bzw. anekdotenartige Berichte
über Worte und Taten einer Person verstanden werden –,[37] in der *Vita Antonii*,
wie oben schon erwähnt, nur eine untergeordnete Rolle spielen, so trifft auf sie
dafür ein anderes Charakteristikum der Apomnemoneumata-Literatur gleichwohl zu, das uns ebenfalls in Lukians und vor allem in Xenophons Schrift begegnet: Beide weisen darauf hin, mit dem jeweiligen Protagonisten persönlichen
Kontakt gehabt zu haben. So präsentiert sich Xenophon nicht nur als neutraler
Beobachter (*mem.* II.4.1; 5.1: ἤκουσα), sondern nimmt an einer Stelle sogar die
Position eines Sokratesschülers ein (*mem.* I.3.8–13), während Lukian angibt,
Demonax nicht nur selbst gesehen zu haben, sondern über einen längeren Zeit-
raum hinweg auch dessen Schüler gewesen zu sein:

εἶδον αὐτός ... καὶ ἐπὶ μήκιστον συνεγενόμην (*Demonax* 1)

Man vergleiche dazu die Bemerkung des Athanasius, Antonius oftmals gesehen
zu haben:

πολλάκις γὰρ αὐτὸν ἑώρακα (*Vita Antonii* Pr. 5)[38]

Hier zeigt sich, daß Athanasius nach dem Vorbild Xenophons und Lukians mit
dem Hinweis auf die eigene Erinnerung einerseits sowie auf die Bekanntschaft
mit dem Protagonisten andererseits zwei zentrale Elemente der Apomnemoneumata-Literatur in sein Werk integriert hat. Sie dienen dazu, seine persönliche

---

γράψω ὁπόσα ἂν διαμνημονεύσω (*mem.* I.3.1). Sie erinnert deutlich an die genannten Äußerungen des Athanasius bzw. Lukian.
37   Stellen bei Köpke (s. Anm. 35) 4.
38   Ob sich Athanasius auch als Schüler des Antonius versteht, läßt sich nicht mit letzter
     Sicherheit feststellen. Entscheidend ist in dieser Hinsicht folgende Formulierung aus
     dem Prolog (*Vita Antonii* Pr. 5): ἀκολουθήσας ... καὶ ἐπιχέων ὕδωρ κατὰ χειρὸς
     αὐτοῦ („wobei ich ihm folgte ... und ihm Wasser über die Hände goß"). In der For-
     schung geht man allgemein davon aus, daß diese Lesart als sekundär zu betrachten
     ist und stattdessen die beiden Partizipien im Genitiv gelesen werden müssen (= ἀκο-
     λουθήσαντος, ἐπιχέαντος), woraus folgt, daß sich nicht Athanasius als Schüler des
     Antonius bezeichnet, sondern an dieser Stelle eine andere Person in dieser Rolle sieht.
     S. dazu Bartelink (s. Anm. 3) 129 *ad loc.* und M. Tetz, Athanasius und die Vita An-
     tonii, in: Zeitschrift für die Neutestamentliche Wissenschaft 73 (1982): 1–30, hier: 7f.
     Allerdings führt E. Wipszycka (La conversion de Saint Antoine: Remarques sur les
     chapitres 2 et 3 du prologue de la Vita Antonii d'Athanase, in: Divitiae Aegypti, hrsg.
     v. C. Fluck u. a., Wiesbaden 1995, 337–348, hier: 338ff.) zu Recht an, daß die Lesart
     mit den Nominativpartizipien, die die Schülerschaft des Athanasius impliziert, durch-
     aus auf eine alte Tradition zurückgeht, da sie sich zumindest als Variante in der latei-
     nischen Übersetzung des Euagrius findet (PL 73, col. 127–128: „visitavi ... didici ...
     feci(t)"; vgl. col. 169–170, Anm. 4).

Beteiligung an dem Geschehen zu verdeutlichen und damit seinem Werk größere Glaubwürdigkeit zu verleihen.[39]

Dieser Hintergrund dürfte dann auch erklären, daß Athanasius den lukianischen Paragraphen (*Demonax* 67) auf zwei verschiedene Kapitel in der *Vita Antonii* aufgeteilt hat. Denn der Aspekt der Glaubwürdigkeit, wie er durch den Hinweis auf die Apomnemoneumata-Literatur zum Ausdruck kommt, fügt sich sinnvoll in den Gedankengang des Prologes, in dem Athanasius ausdrücklich dazu auffordert, sowohl seinem eigenen Bericht als auch dem von anderen zu glauben (*Vita Antonii* Pr. 3: μὴ ἀπιστεῖτε). Der zweite Teil des lukianischen Abschnittes (ἀπὸ τούτων λογίζεσθε ...) weist dagegen in eine andere Richtung. So behauptet Athanasius wie Lukian, daß sich die „Beschaffenheit" (ὁποῖος) des Protagonisten aus seiner Darstellung ablesen läßt. Dadurch verweisen beide auf den didaktisch-paränetischen Tenor ihrer Werke. In anderen Worten: Mit Hilfe des Charakters, wie er in ihren Berichten zutage tritt, wollen sie Vorbild, Anleitung zum richtigen Verhalten geben. Natürlich erfüllte diese Funktion auch die Apomnemoneumata-Literatur.[40] Dies belegt bereits der Satz des Athanasius „auch für mich ist bereits die Erinnerung an Antonius ein großer Gewinn und Nutzen" (*Vita Antonii* Pr. 3: κἀμοὶ ... μέγα κέρδος ὠφελείας ἐστὶ καὶ τὸ μόνον Ἀντωνίου μνημονεύειν), der sehr wahrscheinlich auf Xenophons *Apomnemoneumata* zurückgeht, wo der Verfasser über Sokrates in ähnlicher Weise formuliert „auch die Erinnerung an jenen, selbst wenn er nicht mehr da ist, bringt denen, die gewohnt waren, mit ihm zu verkehren, keinen geringen Nutzen" (*mem.* IV.1.1: καὶ τὸ ἐκείνου μεμνῆσθαι μὴ παρόντος οὐ μικρὰ ὠφέλει τοὺς εἰωθότας ... αὐτῷ συνεῖναι) – ein weiterer Beleg für den Einfluß der Apomnemoneumata-Literatur auf die *Vita Antonii*.[41] Didaktisch-paränetische Absichten sind jedoch auch in Biographien, zu denen beide Autoren ihre Werke bekanntlich rechneten, von zentraler Bedeutung,[42] und es ließe sich

---

39 S. zu dieser Funktion der Apomnemoneumata-Literatur E. Schwartz, Apomnemoneumata, in: RE II (1896): 171 und P. Nehring, Prooimion *Vitae Antonii*. Jego funkcja i struktura, in: Vox Patrum 11–12 (1991–92): 305–315, hier: 308. Allerdings sollte man beachten, daß wir es hier mit literarischen Formeln zu tun haben, die nicht unbedingt auf realen Geschehnissen beruhen müssen. Demnach sollte man z.B. den genannten Hinweis auf die zahlreichen Begegnungen zwischen Athanasius und Antonius nicht allzu wörtlich nehmen (vgl. Brakke (s. Anm. 3) 204 ff.).

40 S. Gray (s. Anm. 35) 116 oder Overwien (s. Anm. 36) 541 ff.

41 Bereits Nehring (s. Anm. 39) 308 merkte an, daß Athanasius durch dieses Zitat sein Verhältnis zu Antonius der Beziehung Xenophon-Sokrates gegenüberstellen wollte. Diese Stelle nur als literarischen Topos zu interpretieren, dürfte daher die Intention des Autors verkennen (so Bartelink (s. Anm. 3) 127 *ad loc.*; vgl. auch Berschin (s. Anm. 8) 120).

42 S. zu dieser Funktion z.B. Cox (s. Anm. 14) 12 f., Dihle (s. Anm. 15) 8 f. oder Sonnabend (s. Anm. 14) 5 f.

vermuten, daß Athanasius durch die Aufteilung des lukianischen Passus die Zugehörigkeit seines Werkes zu beiden Gattungen auch kenntlich machen wollte. Freilich läßt sich nicht ausschließen, daß auch ganz pragmatische Gründe für sein Vorgehen eine Rolle spielten. Denn die Formulierung ἀπὸ τούτων λογίζεσθε … konnte in dieser Form natürlich nur am Ende des Werkes aufgeführt werden, da sie nach Art eines Resümees gestaltet ist.

Zusammenfassend läßt sich konstatieren, daß die Lukian-Reminiszenz die Zielsetzung des Athanasius sowie die literarischen Traditionen andeutet, in die er sein Werk eingereiht sehen will. Apomnemoneumata und Biographie, persönlicher Erfahrungsbericht und Lebensbeschreibung mit dem Ziel der Paränese.

Ganz offensichtlich hat er es jedoch nicht bei der Übernahme dieses einen Passus belassen, da sich noch weitere Anleihen aus Lukians *Demonax* ausmachen lassen, die sowohl wörtlicher als auch inhaltlich-motivischer Natur sind. Sie erstrecken sich vornehmlich auf den Anfang und auf das Ende der Schrift, d.h. auf die Abschnitte „Herkunft", „Ausbildung", „Art der Lehre" und „Tod".[43]

Herkunft:
Die eigentliche biographische Darstellung beginnt in der *Vita Antonii* mit dem Geburtsland des Mönches sowie mit seinen Eltern, die als vornehm und vermögend bezeichnet werden:

Ἀντώνιος γένος μὲν ἦν Αἰγύπτιος, εὐγενῶν δὲ γονέων καὶ περιουσίαν αὐτάρκη κεκτημένων (*Vita Antonii* 1.1)
Antonius war von Geburt ein Ägypter und stammte von vornehmen Eltern ab, die über ein hinreichendes Vermögen verfügten.

Wie sehr Athanasius gerade in diesem Punkt der paganen Tradition verhaftet ist, zeigt sich daran, daß der Abschnitt „Herkunft" zwar einen Topos innerhalb antiker Biographien darstellte, aber keineswegs zu jeder christlichen Vita gehörte, da insbesondere der Hinweis auf die vornehmen Eltern gerade in späteren Lebensbeschreibungen oftmals weggelassen wurde.[44] Sucht man nun nach einer paganen Quelle, böte sich mit gutem Grund der Anfang aus Lukians *Demonax* an:

ἦν δὲ τὸ μὲν γένος Κύπριος, οὐ τῶν ἀφανῶν ὅσα εἰς ἀξίωμα πολιτικὸν καὶ κτῆσιν (*Demonax* 3)
Demonax war von Geburt ein Zypriote und stammte von nicht unbedeutenden Eltern ab, was das öffentliche Ansehen und den Besitz betraf.

---

43 Diese Bezeichnungen beruhen vornehmlich auf den Einteilungen, die Leo (s. Anm. 7) 178ff. für die plutarchischen Biographien herausgearbeitet hat.

44 S. Bartelink (wie Anm. 8) 42.

In beiden Schriften folgt auf das Geburtsland zunächst der Hinweis auf den Stand, dann auf das Vermögen der Eltern, wenn auch in abweichendem Wortlaut. Die Verwendung dieser Charakteristika erklärt sich in beiden Fällen vornehmlich aus zwei Gründen. Zum einen soll sich sowohl in Antonius als auch in Demonax der Grundsatz erfüllen, daß nur eine edle Herkunft ein edles Leben garantiert.[45] Jeder (spät)antike Leser wußte bei der Lektüre dieser Passagen, daß die Grundlagen für ihre noble Gesinnung, für ihre herausragenden Fähigkeiten bereits vorhanden waren. Zum anderen erscheint auf diese Weise die Entscheidung für ihren späteren Lebensweg glaubhafter und vor allem in einem helleren Licht. Denn beide kümmerten sich nicht um die soziale Stellung und den Reichtum ihrer Eltern, sondern wählten stattdessen ein Leben in Einfachheit (*Demonax* 3; *Vita Antonii* 1.4): Während es bei Demonax heißt, daß er über derartige Dinge – nach Art eines Kynikers – erhaben war und sich lieber der Philosophie zuwandte (*Demonax* 3), verschenkte Antonius den Besitz seiner Eltern, sobald diese gestorben waren, an die Bewohner des Dorfes, um nach dem Vorbild der Apostel zu leben und sich eine göttliche Belohnung zu verschaffen (*Vita Antonii* 2.4; vgl. Matth. 19.21).[46]

Ausbildung:

Ein besonderes Charakteristikum in der Ausbildung des Demonax bestand darin, daß er seinen Körper trainierte, an die Ausdauer bzw. Enthaltsamkeit gewöhnte und im ganzen dafür sorgte, niemandes anderen zu bedürfen.

> καὶ τὸ σῶμα δὲ ἐγεγύμναστο καί πρὸς καρτερίαν διεπεπόνητο καί τὸ ὅλον ἐμεμελήκει αὐτῷ μηδενὸς ἄλλου προσδεᾶ εἶναι (*Demonax* 4)

In diesem Punkt zeigt sich, daß es durchaus gerechtfertigt ist, von einem Kyniker Demonax zu sprechen. Denn wir werden hier mit den drei „klassischen" Elementen Askese, Selbstbeherrschung und Autarkie konfrontiert, die jeder kaiserzeitliche Philosoph zu erreichen trachtete, sofern er sich zu den Nachfolgern des Diogenes aus Sinope rechnete.[47] Nun fällt auf, daß sich in der *Vita Antonii* für die Ausbildung des Mönches eine vergleichbare Dreiteilung findet:

---

45   Vgl. dazu G. Fowden, The Pagan Holy Man in Late Antique Society, in: Journal of Hellenic Studies 102 (1982): 33–59, hier: 49f.

46   Zu Antonius s. S. Rubenson, Philosophy and Simplicity: The Problem of Classical Education in Early Christian Biography, in: Hägg-Rousseau (s. Anm. 3) 110–140, hier: 115, zu Demonax s. M.-O. Goulet-Cazé, Le cynisme à l'epoque impériale, in: Aufstieg und Niedergang der römischen Welt II 36.4 (1990): 2720–2833, hier: 2764.

47   S. dazu Goulet-Cazé (s. Anm. 46) 2763f.

ἐσχόλαζε ... τῇ ἀσκήσει, προσέχων ἑαυτῷ καὶ καρτερικῶς ἑαυτὸν ἄγων (*Vita Antonii* 3.1)
Er widmete sich der Askese, konzentrierte sich auf sich selbst und leitete sich in Ausdauer und Enthaltsamkeit an.

Wir müssen davon ausgehen, daß diese drei Aspekte in der Lehre des Antonius vornehmlich christlich motiviert sind. Dies gilt insbesondere für die Konzentration auf die eigene Person[48] und die Askese.[49] Gleichwohl liegt uns hier ein eindrucksvolles Zeugnis dafür vor, daß die Anschauungen der Kyniker und Christen bisweilen nahe beieinander lagen,[50] so daß der *Demonax* auch in dieser Hinsicht zumindest als gestalterische Vorlage z.B. im Hinblick auf die Dreiteilung fungieren konnte. Denn in beiden Biographien geht es darum, daß Körper und Geist nach Maßgabe der Mühe, Selbstbezogenheit und Ausdauer bzw. Enthaltsamkeit ausgebildet werden, um für die eigentliche Aufgabe vorbereitet zu sein.[51]

Als weiteres Beispiel für die Parallelität christlicher und kynischer Anschauungen kann der an anderer Stelle geäußerte Anspruch beider Protagonisten dienen, niemandem zur Last fallen (*Demonax* 63: οὐδένα ἐνοχλήσας; *Vita Antonii* 50.6: μηδενὶ ὀχληρός) und daher vollständig für sich selbst sorgen zu wollen, was als Ausprägung einer kynischen bzw. mönchischen Autarkie zu interpretieren ist.[52]

Darüber hinaus heißt es, daß sich Antonius und Demonax im Zuge ihrer Ausbildung nicht einer einzigen Autorität anschlossen, sondern sich an vielen Vorbildern orientierten (*Demonax* 3; *Vita Antonii* 4). Beide übernahmen von jedem Lehrer nur das, was sie für ihre eigenen Zwecke verwenden konnten, um daraus ihre ganz eigene Lebensweise zu formen (*Demonax* 5; *Vita Antonii* 4.2). Es sei allerdings angemerkt, daß Athanasius diesen Passus auch aus anderen Vorlagen übernommen haben könnte, da sich die Parallele zum *Demonax* lediglich auf das Motiv „viele verschiedene Lehrer" erstreckt und keinerlei wörtliche Gemeinsamkeiten erkennbar sind, zumal wir es hier offenbar mit einem biographischen Topos zu tun haben. Dies zeigt z.B. die *Pythagorasvita* Iamblichs, in

---

48 S. H. Dörries, Die Vita Antonii als Geschichtsquelle, in: H. Dörries, Wort und Stunde, Bd. I, Göttingen 1966, 145–224, hier: 148f. und Rousseau (s. Anm. 3) 90.

49 S. vor allem List (s. Anm. 12) 27ff. und Bartelink (s. Anm. 3) 48; 52ff.

50 Vgl. F. Downing, Cynics and Early Christianity, in: Le cynisme ancien et ses prolongements, publ. par M.-O. Goulet-Cazé, R. Goulet, Paris 1993, 281–404, hier: 281f.

51 Vgl. dazu auch D. Burton-Christie, The Word in the Desert, New York–Oxford 1993, 54.

52 Zur kynischen Autarkie s. A. Rich, The Cynic Concept of AYTAPKEIA, in: Mnemosyne 9 (1956): 23–29, zum christlichen Verständnis von Autarkie R. Wilpert, Autarkie, in: Reallexikon für Antike und Christentum 1 (1950): 1044–1050.

der es heißt, daß der Protagonist im Zuge seiner Ausbildung gleichfalls unterschiedliche Lehrer aufsuchte (Kap. IV.18).

Art der Lehre:
Nachdem die Ausbildung des Antonius beendet war und er seine ersten Kämpfe
mit Dämonen bestanden hatte, zog er sich in ein verlassenes Kastell (παρεμ-
βολή) zurück, aus dem er erst nach 20 Jahren wieder hervorkam. Wie oben schon
erwähnt, hat Athanasius für die Beschreibung dieser Szenerie auf eine nicht-
christliche Vorlage, d.h. auf das Werk des Porphyrios oder des Antonios Diogenes, zurückgegriffen. Doch auch die darauffolgende Passage, in der die Art der
Lehre des Antonius geschildert wird, basiert nachweislich auf paganen Quellen.
So beschreibt der Verfasser der *Vita* Antonius' Wirken folgendermaßen:[53]

> τὰ σώματα πάσχοντας ἐθεράπευσεν (*Vita Antonii* 14.5)
> Er heilte die körperlich Kranken.

> λυπουμένους παρεμυθεῖτο (*Vita Antonii* 14.6)
> Er tröstete die Betrübten.

> μαχομένους διήλλαττεν (*Vita Antonii* 14.6)
> Er versöhnte die Streitenden.

> μνημονεύων περὶ τῶν μελλόντων ἀγαθῶν (*Vita Antonii* 14.7)
> Er erinnerte an die guten Dinge, die uns bald zuteil werden.

Schon Reitzenstein hat einige Parallelen angeführt, die darauf schließen lassen,
daß auch dieser Abschnitt durch besagte Quelle beeinflußt ist, die uns in der
Pythagorasvita des Porphyrios entgegentritt:[54]

> κάμνοντας … τὰ σώματα ἐθεράπευεν (Porphyrios, VP 33)
> Er heilte die körperlich Leidenden.

> τὰς ψυχὰς … νοσοῦντας παρεμυθεῖτο (Porphyrios, VP 33)
> Er tröstete die seelisch Kranken.

> λύπης λήθην εἰργάζετο (Porphyrios, VP 33)
> Er ließ sie ihren Kummer vergessen.

> ὀργὰς ἐπράϋνε (Porphyrios, VP 33)
> Er beschwichtigte ihren Zorn.

---

53 Vgl. dazu auch M. Alexandre, La construction d'un modèle de sainteté dans la Vie
    d'Antoine par Athanase d'Alexandrie, in: Saint Antoine entre mythe et légende, Tex-
    tes réunis et présentés par Ph. Walter, Grenoble 1996, 63–93, hier: 80 ff. Aufgezählt
    werden an dieser Stelle nur diejenigen Aspekte aus der Lehre des Antonius, für die
    sich auch Parallelen finden lassen.
54 Reitzenstein (s. Anm. 10) 16 f.

Wie in der *Vita Antonii* wird auch hier das Wirken des Protagonisten in einem einzigen Abschnitt in Form kurzer Formulierungen umrissen: Heilung von Krankheiten, Trost, Beseitigung des Kummers. Einige wörtliche Entsprechungen sind durchaus erkennbar, allerdings unterscheiden sich gerade der dritte und vierte Punkt in beiden Aufzählungen.[55] Es lohnt sich also auch hier, einen Blick in den *Demonax* zu werfen. Dort heißt es über den athenischen Philosophen:

> ὑπεμίμνησκεν (*Demonax* 8)
> Er erinnerte.

> παρεμυθεῖτο (*Demonax* 8)
> Er tröstete.

> ἀδελφοὺς στασιάζοντας διαλλάττειν (*Demonax* 9)
> Er versöhnte seine streitenden Brüder.

Im *Demonax* fehlt zwar der unmittelbare Hinweis darauf, daß er Kranke heilte,[56] dafür begegnen uns hier die Punkte Erinnerung, Trost, Versöhnung ebenfalls in einem einzigen Abschnitt in zum Teil wörtlichen Entsprechungen (*Demonax* 8: ὑπεμίμνησκεν, *Vita Antonii* 14.7: μνημονεύων; *Demonax* 8 = *Vita Antonii* 14.6: παρεμυθεῖτο; *Demonax* 9 = *Vita Antonii* 14.6: διαλλάττειν). Hinzufügen ließe sich in diesem Zusammenhang noch, daß Demonax wie Antonius auf ein besseres Leben nach dem Tod hinweist (*Demonax* 8: ἐλευθερία μακρὰ πάντας ἐν ὀλίγῳ καταλήψεται; vgl. o. *Vita Antonii* 14.7)[57] und in seiner Aussprache über χάρις (*Demonax* 6; *Vita Antonii* 14.6) verfügt haben soll.[58] Berücksichtigt man außerdem, daß in einer ähnlichen Passage gegen Ende der *Vita Antonii*, in der ebenfalls von der Wirkung des Antonius auf seine Umwelt die Rede ist, weitere motivische Parallelen zum *Demonax* erkennbar sind,[59] erscheint die Ver-

---

55 Bartelink (s. Anm. 8) 49 hält diese Parallelen zur *Pythagorasvita* vermutlich aus diesem Grund auch für wenig überzeugend.

56 In *Demonax* 7 heißt es nur, daß der Philosoph die Fehler der Menschen korrigierte, wobei er sich am Beispiel der Ärzte orientierte, die Krankheiten heilten.

57 Dieser Gedanke ist für einen Kyniker sehr ungewöhnlich. Vgl. dazu K. Funk, Untersuchungen über die lucianische Vita Demonactis, Philologus Suppl. 10, 1907, 601 ff. Ein Christ konnte diesen Aspekt natürlich problemlos aufgreifen.

58 Der Hinweis auf die χάρις ist als Topos einzustufen, der gerade in verherrlichenden Darstellungen große Verbreitung gefunden hat. Χάρις konnte sich auf die Rede, daneben aber auch auf die körperliche Erscheinung beziehen. S. L. Bieler, ΘΕΙΟΣ ANHP: Das Bild des „Göttlichen Menschen" in Spätantike und Frühchristentum, Wien 1935–36 (Nachdruck Darmstadt 1967), 52 ff.

59 Nach einem Treffen mit dem Protagonisten befinden sich die Leute in einer besseren Stimmung bzw. Verfassung, als es vorher der Fall war (*Demonax* 6; *Vita Antonii* 87.3–4). Beider Wirken wird außerdem mit der Tätigkeit des Arztes verglichen (*Demonax* 7; *Vita Antonii* 87.3). Hierbei handelt es sich um einen Topos, der sowohl

mutung keineswegs abwegig, daß Athanasius neben Porphyrios bzw. Antonios
Diogenes für die Gestaltung der „Art der Lehre" auch Lukians Biographie herangezogen hat. Denn es fällt doch auf, daß sich das Heilen der körperlich Kran-
ken zwar nur in der *Pythagorasvita* findet, jedoch alle übrigen Aspekte auch oder
sogar ausschließlich im *Demonax* vorkommen, und dies mit zum Teil wörtlichen
Anklängen.

In den darauffolgenden Erzählungen über Antonius lassen sich nur sehr
wenige Parallelen ausmachen: Beide erlangten durch ihr Wirken große Berühmtheit (*Demonax* 63; *Vita Antonii* 93.3; 5). Außerdem manifestierte sich ihre
Bedeutung bzw. Autorität u. a. darin, daß sie von ihrer Umgebung als „Vater"
bezeichnet werden (*Demonax* 63; *Vita Antonii* 15.2; 88.3).[60] Freilich ließen sich
beide Aspekte ebensogut auch als Topoi erklären, die Athanasius aus vielen anderen Quellen übernommen haben könnte. Greifbarer werden die Gemeinsamkeiten dafür wieder im letzten Abschnitt der biographischen Darstellung.

Tod:

Wie sehr die *Vita Antonii* nichtchristlichen Traditionen verhaftet ist, kann noch
einmal abschließend der Abschnitt über den Tod des Antonius zeigen (*Vita
Antonii* 89–93). So fällt zunächst die für Heiligenlegenden ungewöhnlich exakte
Altersangabe von 105 Jahren auf, die den Beginn der Todessituation in der
Mönchsbiographie markiert (*Vita Antonii* 89.3: καιρός ἐστιν ...). Man vergleiche dazu den *Demonax*, in dem die Kapitel über seinen Tod ebenfalls mit
einer ähnlich hohen Altersangabe von knapp 100 Jahren eingeleitet werden (*Demonax* 63: ἐβίου δὲ ἔτη ὀλίγου δέοντα τῶν ἑκατόν ...).[61] Doch es lassen sich
noch weitere Gemeinsamkeiten ausmachen: Demonax und Antonius kannten
den Zeitpunkt ihres Todes (*Demonax* 65; *Vita Antonii* 89.3).[62] Beide waren

---

in der paganen Literatur als auch im christlichen Kontext weite Verbreitung gefunden
hat. Vgl. H. D. Betz, Lukian von Samosata und das Neue Testament (Texte und Untersuchungen V.21), Berlin 1961, 137 Anm. 7.

60 Bei Antonius erklärt sich diese Bezeichnung durch seine Funktion als Vorsteher der
Eremitengemeinde. S. H. Emonds, Abt, in: Reallexikon für Antike und Christentum
1 (1950): 53.

61 M. Alexandre (A propos du récit de la mort d'Antoine, Athanase, Vie d'Antoine.
Patrologia Graeca 26, 968–974, § 89–93. L'heure de la mort dans la littérature monastique, in: Le temps chrétien de la fin de l'antiquité en moyen âge IIIᵉ–XIIIᵉ siècles,
publ. par J.-M. Leroux, Paris 1984, 263–284, hier: 265) geht jedoch davon aus, daß die
hohe Altersangabe des Antonius durch die Tradition biblischer Gestalten wie z. B.
Moses bedingt ist.

62 Nach Bieler (wie Anm. 58) 91 ff. haben wir es hier mit einem Kennzeichen gottähn-
licher Persönlichkeiten zu tun, die sich entsprechend häufig in enkomiastischen Darstellungen finden.

außerdem bis in die Todesstunde hinein ihr ganzes Leben über gesund (*Demonax* 63: ἄνοσος, ἄλυπος; *Vita Antonii* 93.1–2).[63] Weiterhin kamen sie in ihren letzten Worten u. a. auch auf die Art und Weise des Begräbnisses zu sprechen (*Demonax* 65; *Vita Antonii* 91). Zwar insistierte Antonius darauf, nicht nach Art der Ägypter in den Häusern aufgebahrt, sondern vergraben zu werden, damit niemand den Aufbewahrungsort des Leichnams kennt (*Vita Antonii* 91.6ff.), während Demonax die Frage nach seinem Begräbnis in typisch kynischer Manier mit dem Hinweis auf den Geruch beantwortete, der für seine Bestattung sorgen wird (*Demonax* 66).[64] Doch beiden gemeinsam ist der bewußte Verzicht auf jegliche Begräbniszeremonien, die eine Reliquienverehrung implizieren bzw. nach sich ziehen würden.[65]

Eine letzte Parallele bietet schließlich die Beschreibung der Todesstunde. So heißt es in der *Vita Antonii*:

καὶ ὥσπερ φίλους ὁρῶν τοὺς ἐλθόντας ἐπ' αὐτὸν καὶ δι' αὐτοὺς περιχαρὴς γενόμενος (ἐφαίνετο γὰρ ἀνακείμενος ἱλαρῷ τῷ προσώπῳ) ἐξέλιπε (*Vita Antonii* 92.1)

Und als ob er Freunde sähe, die auf ihn zukommen, und ihretwegen hocherfreut wäre (denn offen sichtbar lag er da mit einem fröhlichen Gesichtsausdruck), starb er.

Gemäß der lateinischen Übersetzung des Euagrius werden die Freunde (φίλους) in der Forschung mitunter als Engel interpretiert, die gekommen sind, um die Seele des Verstorbenen mitzunehmen.[66] Man sollte jedoch bedenken, daß Atha-

---

63 Vgl. auch Reitzenstein (s. Anm. 10) 30, Anm. 2. Freilich haben wir es auch hier mit einem literarischen Topos zu tun, da z. B. Moses, Apollonios von Tyana oder Kaiser Konstantin bis in die Todesstunde hinein gleichfalls frei von körperlichen Gebrechen gewesen sein sollen (Stellen bei Alexandre, wie Anm. 61, 264 und Cameron (s. Anm. 6) 81). Nach Holl (s. Anm. 9) 253 ist dieses Kennzeichen im christlichen Kontext notwendig, um die Unversehrtheit des Heiligenleichnams zu erklären.

64 Die Weigerung des Antonius, aufgebahrt zu werden, erklärt sich aus der Verbreitung dieser Begräbnisart unter den Meletianern, die in der *Vita Antonii* als Häretiker bezeichnet werden. S. Alexandre (wie Anm. 61, 268f.). Zu kynischen Begräbniszeremonien und Todesvorstellungen s. Socratis et Socraticorum Reliquiae, coll. G. Giannantoni, vol. IV (Elenchos 18), Neapel 1990, 437ff.

65 S. Alexandre (s. Anm. 61) 268f. und 281 Anm. 66 mit Verweis auf die *Demonax*-Passage.

66 *Patrologiae cursus completus, series Latina* 73, col. 167C: „… angelorum sanctorum qui ad perferendam animam eius descenderant, praesentia … ." S. dazu Alexandre (s. Anm. 61) 265f. mit Anm. 31. Dieser Zusatz erklärt sich aus der Arbeitsweise des Übersetzers, der die griechische Vorlage nicht wortwörtlich, sondern sinngemäß wiedergab. S. dazu Berschin (s. Anm. 8) 121. Entsprechend fehlt der Hinweis auf die Engel in der älteren wörtlichen lateinischen Übersetzung (s. G.J.M. Bartelink, Vita di Antonio, Mailand 1974, Kap. 92.1: „quasi amicos videns eos qui venerant ad illum").

nasius selbst diesen christlich motivierten Gedanken nicht äußert und daß der
Kontext dieser Stelle eher auf die beiden Mönche hindeutet, die sich in der
Todesstunde bei Antonius befinden (*Vita Antonii* 91.1 ff.), die ihn unmittelbar
vor seinem Ableben umarmen (92.1: ἀσπασαμένων ἐκείνων αὐτόν) und auf
die sich entsprechend der Artikel in τοὺς ἐλθόντας bezieht. Ein Blick in den
Demonax kann diese Sichtweise bestätigen, da die Beschreibung des Ablebens
des Philosophen frappierende Ähnlichkeiten vor allem hinsichtlich der Struktur
des Gedankens aufweist:

> ἀπῆλθεν τοῦ βίου φαιδρὸς καὶ οἷος ἀεὶ τοῖς ἐντυγχάνουσι ἐφαίνετο (*Demo-nax* 65)
> Er starb fröhlich, so wie er immer den Leuten erschien, auf die er traf.

Zunächst einmal läßt sich festhalten, daß auch hier die fröhliche Stimmung des
Protagonisten in der Todesstunde hervorgehoben wird.[67] Nicht minder bemerkenswert ist jedoch die Tatsache, daß im *Demonax* genauso wie in der *Vita Antonii* diese Stimmung in den Zusammenhang mit Begegnungen mit anderen Menschen gestellt wird (*Demonax*: οἷος ... τοῖς ἐντυγχάνουσι; vgl. *Vita Antonii*:
ὥσπερ ... τοὺς ἐλθόντας). Gleichwohl ist die Funktion nicht dieselbe. Im
Demonax soll auf diese Weise die Leutseligkeit des Philosophen zum Ausdruck
kommen, die ihn schon zu Lebzeiten kennzeichnete und ihm in der Todesstunde
erhalten bleibt. In der *Vita Antonii* hängt die heitere Stimmung des Antonius
dagegen offensichtlich mit den beiden Mönchen zusammen, die ihm seit vielen
Jahren zur Seite standen (*Vita Antonii* 91.1). Der gemeinsame Nenner beider
Szenen liegt wiederum darin, daß weder Demonax noch Antonius Angst vor dem
Tod haben, da auf sie ein besseres Leben wartet (s. o. „Art der Lehre").
    Die Suche nach den Quellen der *Vita Antonii* ist zweifellos mit einigen
Schwierigkeiten verbunden. Athanasius nennt seine Vorlagen nicht, so daß wir
auf Textvergleiche zurückgreifen müssen. Sind deutlich erkennbare wörtliche
Gemeinsamkeiten vorhanden, scheint der Fall klar. Auf unseren Fall übertragen,
können wir also davon ausgehen, daß Athanasius nicht nur auf die *Pythagorasvita* des Porphyrios bzw. auf die *Wunder jenseits von Thule* des Antonios Diogenes, sondern auch auf das „programmatische" Kapitel aus Lukians *Demonax*
(*Demonax* 67 = *Vita Antonii* Pr. 4; 93.1) zurückgegriffen hat. Denn die wörtlichen Anklänge sind evident, und die darin zum Ausdruck kommende Intention
fügt sich nahtlos in das literarische Selbstverständnis des Antoniusbiographen.
Doch die meisten anderen genannten Parallelen zum *Demonax* bewegen sich in
einer Art Grenzbereich, in der das inhaltlich-motivische Moment überwiegt,

---

67 Folgerichtig heißt es an anderer Stelle, daß sowohl dem Philosophen als auch dem
    Mönch das finstere Wesen (*Demonax* 6: τὸ σκυθρωπόν; *Vita Antonii* 67: σκυθ-
    ρωπός) fremd war.

dagegen nur wenige wörtliche Anklänge auszumachen bzw. nicht recht greifbar sind. Die Problematik dieser Passagen liegt darin, daß uns der Maßstab für ihre Bewertung fehlt. Denn Athanasius zitiert gemessen am Umfang seines Œuvres nur selten klassische Autoren,[68] so daß wir keine konkreten Anhaltspunkte für seinen Umgang mit paganen Quellen haben. Somit scheint es immer auch im Ermessen des modernen Forschers zu liegen, ob er die jeweils vorgeschlagenen Reminiszenzen für überzeugend hält.[69] Angesichts dessen scheint es am praktikabelsten zu sein, allgemein gehaltenen Anklängen, die sich nur auf Inhalt oder Motive erstrecken, in diesem Zusammenhang eine eher untergeordnete Bedeutung beizumessen, da sie, wie zum Teil auch angegeben, ebensogut aus einer anderen Vorlage entnommen worden sein können. Sind jedoch noch Reste von wörtlichen Gemeinsamkeiten erkennbar, können wir uns die Erkenntnis nutzbar machen, daß die Verwendung des *Demonax* bereits erwiesen ist. Vor diesem Hintergrund ließe sich dann mit einiger Wahrscheinlichkeit annehmen, daß auch diese Passagen aus der lukianischen Quelle stammen, wobei wir in Rechnung stellen müssen, daß sie vom Autor überarbeitet, dem Kontext angepaßt und ggf. mit Passagen aus anderen Schriften vermischt wurden. In Frage kommen hier vor allem der Passus „Herkunft", die dreiteilige Ausbildung, einige Abschnitte aus „Art der Lehre" sowie die Schilderung des eigentlichen Todes.

Nun stellt sich natürlich die Frage, aus welchen Gründen Athanasius gerade den *Demonax* als Vorlage herangezogen hat. Mehrere Punkte lassen sich hier anführen:

Grundsätzlich war sowohl der Kynismus als auch die kynische Literatur für viele christliche Autoren ein bekanntes Sujet. Sofern diese den herkömmlichen, überwiegend auf heidnischen Autoren basierenden Schulunterricht besucht hatten,[70] waren sie seit der Elementarstufe mit den Sprüchen des Diogenes vertraut und bekamen diese auch beim Grammatiker und selbst noch im Rhetorikunter-

---

68 S. Barnes (s. Anm. 3) 11 mit Anm. 8–9.

69 Als Beispiel seien die unserer Ansicht nach zumindest im Hinblick auf den *Timaios* als erfolgreich zu betrachtenden Versuche von G.J.M. Bartelink genannt (Echos aus Platons Phaedon in der Vita Antonii, in: Mnemosyne 37, 1984, 145–147; Eine Reminiszenz aus Platons Timaeus in der Vita Antonii, in: Mnemosyne 40, 1987, 150), Platonreminiszenzen in der *Vita Antonii* nachzuweisen. Denn das fragliche Zitat aus dem *Timaios* kehrt in der *Vita Antonii* in demselben Kontext – Gespräch über die Dämonen – mit deutlich erkennbaren wörtlichen Anklängen wieder. Zudem gehörte es offenbar zum literarischen Gemeingut christlicher Autoren. Gleichwohl stieß die Argumentation bei S. Rubenson (The Letters of St. Antony, Bibliotheca Historico-Ecclesiastica Lundensis 24, Lund 1990, 130 Anm. 3) auf keinerlei Zustimmung.

70 S. stellvertretend für viele andere A. Demandt, Die Spätantike (Handbuch der Altertumswissenschaft III.6), München 1989, 427: „Heidnisch geprägt blieb das gesamte Bildungswesen der Antike".

richt für verschiedene Übungen vorgelegt.[71] Zudem gehörten bereits im 4. Jahrhundert wenigstens einführende Bemerkungen über den Kynismus zu den festen
Bestandteilen des Philosophieunterrichtes.[72] Folgerichtig lassen zahlreiche christliche Schriftsteller wie Basileios von Caesarea, Johannes Chrysostomos oder
Gregor von Nazianz Kenntnisse der kynischen Lehre bzw. der kynischen Literatur erkennen.[73] An dieser Stelle seien nun zwei Beispiele genannt, die nicht nur
zeitlich, sondern auch motivisch bzw. gattungstechnisch eine gewisse Affinität
zur *Vita Antonii* aufweisen: Asterius von Amaseia kommt in seiner *3. Homilie*
auf den Propheten Elisäus zu sprechen, der auch in der *Vita Antonii* als Vorbild
des Asketen fungiert (*Vita Antonii* 34.2–3).[74] Dabei macht er deutliche Anleihen
bei der Figur des Diogenes, indem er ihn als besitz- (ἀκτήμων) oder woh-
nungslos (ἄοικος) bezeichnet.[75] In der *Historia Lausiaca* des Bischofs Palladios,
die als Sammlung von Mönchsgeschichten literarisch in der Tradition der *Vita
Antonii* steht, findet sich dagegen der Bericht über den Asketen Sarapion. Von
diesem heißt es u.a., daß er sich freiwillig in die Sklaverei begab, um seine neuen
Herren zu bekehren, und sich außerdem von einem großzügigen Geldgeschenk
lediglich ein Stück Brot besorgte, um seine Genügsamkeit zu demonstrieren.[76]
Die Bezüge zu verschiedenen Nachrichten über Diogenes treten hier deutlich
zutage.[77] Beide genannten Beispiele dürften stellvertretend für viele andere hin-

---

71 S. dazu R. Hock, Cynics and Rhetoric, in: Handbook of Classical Rhetoric in the
    Hellenistic Period, 330 B.C. – A.D. 400, ed. by S. Porter, Boston–Leiden 2001,
    755–773. Daß der Kynismus im Schulunterricht jedoch nicht nur auf die Figur des
    Diogenes beschränkt war, zeigt Menander Rhetor, der ein Enkomion auf Peregrinus
    Proteus (τὸ τῆς Πενίας Πρωτέως, τοῦ κυνός), über den Lukian ebenfalls eine
    Schrift verfaßte, anführt (s. Hock, *loc. cit.*, 771 m. Anm. 104 und The Cynics, ed. by
    R. Branham, M.-O. Goulet-Cazé, Berkeley u.a. 1996, 401).
72 S. dazu J. Bouffartique, Le cynisme dans le cursus philosophique au IVᵉ siècle, in:
    Goulet-Cazé-Goulet (s. Anm. 50) 339–358. Zwar ist jüngst die These vertreten wor-
    den, daß Athanasius keine klassische Ausbildung erfahren hat, weil seine Schriften
    so gut wie keine Spuren paganer Autoren und Literaturtechniken erkennen lassen
    (s. Barnes (s. Anm. 3) 11). Aus dem vorliegenden Beitrag dürfte jedoch hervorgehen,
    daß vielmehr das Gegenteil der Fall ist. In dieselbe Richtung zielt Nehring (s. Anm. 39).
73 S. dazu G. Dorival, L'image des Cyniques chez les pères grecs, in: Goulet-Cazé-Gou-
    let (s. Anm. 50) 419–443 und D. Krueger, Symeon the Holy Fool (Transformation of
    the Classical Heritage 25), Berkeley u.a. 1996, 78–89.
74 Homilie III.15.2 nach der Edition von C. Datema, Asterius of Amasea, Homilies
    I–XIV, Leiden 1970.
75 S. Dorival (wie Anm. 73) 438 und Datema (s. Anm. 74) XXVII f.
76 Kap. 37 nach der Edition von C. Butler, The Lausiac History of Palladius, vol. II,
    Cambridge 1904, Nachdruck Hildesheim 1967.
77 S. dazu R. Reitzenstein, Hellenistische Wundererzählungen, Darmstadt 1963², 65ff.
    Zu Diogenes als Sklaven und seiner Vorliebe für Brot s. Overwien (s. Anm. 29) 261,
    291 ff.

reichend belegen, daß kynische Motive und Inhalte im christlichen Kontext ihren festen Platz hatten. Insbesondere bei Darstellungen von christlichen Asketen wie Sarapion bot sich Diogenes als Muster geradezu an, da, wie wir oben bereits sahen (s. „Ausbildung", „Art der Lehre"), der Kynismus eine gewisse Nähe zu christlichen Vorstellungen aufwies und Kyniker entsprechend als Exempel fungieren konnten.[78] Vor diesem Hintergrund erscheint es somit nur konsequent, daß auch Athanasius für seine eigene Darstellung eines Christen und Asketen sowohl Material über eine kynische Person als auch aus einer kynisch geprägten Schrift verwendet hat. Daß die Wahl dabei jedoch nicht, wie zu erwarten gewesen wäre, auf eine Diogenesbiographie, sondern auf den lukianischen *Demonax* gefallen ist, erklärt sich wohl aus zwei Merkmalen dieses Werkes:

Die Intention des Athanasius war in wesentlichen Punkten dieselbe wie die Lukians. Beide schrieben eine Biographie, die zugleich in der Tradition der Apomnemoneumata-Literatur stand. Eine derartige Kombination erfüllte gleichermaßen ihre paränetischen Absichten, da beide ein nachahmenswertes Vorbild kreieren wollten (*Demonax* 2; *Vita Antonii* Pr. 2–3; 94), um die jeweilige Lebensweise, hier den Philosophen, dort das Mönchsleben, in ihrer idealen Ausprägung darzustellen.[79] Das Leben der Protagonisten diente als Richtschnur (*Demonax* 2: κανών) bzw. bot ein geeignetes Modell (*Vita Antonii* Pr. 3: ἱκανὸς χαρακτήρ), dem der Rezipient der Schrift nacheifern sollte (*Demonax* 2: ζηλοῦν; *Vita Antonii* Pr. 3: ζηλῶσαι).

Sowohl die Philosophie als auch die Person des Philosophen Demonax bleibt zum Teil vage und unbestimmt. Verantwortlich dafür ist einerseits der verherrlichende Tenor der Schrift, andererseits das Bestreben Lukians, einen Idealphilosophen zu präsentieren, der keinem theoretischen System folgt, sondern vornehmlich an ethischen Fragestellungen interessiert ist.[80] Somit verwendete er zahlreiche literarisch-philosophische Topoi, die auch in den religiösen Kontext der *Vita Antonii* übertragen werden konnten (s.o. „Herkunft", „Art der Lehre").

---

78 S. Krueger (s. Anm. 73) 105. A. Nock (Sallustius, Concerning the Gods and the Universe, Cambridge 1926, XXX–XXXII) glaubte sogar, in der Darstellung des Gregor Thaumaturgus bei Gregor von Nyssa gewisse Einflüsse des lukianischen *Demonax* zu erkennen. Bei genauerem Hinsehen zeigt sich aber, daß die Parallelen nur oberflächlicher Natur sind und daher eher auf einen gemeinsamen kynisch-popularphilosophischen Hintergrund schließen lassen.

79 Dem göttlichen oder zumindest gottgleich genannten Demonax (*Demonax* 7) entspricht Antonius als Mann Gottes (z.B. *Vita Antonii* 93.1: ὁ τοῦ θεοῦ ἄνθρωπος). Zur Bezeichnung des Antonius vgl. Alexandre (wie Anm. 53) 67f. Zur Bedeutung der Vorbildfunktion des Antonius s. Brakke (s. Anm. 3) 258ff.

80 S. dazu H.-G. Nesselrath, Lukian und die antike Philosophie, in: Lukian, Φιλοψευδεῖς ἢ Ἀπιστῶν, Die Lügenfreunde oder: Der Ungläubige (Sapere 3), v. M. Ebner u.a. Darmstadt 2001, 135–152, bes. 151f. und Overwien (s. Anm. 36) 546ff.

Einige zentrale Aspekte der kynischen Lehre des Demonax decken sich außerdem mit christlichen Idealen oder konnten mühelos zu solchen umfunktioniert werden (s. o. „Ausbildung"), wobei Athanasius augenscheinlich alle diejenigen Eigenschaften des athenischen Philosophen überging, die für seine Zwecke weniger dienlich waren.[81] Nicht von ungefähr erstrecken sich auch die Parallelen zwischen der *Vita Antonii* und dem Werk des Porphyrios bzw. des Antonios Diogenes auf ähnlich „wiederverwertbare" Merkmale. Dazu gehören das körperliche Erscheinungsbild des Pythagoras, seine geistige Verfassung und einige topoiartige Charakteristika aus der Art seiner Lehre (Porphyrios, VP 33–35; vgl. *Vita Antonii* 12; 14). Spezifisch pythagoreische Elemente sind in diesen Punkten nicht erkennbar, zumindest nicht in dem Maße, daß sie nicht auch in die *Vita Antonii* hätten übertragen werden können.[82]

Natürlich mußte auch Athanasius darauf achten, den „rechten Gebrauch" von seiner heidnischen Vorlage zu machen. Denn auf der einen Seite wäre es geradezu kontraproduktiv gewesen, ein christliches Askeseideal durchgängig mit Hilfe einer Biographie über einen Philosophen zu präsentieren, nicht zuletzt auch weil sich Antonius aufgrund seiner fehlenden klassischen Bildung (vgl. *Vita Antonii* 1.2: γράμματα … μαθεῖν οὐκ ἠνέσχετο)[83] den heidnischen Gelehrten entgegenstellt und sich ihnen dadurch als überlegen erweist (*Vita Antonii* 72–80).[84] Hier wäre es zu einem Widerspruch auf der inhaltlich-ästhetischen Ebene gekommen, der von den Rezipienten der *Vita Antonii* mit Sicherheit auch als solcher wahrgenommen worden wäre und somit dem Erfolg der Schrift im Wege gestanden hätte. Folglich mußte Athanasius für ihren Gesamtaufbau entweder selbst kreativ werden oder auf andere christliche (?) Quellen zurückgreifen. Dagegen konnten auf der anderen Seite einzelne Fixpunkte, einzelne Reminiszenzen an den *Demonax* für seine Zwecke durchaus hilfreich sein. Denn die Schrift war Bestandteil eines umfassenden athanasischen Programmes, das darauf abzielte, die in mehrere Fraktionen zersplitterte Kirche Ägyptens zu vereinheitlichen. Zu seiner Zielgruppe gehörte vor allem die in klassischen Autoren gebildete Mittel- und Oberschicht des Landes,[85] die die verstreuten Anspielungen ent-

---

81   Man vergleiche dazu Betz (wie Anm. 59) 137 mit Anm. 6; 8.
82   Vgl. Brakke (s. Anm. 3) 242f. Einzig in der Dämonenlehre des Antonius lassen sich dezidiert platonische und stoische Einflüsse ausmachen, die sich jedoch auf Schlagwörter beschränken (*Vita Antonii* 14.4; 17.7; 20.5–9; 21.1). S. dazu O. Munnich, Les démons d'Antoine dans la Vie d'Antoine, in: Walter (s. Anm. 53) 95–110, hier: 100 ff.
83   S. zu dieser vieldiskutierten Formulierung zusammenfassend Rubenson (s. Anm. 46) 131 ff. und Bartelink (s. Anm. 3) 323 Anm. 1.
84   S. dazu Rousseau (s. Anm. 3) 96 ff. und Rubenson (s. Anm. 46) 134.
85   S. zur Funktion und zum Adressatenkreis der *Vita Antonii* die grundlegende Arbeit von Brakke (s. Anm. 3) 11; 245 ff.; 273 f.

weder eindeutig zuordnen (*Demonax*-Kapitel 67) oder trotz ihrer überarbeiteten bzw. an den christlichen Kontext angepaßten Form zumindest grundsätzlich als vertraute „klassische" Elemente (s. „Herkunft", „Tod") erkennen und dadurch das Werk als Ganzes schließlich bei aller Neuerung in der Darstellung akzeptieren konnte. In dieser Gratwanderung zwischen Akzeptanz der heidnischen Tradition auf der einen und Erfordernissen des christlichen Inhalts auf der anderen Seite dürfte eine Ursache für die selektive Benutzung des *Demonax* und damit letztlich auch für die etwas inhomogen wirkende Struktur der *Vita Antonii* zu suchen sein. Doch es gilt in diesem Zusammenhang noch einen zweiten Aspekt zu beachten. Begreift man die vorliegende Mönchsbiographie als Teil eines hagiographischen Diskurses, also eines gedanklich-literarischen Austausches bzw. Wettbewerbes zwischen paganen und christlichen Literaten,[86] hätte man eine weitere Erklärung für den komplexen Aufbau der Schrift und für die verschiedenen, puzzleartigen Anleihen bei paganen Biographien.[87] Und wie die vorliegende Untersuchung gezeigt hat, gehörte ganz offensichtlich auch der *Demonax* zu diesem Diskurs, eine Erkenntnis, die nur auf den ersten Blick überraschen kann. Denn die Tatsache, daß er einen „heiligen", in diesem Fall einen gottähnlichen Menschen zum Gegenstand hatte (s. *Demonax* 7: ἀνδρὸς ἰσοθέου), prädestinierte ihn geradezu dafür, an der Seite von anderen „göttlichen Menschen" wie Porphyrios' Plotin oder Iamblichs Pythagoras in Konkurrenz zu den „Männern Gottes" christlicher Autoren zu treten.[88] Zudem wissen wir, daß das lukianische Werk auch im 4. Jh. noch verbreitet war, zumindest im kleinasiatischen Sardes und/oder in Athen. Dies belegt seine Erwähnung in den *Sophistenviten* des Eunapios (II.1.9, 454), der sein Leben offenbar fast ausschließlich in diesen beiden Städten verbrachte und den *Demonax* konsequenterweise auch nur dort kennengelernt haben kann.[89] Nun spricht nichts dagegen, die Verbreitung dieser Schrift auch in anderen bedeutenden Städten vorauszusetzen. An welchem Ort Athanasius mit ihr in Berührung kam, läßt sich natürlich nicht mit Bestimmtheit sagen. Wir können lediglich vermuten, daß dies in Alexandria geschah, einem der bedeutendsten geistig-kulturellen Zentren des römischen Reiches im 4. Jh.,[90] in dem Athanasius bekanntlich einen nicht unerheblichen Teil seines Lebens verbracht hat.

---

86 Zu dieser These s. M. v. Uytfanghe, Biographie II (spirituelle), in: Reallexikon für Antike und Christentum Suppl. I (2001): 1336 ff. und Uytfanghe (wie Anm. 19) 245 ff.
87 Vgl. dazu o. Anm. 21.
88 Zu den „behandelten Personen" dieses hagiographischen Diskurses s. Uytfanghe (s. Anm. 86) 1341 ff.
89 S. R. Penella, Greek Philosophers and Sophists in the Forth Century A. D. Studies in Eunapius of Sardis (ARCA 28), Leeds 1990, 1 ff.; 9; 34.
90 S. A. Martin, Athanase d'Alexandrie et l'eglise d'Egypte au IVᵉ siècle (328–373), Rom 1996, 133 ff.

Selbstverständlich darf die Forschung an diesem Punkt nicht stehen bleiben. Neben den Philosophen Pythagoras und Demonax haben z.B. noch Moses, Samuel, Elias, Elisäus oder Hiob ihre Spuren in der Mönchsgestalt hinterlassen,[91] so daß wir auch von dieser Seite aus konstatieren müssen, daß der literarische Antonius von komplexer Natur ist. Es ist davon auszugehen, daß sich noch weitere religiöse und vielleicht auch pagane Vorlagen ausfindig machen lassen. Angesichts des bisherigen Forschungsstandes erscheint diese Suche so reizvoll wie mühsam.

Abstract

This paper is intended to prove that bishop Athanasius used Lucian's biography about the Cynic philosopher Demonax, who lived during the 2nd century in Athens, as a model for his *Vita Antonii*, which he wrote shortly after the death of the monk Antonius in the year 356 A.D. First of all it can be shown that Athanasius transferred the whole last chapter of the *Demonax* (cap. 67) into his own biography word by word. This chapter is a kind of literary program, because in it Athanasius (as well as Lucian) refers to his own memory, to his personal acquaintance with Antonius and declares that he wants to present the monk's character. Both these aspects are typical of the genres of the "Apomnemoneumata" and the pagan biography. In addition to that, Athanasius used the *Demonax* for some other passages ("origin", "education", "doctrine", "death"), but in these cases he slightly reworked his source or mixed it with other pagan texts.

These observations confirm the study of R. Reitzenstein, who could show that another part of the *Vita Antonii* is based on a biography about Pythagoras, written by Porphyrios or Antonios Diogenes. It is therefore evident that the bishop doesn't follow one single pagan source, as all researchers thought in earlier times, but that he used either Christian writings as his main text or made his own creation and then inserted several elements of different pagan biographies into it.

These results can be best explained by the historical context and the author's intention. On the one hand Athanasius wrote a biography about a monk who is superior to the pagan philosophers. It would be senseless to present him within a pagan framework, i.e. a pagan biography. On the other hand he addressed his work above all to the (well) educated Christians of Egypt. For being successful it was better to insert some recognizable pagan elements in his religious biography.

---

91 S. Bartelink (s. Anm. 3) 49ff.

Pange lingua: Überlegungen zu Text und Kontext[*]

Virgilio Masciadri

1. Stand der Forschung

Der lateinische Kreuzhymnus *Pange lingua* gehört zu den wenigen lateinischen Dichtungen, welche die Jahrhunderte bruchlos überdauert haben: noch in der Spätantike hielt er Einzug in die Liturgie, das Mittelalter sang ihn auf eine ganze Reihe von Melodien und bis in die neueste Zeit hat er seinen festen Platz in der Karwoche behalten.[1] Entstanden ist dieser Text im 6. Jh. im merowingischen Frankenreich, und sein Verfasser, der aus Italien stammende Venantius Fortunatus, markiert nach allgemeiner Auffassung den Übergang von der spätantiken zur mittellateinischen Literatur: Er gilt einerseits nach einem berühmten Aufsatztitel Friedrich Leos als *der letzte römische Dichter*, zum andern – in Wilhelm Meyers Worten – als *der älteste mittelalterliche Dichter Frankreichs.*[2] So wird ihm das

---

[*] Eine Kurzfassung dieser Untersuchung durfte ich im Dezember 2004 der Philosophischen Fakultät der Universität Zürich als Prüfungsvorlesung vortragen. Ich danke allen Teilnehmern der anschließenden Diskussion für ihre kritische Aufmerksamkeit, außerdem Peter Stotz für eine Durchsicht meines Textes aus mediävistischer Warte.

[1] Zum liturgischen Gebrauch und zu den traditionellen Melodien von *Pange lingua,* *Vexilla regis* und anderen im Mittelalter als Hymnen gebrauchten Gedichten des Venantius vgl. *MGG¹* 4 (1955) 583–587 s.v. *Fortunat* (B. Stäblein); Wille, Günther: *Musica Romana. Die Bedeutung der Musik im Leben der Römer.* Amsterdam 1967, 303f; *MGG²* Personenteil 6 (2001) s.v. *Fortunatus* 1524 (M. Huglo); zur Überlieferung von *Pange lingua* Blume, Clemens/Dreves, Guido Maria: *Hymnographi Latini. Lateinische Hymnendichter des Mittelalters.* Zweite Folge. Leipzig 1907. (Analecta Hymnica Medii Aevi 50), 71–73, zur mittelalterlichen Praxis bei Deutung und Gebrauch des Texts Kneepkens, Corneille H.: „*Nil in ecclesia confusius quam ymni isti cantantur*". A note on hymn Pange lingua gloriosi. 193–205 in: Bastiaensen, Antoon Adrian Robert/Hilhorst, Antonius/Kneepkens, Corneille H. (Hgg.): *Fructus centesimus. Mélanges offertes à Gerard J. M. Bartelink à l'occasion de son soixante-cinquième anniversaire.* Steenbrugge/Dordrecht 1989. (Instrumenta Patristica 19), 196–204, und zum Gebrauch in der heutigen katholischen Liturgie Di Brazzano, Stefano: *Venanzio Fortunato. Opere I/1. Carmi. Spiegazione della Preghiera del Signore. Spiegazione del simbolo. Appendice ai carmi.* Aquileia/Roma 2001. (Corpus scriptorum ecclesiae Aquileiensis 8.1), 148f n.4.

[2] Vgl. Leo, Friedrich: *Venantius Fortunatus, der letzte römische Dichter.* Deutsche Rundschau 32 (1882) 414–426; Meyer, Wilhelm: *Der Gelegenheitsdichter Venantius Fortunatus.* Berlin 1901. (Abh. d. kgl. Ges. d. Wiss. zu Göttingen. Phil.-hist. Klasse NF IV Nro. 5), 3; die Stellung des Autors an einer Epochenschwelle betonen etwa

rückwärtsgewandte Interesse der klassischen Philologen ebenso zuteil wie das vorwärtsgerichtete der Mediävisten. Zudem können wir bei diesen Kreuzdichtungen Fortunats aus Drittquellen einen Begriff von Anlass und Umständen ihrer Entstehung gewinnen. Solche Fälle sind bei der liturgischen Poesie der Spätantike nicht so selten wie bei den viel berühmteren Autoren der klassischen Zeit – man denke nur an die Berichte, wie Ambrosius seine Hymnen in den Kirchenkämpfen des 4. Jh.s eingesetzt haben soll;[3] das schmälert den Reiz nicht, dass wir mit *Pange lingua* ein berühmtes Stück religiöser Poesie in seinem ursprünglichen Umfeld betrachten können.

Unter diesen Aspekten hat der Text auch bisher in der Forschung Aufmerksamkeit gefunden: Nachleben in der Liturgie, geschichtliche Stellung des Autors, pragmatischer Zusammenhang seiner Entstehung. Freilich konnte Fortunat selber weder seinen Erfolg vorhersehen, noch hatte er eine Idee davon, dass die Sonne, die über seiner gallischen Wahlheimat aufging, nicht mehr jene Vergils war, sondern halb schon ins Mittelalter leuchtete. Oder wissenschaftlicher gesprochen: Wenn wir den Text so betrachten, stellen wir uns in eine Perspektive, die außerhalb seines Horizontes liegt, und in demselben Maß, wie sie das Interesse an den Versen weckt, droht sie, den Zugang zu ihnen zu verstellen.

auch Bardenhewer, Otto: *Geschichte der altchristlichen Literatur. Fünfter Band: Die letzte Periode der altkirchlichen Literatur mit Einschluss des ältesten armenischen Schrifttums.* Freiburg i.Br. 1932. (repr. Darmstadt 1962), 367–369; *RE* B 8.1 (1955) s.v. *Venantius Fortunatus,* 692 (M. Schuster); Szövérffy, Josef: *Die lyrische Dichtung des Mittelalters: Die Annalen der lateinischen Hymnendichtung. Ein Handbuch. I: Die lateinischen Hymnen bis zum Ende des 11.Jahrhunderts.* Berlin 1964, 129f; Altaner, Berthold / Stuiber, Alfred: *Patrologie. Leben, Schriften und Lehre der Kirchenväter.* Freiburg/Basel/Wien [8]1980, 500 (§ 113.7) und Döpp, Siegmar / Geerlings, Wilhelm (Hgg.): *Lexikon der antiken christlichen Literatur.* Freiburg/Basel/Wien [3]2002, 713 (N. Delhay); vgl. auch Norberg, Dag: *Le „Pange lingua" de Fortunat pour la Croix.* La Maison-Dieu 173 (1988) 71–79. = 177–185 in: Norberg, Dag: *Au seuil du Moyen Age II. Études linguistiques, métriques et littéraires 1975–95, publiées en sa mémoire par Ritva Jacobsson et Follke Sandgren.* Stockholm 1998. (Filologiskt arkiv 40), 1988, 74 = 1998, 180.

3   Dazu und zur Ausbreitung des Hymnengesangs allgemein Bulst, Walther: *Hymni Latini antiquissimi LXXV. Psalmi III.* Heidelberg 1956, 9–11; Fontaine, Jacques: *Les origines de l'hymnodie chrétienne latine d'Hilaire de Poitiers à Ambroise de Milan.* Revue de l'Institut catholique de Paris 14 (avril/juin 1985) 15–51, 34–41; Szövérffy, Joseph: *Latin Hymns.* Turnhout 1989. (Typologie des sources du moyen âge occidental 55), 33–35; Fontaine, Jacques (Hg.): *Ambroise de Milan: Hymnes.* Texte établi, traduit et annoté sous la direction de Jacques Fontaine Paris 1992, 109–114; auch Lattke, Michael: *Hymnus. Materialien zu einer Geschichte der antiken Hymnologie.* Freiburg/Göttingen 1991. (Novum Testamentum et Orbis Antiquus 19), 311–313.

Etwas anderes kommt hinzu: Die Kreuzdichtung Fortunats beschränkt sich nicht auf diesen einen Hymnus. Der Autor hat bald nach der Mitte der 70er Jahre auf Einladung seines Freundes Gregor von Tours sieben Bücher seiner vermischten Gedichte zu einer Ausgabe zusammengestellt.[4] Deren zweites Buch eröffnet eine Serie von sechs Gedichten auf das heilige Kreuz:

2.1 *De cruce Domini* (*Crux benedicta nitet*: 9 elegische Distichen)
2.2 *In honore sanctae crucis* (*Pange lingua*: 10 × 3 trochäische Septenare)
2.3 *Item versus in honore sanctae crucis vel oratorii domus ecclesiae apud Toronos* (*Virtus celsa crucis*: 12 elegische Distichen)
2.4 *Item de sanctae crucis signaculo* (*Dius apex*: 35 Hexameter, Figurengedicht)
2.5 Ohne Titel (*Extorquet hoc*: 6 Hexameter, Figurengedicht)
2.6 *Hymnus in honore sanctae crucis* (*Vexilla regis*: 8 × 4 iambische Dimeter)

Seltsamerweise hat es Versuche, diese Kreuzdichtungen als geschlossenen Zusammenhang zu verstehen, bisher kaum gegeben. Im Gegenteil, überblickt man die wissenschaftliche Bibliographie, so zerfällt sie hauptsächlich in zwei Stränge: Der eine gilt den sogenannten Hymnen (2.2 und 2.6), die auf dem Hintergrund ihrer Rolle im Ritus gelesen werden, der andere den Figurengedichten (2.4 und 2.5). Die an Anlass und Aufführung gebundenen liturgischen Gesänge und die *Carmina figurata* mit ihrer Konzentration auf die Bildwirkung treten damit als getrennten Traditionen angehörende Textsorten radikal auseinander.[5] Es lässt sich nachweisen, dass eine solche das mutmaßliche Medium der Vermittlung privilegierende Lektüre die Dichtungen in mancher Hinsicht verfehlt.

Deshalb möchte ich den Hymnus *Pange lingua* für einmal anders betrachten: zum einen von seiner poetischen Machart her, zum andern in jenem Zusammenhang, in den ihn der Verfasser selbst bei der Herausgabe gestellt hat. Beide Fragestellungen rücken statt der Wirkung des Textes seine Verfertigung durch den Autor in den Mittelpunkt, und eine solche Umkehr der Perspektive führt in einen Bereich, in dem noch viel mehr im Dunkeln zu liegen scheint als auf den vergleichsweise sonnigen Feldern von Vermittlung und Gebrauch der Texte. Entsprechend fragwürdig mag sie zunächst scheinen. Rechtfertigen lässt sie sich nur im Nachhinein, wenn wir eine neue Sicht auf die Verse gewinnen, die als solche überzeugt. Bisherige Interpretationen werden dadurch nicht außer Kraft gesetzt: Jede von ihnen behält ihr eigenes Recht – doch es lohnt sich, die Beleuchtung einmal zu verschieben und zu prüfen, ob der Gegenstand dann nicht anders aussieht.

---

4   Zur Sammlung der Gedichte Reydellet, Marc: *Venance Fortunat: Poèmes. Tome I. Livres 1–4*. Paris 1994. (Collection Budé), lxviii–lxxi.
5   Bloss Meyer (s. Anm. 2) 31 und 75 betrachtete die Kreuzgedichte als Einheit und schlug sie allesamt dem Gebrauch im Gottesdienst zu.

2. Historischer Rahmen

Dennoch ist es sinnvoll, die Untersuchung mit ein paar Hinweisen auf das zu beginnen, was wir über Autor und Entstehung des *Pange lingua* erschließen können:[6] Venantius Fortunatus stammte aus dem Veneto und erhielt seine literarische Bildung in Italien. Um 565 kam er ins Frankenreich, wo er Zutritt zur Führungsschicht fand und Gedichte schrieb, für Adlige, Bischöfe und für das Königshaus selbst. Insbesondere trat er in nähere Beziehung zu Radegund, der aus Thüringen stammenden Witwe König Chlothars I. Diese hatte sich in ein von ihr gegründetes Frauenkloster bei Poitiers zurückgezogen, das unter der Leitung ihrer Freundin und geistlichen Tochter Agnes stand. In Poitiers, in Radegunds Nähe, fand auch Venantius eine Bleibe; er wurde später sogar Bischof der Stadt, in unmittelbarer Nachbarschaft zu Tours. Mit dessen Bischof Gregor, den wir heute vor allem als Geschichtsschreiber der Epoche kennen, stand er, wie seine Dichtungen zeigen, in lebhaftem Austausch.[7]

Fortunats Werk umfasst Heiligenviten in Versen und Prosa, panegyrische Dichtungen, Hochzeits- und Grabgedichte, poetische Briefe und Billets über alle möglichen Gegenstände des privaten Lebens. Wilhelm Meyer hat ihm deshalb im Titel seiner 1901 erschienenen Monographie ein Etikett angehängt, das er seitdem nicht mehr losgeworden ist: *Der Gelegenheitsdichter Venantius Fortunatus*. Wäre dieser Ausdruck nur beschreibend gemeint, so ließe sich nicht einmal viel dagegen sagen: Fortunats Dichtungen sind unbestreitbar meist Gelegenheitsgedichte oder gar Auftragsarbeiten. Aber zwischen dem Begriff des *Gelegenheitsgedichts* und jenem des *Gelegenheitsdichters* findet eine Verschiebung statt, eine Transposition von Dur nach Moll, die dem Wort einen anderen Klang gibt. Mag immerhin das *Gelegenheitsgedicht* seine glühenden Verteidiger gehabt haben („die echteste aller Dichtarten' nannte es Goethe, der Eckermann gegenüber pro-

---

6   Übersichten über das Leben des Ven. Fort. bei *RE* B 8.1 (1955) s.v. *Venantius Fortunatus*, 677–680 (M. Schuster); Norberg (s. Anm. 2) 1988, 72–75 = 1998, 178–181; George, Judith W.: *Venantius Fortunatus: A Latin Poet in Merovingian Gaul*. Oxford 1992, 18–34; Reydellet (s. Anm 4) *I*, vii–xxviii; *LexMA* 8 (1997) 1453f s.v. *Venantius Fortunatus* (R. Düchting).

7   Gregor stammte aus Clermont-Ferrand und war zunächst in Lyon und Umgebung tätig, ehe er 573 Bischof von Tours wurde, vgl. Buchner, Rudolf (Hg.): *Gregor von Tours: Zehn Bücher Geschichte. Erster Band. Buch 1–5*. Auf Grund der Übersetzung Wilhelm Giesebrechts neu bearbeitet von Rudolf Buchner. … Darmstadt ⁸2000 (¹1955). (Ausgewählte Quellen zur deutschen Geschichte des Mittelalters: Freiherr vom Stein-Gedächtnisausgabe 2), viii–xi. Zur Frage, ob Gregor und Fortunat einander schon vorher begegnet sind, Reydellet (s. Anm. 4) *I*, xxf und xiii mit Anm. 22.

vokativ behaupten konnte: ‚Alle meine Gedichte sind Gelegenheitsgedichte'[8]);
wenn hingegen einer als *Gelegenheitsdichter* bezeichnet wird, so klingt das nach
poetischer Sonntagsmalerei, nach einer Lyrik, die nicht echter Berufung entspringt, nach künstlerischer Zweitklassigkeit. Entsprechend ist das Urteil über
Fortunats Werk oft ausgefallen: Eine gewisse Wendigkeit im Versemachen wird
ihm zugestanden, doch keine Tiefe, keine eigenständigen Ideen.[9]

Das Mittelalter – zumal in seinen früheren Jahrhunderten – war anderer
Ansicht:[10] Ihm galt Venantius als Klassiker, als Muster christlicher Poesie, nicht
weniger als ein Sedulius oder Prudentius. Auch die neuere Forschung versucht,

---

8 Vgl. Goethe, Johann Wolfgang: *Aus meinem Leben. Dichtung und Wahrheit.* Hgg.
   von Klaus-Detlef Müller. Frankfurt a.M. 1986. (Bibliothek deutscher Klassiker 14:
   Johann Wolfgang Goethe. Sämtliche Werke. Briefe, Tagebücher und Gespräche. I. Abteilung: Sämtliche Werke. Band 14), 2.10 (p. 433.11–15), und Eckermann, Johann
   Peter: *Gespräche mit Goethe in den letzten Jahren seines Lebens.* Hg. von Christoph
   Michel unter Mitwirkung von Hans Grüters. Frankfurt a.M. 1999. (Bibliothek deutscher Klassiker 167: Johann Wolfgang Goethe. Sämtliche Werke. Briefe, Tagebücher
   und Gespräche. II. Abteilung: Briefe, Tagebücher und Gespräche. 12 [39]), 18. September 1823 (p. 50.23–50).

9 Vgl. die bei Reydellet (s. Anm. 4) *I*, li gesammelten älteren Urteile. Besonders zu ver-
   merken wären noch aus neuerer Zeit die sehr kritischen Bemerkungen von Vinay,
   Gustavo: *Alto medioevo latino. Conversazioni e no.* Napoli 1978, 154 und 165, sowie
   das geschmacklose Urteil von Willis, James A.: *Venantius Fortunatus Iuvenalis lector.*
   Mnemosyne 41 (1988) 122f, 123: *Chlodobertis et Fredegundis illis ... non tam id re-*
   prehendo, quod tot homines innocentes occiderint, quam quod Venantium vivere et
   canere siverint. Den Begriff der *Gelegenheitsdichtung* bemüht Szövérffy, Joseph:
   Lateinische Hymnik zwischen Spätantike und Humanismus: Kulturgeschichtliche und
   geschichtliche Bemerkungen. WSt 17 (1983) 210–247, 227 sogar zur Kennzeichnung
   der Kreuzhymnen. Über solche Gemeinplätze hinaus geht die interessante Umwer-
   tung des Begriffs ‚Gelegenheitsgedicht' hinsichtlich der *Carmina figurata* bei Graver,
   Margaret: *Quaelibet audiendi: Fortunatus and the acrostic.* TAPhA 123 (1993) 219–
   245, 223–225.

10 Zur Wirkung des Ven. Fort. im Frühmittelalter *RE* B 8.1 (1955) s.v. *Venantius Fortu-*
   natus, 691f (M. Schuster); Quacquarelli, Antonio: *Poesia e retorica in Venanzio Fortu-*
   nato. 431–465 in: *La poesia tardoantica: tra retorica, teologia e politica. Atti del V corso*
   della scuola superiore di archeologia e civiltà medievali presso il centro di cultura
   scientifica ‚E. Majorana', Erice (Trapani) 6–12 dicembre 1981. Messina 1984, 452f; und
   zu seiner Verehrung als Heiliger De Gaiffier, Baudouin: *S. Venance Fortunat, évêque*
   de Poitiers. Les témoignages de son culte. Analecta Bollandiana 70 (1952) 262–284;
   auch die Handschriften seiner Werke stammen zum größten Teil aus der Zeit bis zum
   11. Jh., vgl. Hunt, Richard William / Lapidge, Michael: *Manuscript evidence for know-*
   ledge of the poems of Venantius Fortunatus in late Anglo-Saxon England. / Appendix:
   Knowledge of the poems in the earlier period. Anglo-Saxon England 8 (1979) 279–295,
   284 und 287; Ernst, Ulrich: *Carmen Figuratum. Geschichte des Figurengedichts von*
   den antiken Ursprüngen bis zum Ausgang des Mittelalters. Köln/Weimar/Wien 1991.
   (Pictura et Poesis 1), 151 und 157.

ihm wieder eher gerecht zu werden:[11] Längst hat sie Abschied genommen von der Meinung, echte Poesie sei nur der aus dem Herzen hervorbrechende Ausfluss von Innerlichkeit – heute kann man Gedichte wieder unbefangen als Mittel des geselligen Austauschs betrachten, und selbst der handwerklichen, virtuosen Seite ihrer Verfertigung gesteht man einen eigenen Wert zu. Tatsächlich dürfte es ja, entgegen seinem Ruf als *Gelegenheitsdichter*, im merowingischen Gallien keinen professionelleren Autor gegeben haben als eben Venantius.

Schon nach dem Urteil des 19. Jh.s stachen freilich die Kreuzdichtungen aus seinem Schaffen hervor. Echtes religiöses Gefühl sprachen diesen selbst Kritiker zu, die sonst über Talent und Leistung des Autors zurückhaltend urteilten.[12] Solche Begriffe wird man heute kaum mehr anrufen, um die Nachwirkung eines Textes verständlich zu machen, und will man sich nicht auf die so unbestreitbare wie entmutigende Einsicht zurückziehen, dass die Wirkung von Literatur bisweilen von in keiner Weise qualitätsbezogenen Faktoren abhängen kann, so bleibt zu

---

11 Vgl. den gegenüber den älteren Handbüchern wesentlich einfühlsameren Versuch zur Würdigung von Fortunats poetischer Leistung bei Reydellet (s. Anm. 4) *I*, li–lxii.

12 Typisch sind Aussagen wie *innige Empfindung atmen wenigstens seine Hymnen* (Elss, Hermann: *Untersuchungen über den Stil und die Sprache des Venantius Fortunatus*. Diss. Heidelberg 1907, 23); ähnlich Manitius, Max: *Geschichte der christlich-lateinischen Poesie bis zur Mitte des 8. Jahrhunderts*. Stuttgart 1891, 448 f; Koebner, Richard: *Venantius Fortunatus. Seine Persönlichkeit und seine Stellung in der geistigen Kultur des Merowinger-Reichs*. Leipzig/Berlin 1915. (Beiträge zur Kulturgeschichte des Mittelalters und der Renaissance 22), 57 f; Raby, Frederick James Edward: *A history of Christian-Latin poetry from the beginnings to the close of the Middle Ages*. Oxford 1927, 89–91; Laistner, Max Ludwig Wolfram: *Thought and letters in Western Europe. AD 500 to 900*. London 1931, 97 und noch *RE* B 8.1 (1955) s. v. *Venantius Fortunatus*, 682 (M. Schuster); Fontaine, Jacques: *Naissance de la poésie dans l'Occident chrétien. Esquisse d'une histoire de la poésie latine chrétienne du IIIe au VIe siècles*. Paris 1981, 281 f; Leonardi, Claudio (Hg.): *Letteratura latina medievale (secoli VI–XV). Un manuale*. Firenze 2002, 15; zu Fortunats Hymnendichtung allgemein auch Ebert, Adolf: *Allgemeine Geschichte der Literatur des Mittelalters im Abendlande bis zum Beginne des XI. Jahrhunderts. Erster Band. Zweite verbesserte Auflage*. Leipzig 1889 (11874), 508–511; Tardi, Dominique: *Fortunat. Étude sur un dernier représentant de la poésie latine dans la Gaule Mérovingienne*. Paris 1927, 161–166; Bulst (s. Anm. 3) 17 f; Szövérffy (s. Anm. 2) 128–140, Szövérffy, Joseph: *Religiöse Dichtung als Kulturphänomen und Kulturleistung*. 24–61 in: Szövérffy, Joseph: *Repertorium hymnologicum novum. I: introduction and alphabetic listing of the most important references*. Berlin 1983. (Medieval classics: texts and studies 16), 38 f; Szövérffy, Joseph: *Hymns of the Holy Cross. An annotated edition with introduction*. Leyden 1976. (Medieval Classics: Texts and Studies 7), 7–10; Quacquarelli (s. Anm. 10) 453–456; Baiesi, Paolo: *L'uso di sanguis nell'opera di Venanzio Fortunato*. 1213–1220 in: Vattioni, Francesco (Hg.): *Sangue e antropologia. Riti e culto. II. Atti della V settimana. Roma, 26 novembre–1 dicembre 1984*. Roma 1987. (Collana ‚Sangue e antropologia‘ 5), 1216–1219; Szövérffy (s. Anm. 3) 40; Lattke (s. Anm. 3) 336 f.

diskutieren, ob diese Verse ihre nachhaltige Lebenskraft nicht doch gewissen inneren Stärken verdanken. Soviel nur, um klarzustellen, dass es weder selbstverständlich noch widersinnig ist, wenn ich versuche, den Hymnus *Pange lingua* im Folgenden nicht nur als historisches Zeugnis, sondern auch als literarisches Werk ernst zu nehmen.

Die Entstehung von Fortunats Kreuzhymnen verbindet man seit jeher mit Vorfällen kurz nach der Ankunft des Dichters, Mitte der 60er Jahre in Poitiers.[13] Radegund bemühte sich damals um Kontakte zum Kaiserhof in Konstantinopel, weil sie den hohen Rang ihrer Klostergründung gerne durch den Besitz der kostbarsten aller Reliquien bestätigt gesehen hätte: durch einen Splitter vom Kreuz Jesu, das in der oströmischen Hauptstadt verwahrt wurde, seit die Mutter des Konstantin es in Jerusalem aufgefunden hatte.[14]

---

13 Zum Kreuzhandel der Radegund Labande-Mailfert, Yvonne: *Les débuts de Sainte-Croix.* 25–116 in: Labande-Mailfert, Yvonne/Favreau, Robert u.a. (Hgg.): *Histoire de l'Abbaye Sainte-Croix de Poitiers. Quatorze siècles de vie monastique.* Poitiers 1986. (MSAO 4ᵉ série 19 [1986–87]), 26f, 38–41; Berschin, Walter: *Biographie und Epochenstil im lateinischen Mittelalter. II: Merowingische Biographie: Italien, Spanien und die Inseln im frühen Mittelalter.* Stuttgart 1988. (Quellen und Untersuchungen zur lateinischen Philologie des Mittelalters 9), 15f; Gäbe, Sabine: *Radegundis: sancta, regina, ancilla. Zum Heiligkeitsideal der Radegundisviten von Fortunat und Baudonivia.* Francia 16/1 (1989) 1–30, 16–20, 29; Kneepkens (s. Anm. 1) 193–195; George (s. Anm. 6) 30f, 62–67, 163–167; Moreira, Isabel: *Provisatrix optima: St. Radegund of Poitiers' Relic Petitions to the East.* Journal of Medieval History 19 (1993) 285–303, 298–303; Van Dam, Raymond: *Saints and their miracles in late antique Gaul.* Princeton 1993, 31f; Brennan, Brian: *Venantius Fortunatus: Byzantine Agent?* Byzantion 65 (1995) 7–16, 11–14; Rouche, Michel: *Fortunat et Baudonivie: deux biographes pour une seule sainte.* 239–249 in: Favreau, Robert (Hg.): *La vie de Sainte Radegonde par Fortunat. Poitiers, Bibliothèque Municipale, Manuscrit 250 (136).* Paris 1995, 243–245; Brennan, Brian: *The disputed authorship of Fortunatus' Byzantine Poems.* Byzantion 66 (1996) 335–345, 336–340; Coon, Lynda L.: *Sacred fictions. Holy women and hagiography in late antiquity.* Philadelphia 1997. (The middle ages series), 134f; Pisacane, Maria: *Il de excidio Thoringiae di Venanzio Fortunato.* GIF 49 (1997) 177–208, 185–195; Coates, Simon: *Regendering Radegund? Fortunatus, Baudonivia and the problem of female sanctity in Merovingian Gaul.* 37–50 in: Swanson, Robert (Hg.): *Gender and Christian religion. Papers read at the 1996 summer meeting and the 1997 winter meeting of the Ecclesiastical History Society.* Woodbridge/Rochester 1998. (Studies in Church History 34), 43f; Santorelli, Paola (Hg.): *La Vita Radegundis di Baudonivia.* Napoli 1999. (Koinonia – Collana di studi e testi dell'Associazione di Studi Tardoantichi 19), 49–52, 143–145; Rosenwein, Barbara H.: *Inaccessible cloisters: Gregory of Tours and episcopal exemption.* 181–197 in: Mitchell, Kathleen/Wood, Ian (Hgg.): *The world of Gregory of Tours.* Leiden 2002. (Cultures, beliefs and traditions. Medieval and early modern peoples 8), 189–195.

14 Zu den Anfängen des Kreuzkultes in konstantinischer Zeit *RGG* 4 (2001) s.v. *Kreuz/ Kreuz Christi IV: Das Kreuz in der Kirchengeschichte,* 1747f (U. Köpf). Auf eine be-

Über Radegunds Verhandlungen berichtet Gregor von Tours in seiner Frankengeschichte und in seinem Werk *De gloria martyrum*, außerdem die Klosterfrau Baudonivia, die einige Jahre später eine Vita der Königin verfasste,[15] vor
allem aber hat Fortunat selbst Gedichte geschrieben, welche den fränkischen
Gesandten an den Kaiserhof mitgegeben wurden, damit sie sich dort als Botschafter eines kultivierten Hofes ausweisen konnten, an dem eine solche Gabe
gut aufgehoben wäre.[16] Die Bitte der Merowinger war erfolgreich (der byzantinische Hof, der über seinen italienischen Besitzungen schon die Gefahr eines
langobardischen Überfalls heraufziehen sah, hatte Grund genug, sich des Wohlwollens der Franken zu versichern), und Radegund schickte nach Ankunft der
kostbaren Reliquie eine zweite Gesandtschaft an den Bosporus. Auch diese trug
ein Gedicht des Fortunat bei sich, das die Gabe verdankte und die Frömmigkeit
des Kaiserpaars, Justinus und Sophia, pries.[17]

Der Einzug des Kreuzes in Poitiers war nicht ohne Probleme: Maroveus, der
Bischof der Stadt, weigerte sich, die Riten zu zelebrieren, welche vorgeschrieben
waren, um das kostbare Holz in den Kult des Klosters einzuführen.[18] So blieb es
zunächst in Tours, bis dessen damaliger Bischof Euphronius auf Befehl des
Königs Sigibert die Einsetzung vollzog. Baudonivia sah die Ursache dieser Verzögerung im Wirken des Teufels, heutige Historiker verweisen eher auf Kompetenzstreitigkeiten unter machtbewussten Kirchenfürsten – wenn das denn überhaupt ein Gegensatz sein sollte. Dennoch muss die Feier am Ende würdig
gewesen sein: Baudonivia spricht zwar in vornehmer Zurückhaltung von einer
Einsetzung *mit angemessenen Ehren*, Gregor von Tours indessen meldet, diese

---

sondere Neigung der Radegund zur Kreuzverehrung deuten auch andere Episoden in
der Biographie, die Fortunat der Heiligen gewidmet hat, vgl. Ven. Fort. Vita Radeg.
2.(7), 26.(61); dazu auch Moreira (s. Anm. 13) 299f. Dass Radegund dem Sammeln
von Reliquien auch sonst einen hohen Stellenwert beimaß und wie dieses mit der
Suche nach Sicherheit in der unruhigen Stimmung der 60er Jahre des 6. Jh.s zusammenhing, zeigt Pisacane (s. Anm. 13) 189–195; dazu auch Gäbe (s. Anm. 13) 18f, Santorelli (s. Anm. 13) 46–49; Rosenwein (s. Anm. 13) 181f. Zur späteren Aufbewahrung
dieser Kreuzreliquie Labande-Mailfert (s. Anm. 13) 69–74.

15   Greg. Tur. Franc. 9.40 und Glor. Mart. 5; Baudon. 17–20.
16   Ven. Fort. Carm. App. 1 *De excidio Thoringiae*, an einen Verwandten der Radegund
     in Konstantinopel, und Carm. App. 3. Hingegen gehört Carm. 8.1 gegen George
     (s. Anm. 6) 63 und 166; Brennan 1995 (s. Anm. 13) 12 (die eine Idee von Koebner
     (s. Anm. 12) 57 und 133–135 weiterführen) nicht in diesen Zusammenhang, vgl. Reydellet (s. Anm. 4) *I*, lxx und *II*, 124 n.1.
17   Ven. Fort. Carm. App. 2; der politische Hintergrund des Kreuzhandels stark betont
     bei Szövérffy 1983 (s. Anm. 12) 226–229, der sogar den Gebrauch von Herrschermetaphorik in Fortunats Hymnen in diesem Zusammenhang sehen möchte.
18   Zur vorgeschriebenen feierlichen Einsetzung Conc. Epaon. 517, Can. 25 = De Clercq,
     Charles (Hg.): *Concilia Galliae A. 511 – A. 695*. Turnhout 1963. (CChrL 148A), 30.

sei *mit großem Aufwand von Psalmgesängen, funkelnden Kerzen und Räucherwerk* gefeiert worden.[19]

Man hat sich seit langem vorgestellt, dass unter diesen *Psalmgesängen* auch die Kreuzhymnen Fortunats waren.[20] Noch in neueren Arbeiten kann man etwa lesen, dass Gregor und Baudonivia bezeugten, wie bei der Prozession zum Einzug des Heiligen Kreuzes das *Vexilla regis* gesungen worden sei.[21] Ich habe beide Quellen gründlich abgesucht und keinen entsprechenden Hinweis gefunden; dennoch sind solche Bemerkungen aufschlussreich dafür, wie eine Deutungstradition zu einer so festen Meinung versteinern kann, dass man sie am Ende in Quellen findet, wo kein Wort davon steht.

Werfen wir, um derlei übereifrigen Festlegungen vorzubeugen, einen Blick darauf, welche Indizien Fortunats Kreuzdichtungen mit Radegunds Kreuzhandel verbinden. Der Befund ist eher ernüchternd:

1. Das erste *Carmen figuratum* (2.4) enthält einen senkrecht eingeschriebenen Vers, der lautet:

Crux pia devotas Agnen tege cum Radegunde
Heiliges Kreuz, beschütze Agnes und Radegunde, die frommen!

Damit ist bezeugt, dass dieser Text zu jenen – in Fortunats *Carmina varia* eine Hauptmasse ausmachenden – Gedichten gehört, die für die Führerinnen der Klostergemeinschaft von Poitiers geschrieben wurden. Das in diesem Vers angesprochene *Kreuz* muss allerdings nicht unbedingt den Holzsplitter aus Konstantinopel meinen, der Ausdruck kann sich auch – rein innerhalb des Textes – auf das als Buchstabenfigur eingeschriebene *signum Crucis*, also auf eine sinnbildliche Repräsentation beziehen.[22]

2. Fortunats Dankgedicht an Justinus und Sophia enthält Stellen, die an Verse aus den Kreuzgedichten anklingen. Man vergleiche:

a) Carm. App. 2.73:
per te crux Domini totum sibi vindicat orbem
durch dich unterwirft sich das Kreuz des Herrn den ganzen Erdkreis

---

19 Vgl. *cum honore digno*, Baudon. 19; *cum grandi psallentium et caereorum micantium ac thymiamatis apparatu*, Greg. Tur. Franc. 9.40.

20 Gelegentlich verweist man zusätzlich darauf, dass gerade 567 eine Synode in Tours (Conc. Tur. 567, Can. 24 = De Clercq (s. Anm. 18) 192) zur Einführung neuer Hymnen ermunterte, vgl. Meyer (s. Anm. 2) 31; Lattke (s. Anm. 3) 272f; Fontaine 1992 (s. Anm. 3) 110.

21 So etwa bei Stevenson, Jane: *Irish Hymns, Venantius Fortunatus and Poitiers.* 81–110 in: Picard, Jean-Michel (Hg.): *Aquitaine and Ireland in the Middle Ages.* Dublin 1995, 96.

22 Zur Eigenart dieser *Carmina figurata* vgl. unten S. 212f.

mit 2.3.1:

virtus celsa crucis totum recte occupat orbem.
die erhabene Kraft des Kreuzes beherrscht zu Recht den ganzen Erdkreis

Für einen Autor wie Fortunat ist Dichten freilich ein Jonglieren mit überlieferten Formeln, und bei ähnlichem Gegenstand stellen sich dieselben Wendungen von selbst ein. So müssen derartige Parallelen einzeln betrachtet noch nicht allzuviel heißen. An einer zweiten Stelle geht jedoch die Ähnlichkeit einiges weiter, man vergleiche:

b) Carm. App. 2.59f:

qua (sc. cruce) *Christus dignans adsumpta in carne pependit*
atque cruore suo vulnera nostra lavat
(Das Kreuz,) *an dem Christus, weil er das für würdig hielt, im Fleische hing, das er angenommen hatte,*
und mit seinem Blut unsere Wunden wusch.

mit 2.1.1f:

crux benedicta nitet, Dominus qua carne pependit
atque cruore suo vulnera nostra lavat.
Das gesegnete Kreuz leuchtet, an dem der Herr im Kreuze hing
und mit seinem Blut unsere Wunden wusch.

Hier liegt nicht nur eine ähnliche Formulierung vor, sondern es werden anderthalb Verse wortgleich wiederholt.[23] Das ist als Anklang ungewöhnlich deutlich und genügt vielleicht, den ersten Kreuztext in die Nähe des Dankgedichts zu rücken – wobei die Frage, was eine solche Nähe über die Entstehung der beiden Texte aussagt, nicht voreilig beantwortet werden sollte.

3. In ihrem Bericht über den Kreuzhandel verwendet Baudonivia mit leichten Variationen mehrfach Ausdrücke zur Bezeichnung des Kreuzes, wie *lignum salutare, ubi pretium mundi pro nostra salute appensum fuerat* (17 (673b): *das heilbringende Holz, wo der Preis für die Welt zu unserem Heile hing*).[24] Das klingt auffallend an eine auch von Fortunat in beiden Hymnen gebrauchte Formulierung an: *Sola digna tu fuisti ferre pretium saeculi* heißt es in *Pange lingua* (2.2.28) und in *Vexilla regis* lesen wir noch deutlicher: *beata cuius bracchiis / pretium pependit saeculi* (2.6.21f: *du seliger* (Baum), *an dessen Armen / der Preis für die Welt hing*). In genau dieser Gestalt ist die Formel – trotz ihrer letztlich pauli-

---

23 Vgl. Bulst (s. Anm. 3) 17 und 168f (test. 25); Lattke (s. Anm. 3) 337.
24 Vgl. 19 (674a) *lignum ubi salus mundi pependerat,* (674c) *pretium mundi de pignore Christi;* zu diesen Stellen auch Santorelli (s. Anm. 13) 145.

nischen Herkunft – vor Fortunats Hymnus kaum zu belegen.[25] So drängt sich der Gedanke auf, dass vielleicht *Vexilla regis*, als Baudonivia schrieb, in der von Radegund gegründeten Gemeinschaft bereits in liturgischem Gebrauch stand und die Formel der Autorin deshalb so leicht von der Feder ging. Indessen kämen wir auch so auf einen Zeitpunkt, der Jahrzehnte nach dem Einzug des heiligen Holzes in Poitiers liegt, und damit ist für die Umstände, unter denen der Text entstanden sein soll, nichts gewonnen.[26]

Vielleicht lassen sich andere Stellen in Fortunats Kreuzdichtungen auf indirektere Weise mit dem Kreuzhandel in Verbindung setzen. Bereits an diesen drei verhältnismäßig deutlichen Hinweisen fällt allerdings auf, dass sich zwei davon nicht in *Pange lingua* und *Vexilla regis* finden, sondern in den anderen Texten (2.1 und 2.4). Unter solchen Umständen bleibt die Vorstellung, Fortunat habe seine beiden Hymnen für die Installation der Reliquie in Poitiers gedichtet, eine bloße, allenfalls durch die allgemeinen Umstände gestützte Vermutung.

3. Pange lingua

Bevor wir weitergehen, ist es unumgänglich, ein präziseres Profil unseres Hymnus zu gewinnen. Ich beginne deshalb mit Text und Übersetzung sowie ein paar Hinweisen zu Aufbau und Sprachstil.

3.1 Text und Übersetzung[27]

In honore sanctae crucis

Pange, lingua, gloriosi proelium certaminis
et super crucis tropaeum dic triumphum nobilem,
qualiter redemptor orbis immolatus vicerit.

---

25 *Saeculum* und *mundus* sind hier sinngleiche Wechselwörter; zur Herkunft vgl. 1. Cor. 6.20 *empti enim estis pretio magno* und 7.23 *pretio empti estis, nolite fieri servi hominum*. Am nächsten kommen der Formulierung des Venantius Stellen wie Quodv. c. Iud. pag. Ar. 18.2 *quando fundebatis pretium salutis nostrae*; Arat. serm. 27.2 *carne mortali pretium nostrum portans*; weiteres bei *ThLL* s.v. *pretium* col. 1211.32–58.

26 Wahrscheinlich ist eine Abfassung von Baudonivias Schrift zwischen 609 und 614, vgl. Santorelli (s. Anm. 13) 14.

27 Zum Text: Blume/Dreves (s. Anm. 1) 71–73; Blume, Clemens/Dreves, Guido Maria: *Ein Jahrtausend lateinischer Hymnendichtung. Eine Blütenlese aus den Analecta Hymnica mit literarhistorischen Erläuterungen. Erster Teil: Hymnen bekannter Verfasser.* Leipzig 1909, 37; Bulst (s. Anm. 3) 128/196; Reydellet (s. Anm. 4) *I*, 50–52;

de parentis protoplasti fraude factor condolens,
quando pomi noxialis morte morsu corruit,   5
ipse lignum tunc notavit, damna ligni ut solveret.

hoc opus nostrae salutis ordo depoposcerat,
multiformis perditoris arte ut artem falleret
et medelam ferret inde, hostis unde laeserat.

quando venit ergo sacri plenitudo temporis,   10
missus est ab arce patris natus orbis conditor
atque ventre virginali carnefactus[28] prodiit.

vagit infans inter arta conditus praesepia,
membra pannis involuta virgo mater adligat,
et pedes manusque crura stricta pingit fascia.   15

lustra sex qui iam peracta tempus implens corporis,
se volente natus ad hoc, passioni deditus
agnus in crucis levatur immolandus stipite.

hic acetum, fel, harundo, sputa, clavi, lancea,
mite corpus perforatur, sanguis unda profluit,   20
terra, pontus, astra, mundus quo lavantur flumine.

crux fidelis, inter omnes arbor una nobilis:
nulla talem silva profert flore, fronde, germine,
dulce lignum, dulce clavo dulce pondus sustinens!

flecte ramos, arbor alta, tensa laxa viscera,   25
et rigor lentescat ille, quem dedit nativitas,
ut superni membra regis mite tendas stipite!

sola digna tu fuisti ferre pretium saeculi
atque portum praeparare nauta mundo naufrago,
quem sacer cruor perunxit fusus agni corpore.   30

Di Brazzano (s. Anm. 1) 148–151; Kommentar bei Walpole, Arthur Summer: *Early Latin hymns, with introduction and notes.* Cambridge 1922. (repr. Hildesheim 1966), 165–173; Szövérffy 1976 (s. Anm. 12) 10–15; Leonardi, Claudio (Hg.): *Il Cristo. Volume III. Testi teologici e spirituali in lingua latina da Agostino ad Anselmo di Canterbury.* Milano 1989, 268–271, 611 f.

28 Zu dieser Lesung Reydellet (s. Anm. 4) *I*, 180 n. 11; Einwände bei Bastiaensen, Antoon Adrian Robert: *La poésie de Venance Fortunat. Observations à propos d'une nouvelle édition.* Mnemosyne 49 (1996) 168–181, 173.

Zu Ehren des heiligen Kreuzes

Künde, Zunge, vom Kampf um die ruhmreiche Entscheidung[29]
und berichte den erhabenen Triumph auf dem Siegesmal des Kreuzes:[30]
wie der Welterlöser siegte, indem er sich opfern ließ.

Über den Frevel des erstgeschaffnen Ahnen erbarmte sich der Schöpfer,
als jener in den Apfel der Sünde biss und dem Tod verfiel;   5
so hat er damals selbst das Holz bezeichnet, den Schaden des Holzes
    zu lösen.

Dieses Werk erforderte die Weltordnung zu unserem Heil,
um die List des vielgestaltigen Verderbers mit List zu betrügen
und von dort die Heilung zu bringen, wo der Feind die Wunde schlug.

Als demnach die Erfüllung der heiligen Zeit kam,   10
wurde von der Burg des Vaters der Sohn geschickt, der Weltenschöpfer,
und durch das Eingeweide der Jungfrau trat er fleischgeworden hervor.

---

29 Der Ausdruck *proelium certaminis* hat viel Verwirrung gestiftet: Elss (s. Anm. 12) 56
    deutete ihn als Sonderform einer das Gewicht des Ausdrucks steigernden pleonasti-
    schen *Cumulatio* und vergleicht aus den Kreuzgedichten 2.3.3 *felle veneni* und 2.5.4
    curatio fausta medelae; ähnlich Tardi (s. Anm. 12) 261f; Szövérffy 1976 (s. Anm. 12)
    13; Reydellet (s. Anm. 4) *I*, 180 n. 8. Indessen setzt die enge Verbindung der beiden
    Wörter durchaus klassischen Sprachgebrauch fort: *proelii ... certamen* findet sich
    etwa bei Cic. Rep. 2.13 (vgl. Hirt. Gall. 8.28.4, Curt. 8.14.28). In der christlichen Spät-
    antike begegnet dann häufiger die Verbindung *agon certaminis* u.ä. (Rufin. Basil. hom.
    1.4, Zacch. 3.8 p. 1163[A], Sacr. Leon. p. 394, Prosp. Carm. de ingrat. 751, Petr. Chrys.
    serm. 119 p.526[B], vgl. *ThLL* s.v. *certamen*, col. 888.10–50). In dieser Formel dürfte
    Venantius das griechische Fremdwort *agon* in Anlehnung an die klassische Verbin-
    dung latinisiert haben, wohl mit Rücksicht auf die Grundbedeutung von *certamen*,
    also im Sinn von *Kampf um die Entscheidung* (ob Gott oder der Teufel siegt); ganz
    ähnlich übrigens schon Cyprian. Epist. 55.4.1 *cum acies adhuc inter manus esset et
    proelium gloriosi certaminis in persecutione ferveret*, vgl. Weyman, Carl: *Beiträge
    zur Geschichte der christlich-lateinischen Poesie*. München 1926. (repr. Hildesheim/
    New York 1975), 168.

30 Zur Verbreitung der Metaphorik des Kreuzes als *tropaeum* in der frühchristlichen
    Apologetik vgl. Reijners, G. Q.: *The terminology of the Holy Cross in Early Christian
    Literature as based upon Old Testament typology*. Nijmegen 1965. (Graecitas Chri-
    stianorum primaeva 2), 192f, 203, 207f. Bereits Iust. Apol. 55.3 und Hippol. Antichr.
    59 verbinden das Bild vom *tropaeum* mit Seefahrtsmetaphern, so wie Fortunat seinen
    Text mit beidem rahmt; im Lateinischen wird der *crux/tropaeum*-Vergleich vorberei-
    tet von Min. Fel. 28.5f, Tert. Apol. 16 u.a.

Als Kindlein wimmert er, geborgen in der engen Krippe,
die in Windeln eingewickelten Glieder bindet seine jungfräuliche Mutter ein,
Und Füße, Hände und Schenkel färbt die eng angezogene Binde.[31]   15

Als schon sechsmal fünf Jahre hingebracht waren und die Zeit des Körper-
       daseins erfüllt,
hat er, aus freiem Willen dazu geboren, sich dem Leiden unterworfen
und wurde als Lamm zum Opfer an den Stamm des Kreuzes gehoben.

Hierauf Essig, Galle, Rute, Spucke, Nägel, Lanze,
der gnadenvolle Leib wird durchbohrt, Blut fließt als Welle hervor,   20
ein Strom, durch den Erde, Mond, Gestirne, Welt reingewaschen werden.

Kreuz des Glaubens, unter allen Bäumen du einzig edler,
kein Wald bringt einen solchen hervor an Blüte, Laub, Spross,
süßes Holz, das an süßem Nagel eine süße Last trägt![32]

Neige, hoher Baum, die Zweige, lockere den gespannten Körper   25
und jene Härte möge biegsam werden, die dein Ursprung dir verlieh,
damit du die Glieder des Königs der Höhen auf sanftem Stamme ausspannst.

Du allein warst würdig, den Preis der Welt zu tragen
und den Hafen zu weisen als Lotse für die schiffbrüchige Welt:
nun ist sie mit heiligem Blut gesalbt, das der Leib des Lamms vergoss.   30

3.2 Die Struktur des Textes

Der Hymnus umfasst 30 Verse. Schon diese Zahl ist nicht beliebig, denn sie entspricht der Zahl der Lebensjahre Jesu, auf die der Dichter in der Mitte des Textes (16) ausdrücklich hinweist. Gegliedert sind die Verse in 10 dreizeilige Strophen:

- Str. 1 kündigt das Thema des Ganzen an: den Lobpreis des Kreuzes, das Wunder von Erlösung und Opferung.
- Str. 2 und Str. 3 erläutern, wie diese Erlösung durch den Sündenfall erst notwendig wurde, wobei der Zusammenhang auch im mythischen Bild verdeutlicht wird, indem der Dichter, in einer von älteren Theologen vorbereiteten und im Mittelalter zu ganzen Legenden ausgearbeiteten Wendung, den Baum der Erkenntnis mit dem Kreuzesholz gleichsetzt.[33]

---

31 Zu dieser Übersetzung s. Anm. 34.
32 Zur Übersetzung dieser Zeile Bastiaensen (s. Anm. 28) 174.
33 Zur Vorgeschichte des Vergleichs von Kreuz und Baum, insbesondere mit dem Para-
       diesbaum vgl. Reijners (s. Anm. 30) 191, 201–203; Fontaine (s. Anm. 12) 278f; Quac-

– Str. 4 und Str. 5 berichten den ersten Teil des Erlösungswerkes, die Fleischwerdung Christi, wobei Str. 4 sich auf den theologischen Gehalt des Ereignisses konzentriert, während die folgende ein rührendes Genrebild des Jesuskindleins in der Krippe zeichnet.

– Str. 6 und Str. 7 schildern die Passion, wobei in Str. 7 die drastisch geschilderten Qualen des Gekreuzigten einen scharfen Kontrast bilden zum im vorangehenden Strophenpaar parallel gestellten Weihnachtsbild. Damit erweist sich dieses rückblickend als bereits auf die Passion bezogen, etwa in dem Gewicht, das darauf gelegt wird, wie die einschnürenden Binden Füße und Hände des Säuglings röten, sind es doch genau diese Glieder, welche am Kreuze zu Trägern der Wundmale werden – ein Motiv, das nicht in *Pange lingua*, wohl aber in den anderen Kreuzgedichten verarbeitet wird.[34]

– Von da kommt man in Str. 8. und Str. 9. zum Lobpreis des in direkter Apostrophe angeredeten Kreuzes. Die Leitmetapher dieses letzten Paars von Dreizeilern ist das schon in Str. 2 und Str. 3 angelegte Bild vom Kreuz als Baum des Heils, womit das Gedicht sich symmetrisch rundet.

– Str. 10 gibt dem Kreuzespreis mit der Schiffahrtsmetapher die abschließende Wendung.

So folgt der Text einem durchsichtigen Muster: Der Gedanke schreitet in Doppelstrophen voran, welche die Themen zu symmetrischen Parallelismen ordnen.[35] Theologische Begrifflichkeit steht in kunstreichem Wechsel neben ge-

---

quarelli (s. Anm. 10) 451–453; auch Chevalier, Jean/Gheerbrandt, Alain: *Dictionnaire des symboles. Mythes, rêves, coutumes, gestes, formes, figures, couleurs, nombres*. Paris ²1982, s. v. *Croix* 322 f; der älteste Beleg dafür in der lateinischen Dichtung steht wohl in den kurz nach der Mitte des 3. Jh.s entstandenen Versen des Comm. 1.35.7–14. Zu den Kreuzlegenden Szövérffy 1976 (s. Anm. 12) 3 f und 12.

34 Vgl. 2.1.5/7 *transfixis palmis ubi mundum a clade redemit ... / ... hic manus illa fuit clavis confixa cruentis*; 2.3.7 *tensus in his ramis cum plantis bracchia pandens*; 2.4.17 f *in te pia bracchia Christi / affixa steterunt et palma beabilis*; 2.6.5 f *confixa clavis viscera / tendens manus vestigia*. Herkömmlich wird *pingere* an der vorliegenden Stelle im Sinne von *schmücken* verstanden, vgl. etwa *ThLL* s. v. *pingo*, col. 2156.61 f, mit Verweis auf Stellen wie Mart. 2.29.8, Cassiod. Var. 8.9.3, ebenso Reydellet (s. Anm. 4) *I*, 181 n. 12; Bastiaensen (s. Anm. 28) 173; doch zur Assoziation des Ausdrucks mit Blut vgl. Prud. Perist. 3.44, Coripp. Ioh. 5.325; weiteres zu der Stelle bei Szövérffy 1976 (s. Anm. 12) 14.

35 Etwas einfacher gliedert Szövérffy 1976 (s. Anm. 12) 11 und Szövérffy, Joseph: *A concise history of Medieval Latin hymnody. Religious lyrics between antiquity and humanism*. Leyden 1985. (Medieval Classics: Texts and Studies 19), 22 den Text: 3 Strophen über Sündenfall und Notwendigkeit der Erlösung – 4 Strophen über das Leben Jesu – 3 Strophen Lobpreis des Kreuzes und Erlösung der Menschheit (vgl. auch Szövérffy (s. Anm. 2) 132–135 und (s. Anm. 3) 130; ebenso *LexMA* 6 (1993) 1655 s. v. *Pange lingua gloriosi* (B. Gansweidt)); zu stark vereinfacht wohl Langosch, Karl: *Komposition*

schlossenen Bildern und durchgeführten Metaphern. Nicht einmal das scheinbar aus der Baummetapher ausbrechende Seefahrtsbild in der Schlussstrophe ist willkürlich angehängt: In diesem Punkt folgt der Dichter einer festen dogmatischen Metaphorik, die das Bild vom rettenden Schiff der Kirche mit jenem vom Kreuz Christi verbindet – sind doch Schiff und Kreuz beide aus demselben Stoff gemacht, nämlich, wie es bei Fortunat in Str. 8 vorbereitend heißt, aus Holz und Nägeln, *lignum et clavi*.[36]

Ein anderes Kennzeichen des Hymnus ist seine üppige Instrumentierung mit Wortfiguren. Sie ist schon beim bloßen lauten Lesen unüberhörbar. Der Text ist so reich dekoriert, dass man ihn geradezu als ein mit rhetorischen Gemmen bedecktes Reliquiar aus Worten bezeichnen könnte.[37] Auffallend ist etwa die häufige Wiederholung bedeutsamer Wörter: So erscheint in Vers 6 *lignum* zweifach, um den heilsgeschichtlichen Doppelsinn des Begriffs anzudeuten, oder bietet Vers 24 in der *dulce*-Preisung des Kreuzes eine dreifache Anapher. Dazu kommt ein Hang, gedanklich zusammengehörende Begriffe auch lautlich zu verbinden, wobei es zwar lautstarke Fälle von Alliteration gibt (etwa gleich am Anfang des Gedichts: 1 *pange … proelium*, 2 *tropaeo … triumphum*, 4 *parentis protoplasti* und *fraude … factor*, 5 *morte morsu*), diese konsonantische Klangfigur jedoch insgesamt eher zurücktritt gegenüber einer den Tonfall prägenden Häufung von Assonanzen und Reimen. Darin mag sich – wie man immer wieder gesagt hat – bereits der Übergang zur mittelalterlichen Reimpoesie ankündigen.[38]

---

und Zahlensymbolik in der mittelalterlichen Dichtung. 106–151 in: Zimmermann, Albert (Hg.): *Methoden in Wissenschaft und Kunst des Mittelalters.* Berlin 1970. (Miscellanea Mediaevalia 7). (= 263–308 in: Langosch, Karl: *Kleine Schriften*, herausgegeben von Paul Klopsch (u.a.). Hildesheim/München/Zürich 1986. (Spolia Berolinensia: Berliner Beiträge zur Mediävistik 1), 1970, 146 = 1986, 303, der das Gedicht bloß in zwei gleichlange Hälften teilt.

36　Die Gleichsetzung von Kreuz und Schiff geht bereits auf pagane Vorstellungen zurück, vgl. Artemid. 2.53 (p.152.4–6 H.); zum ganzen Bildzusammenhang ausführlich Rahner, Hugo: *Symbole der Kirche. Die Ekklesiologie der Väter.* Salzburg 1964, 349–353. Man beachte außerdem die Wiederkehr der Schiffahrtsmetapher in Fortunats Kreuzgedichten (2.4.25).

37　Dass Fortunat einer Ästhetik folgt, die zwischen dem Mosaikkünstler und dem Dichter Analogien herstellt, der erlesene Wörter und rhetorische Effekte zu einem Ganzen komponiert, bemerkt Brennan, Brian: *Text and image: „Reading" the walls of the sixth-century cathedral of Tours.* Journal of Medieval Latin 6 (1996) 65–83, 67; wie sehr eine solche, Dichtung und bildende Künste annähernde Betrachtung für die Spätantike insgesamt erhellend sein kann, zeigt die Studie von Roberts, Michael: *The jeweled style: Poetry and poetics in late antiquity.* Ithaca/London 1989, vgl. dort besonders 138–142 zur Charakterisierung des Venantius.

38　Schon Elss (s. Anm. 12) 60–66 versuchte, die Rolle von Alliteration und Reim bei Fortunat zu systematisieren, zählte die Verhältnisse allerdings nicht aus; so kam er

Auffallend ist, wie bisweilen ganze Kola oder Verse in den tontragenden Silben von einem einzigen Vokal beherrscht werden: in Vers 5 etwa steht in fünf von acht Hebungen ein -o-, während in Vers 19 die Aufzählung der Marterwerkzeuge nach diesem Prinzip des dominierenden Vokals geordnet scheint: in der Tonsilbe stehen nacheinander -e- (*acetum*, *fel*), -u- (*harundo*, *sputa*) und -a- (*clavi*, *lancea*). Daneben finden sich zweisilbige Assonanzen, etwa in der vierten Strophe, wo alle drei ersten Halbverse auf diese Weise verbunden werden (*sacri*/*patris*/*virginali*), und gelegentlich schon voll entwickelte Reime, etwa in Vers 21 die beiden Kola *terra pontus, astra m/o/ndus* – vielleicht ein früher Beleg für eine Lautentwicklung, die sich in späterer Zeit in manchen Teilen des romanischen Sprachraums stark ausgebreitet hat.[39]

Die Beispiele ließen sich vermehren, doch ist nicht ihre Dichte an sich das bemerkenswerte, sondern wie sehr sie auf der lautlichen Ebene die Ideologie spiegeln, welche der Text vermittelt. Reime und Assonanzen überziehen diese Verse mit einem dichten Netz phonologischer Gleichsetzungen, die immer wieder auch begriffliche sind:[40] dass der Biss der Eva in die verbotene Frucht den Tod bedeutet, ist so ohren- wie sinnenfällig zugleich (*morte morsu*[41]), nicht weniger, dass nur der göttliche Seemann die Welt aus dem Schiffbruch retten kann (*nauta*/*naufrago*). Eine solche Sprechweise gibt jenen großen Paradoxien, die den Hauptgedanken des Gedichtes tragen, erst ihre besondere Plausibilität: Das Opfer ist zugleich der Sieg, das Kind in der Wiege ist auch der Erlöser am Kreuz, der Baum der Erkenntnis ebenso das Kreuzesholz, an das der Heiland geschlagen wird. Das religiöse Denken, das diesem Text zugrunde liegt, gewinnt Bedeutung durch eine unendliche Folge von Identifikationen, erschließt die göttliche Wahrheit im unendlichen Zusammenfall von Bedeutendem und Bedeutetem. Ziel des

---

(66) zu dem irreführenden Schluss: *Von den Hymnen hat II 2 nur vereinzelte Reime*; ähnlich schon Manitius (s. Anm. 12) 449; vgl. dagegen die Bemerkungen von Norberg, Dag: *Introduction à l'étude de la versification latine médiévale*. Stockholm 1958. (Acta Universitatis Stockholmiensis: Studia Latina Stockholmiensia 5) 39; weiteres zur Reimpraxis des Autors bei Ebert (s. Anm. 12) 510; Manitius (s. Anm. 12) 469f; Tardi (s. Anm. 12) 166, 264f und vor allem Reydellet (s. Anm. 4) I, lxvi–lxviii.

39 Zu diesem Eintreten von /o/ für /u/ vgl. Stotz, Peter: *Handbuch zur lateinischen Sprache des Mittelalters. Dritter Band: Lautlehre*. München 1996. (HbAW 2/5/3), 61–68 (§§ 49–52), insbesondere 63 (§ 50.5) und 66 (§ 51.9).

40 Eine Reihe von ähnlichen Wortspielen aus Fortunats Werk stellt Elss (s. Anm. 12) 56–59 zusammen.

41 Zur metrischen Funktion des Hyperbatons *morte morsu corruit* vgl. Elss (s. Anm. 12) 4. Die Annäherung von mors/morsus spielt auch in spätantiken Etymologien eine Rolle, vgl. Ps. Aug. Hypomn. 1.4.5 (um 440), Arat. Act. 2.1196f (um 544), weiteres bei Maltby, Robert: *A lexicon of ancient etymologies*. Leeds 1991. (ARCA Classical and Medieval Texts, Papers and Monographs 25), 393.

Erkennens ist, alles in eins zu setzen, denn das Eine allein ist das Gute, ist das Göttliche.

Nirgends wird das deutlicher als an jener Stelle, wo das entgegengesetzte Prinzip in die Heilsgeschichte eindringt, wenn in Vers 8 jene Kraft auftritt, der die Theologie den Namen des *diabolos* gegeben hat, der griechischen Wortbedeutung nach: des Entzweiers, des Schaffers von Unterschieden. Nicht zufällig trägt er das Beiwort *multiformis* und erscheint so verknüpft mit einem Begriff der Pluralität – die Verteidigung des Einen, allein Wahren gegen die vermeintliche Bedrohung durch Pluralismus und Relativismus ist ja bis heute ein Steckenpferd der kirchlichen Dogmatik geblieben; [42] und ganz entsprechend wird er überwunden: durch Christus als den dem Teufel vorgeworfenen Köder, oder präziser gesagt, die List des Gottseibeiuns scheitert an der List Gottes selbst, d.h. die Macht des Herrn der Vielgestalt endet in jenem Zusammenfall der Begriffe, in dem sich das Denken des Einen verwirklicht. In der Wendung *arte ut artem falleret* macht der Dichter die Sache einmal mehr ohrenfällig, im Polyptoton des Schlüsselwortes wie auch im Klangspiel, das die ebenmäßige Harmonie des im Vokaldreieck eng beisammenliegenden -a/e- im zweiten Halbvers dem penetranten Auf und Ab der in der ersten Hälfte herrschenden Dreifachassonanz auf -o(u)/i- entgegensetzt (*multiformis perditoris*). Auch hier also stellt Fortunat seine rhetorischen Kunstmittel unüberhörbar in den Dienst der den Text beherrschenden Ideologie.

4. Die metrisch-formale Tradition

So viel Kunsthandwerk kommt nicht aus dem Nichts. Dies wird besonders deutlich, wenn man das von Fortunat gewählte Versmaß näher betrachtet. Der griechische katalektische trochäische Tetrameter, den man im Lateinischen den trochäischen Septenar oder auch *Versus quadratus* nennt, hat in der altphilologischen Forschung einen merkwürdigen Ruf, auf den man bei der Deutung von

---

42 Das Wort *multiformis* scheint bei christlichen Autoren negativ konnotiert; so bezeichnet es den Teufel auch bei Faust. Rei. Grat. 1.3 (p. 16.5), Chrysost. Hom. V 897c, Greg. M. Mor. 6.29.(46), eine häretische Auffassung von der Natur Jesu bei Tert. Carn. 24.l.18, die Götter der heidnischen Kulte bei Firm. Err. 21.2; vgl. außerdem Prud. Cath. 9.55 *pestis ... milleformis daemonum*. Seit dem Hochmittelalter erscheint übrigens auffällig *milleartifex* als Bezeichnung des Teufels, vgl. Stotz, Peter: *Handbuch zur lateinischen Sprache des Mittelalters. Zweiter Band: Bedeutungswandel und Wortbildung.* München 2000. (HbAW 2/5/2), 454 (§ 159.8) und ausführlicher Schumacher, Meinolf: *Der Teufel als ,Tausendkünstler'. Ein wortgeschichtlicher Beitrag.* Mlat.Jb. 27 (1992) 65–76, 65–68 zur möglichen Herkunft letztlich von Verg. Aen. 7.337f und weiteren spätantiken Belegen.

Pange lingua gerne hinweist:[43] Zum Teil bis in die neueste Forschung hinein bezeichnet man ihn als *volkstümlichen* Vers, meist ohne die Frage aufzuwerfen, ob der aus fragwürdigen Ideologien des letzten und vorletzten Jahrhunderts stammende Begriff des Volkstümlichen für das Verständnis der antiken Kultur überhaupt brauchbar ist.[44] Insbesondere zieht man dafür die in Septenaren gehaltenen Spottlieder bei, welche die römischen Legionäre beim Triumphzug sangen.[45] Es ist entsprechend üblich, auf den Einsatz militärischer Metaphern in der ersten Strophe von Fortunats Hymnus hinzuweisen: *proelium certaminis, tropaeo, triumphum, vicerit.* Daraus leitet man dann ab, dass Venantius in *Pange lingua* nichts anderes geschrieben habe, als ein Lied für den Triumphzug des

---

43 Die terminologische Unterscheidung zwischen dem strengeren katalektischen trochäischen Tetrameter nach griechischem Vorbild (Crusius, Friedrich: *Römische Metrik. Eine Einführung.* Neu bearbeitet von Hans Rubenbauer. München ⁸1992, 84 (§ 105)) und dem freieren trochäischen Septenar der altlateinischen Komiker (Crusius ebd., 72–74 (§ 85)) spiegelt fälschlich einen Gattungsunterschied vor, wo es um verschiedene historische Entwicklungszustände der Verstechnik geht, vgl. Boldrini, Sandro: *Prosodie und Metrik der Römer.* Aus dem Italienischen übertragen von Bruno W. Häuptli. Stuttgart/Leipzig 1999. (Teubner Studienbücher Philologie). (= Boldrini, Sandro: *La prosodia e la metrica dei Romani.* Roma 1992.), dt. 114–116. Zur Rolle des trochäischen Septenars in der Spätantike vgl. Norberg (s. Anm. 38) 73–77; Norberg, Dag: *Les vers latins iambiques et trochaïques au Moyen Âge et leur répliques rythmiques.* Stockholm 1988. (Filologiskt arkiv 35), 84–95; Klopsch, Paul: *Der Übergang von quantitierender zu akzentuierender Dichtung.* 95–106 in: Tristram, Hildegard L. C. (Hg.): *Metrik und Medienwechsel / Metrics and Media.* Tübingen 1991. (ScriptOralia 35), 96 f und 100 f; eine ausführliche Zusammenstellung des Materials auch bei Gerick, Thomas: *Der versus quadratus bei Plautus und seine volkstümliche Tradition.* Tübingen 1996. (ScriptOralia 85: Altertumswissenschaftliche Reihe 21). (= Diss. Freiburg i. Br. 1993), 58–66.

44 In Arbeiten wie Pfister, Raimund: *Rhythmisch gebundene Sprache im Etruskischen.* 181–188 in: *Corolla linguistica. Festschrift Ferdinand Sommer zum 80. Geburtstag dargebracht von Freunden, Schülern und Kollegen.* Wiesbaden 1955 und Pfister, Raimund: *Volkstümliche versus quadrati.* Münchner Studien zur Sprachwissenschaft 15 (1959) 23–38 geht dies bis zum Bestreben, den Vers von seinen griechischen Mustern loszulösen; besonders ausgiebig dann der Versuch von Gerick (s. Anm. 43) den ‚volkstümlichen' Charakter des Versmaßes zu erweisen; etwas differenzierter Norberg (s. Anm. 43) 84 f. Gegen die Verwendung des Begriffs des ‚Volkstümlichen' für die Spätantike ausführlich Brown, Peter: *The cult of the Saints. Its rise and functions in Latin Christianity.* Chicago 1981. (= *Die Heiligenverehrung. Ihre Entstehung und Funktion in der lateinischen Christenheit.* Übersetzt, bearbeitet und herausgegeben von Johannes Bernard. Leipzig 1991), 12–22 (dt. 24–32).

45 Beispiele zitiert bei Vell. 2.67.3, Suet. Iul. 49.4, 51; ebenfalls in einen miltärischen Kontext, wenn auch nicht eigentlich zu Triumphzügen gehören ähnliche Verse bei Suet. Galba 6.2, SHA Aurelian. 6.4; zu diesem ganzen Material auch Gerick (s. Anm. 43) 33–42.

Kreuzes, das heißt: das Prozessionslied für den Einzug der Kreuzreliquie in Poitiers.[46]

Eine ganze Reihe von Schwierigkeiten lässt man bei einer solchen Deutung im Dunkeln: etwa ob der Autor selbst das Versmaß wirklich noch mit diesem längst versunkenen Brauch verbinden konnte,[47] oder ob dieses in der Dichtung seiner Zeit eine andere Rolle spielte. Sicher ist, dass die erhaltenen spätantiken Verstheoretiker dem Septenar keinen solchen Charakter zuschreiben (und dass Fortunat gelegentlich derartige Literatur benutzt hat, ist zuverlässig bezeugt):[48] das Maß sei *glänzend* und *geeignet für rasche Erzählungen*, und es sei *bewegt und wendig*, lesen wir dort etwa[49] – und das trifft recht genau den Charakter von Fortunats Text, der in wenigen Strophen die ganze Heilsgeschichte ablaufen lässt. Sicher ist, dass das Metrum schon früher in der christlichen Hymnendichtung zum Einsatz kam: Schon Hilarius von Poitiers hat bald nach der Mitte des 4. Jh.s einen Hymnus in Septenaren geschrieben, der große Prudentius ein paar Jahrzehnte später deren zwei (Cath. 9 und Perist. 1). Von allen dreien finden sich unüberhörbare Echos bei Fortunat, man betrachte bloß die Eingangsstrophe des Hilarius:[50]

---

46 In diesem Sinne schon Ebert (s. Anm. 12) 534; Elss (s. Anm. 12) 27; Tardi (s. Anm. 12) 165; Szövérffy (s. Anm. 2) 134; Szövérffy 1976 (s. Anm. 12) 10 und noch Norberg (s. Anm. 43) 92; Reydellet (s. Anm. 4) *I*, 50 n. 7; häufig wird auch der Anfang von *Vexilla regis* so gelesen, vgl. George (s. Anm. 6) 38 f; militärisch deuten etwa auch Fontaine 1985 (s. Anm. 3) 33 f und Herzog, Reinhart (Hg.): *Restauration und Erneuerung. Die lateinische Literatur von 284–374 n. Chr.* München 1989. (HbAW 8.5), 477 (J. Doignon) das Versmaß hinsichtlich Hilarius' Hymnus *Adae carnis*; zu diesem gleich unten.

47 Fortunat scheint nirgends Sueton zu zitieren; von den bei dem Biographen behandelten Kaisern kommt überhaupt nur Augustus einmal in einer ganz allgemeinen Wendung vor (Ven. Fort. Carm. 10.2 § 12).

48 Vgl. die Stelle Ven. Fort. Carm. 9.7.33–48, die auf den Austausch eines Metrikbuches mit Gregor von Tours hinweist, und dazu Gärtner, Thomas: *Ein metrisches Lehrbuch mit lyrischen Seneca-Exzerpten im merowingischen Gallien.* WJA 25 (2001) 239–244.

49 So das Marius Victorinus zugeschriebene Metrikbuch, das in Wirklichkeit von Aphthonius stammt, GL VI.84.24 ff: *praeter cetera illustre est, aptum festinis narrationibus: est et agitatum et volubile*; die rasche Beweglichkeit gilt auch als Kennzeichen des Trochäus allgemein, vgl. Ter. Maur. 1384 f, Mall. Theod. GL VI.595.3 ff.

50 Text des Hymnus bei Feder, Alfred (Hg.): *S. Hilarii Pictavensis opera. Pars quarta: Tractatus mysteriorum, collectanea antiariana Parisina (fragmenta historica) cum appendice (Liber I ad Constantium). Liber ad Constantium imperatorem (Liber II ad Constantium). Hymni. Fragmenta minora. Spuria.* Recensuit, commentario critico instruxit, praefatus est indicesque adiecit Alfredus Feder. Wien/Leipzig 1916. (CSEL 65), 214–216; Bulst (s. Anm. 3) 34 f (Nr. I.3); zu den Hymnen des Hilarius allgemein Fontaine (s. Anm 12) 81–94 und 1985 (s. Anm 3) 27–34, Herzog (s. Anm. 46) 475–477 (J. Doignon).

Adae carnis gloriosae[51] *et caduci corporis*
in caelesti rursum Adam concinamus proelia,
per quae primum Satanas est Adam victus in novo.

Ich besinge, wie vom ruhmreichen Fleisch und hinfälligen Körper Adams
sich im himmlischen Adam der Kampf erneuerte,
durch den zuerst der Satan im zweiten Adam besiegt wurde.

Und in einem der Gedichte des Prudentius (Cath 9):

Da puer plectrum choreis, ut canam fidelibus
dulce carmen et melodum, gesta Christi insignia.
hunc Camena nostra solum pangat, hunc laudet lyra.

Gib mir, Bursche, das Plektrum, dass ich in frommen Trochäen
ein süßes und wohlklingendes Lied singe, die herrlichen Heldentaten Christi:
ihn allein soll meine Muse preisen, ihn meine Leier loben.

Das Auftauchen von Schlüsselwörtern, die auch den Eingang bei Venantius prägen, ist das eine: *gloriosus, proelia, vincere,* oder das im Sinne von ‚singen, besingen‘ etwas geschraubte *pangere*.[52] Wichtiger ist, dass wir auch bei Hilarius und Prudentius Einleitungsstrophen finden, in welchen die das Lied tragende Stimme aufgefordert wird, ein knapp umrissenes Generalthema weiter auszuführen: *concinamus, Camena … pangat, laudet lyra.* Das ist – auch wenn es vereinzelt Parallelen gibt – nicht unbedingt der üblichste Beginn für einen Hymnus.[53] Hingegen ist es die gebräuchliche Form zur Eröffnung des heroischen Epos: So hat es Ver-

---

51 Die Hss. haben hier unmetrisch verderbtes *gloriam;* Feder (s. Anm. 50) 214 setzt, nach Wilhelm Meyer, in den Text *gloriosa* mit Bezug auf *proelia,* wodurch die Nähe zu Fort. noch deutlicher wird; im Carm. App. vermutet er aber *gloriosae* mit der Begründung *sc. in paradisi gloria, Hilar. in Matth. 3.5,* was Bulst (s. Anm. 3) I 3.1 (pp. 34 und 182) übernimmt; vgl. Feder, Alfred: *Epilegomena zu Hilarius Pictavensis.* WSt 41 (1919) 51–60, 59 f.

52 Die Anklänge werden noch deutlicher, wenn man, wie schon Blomgren, Sven: *De Venantio Fortunato Vergilii aliorumque poetarum priorum imitatore.* Eranos 42 (1944) 81–88, 87, auch eine Stelle aus dem Innern des Gedichts beizieht, Prud. Cath. 9.83 f: *dic tropaeum passionis, dic triumphalem crucem / pange vexillum, notatis quod refulget frontibus!* (vgl. weiter *pangimus* Prud. Cath. 9.7). Dieser Gebrauch von *pangere* ist altlateinisch (*tibia Musarum pangit melos* Enn. Ann. 299, danach Lucr. 1.25, 1.933) und wird von den Klassikern der augusteischen und der silbernen Latinität gemieden (ironisch klingt er bei Hor. Epist. 1.18.40); nur gelegentlich kommt er in Prosa vor, doch wird er vor allem in der spätantiken Dichtung aufgegriffen (bei Prud. auch Perist. 4.148, 153, außerdem Opt. Porf. Carm. 2.8, 21.2); vgl. *ThLL* s.v. *pango* coll. 207.69–208.36.

53 Am nächsten stehen Prud. Cath. 4 und Perist. 10, außerdem etwa Sedul. Hymn. 2 *A solis ortus cardine,* vgl. Bulst (s. Anm. 3) 71–73 (Nr.IV), oder der Hymnus *Hymnum dicat turba fratrum;* zu diesem s. Anm. 55.

gil gemacht, so Lukan und Statius, um nur lateinische Beispiele zu zitieren. Die
Wahl eines solchen Prooemiums verfolgt sowohl bei Hilarius wie bei Prudentius
einen durchsichtigen Zweck: beide preisen die Erlösungstat Jesu; die gleichsam
epische Eröffnung dient dazu, das christliche Thema des Kampfes um die Erlösung des Menschen als dem troianischen Krieg gleichberechtigten heroischen
Stoff auszuweisen. An diese Tradition schließt auch Fortunat mit seinem kriege-
rischen Hymnenprooemium an. Dass damit das Kreuz zum Triumphmal für den
Sieg Christi wird, entspricht der seit der Vision Konstantins vor der Schlacht an
der milvischen Brücke verbindlichen spätantik-frühmittelalterlichen Kreuzes-
theologie.[54]

Die Parallelen zwischen Fortunats Text und diesen beiden Vorbildern beschränken sich nicht auf die Exordialtopik, sondern durchziehen das ganze *Pange
lingua*; besonders die Beziehungen zu Prud. Cath. 9 sind so eng, dass der Hymnus des Venantius teilweise wie eine geschickt zusammengestrichene Kurzfassung des großen Vorbilds erscheint. Bereits die ältere Forschung hat das meiste
davon zusammengestellt, so dass ich es hier nicht wiederholen muss.[55] Daneben
mag der Anschluss an Hilarius, den berühmten Bischof von Poitiers, von Venan-

---

54   Vgl. *RGG* 4 (2001) s.v. *Kreuz/Kreuz Christi: IV: das Kreuz in der Kirchengeschichte*,
     1748–1750 [U. Köpf].
55   Über die Bezüge zu den älteren christlichen Dichtern schon Tardi (s. Anm. 12) 161;
     Baiesi (s. Anm. 12) 1217f; zu Hilar. und Prud. Norberg (s. Anm. 2) 77f = 1998, 183f;
     sehr gründlich zu Prud. dann Mariner Bigorra, Sebastián: *Prudencio y Venancio
     Fortunato: influencia de un metro.* Helmantica 26 (1975) 333–340. Ein paar besonders
     deutliche Anlehnungen:
     – aus Prud. Cath. 9: zu 17 *primoplasti* vgl. Ven. 4 *protoplasti*, und zu 18 *noxialis*
     (ebenfalls im folgenden Vers!) vgl. Ven. 5; zu 20 *edidit nostram salutem* vgl. Ven. 7 *hoc
     opus nostrae salutis*; zu 21 *et puer redemptor orbis os sacratum protulit* vgl. Ven. 3 *qua-
     liter redemptor orbis immolatus vicerit*; zu 31 *membra morbis ulcerosa, viscerum
     putredines* vgl. Ven. 14 *membra pannis involuta virgo mater alligat* (aber auch Prud.
     Perist. 1.26 *membra morbis exedenda*); zu 107 *dexter in Parentis arce* vgl. Ven. 11 *mis-
     sus est ab arce patris*;
     – aus Prud. Perist. 1: zu 27 *morte et mortem vincere* vgl. Ven. 8 *arte ut artem falleret*;
     zu 77 *ordinem tempus modumque passionis proditum* vgl. Ven. 18 *se volente natus ad
     hoc, passioni deditus.*
     Hinzuweisen ist außerdem auf den wohl im 5. Jh. in Gallien entstandenen, ebenfalls
     in trochäischen Septenaren gehaltenen Hymnus *Hymnum dicat turba fratrum* (Bulst
     (s. Anm. 3) 18 und 133–135 (Nr. XII), vgl. oben n. 53): zu 19.2 *impiis verbis grassatur,
     sputa flagra sustinet* vgl. Ven. 19 *hic acetum, fel, harundo, sputa, clavi, lancea* und Ven.
     24 *dulce pondus sustinens*; zu 21.2 *mors secuta membra Christi laxat stricta vincula*
     vgl. Ven. 25 *flecte ramos, arbor alta, tensa laxa viscera*; außerdem 20.2 das Polyptoton
     morte carnis … mortem vicit omnium, vgl. dazu oben Prud. Perist. 1.27 und Ven. 8.
     Auch dieses Beispiel zeigt, dass man nicht gut daran tut, nur Prud. und Hilar. zum
     Vergleich beizuziehen.

tius auch als Huldigung an den Genius loci seines gallischen Aufenthalts gemeint gewesen sein – und wäre nebenbei ein zusätzlicher Hinweis auf die Entstehung der Kreuzgedichte im Umkreis von Agnes und Radegund.[56]

Dennoch sollte man den poetischen Horizont, vor dem man Fortunats Hymnus betrachtet, nicht zu eng ziehen. Der Septenar ist ja in der Dichtung der Kaiserzeit kein seltenes Metrum, sondern hat lange vor Hilarius und Prudentius in der lyrischen Kleindichtung, wie wir sie etwa seit dem 2. Jh. und dichter dann in den spätantiken Anthologien fassen können, seinen bescheidenen, aber durchaus festen Platz; das bekannteste Beispiel ist ein nicht klar zu datierendes, sicher der späteren Kaiserzeit entstammendes Poem, das sogenannte *Pervigilium Veneris*[57]. Doch auch unter dem Namen des Florus, der wohl keinen anderen meint als den Rhetor und Freund des Hadrian, sind in der lateinischen Anthologie eine Reihe kleiner Gedichte in diesem Versmaß erhalten. Eines davon lautet:[58]

> *Quando ponebam novellas arbores mali et piri,*
> *cortici summae notavi nomen ardoris mei.*
> *Nulla fit exinde finis vel quies cupidinis:*
> *Crescit arbor, gliscit ardor: ramus implet litteras.*

---

56 Die später verlorenen Hymnen des Hilar. waren noch um 600 mindestens in Spanien bekannt, vgl. Feder (s. Anm. 50) lxx f; Bulst (s. Anm. 3) 8 f; Stevenson (s. Anm. 21) 97. Ven. Fort. verfasste auch die für das ganze Mittelalter maßgebliche Vita des Hilarius, dazu Berschin, Walter: *Biographie und Epochenstil im lateinischen Mittelalter. I: Von der Passio Perpetuae zu den Dialogi Gregors des Grossen.* Stuttgart 1986. (Quellen und Untersuchungen zur lateinischen Philologie des Mittelalters 8), 281 f; unter den Werken des Hilarius, die im seiner schriftstellerischen Tätigkeit gewidmeten Kapitel (Ven. Fort. Vita Hil. 14.50 f) aufgezählt werden, ist allerdings seine Hymnendichtung nicht erwähnt (die Lesart eines interpolierten Codex aus Compiègne, die ihn als *in hymnorum ... dissertione paratus* rühmt, wird von den modernen Herausgebern verworfen, vgl. Krusch, Bruno (Hg.): *Venanti Honori Clementiani Fortunati presbyteri Italici opera pedestria.* Berlin ¹1885, ²1961. (MGH AA 4.2), viif und 6).

57 Zum Datierungsproblem dieses Werks Herzog (s. Anm. 46) 258–262 (K. Smolak). In trochäischen Septenaren stehen auch weite Teile des metrischen Handbuchs von Terentianus Maurus; zu diesem Sallmann, Klaus (Hg.): *Die Literatur des Umbruchs. Von der römischen zur christlichen Literatur. 117–284 n. Chr.* München 1997. (HbAW 8.4), 618–622.

58 Anth. Lat. 241 Shackleton Bailey; Text und Kommentar bei Courtney, Edward: *The fragmentary Latin poets. Edited with commentary.* Oxford 1993, 377/379; die von diesem aufgenommenen Konjekturen sind allerdings überflüssig: in 3 setzt er *fuit* statt *fit,* weil eine lange Messung der Silbe archaistisch wäre (woher wollen wir bei dem wenigen Text, den wir haben, wissen, dass Florus niemals archaistische Wendungen brauchte?), und in 4 *animus* statt *ramus,* womit die ganze Pointe des Gedichts zerstört wird (und man auch den unterschwelligen Bezug zur sexuellen Metapher *ramus = mentula* verliert, vgl. Novius Atell. 21). Zu Florus allgemein Sallmann (s. Anm. 57) 327–335.

Als ich neue Apfel- und Birnbäume pflanzte,
schnitt ich zuoberst in die Rinde den Namen meiner Liebe ein.
Seit da findet meine Sehnsucht weder Ende noch Ruhe:
Der Baum wächst, die Liebe glüht stärker: der Ast lässt die Buchstaben größer werden.

Dieses harmlose Textchen scheint zum Hymnus des Venantius mit seiner ganz anderen gedanklichen Spannweite zunächst wenig Beziehungen zu haben – hier wie dort kommt ein Baum vor, immerhin. Dennoch ist weniger die thematische Nähe das Bemerkenswerte, als eine überraschende Ähnlichkeit des Sprachklangs, die gleiche oder ähnliche Wörter im Vers fast zwanghaft an die genau entsprechende Stelle rutschen lässt: so eröffnet *quando po-* bei Venantius Vers 5, *arbor* den zweiten Halbvers in 22, steht *notavit* vor der Mitteldiärese in 6, *nulla* eröffnet den Vers 23, und *cupidinis* steht am Versschluss wie *certaminis* im ersten Vers des Fortunat, bei dem schließlich auch noch *implens* in 16 genau an derselben Versstelle auftaucht wie hier. Diesen sechs Beispielen stehen nur drei Fälle gegenüber, in denen ein wörtliches Analogon bei Florus an einer Stelle steht, wo es bei Fortunat nicht vorkommt (*inde, arbor, ramus*). Dazu kommt der analoge Einsatz rhetorischer Schmuckmittel: wenige Alliterationen (*notavi nomen, fit … finis*), doch einige Reime. So ist zweimal die Diärese mit dem Versschluss gereimt, zweisilbig in 3 (*finis … cupidinis*), nur einsilbig in 2, dafür mit zusätzlichem Endreim auf Vers 1 (*piri … notavi … mei*). Dazu kommt der Binnenreim in 4 (*crescit … gliscit*), der sich mit der anorganischen Paronomasie verbindet, welche den Mittelpunkt des poetischen Gedankens bildet: *arbor/ardor* – da liegen Spiele wie Fortunats *morte morsu* gar nicht weit weg.

Die Gedichtsammlung, die wir *Anthologia Latina* nennen und die diesen Text überliefert, wurde in Nordafrika gegen Ende der Wandalenzeit, also kurz vor 534 zusammengestellt, und man kann grundsätzlich nicht ausschließen, dass Fortunat sie gekannt und benutzt hat.[59] Die Vorstellung, dass er solchen eher

---

59 Der Salmasianus, der den größten Teil der Sammlung als Codex unicus überliefert, ist möglicherweise im 8. Jh. in einem mittelitalienischen Scriptorium entstanden, vgl. *Enc. Virg.* 1 (1984) s.v. *Antologia Latina* 198f (Vincenzo Tandoi); vielleicht enthält er nicht bloß die ursprüngliche wandalische Anthologie sondern auch später eingegliederte Stücke, was die Reste analogen, doch nicht deckungsgleichen Materials im Codex Thuaneus u.ä. zu belegen scheinen (vgl. Reynolds, Leighton D. (Hg.): *Texts and transmission. A survey of the Latin Classics*. Oxford 1983, 9–13). Diese Anthologie scheint im Mittelalter weitgehend unbekannt geblieben zu sein – was nicht gegen eine Benutzung durch Fortunat spricht, zumal er ja in den Hymnen des Hilarius ebenso einen später weitgehend verschwundenen Text benutzte. Zum Umkreis von Fortunats Belesenheit auch Elss (s. Anm. 12) 12–17 oder die Liste der von ihm namentlich genannten Autoren bei Zwierlein, Stephan: *Venantius Fortunatus in seiner Abhängigkeit von Vergil*. Diss. Würzburg 1926, 11 (dort auch 19 mit n. 1), und die

leichtgewichtigen erotischen Flitter wie den Florus geplündert haben soll, um seine Behandlung des erhabensten überhaupt denkbaren christlichen Themas aufzupolieren, mag befremden – ausschließen kann man es nicht.[60]

Doch wieder sollte man sich vor voreiligen Schlüssen hüten. Ich setze deshalb noch einen Text hierher: Dracontius, ein Autor, der am Ende des 5. Jh.s im wandalischen Nordafrika schrieb, hat die Sammlung seiner weltlichen Gedichte mit einem Prolog in Septenaren eingeleitet. Dessen erste Hälfte, ein Stück mythologischer Erzählung, ist für uns aufschlussreich:[61]

Orpheum vatem renarrant ut priorum litterae
cantitasse dulce carmen voce, nervo, pectine,
inter ornos, propter amnes adque montes algidos,
(quem benignus grex secutus cum cruenta bestia
audiens melos stupebat concinente pollice:
tunc feras reliquit ira, tunc pastor iumenta, tunc
lenta tigris, cervus audax, mitis ursus adfuit.
non lupum timebat agna, non leonem caprea,
non lepus iam praeda saevo tunc molosso iugiter.
artifex natura rerum quis negat concordiam,
hos chelys musea totos Orpheusque miscuit):
sancte pater, o magister, taliter canendus es …

Wie die Schriften der Alten erzählen, dass der Seher Orpheus
ein süßes Lied gesungen habe mit Stimme, Saite, Plektrum,
unter den Eschen, bei den Flüssen und an den kalten Bergen –
(ihm folgte die brave Herde ebenso wie das blutrünstige Raubtier
und sie staunten, als sie hörten, wie sein Daumen die Melodie erklingen ließ:
da verließ die Tiere die Wildheit, da der Hirte das Vieh, da
gab sich der Tiger gemütlich, der Hirsch wagemutig, der Bär charmant,

---

von M. Manitius zusammengestellte Liste der Anklänge an ältere Autoren bei Krusch (s. Anm. 56) 132–137.

60 Eine ähnliche Parallele bietet noch Sept. Seren. Carm. Frg. 6 *inferis manu sinistra immolamus pocula* (vgl. Courtney (s. Anm. 58) 409), wo *immolare* an derselben Stelle steht wie in *Pange lingua* gleich zweimal, 3 und 18; aber ebenso Prud. Perist. 1.95 und Secundin. *Hymnus auf St. Patrick* N/4 (vgl. *PL* 53.837–840, aus dem 2. Viertel des 5. Jh.s); die heute verlorenen Gedichte des Septimius Serenus aus dem 3. Jh. sind noch im Frühmittelalter in Bibliothekskatalogen nachweisbar und wurden offenbar nicht selten gelesen, vgl. Sallmann (s. Anm. 57) 593. Sehr dünn bleiben die Analogien zum *Pervigilium Veneris*; auffallend ist dort fast nur der mehrfache Versanfang mit *ipse* (Pervig. Ven. 40, 41, 63), der auch in *Pange lingua* wiederkehrt (6), aber ebenso Prud. Cath. 9.13, 30; außerdem zu Pervig. Ven. 20 vgl. *Pange lingua* 26 und zu Perv. Ven. 62 vgl. *Pange lingua* 16, 30 (aber auch Prud. Perist. 1.112).

61 Zum Text Bouquet, Jean / Wolff, Étienne: *Dracontius: Oeuvres. Tome III. La tragédie d'Oreste; Poèmes profanes I–V.* Paris 1995. (Collection Budé), 134f.

das Lamm hatte vor dem Wolf keine Angst mehr, das Reh nicht vor dem Löwen,
der Hase war nicht mehr beständig Beute für den beißwütigen Molosser;
sie, denen Werkmeisterin Natur die Eintracht weigert,
sie alle brachte Orpheus mit seiner klangbegabten Schildkrötenschale zusammen):
genauso, ehrwürdiger Vater und Lehrer, muss ich dich besingen …

Die direkten Entsprechungen zu *Pange lingua* sind in diesem etwas längeren
Textstück nicht besonders zahlreich, sieht man von den etwas vexierenden Anklängen von Vers 3 an Fortunats Vers 22 ab – was vielleicht die Nähe zwischen
Florus und Fortunat noch auffälliger macht. Merkwürdig ist dies insofern, als
sich zuverlässig nachweisen lässt, dass Fortunat den Text des Dracontius gekannt
hat.[62] Mehrfach beobachten lassen sich jedoch rhythmische und sprachliche
Figuren, die für Venantius, Florus und Dracontius gleichermaßen kennzeichnend
sind. Häufig wird etwa der Septenar nicht bloß durch die obligatorische Mitteldiärese geteilt, sondern noch durch eine zweite, nach dem ersten Metrum.[63] In
einer ganzen Reihe von Fällen wird dieses Muster auch für den Satzbau bestim-
mend; so finden wir:

bei Florus:

> 4 *crescit arbor, gliscit ardor: ramus implet litteras;*

bei Dracontius:

> 3 *inter ornos, propter amnes adque montes algidos,*
> 7 *lenta tigris, cervus audax, mitis ursus adfuit.*
> 12 *sancte pater, o magister, taliter canendus es …;*

bei Venantius schließlich ist diese zweite Diärese häufig, wenn auch nicht obli-
gatorisch; drei hervorstechende Beispiele:

> 22 *crux fidelis, inter omnes arbor una nobilis*
> 24 *dulce lignum, dulce clavo dulce pondus sustinens*
> 25 *flecte ramos, arbor alta, tensa laxa viscera.*

Bemerkenswert ist nun, wie diese metrische Struktur mit einem gewissen Auto-
matismus ähnlich wiederkehrende Gedankenformen hervorbringt. Sie wirkt als
Matrize, welche den poetischen Gedanken inspiriert und prägt. Man fühlt sich
daran erinnert, dass Paul Valéry einmal gesagt hat, den entscheidenden Impuls

---

62 Zur Kenntnis der Dichtungen des Dracontius bei Fortunat schon Manitius, Max : *Zu
    Dracontius' Carmina minora.* RhMus 46 (1891) 493f, und dann Clerici, Ergisto: *Due
    poeti: Emilio Blossio Draconzio e Venanzio Fortunato.* Rendiconti Ist. Lombardo
    (Classe di lettere e scienze morali e storiche) 107 (1973) 108–150; dort 144f der Nach-
    weis, dass Ven. Fort. Carm. 7.1.1 das zitierte Orpheus-Gedicht des Dracontius ver-
    arbeitet.
63 Zu den Schwankungen dieser Praxis Norberg (s. Anm. 38) 74f und (s. Anm. 43) 92.

zur Abfassung von *Le cimetière marin* habe ihm das rhythmische Schema des Zehnsilblers gegeben.[64] Vor allem zwei Gedankenmuster scheinen durch diese Verdoppelung der Diärese geprägt, man könnte sie als 3er- und als 2-plus-1er-Schema bezeichnen: im 3er-Schema werden die von den Diäresen abgetrennten Verskola Teile einer dreigliedrigen reihenden Aufzählung (hier Dracontius 3 und 7, Venantius 24), im anderen treten 2 zusammengehörige Kola dem dritten, gedanklich neu ansetzenden entgegen (hier Florus 4: aab, Dracontius 12: aab, Venantius 25: aba).

Über die Kolongliederung hinaus führt die unübersehbare Neigung dieser Septenarsprache, ganze Halbverse mit dreigliedrigen Aufzählungen zu füllen; Dracontius *voce, nervo, pectine* (2) hat unter den ähnlichen Reihen bei Fortunat in *sputa, clavi, lancea* (19) seine engste Verwandte.[65] Beide Schemata (die Gliederung eines Verses in drei Kola und die dreiteilige Aufzählung zur Füllung eines Halbverses) finden sich auch in den Hymnen des Prudentius und des Hilarius, man vergleiche etwa den Anfang der zweiten Strophe bei letzterem:

> *Gaudet aris, gaudet templis, gaudet sanie victimae,*
> *gaudet falsis, gaudet stupris, gaudet belli sanguine …*

> Er freut sich an Altären, an Tempeln, am Wundsaft des Opfertiers,
> er freut sich an Betrug, an Schandtat und am Blut des Kriegs…

oder bei Prudentius die Aufzählungen:

Perist. 1.9: *confrequentant obsecrantes voce, votis, munere*
                sie suchen sie auf und bitten mit Worten, Gelübden, Gaben
Cath 9.14: *terra, caelum, fossa ponti, trina rerum machina*
                Erde, Himmel, Meerestiefe, das dreifache Werk der Welt
und 113: *imber, aestus, nix, pruina, silva et aura, nox, dies.*
                Regen, Sonne, Schnee und Rauhreif, Wald und Wind und Nacht und Tag.

Obwohl wir damit wieder bei den Hauptvorbildern des Venantius angelangt sind, dürfte deutlich sein, dass die poetische Tradition, aus welcher der Dichter des *Pange lingua* schöpft, weit über diese beiden Autoren hinausreicht, dass er

---

64 Schon Mariner Bigorra (s. Anm. 55) betont die Abhängigkeit der Sprachgestaltung des Venantius von der metrischen Form, beschränkt sich aber auf den Nachweis von Ähnlichkeiten zu Prudentius. Zu *Le cimetière marin* vgl. Valéry, Paul: *Oeuvres I*. Édition établie et annotée par Jean Hylier. Paris 1957. (Bibliothèque de la Pléiade 127), 1503 f, 1687.

65 Vgl. Bouquet/Wolff (s. Anm. 61) 243 n. 2; dies ist zugleich eine häufige Form der *cumulatio*, für die Fortunat eine besondere Vorliebe hat, vgl. die von Elss (s. Anm. 12) 55 f gesammelten Beispiele. Noch Koebner (s. Anm. 12) 58 missverstand diese rhetorische Figur als *gestaltloses Stammeln* eines *erschüttert Betenden*. Zur Rolle solcher Aufzählungen in der spätantiken Dichtung vgl. Roberts (s. Anm. 37) 59–61.

in Form und Sprachduktus eine relativ breite spätantike Tradition von Septenar-
poesie fortsetzt.[66] Dass ein Autor, in dessen Werk die weltliche Dichtung so eine
große Rolle spielt, seine Texte in einen solchen weiteren Horizont einschrieb, ist
ja keineswegs überraschend.

5. Die Struktur der Kreuzdichtungen

Um von hier aus weiterzukommen, ist es unumgänglich, den Blickwinkel über
die beiden Hymnen hinaus zu weiten und die Serie von Fortunats Kreuzgedichten als ganze zu überblicken. Diese nehmen ja schon formal eine Sonderstellung
im Gesamtwerk ein: Venantius hat sich in seinen poetischen Arbeiten fast immer
und mit einer gewissen Einförmigkeit des elegischen Distichons bedient; fünf-
mal verwendet er stichisch gereihte Hexameter (darunter immerhin in seinem
längsten Werk, der *Vita Martini*), und bloß viermal finden wir nicht-daktylische
Maße.[67] Von insgesamt neun Abweichungen von der Norm des Distichons stehen demnach unter den sechs Kreuzgedichten nicht weniger als vier dicht bei-
sammen.

Noch augenfälliger ist die Konzentration des formal Außergewöhnlichen
bei den Figurengedichten. Es handelt sich dabei um eine Art poetischer Virtuo-
senstücke, die in konstantinischer Zeit durch Optatianus Porfyrius zur Blüte
gebracht wurde: Alle Verse dieser Gedichte haben gleich viele Buchstaben, die
das Blatt in Form eines regelmäßigen Gitters füllen; schreibt man in dieses bestimmte Figuren ein – in unserem Fall natürlich jene des Kreuzes – so werden
schräg und senkrecht verlaufende weitere Verse sichtbar. Figurengedichte sind
damit nicht nur eine Vorstufe zu unseren Kreuzworträtseln, sondern vor allem
eine poetische Form, die auf die rein optische Wirkung der Schrift setzt.[68] In

---

66 Weiteres zur Handhabung des Metrums in unserem Text bei Elss (s. Anm. 12) 4, der
    bereits auf die darin herrschende Neigung zum Zusammenfall von Metrum und Rhyth-
    mus hinweist, dazu auch Norberg (s. Anm. 43) 91, außerdem Gerick (s. Anm. 43)
    65f. Zum Gebrauch des trochäischen Septenars in der epigraphischen Dichtung s.
    Anm. 89.

67 Vgl. Reydellet (s. Anm. 4) *I*, xxviii f.

68 Über Optatianus Porfyrius und seine Wirkung auf die späteren Jahrhunderte vgl.
    Herzog (s. Anm. 46) 237–243 (K. Smolak); direkte Vorlagen für Fortunat waren Texte
    wie Opt. Porf. Carm. 2/3/8/14/18/24. Zum poetischen Charakter der Figurengedichte
    allgemein Schaller, Dieter: *Die karolingischen Figurengedichte des Cod. Bern. 212.*
    22–47 in: Jauss, Hans Robert / Schaller, Dieter (Hgg.): *Medium Aevum Vivum. Fest-
    schrift für Walther Bulst.* Heidelberg 1960, 23–25; Ernst, Ulrich: *Zahl und Maß in den
    Figurengedichten der Antike und des Frühmittelalters. Beobachtungen zur Entwick-
    lung tektonischer Bauformen.* 310–332 in: Zimmermann, Albert/Vuillemin-Diem,

Fortunats Gesamtwerk finden sich drei solche *Carmina figurata* – und zwei davon unter den Kreuzgedichten.

So erscheinen diese unter den vermischten Gedichten als eine Verwerfungszone, die das sonst fast ebenmäßig aus Distichen geschichtete Werk unterbricht. Da der Autor diese Störung selber arrangiert hat, liegt der Gedanke nahe, dass er die Serie als besonderes Ganzes aus dem Rest der Gedichte hervorheben wollte. Wenn in diesen sechs Texten darüber hinaus immer wieder ähnliche Gedanken und Formulierungen auftauchen, scheint dies zunächst vom Thema her gegeben. Dennoch erweist eine genauere Betrachtung, dass nicht alles gleich eng zusammengehört, und vielleicht lässt sich daraus einiges über die Arbeitsweise des Venantius ableiten.

Ich beginne mit einem Hinweis auf das zweite Figurengedicht (2.5), ganz einfach, weil ich sagen muss, dass es mir ein Rätsel geblieben ist. Es besteht aus Rahmen, Kreuz- und Diagonalversen, während vom flächendeckenden Haupttext nur die ersten 5 Verse dastehen. Soweit in diesen wenigen Zeilen überhaupt Inhaltliches kenntlich wird, scheinen die Motive eng mit der – gleich zu bestimmenden – Hauptgruppe der Kreuzgedichte zusammenzugehören; besonders die Verbindungen mit dem vorausgehenden großen Figurengedicht wirken eng. Was der Text als ganzer soll, bleibt jedoch undurchschaubar. Gemeinhin gilt er als unvollendet.[69] Aber warum sollte Fortunat ein unfertiges Gedicht in die Ausgabe seiner Werke aufnehmen? Oder wurde die Sammlung postum um dieses erweitert? Merkwürdig ist ja, dass man an dem Text sieht, wie Fortunat gearbeitet hat: Er schrieb zuerst die eingeschriebenen Zeilen und füllte danach den Gittertext ein. Hat er allenfalls dem vorausgehenden vollständigen *Carmen figuratum* mit Absicht eine Art *Making of* beigegeben? Der Gedanke ist keineswegs abwegig: immerhin hat er sein drittes Figurengedicht (5.6) mit einem langen Widmungsbrief zusammengestellt, in dem er ausführliche Überlegungen zur Verfertigung eines solchen Poems vorträgt.

Gudrun (Hgg.): *Mensura. Maß, Zahl, Zahlensymbolik im Mittelalter*. 2. Halbband. Berlin/New York 1984. (Miscellanea Mediaevalia 16/2), 320–323; Ernst (s. Anm. 10) 155–157; Polara, Giovanni: *Le parole nella pagina: grafica e contenuti nei carmi figurati latini*. Vetera Christianorum 28 (1991) 291–336; Graver (s. Anm. 9) 219–226; Brennan (s. Anm. 37) 74; Pietri, Luce: *Ut pictura poesis: à propos de quelques poèmes de Venance Fortunat*. Pallas 56 (2001) 175–186, 176–180. Hinzuweisen ist nebenbei auf den Versuch einer formtreuen englischen Nachdichtung der Figurengedichte bei *Venantius Fortunatus. A basket of chestnuts*. Translated by Geoffrey Cook, introduction by Dick Higgins. New York 1981, 42–49; zum Verständnis des Textes ist daraus leider nicht viel zu gewinnen.

69 So etwa Di Brazzano (s. Anm. 1) 155 n. 13, und Ernst (s. Anm. 10) 152, der bereits vermerkt, dass der Text damit *Einblick in die poetische Werkstatt des Autors* gebe.

Ebenfalls eine Sonderstellung nimmt das dritte Kreuzgedicht ein, das in elegischen Distichen geschrieben ist (2.3). Bereits seine Überschrift verweist es in einen anderen Zusammenhang als die Verse für Agnes und Radegund: Es ist Gregor von Tours gewidmet, der eine Kapelle mit Tüchern ausschlagen ließ, welche mit Kreuzsymbolen geschmückt waren.[70] Da Gregor in dem Text schon als Bischof erscheint (2.3.21/23), müsste seine Entstehung ein paar Jahre nach dem Kreuzhandel der Radegund liegen.

Dieses Gedicht zerfällt in zwei recht genau geschiedene Teile von je 12 Versen: Der erste ist einem allgemeinen Preis des Kreuzes gewidmet, der zweite berichtet konkret von Gregors Tüchern. Zu *Pange lingua* finden sich dabei fast nur im ersten Teil Motiv- und Wortparallelen: Nach einer das Kreuz preisenden Einleitung wird in vier Versen der Zusammenhang zwischen dem Sündenfall und der Erlösung durch Christus erläutert, dann folgen sechs Verse, welche die Schilderung der Kreuzigung mit der Baummetapher verflechten.[71] Dennoch entwickelt sich der Text nicht als linearer, dramaturgisch logischer Ablauf, sondern als lose Folge einzelner Bilder und Gedanken. Merkwürdig ist außerdem, dass der Vergleich dieser Distichen mit den anderen Kreuzgedichten überall ein ganz ähnliches Bild ergibt wie der mit *Pange lingua*, außer bei dem großen Figurengedicht (2.4), das auffallende Motivparallelen mit 2.3 und nur mit diesem teilt; außerdem finden selbige sich über das ganze Gedicht 2.3 verteilt, also auch in der zweiten Hälfte.[72] Eine Deutung dieses Befundes kann ich erst versuchen, wenn das Verhältnis der anderen Texte einigermaßen geklärt ist.

Etwas ist dabei eindeutig: Es gibt eine Kerngruppe von drei Texten, die einander ganz besonders ähnlich sind; sie umfasst *Pange lingua* (2.2), das große Figurengedicht (2.4) und den ‚ambrosianischen' Hymnus *Vexilla regis prodeunt*

---

70 Nicht klar wird aus Fortunats Formulierungen, ob ein Bezug zu dem kostbaren Seidentuch besteht, das Gregor von einem Händler aus dem Orient kaufte, weil angeblich das Kreuz Christi darin eingewickelt war, vgl. Greg. Tur. Glor. Mart. 5 (Krusch, Bruno (Hg.): *Gregorii Episcopi Turonensis Miracula et Opera Minora*. Hannover 1885 (repr. 1969). (MGH SRM 1.2) p. 41 f.) und dazu Van Dam (s. Anm. 13) 33; Reydellet (s. Anm. 4) *I*, 181 f n. 15; Bastiaensen (s. Anm. 28) 174 f; Di Brazzano (s. Anm. 1) 151 nn. 8 f.

71 Den folgenden Überlegungen zugrunde liegt eine vollständige Auszählung aller wiederkehrenden Wort- und Bildmotive, was hier einzeln auszubreiten zu weit führen würde. Besonders beachtet wurde, wo die jeweiligen Elemente in ähnlichen Nachbarschaften und Abfolgen auftauchen, auch wenn sie im Syntagma durchaus verschieden verwendet sind: die Wortmotive wurden damit gewissermaßen als rein musikalische Einheiten betrachtet. Zwischen 2.3 und 2.2 fallen so folgende Motivechos besonders auf: 3.4 *sanguis-lavat* // 2.20 f *sanguis-lavantur*; 3.6 *cruce-agnus* // 2.18 *agnus-crucis*; 3.7 *tensus-ramis* // 2.25 *ramos-tensa*; 3.9 f *ligno-ligni-poma* // 2.5 *pomi-ligni-ligni*.

72 Singuläre Parallelmotive etwa 3.3 *serpens* // 4.11 *serpentis*; 3.17 *cruce textile pulchra* // 4.21 *crucis ordine pulchra*; 3.22 *vela* // 4.25 *velis*.

(2.6). Allen dreien ist eine hohe Zahl von Motiven und Wörtern gemeinsam, die oft in der gleichen Abfolge, ja in identischen Junkturen erscheinen.[73]

Doch auch hier sind Differenzierungen nötig: Das *Carmen figuratum* (2.4) folgt bis ins Detail derselben Dramaturgie wie *Pange lingua*. Es ist üblich, darauf hinzuweisen, dass in solchen Figurengedichten die hohen formalen Anforderungen zu sprachlichen Verrenkungen führten, der poetischen Erfindung wenig Raum ließen, und die Texte inhaltlich und literarisch nicht viel wert seien. Fortunats Kreuz-Figurengedicht hat unter diesem Vorurteil besonders gelitten, weil es dasselbe in den ersten fünf Versen zu bestätigen scheint: diese sind unbestreitbar verkorkstes Latein, und die wenigsten Betrachter dürften danach noch weitergelesen haben. Die Reaktion ist verständlich, aber falsch, denn tatsächlich schafft es Venantius, nach diesem einleitenden Gestrüpp zu einem klaren Faden zu finden, und das erst noch in einem ganz verständlichen Stil – man sollte eine solche Leistung nicht geringschätzen. Auch in 2.4 rollt nun aber im Text nicht anders als in *Pange lingua* die ganze Heilsgeschichte in nuce vor dem Auge des Lesers oder Schriftbildbetrachters ab:[74] es beginnt mit der Erschaffung des ersten Menschenpaars (1–9) und dem Sündenfall (10–12), worauf der große Sprung zur Heilung dieses Urfehlers folgt, nämlich die Menschwerdung Christi (13f), danach gleich die Kreuzigung (14–16), welche in die breit ausgeführte Baummetapher mündet (17–30); ein Gebet an das Kreuz beschließt den Text (31–35). Der wichtigste Unterschied zwischen 2.4 und *Pange lingua* besteht darin, dass hier die Erschaffung Adams ausführlich geschildert ist, während die Geburt Jesu nur knapp als Tatsache erwähnt, aber nicht ausführlich beschrieben wird; im trochäischen Hymnus ist es, wie wir gesehen haben, genau umgekehrt. Der Gedanke drängt sich auf, dass dies kein Zufall ist, sondern die Gewichte mit Absicht komplementär verteilt werden, so dass – theologisch gesprochen – im Figurengedicht der erste, in *Pange lingua* der zweite Adam in den Mittelpunkt rückt.

---

73 Allen dreien gemeinsame Schlüsselbegriffe sind *nobilis* (2.2/22, 4.5, 6.28), *mors* (2.5, 4.12, 6.31/32); *caro* (2.12, 4.1/8/19, 6.3), *condere* (2.11/13, 4.4, 6.3), *crux* (2.18/22, 4.15/21/24/35, 6.2), *sanguis* (2.20, 4.2/16, 6.12), *lignum* (2.24, 4.16, 6.16), *clavus* (2.24, 4.14/26, 6.5), *arbor* (2.22/25, 4.20/27, 6.17), *membra* (2.27, 4.7, 6.20), *rex* (2.27, 4.31/35, 6.1); von diesen kommen *condere*, *membra* und *rex* in keinem anderen Gedicht der Reihe vor; weiteres unten nn. 74, 76.

74 Dazu auch Reydellet (s. Anm. 4) *I*, lix und 182 n. 22 und zur Komposition des Textes Ernst (s. Anm. 10) 151f. Motivechos zwischen 2.2 und 2.4 sind etwa 2.4 *protoplasti-factor* // 4.4f *factoris-protoplasma*, 2.5 *pomi-morte* // 4.11f *pomi-morti*, 2.7 *nostrae salutis* // 4.16 *salus nobis*, 2.11 *arce-natus* // 4.13f *arce-nasci*, 2.29 *portum-nauta* // 4.25 *navita portum* – auffallend die weitgehend analoge Abfolge dieser Verbindungen; nur in diesen beiden Texten außerdem *terra* (2.21, 4.2) und *germen* (2.23, 4.34).

Ziemlich anders stellt sich die Lage beim Verhältnis der beiden Hymnen dar:[75] Die sprachlichen und Bildmotive, die *Pange lingua* und *Vexilla regis* teilen, sind zweifellos nicht weniger zahlreich, und das obwohl die zu vergleichende Textmenge eigentlich viel kleiner ist.[76] Allein es gibt so gut wie keine Ähnlichkeit im Aufbau der Texte. *Vexilla regis* wird eröffnet mit dem Motiv des Kreuzes und dem Bild des daran geschlagenen Heilands, das die drei ersten Strophen füllt, während die vierte das Geschehen als Erfüllung einer Prophetie Davids erweist. Die drei nächsten Strophen verarbeiten das Baummotiv, ehe eine allgemeiner gehaltene Schlussstrophe zum Erlösungsthema zurückführt. Vor allem die erste Hälfte des Iambischen Hymnus ist also grundsätzlich anders aufgebaut als der Text in Septenaren, während der zweite Teil eher auf eine ähnliche Bahn einbiegt. Mithin fehlt in *Vexilla regis* der im andern Lied so bedeutsame heilsgeschichtliche Überblick völlig und wird in gewissem Sinne durch den knappen Hinweis auf den Spruch Davids vertreten.

Eine genauere Betrachtung der einzelnen Motive und Wortverbindungen ergibt außerdem den merkwürdigen Eindruck, dass die beiden Texte sich im weitesten Sinn zueinander wie Palindrome verhalten, weil *Vexilla regis* sozusagen dort aufhört, wo der andere Hymnus anfängt, und umgekehrt. So treten Motive aus dem Schluss des Gleichnisses vom Kreuzesbaum in der zweitletzten Strophe von *Pange lingua* (*tensa … viscera / membra tendas*) in *Vexilla regis* an den Anfang der Kreuzigungsschilderung in der zweiten Strophe (*viscera / tendens*), während die in *Vexilla regis* das Baumgleichnis in der zweitletzten Strophe abschließenden Wendungen von *vincere* und *triumphus nobilis* in *Pange lingua* ganz an den Anfang rücken.

---

75 Zur Komposition von *Vexilla regis* vgl. Tardi (s. Anm. 12) 161–163, Szövérffy (s. Anm. 2) 135–137; Langosch (s. Anm. 35) 1970, 146 = 1986, 303; Szövérffy (s. Anm. 35) 23f, zu den Melodien auch Wille (s. Anm. 1) 304 und zur Verwendung in der heutigen Liturgie Di Brazzano (s. Anm. 1) 156 n. 14; Kommentar bei Walpole (s. Anm. 27) 173–177; Szövérffy 1976 (s. Anm. 12) 15–18; Leonardi (s. Anm. 27) 266–269, 610. Zur Überlieferung auch Blume/Dreves (s. Anm. 1) 74f.

76 Auffallende Parallelen etwa 2.2 *triumphum nobilem* // 6.27 *triumpho nobili*, 2.3 *redemptor-immolatus* // 6.7f *redemptionis-immolata*, 2.20f *sanguis unda-lavantur* // 6.11f *lavaret-unda-sanguine*, 2.25 *tensa-viscera* // 6.5f *viscera tendens*, 2.28 *pretium saeculi* // 6.22 *pretium-saeculi*; nur diesen beiden Texten gemeinsam sind außerdem *vincere* (2.3, 6.26), *implere* (2.16, 6.13), *corpus* (2.16/20, 6.23), *lancea* (2.19, 6.10), *fidelis* (2.22, 6.14), *stips* (2.27, 6.19). Eng sind auch die Sonderbeziehungen zwischen 2.4 und 2.6, vgl. 4.14f *clavi-configi* // 6.5 *confixa clavis*, 4.17f *brachia-beabilis* // 6.21 *beata-brachiis*, 4.27 *cortice nectar* // 6.25f *cortice-nectare*; nur diesen beiden gemeinsam *vulnus* (4.27, 6.9), *fulgidus* (4.29, 6.17).

Zu klären bleibt die Stellung des die Reihe der Kreuzgedichte einleitenden Gedichts, der neun Distichen *De cruce Domini*.[77] Auch dieser Text ist zweiteilig aufgebaut: Nicht ganz die erste Hälfte gilt einem allgemeineren Preis des in der Kreuzigung Jesu vollbrachten Erlösungswerkes, während die Verse 9–18 fast ganz der Ausarbeitung der Baummetapher gewidmet sind und einzelne Motive mit dem hexametrischen Figurengedicht und *Vexilla regis* teilen, die in dem trochäischen Hymnus fehlen.[78] Auch in diesen Daktylen fehlt also die narrative Dramaturgie von *Pange lingua*, so dass der Text in seinem einfacheren Aufbau weit eher dem anderen Hymnus gleicht. Auffallend ist jedoch, dass die beiden ersten Gedichte des Zyklus beide mit dem Motiv des erlösenden Blutes Christi schließen: Während der Hymnus ganz direkt vom Blut des Lammes spricht (*sacer cruor ... fusus agni corpore*) bleibt das Daktylengedicht bei der Metapher vom Baum, sieht Christus als an diesem wachsende Rebe und spricht von deren Wein: *dulcia sanguineo vina rubore fluunt* (*süßer Wein fließt hervor, rot wie Blut*) – wobei das keine beliebigen rhetorischen Vergleiche sind, sondern ein gewissermaßen auf beide Texte aufgeteilter Verweis auf den Ritus, auf die Wandlung von Wein in Blut durch das Messwunder.

Führt man diese Einzelbeobachtungen zu einem Gesamtbild zusammen, kann man in der Serie der Kreuzgedichte, wie sie uns am Anfang des zweiten Buches von Fortunats *Carmina varia* entgegentritt, zwei Schichten unterscheiden: Hinter der uns vorliegenden Folge von sechs Texten steht offenkundig eine ältere Komposition von eng zusammengehörenden Gedichten, die für die Aufnahme in die *Carmina varia* erweitert worden ist.[79] Zu diesen Erweiterungen gehören sicher das fragmentarische *Carmen Figuratum* (2.5) und die Verse für Gregor von Tours (2.3). Dass letztere an dieser Stelle eingesetzt wurden, scheint

---

77   Zu diesem später ebenfalls als Hymnus verwendeten Text Szövérffy (s. Anm. 2) 130–132, zur Melodie Wille (s. Anm. 1) 304; Kommentar bei Walpole (s. Anm. 27) 178–181, Szövérffy 1976 (s. Anm. 2) 18–20. Zur Überlieferung auch Blume/Dreves (s. Anm. 1) 75 f.

78   Die auffallendsten Parallelen zwischen 2.2 und 2.1 sind 2.24 *dulce lignum* // 1.9 *dulce-lignum* und das nur diesen beiden gemeinsame *flore* (2.23, 1.16); auf die anderen Texte der Hauptgruppe verweisen etwa 1.7 *clavis confixa* // 4.14 f *clavi-configi* (ebenso 6.5 f, dort zusätzlich *manus* wie 1.7), das Motiv des heiligen Wohlgeruchs, den das Kreuz verbreitet (1.11, 4.28, ebenso 6.25 f), und sein Vergleich mit einem schattenspendenden Baum (1.13, 4.30); vgl. außerdem 1.17 *appensa-inter tua brachia* // 4.17 *in te pia brachia* // 6.21 f *brachiis-pependit*, 1.9 *fertilitate-nobile* // 6.28 f *fertili-nobili*.

79   Die thematische Ordnung der Gedichtbücher des Venantius wird immer wieder von Stücken unterbrochen, die nicht an der erwarteten Stelle stehen; man rechnet deshalb seit jeher mit späteren Hinzufügungen und mehreren Etappen der Publikation, vgl. Reydellet (s. Anm. 4) *I*, lxix; die hier vorgeschlagene Deutung der Kreuzdichtungen versucht, diesen Gedanken präziser zu fassen.

nicht zufällig: Zum einen unterhält dieses Gedicht – wie gezeigt – besonders enge Motivbeziehungen mit dem unmittelbar folgenden Figurengedicht, zum andern ist sein Thema ja eben ein mit dem Kreuz geschmücktes Gewebe, ein Stoff mit einer *crux textilis*. Es liegt nahe, dabei an die Metapher vom *textus* als dem poetischen Gewebe zu denken, dem gerade das Figurengedicht in besonderer Weise entspricht, indem es einerseits nur als geschriebener Text wirklich erfassbar ist, aber auch weil es in seiner aus waagrecht und senkrecht geführten Versen gebildeten Gestalt besonders deutlich die Struktur eines Gewebes mit Kettfaden und Einschlag abbildet. Das ist hier keine nachträglich auf den Text projizierte literaturwissenschaftliche Metapher: Fortunat selbst hat, in dem schon erwähnten Widmungsbrief, den er seinem dritten *Carmen figuratum* (5.6a) beigab, unter Verwendung genau dieses Sprachbildes die Machart seines Gedichts erläutert.[80] Beachtet man den nicht geringen Stolz des Autors über sein Kunststück, der aus einer solchen Selbstkommentierung spricht, so gewinnt vielleicht die Vermutung zusätzliche Plausibilität, das ‚unfertige‘ Figurengedicht (2.5) könnte tatsächlich von ihm selbst hier als eine Art *Making of-Poem* eingeschoben worden sein.

6. Ein *libellus de laudibus sanctae crucis*?

Zu klären bleibt damit der Sinn des von Fortunat nachträglich in dieser Weise erweiterten ursprünglichen Konvoluts. Diesem sicher zugehört haben der Hymnus in trochäischen Septenaren (2.2), der jambische Hymnus (2.6) und das große Figurengedicht in stichischen Hexametern (2.4), drei Texte, die durch gegenseitige Bezugnahmen in Komposition und Motiven aufs engste verbunden sind. Auch das einleitende Distichengedicht (2.1), das in manchen Motiven als bloße Teilmenge aus den drei Haupttexten erscheint, könnte in denselben Zusammenhang gehört haben. Damit hätten als ursprüngliches Corpus von Fortunats Kreuzdichtungen vier Texte vorgelegen, die in jeweils eigenem Versmaß das eine Thema des Lobpreises des heiligen Kreuzes umspielen.[81]

---

80 Vgl. 5.6.7–16; zur in diesem Brief entwickelten Poetik die ausgesprochen erhellende Analyse von Graver (s. Anm. 9) besonders auch 236f zu Fortunats Einsatz der Gewebemetapher; vgl. schon Ernst (s. Anm. 68) 323. Pietri (s. Anm. 68) 176f vermutet dagegen in einem merkwürdig biographischen Ansatz Erinnerungen des Venantius an ornamentierte Textilien im byzantinischen Ravenna.

81 Eine diesem Corpus nicht unähnliche Kleinanthologie von Fortunat-Gedichten wurde offenbar im frühen 13. Jh. in einem Oxforder Manuskript nochmals zusammengestellt (Bodleian Library, Bodley 331 (SC 2323), vi[ra]–vii[va], mit Ven. Fort. Carm. 2.2, 2.3, 2.4, 3.9), vgl. Hunt/Lapidge (s. Anm. 10) 284f.

Die Spätantike kennt, seit Sedulius seinem *Carmen paschale* die themengleiche Prosafassung des *Opus paschale* beigab, die mehrfache Behandlung desselben Stoffes in verschiedener Form als besondere, hoch geschätzte Kunstform, besonders in der Doppelung von Versen und Prosa, als sogenanntes *Opus geminum*. Die vierfache Variation des Kreuzthemas, wie Fortunat sie vorlegte, mochte den damaligen Lesern als der Erhabenheit des Themas angemessene Steigerung dieses Prinzips, gewissermaßen als *Opus quadrigeminum* erscheinen.[82]

Vielleicht kann man noch weiter gehen: Man hat längst darauf hingewiesen, dass Fortunat sich in seinen Dichtungen nicht nur an literarischen Vorbildern orientierte, sondern gelegentlich auch an Versinschriften, wie sie noch in der späteren Antike sehr gebräuchlich verfertigt wurden. Insbesondere das 4. Buch der *Carmina varia* enthält eine lange Reihe von Epitaphien, die zumindest – wie immer es mit ihrer tatsächlichen Verwendung gestanden haben mag – der Form nach daherkommen, als wären sie für die Anbringung auf einem Grab bestimmt.

An dieser Stelle möchte ich deshalb auf ein merkwürdiges Dokument aus viel früherer Zeit hinweisen: Ein gewisser Q. Tullius Maximus war in der Zeit der Antonine Kommandant der *Legio VII gemina* in Tarraco in Spanien und hat dort der Jagdgöttin Diana ein Heiligtum mit mehreren Votivgaben errichtet.[83] Erhalten sind davon der Marmoraltar sowie eine Votivtafel, beide mit Inschriften: Der Altar zeigt auf der Vorderseite eine Weihung in den üblichen sakralen Formeln; die Rückseite jedoch zieren sieben Hexameter, die rechte Seite des Altars zwei jambische Trimeter, auf der linken sind vier jambische Dimeter angebracht (also eine ‚ambrosianische‘ Strophe), während sich auf der zusätzlichen Marmorplatte drei trochäische Septenare finden. Ich setze auch diese Texte der Einfachheit halber hierher:[84]

---

82 Man vgl. auch die metrische Variation in Prud. Perist., wo außer dem *Carmen figuratum* alle Formen aus Fortunats Kreuzzyklus bereits vorkommen. Das Wort *quadrigeminus* ist zuerst bei Plin. Nat. 8.85 belegt, daran angelehnt bei Sol. 27.28 und Isid. Orig. 12.4.18.

83 Zur Person des Tullius Maximus *RE* 2.7 (1939) 1315f s. v. Tullius 44) (E. Groag), Steinmetz, Peter: *Lyrische Dichtung im 2. Jh. n. Chr.* ANRW II.33.1 (1989) 259–302, 287f, Courtney, Edward: *Musa lapidaria. A selection of Latin verse inscriptions*. Atlanta 1995. (American Classical Studies 36), 347; die beiden ersten scheinen übrigens anzunehmen, dass der Legionskommandant selber der Verfasser der Verse sei. Seltsam sind dann allerdings die Spuren lokal-iberischer Latinität (wie *paramus*, vgl. unten n. 88); gut möglich deshalb, dass Maximus (wie Jahrhunderte später Radegund) einen lokalen Autor beauftragt hat, so auch Diego Santos, Francisco: *Inscripciones Romanas de la Provincia de León*. León 1986, 38.

84 Zum Text vgl. *CIL* 2.2660 = *CLE* 1526 Bücheler = *ILS* 3259f Dessau; Diego Santos (s. Anm. 83) 35–39; Pena, Maria-José: *Delia Virgo Triformis*. 329–339 in: *Mélanges Pierre Lévêque. 4. Religion*. Paris 1990. (Centre de Recherches d'Histoire Ancienne 96), 332f; Courtney (s. Anm. 83) 136–139.

a

Dianae sacrum Q. Tullius Maximus Leg(atus) Aug(usti) Leg(ionis) VII Gem(inae)
Felicis

b

Aequora conclusit campi divisque dicavit
et templum statuit tibi, Delia virgo triformis,
Tullius e Libya, rector legionis Hiberae,
ut quiret volucris capreas, ut figere cervos,
saetigeros ut apros, ut equorum silvicolentum
progeniem, ut cursu certare, ut disice ferri,
et pedes arma gerens et equo iaculator Hibero.

c

Dentes aprorum, quos cecidit, Maximus
dicat Dianae, pulchrum virtutis decus.

d

Cervom altifrontum cornua
dicat Dianae Tullius,
quos vicit in parami aequore
vectus feroci sonipede.

e

Donat hac pelli, D[iana], Tullius te Maxim[us],
rector Aeneadum, [vocamen[85]*] legio quis est [septima];*
ipse quam detrax[it urso[86]*], laude opima p[raeditus].*

Heiligtum der Diana. (Von) Q. Tullius Maximus, kaiserlicher Kommandant der 7. Legion Gemina Felix.

Die Fläche des Feldes umschlossen und den Göttern geweiht
und einen Tempel errichtet für dich, dreigestaltige Jungfrau aus Delos,
hat Tullius aus Libyen, der Führer der spanischen Legion:
damit ihm vergönnt sei, die flügelschnellen Rehe und die Hirsche zu treffen,
die borstigen Eber und der waldbewohnenden Pferde
Geschlecht, und im Schnelllauf zu streiten und mit der Schneide von Eisen,[87]
sowohl zu Fuß und in Rüstung, wie auf spanischem Pferd als Speerwerfer.

---

85 *vocamen* Huebner; *gemella* Bücheler.

86 *urso* Huebner; *apro* Bücheler, Diego Santos, Courtney; beide Ergänzungen sind grundsätzlich möglich, die Frage ist bloß, ob man die Wildschweine aus c̲ wiederholen will oder lieber etwas Neues ansetzt.

87 Das Substantiv **disex* ist ein Hapaxlegomenon, alle Deutungen sind nur Vermutungen. Neben der hier angenommenen ('Zerspalter' zu *disicere* gebildet wie *obex* zu *obicere*?), hat man auch schon den Namen einer Pferderasse oder eines Gefährts ver-

Zähne von Ebern, die er erschlagen hat, weiht Maximus
der Diana als schöne Zier seiner Kraft.

Der das Haupt hoch tragenden Hirsche Geweihe
weiht der Diana Tullius;
er hat sie in der Fläche des Hochlandes[88] überwunden,
auf einem wilden Hufeklopfer reitend.

Es schenkt dieses Fell dir, Diana, Tullius Maximus,
der Führer jener Aeneassöhne, die sich Siebente Legion nennen;
er selbst hat sie einem Bären (?) abgezogen und so herrlichen Ruhm erworben.

Natürlich liegt zwischen Tullius Maximus und Fortunat ein erheblicher zeitlicher und kultureller Abstand, auch dürfte der merowingische Poet diese Inschriften kaum gekannt haben. Dennoch fällt auf, dass der kultivierte Großwildjäger aus der Adoptivkaiserzeit in wesentlichen Punkten ähnlich verfährt wie Venantius: Auch hier werden die Verse zu den Weihegaben formal variiert, wobei bereits drei der Versmaße auftauchen, die wir auch bei Fortunat wiederfinden (stichisch gereihte Hexameter, jambische Dimeter und trochäische Septenare). Nur der jambische Trimeter fehlt bei Venantius, der stattdessen in seinem ersten Gedicht elegische Distichen schreibt – was freilich nicht nur sein Lieblingsmetrum ist, sondern das gebräuchlichste Maß der antiken Inschriftendichtung überhaupt.[89]

---

mutet, womit *ferri* anders zu deuten wäre: *auf dem disex zu reiten/fahren.* Zur Diskussion um die ganze Passage Bücheler, *CLE*, p. 723 f, *ThLL* s.v. *disex* col. 1381.10–15; Walde, Alois/Hofmann, Johann Baptist: *Lateinisches etymologisches Wörterbuch.* 3. neubearbeitete Auflage. Erster Band. A–L. Heidelberg 1938, s.v. *iacio*, 667; Diego Santos (s. Anm. 83) 37 f; Pena (s. Anm. 84) 334 f; Courtney (s. Anm. 83) 347.

88 Das Wort *paramus* begegnet hier zum ersten Mal, später noch Iul. Hon. Cosmogr. B20 p. 36, Chron. Caesaraug. Chron. II p. 222.458; spanisch taucht es als Bezeichnung einer Gegend wieder auf (El Páramo bei Leon); ob es schon hier als Name gemeint ist, muss offen bleiben, vgl. Diego Santos (s. Anm. 83) 37 f; Pena (s. Anm. 84) 333 f; Courtney (s. Anm. 83) 347 f.

89 Andere polymetrische Weihinschriften sind Courtney Nr. 143 (= *CLE* 1528 = *CIL* VI.520; aus Rom, 2. Jh.?), eine Weihung an Hermes in iambischen Trimetern, Hexametern und Hendekasyllaben, oder Courtney 151 (= *CLE* Suppl. 2151 = *CIL* VIII.27764) eine Weihung an Silvanus in Hexametern, Choriamben (Tetrameter und Trimeter) und Kretikern, vielleicht aus dem 3. Jh. aus Nordafrika; Weihungen in trochäischen Septenaren auch Courtney Nr. 134 (= *CLE* 228 = *CIL* VI.313; aus Rom) und *CLE* 229 (= *CIL* VII.952; aus dem nördlichen England), für Hercules invictus aus dem frühen 3.Jh.; eine Weihschrift in jambischen Dimetern auch *CLE* 217 (= *CIL* III Suppl. 8289; aus Dalmatien). Eine christliche Grabinschrift aus Rom vielleicht in Septenaren bei Diehl, Inscr. Lat. Chr. Vet. Nr. 3329, in iambischen Dimetern aus Cordoba (7. Jh.?) Nr. 4835 (= *CLE* 223). Über die Beziehung des Venantius zu spätantiken Versinschriften allgemein Blomgren, Sven: *Fortunatus cum elogiis collatus. De cognatione, quae est inter carmina Venantii Fortunati et poesin epigraphicam Christianam.* Eranos 71 (1973) 95–111.

Fortunats Gedichte mögen schon vom Umfang her ein ganz anderes Kaliber aufweisen als diese knappen Epigramme aus dem 2. Jh.; dennoch erinnere ich daran, dass wir bereits beim Vergleich mit rein literarischen Texten in *Pange lingua* auf Beziehungen zur Kleindichtung hadrianischer Zeit gestoßen sind. Dass Fortunats Komposition zum Lobpreis des heiligen Kreuzes in wechselnden Metren an eine solche schon pagane Tradition polymetrischer Weihungen anknüpfen konnte, ist ein naheliegender Gedanke. Selbst das *Carmen figuratum* könnte ein zusätzlicher Hinweis darauf sein, gibt es doch eine alte Tradition von etwas anders gearteten Figurengedichten, in denen die Verse gerade den Umriss eines Altars zeichnen; Beispiele dafür gibt es aus hellenistischer und hadrianischer Zeit, aber auch unter den Gedichten von Fortunats direktem Vorbild Optatianus Porfyrius.[90]

Ich habe den Hymnus *Pange lingua* bereits bei der Betrachtung seines rhetorischen Schmuckes mit einem gemmengeschmückten Reliquiar verglichen. Der Blick auf das Weihgeschenk des Tullius Maximus legt es nahe, den Vergleich auf die ganze Sequenz der Kreuzgedichte auszuweiten: Fortunats Werk ist letztlich eine Art Altar oder eine Kapelle aus Worten für das heilige Kreuz, ein poetisches Pendant zu den Vorrichtungen der Radegund und ihrer Nonnen für den Einzug der kostbaren Reliquie. Das Sprachkunstwerk der Lieder und Hymnen ist damit nicht nur ein Gefüge sprachlicher Bedeutungen, sondern trägt selbst, als geschriebener Text Objektcharakter, ist ein materielles Weihgeschenk.

Natürlich spricht das alles nicht dagegen, dass Fortunats Kreuzgedichte anlässlich der Einführung des Splitters vom Heiligen Kreuz in Poitiers entstanden sind. Ebensowenig ist es ein Einwand gegen die Möglichkeit, dass die Hymnentexte beispielsweise an der Prozession gesungen wurden – tatsächlich könnte man gerade das Palindromverhältnis, das sich zwischen den beiden Texten anzudeuten scheint, als Hinweis darauf deuten, dass die beiden Lieder vielleicht wirklich dazu bestimmt waren, bei der Prozession abwechselnd vorgetragen zu werden. Klar geworden sein dürfte gleichwohl, dass ein Text wie *Pange lingua* nicht von einer einseitig finalen Zweckbestimmung her gelesen werden darf: Der Hymnus hat liturgische Züge, doch er geht in einem solchen Vermittlungszweck nicht auf.[91] Ebensowenig, wie sich die poetische Tradition, aus der sich Fortunats Sprache speist, auf die großen Vorbilder Hilarius und Prudentius, auf die Hymnendichtung allein einengen lässt, genau wie man diesbezüglich einen viel weiteren Rahmen spätkaiserzeitlichen Dichtens in Rechnung stellen sollte, ebenso ist auch

---

90 Vgl. die *Ara Pythia* bei Opt. Porf. Carm. 26; zu dieser Tradition Polara (s. Anm. 68) 295–298.

91 Dasselbe gilt mutatis mutandis gegenüber Vermutungen (z. B. von Reydellet (s. Anm. 4) *I*, lxi n.1, Brennan (s. Anm. 37) 74), dass die Figurengedichte dazu bestimmt gewesen seien, an Wände gemalt zu werden.

der liturgische Kontext nicht der einzige, in dem der Text des *Pange lingua* gelesen werden kann, steht ein anderer, schriftbezogener Zusammenhang von allem Anfang an gleichberechtigt daneben. Dass man der liturgischen Vermittlung meist so einseitig einen hohen Stellenwert zugemessen hat, mag letztlich daran hängen, dass diese einen mündlichen Gebrauch des Gedichtes darstellt und ein altes romantisches Vorurteil das Dichten und die Mündlichkeit eng verbunden als ursprüngliche Manifestation der Sprache dem rein Schriftlich-Literatenhaften als dem Abgeleiteten und Minderwertigen entgegensetzt. Die Aufwertung der Schrift zum eigenständigen kulturellen Wert, des Buches zum Kult- und Kunstobjekt gehört jedoch gerade zu den auf das Mittelalter vorausweisenden Neuerungen der Spätantike. In der doppelten Lesbarkeit von Fortunats *Pange lingua* als mündlich-liturgischer Hymnus und als Teilstück eines als Schriftwerk durchkomponierten kleinen *Liber de laudibus Sanctae Crucis* werden wir so vielleicht doch wieder zu jener eingangs zitierten Mittlerstellung des Dichters zwischen zwei Epochen zurückgeführt.

Abstract

"Pange Lingua", the hymn to the True Cross, written by Venantius Fortunatus, is one of the few Latin poems that have been widely read from the Middle Ages up to modern times without interruption. Up to now, researchers focussed especially on the reception history or on the circumstances that gave birth to this text, included in the liturgy as a hymn sung on Good Friday. Actually it is possible, with the help of other poems by Fortunatus as well as accounts by Gregory of Tours and Baudonivia, to trace back this hymn to the time when the then queen of the Franks, Radegundis, received the True Cross relics of Poitiers, shortly after AD 565. However, the usual assumption that Fortunatus wrote the hymn for the liturgy celebrated on the occasion of the enshrinement of the relics can be questioned and differentiated in many aspects. By analysing the correlation of the text to other poems using the same metre, it appears that it implies a wide poetic tradition, going well beyond the examples, often cited alone, of Hilary of Poitiers and Prudentius, and including non-religious literary texts as well. Moreover, "Pange Lingua", in the manuscripts of the collected poems of Fortunatus, is only one out of six poems on the True Cross placed at the beginning of book two. An analysis of this context discloses a complex web of cross-references. By referring to comparative texts from the classical tradition, one can deduce that some of these poems might have been conceived as a cohesive corpus of poems praising the True Cross in different poetic forms. Consequently, besides its liturgical purpose, a specific written and literary function must be ascribed to this hymn.

La romanizzazione della Sardegna alla luce di archeologia, geologia e toponomastica

Luca Guido

1. Introduzione

In che misura è possibile analizzare il processo di Romanizzazione cui la Sardegna fu sottoposta, facendo ricorso a dei criteri interdisciplinari che si discostino dalle metodologie usate fino ad ora?

La penetrazione Romana nella cosiddetta *Romania* e nella *Barbaria* sono state studiate a vario titolo, utilizzando fonti letterarie, archeologiche, numismatiche ma anche toponomastiche e linguistiche.

Questo studio presenterà dei nuovi risultati ottenuti su base interdisciplinare. In particolare le informazioni ricavate dall'archeologia, dalla toponomastica e dalla geologia verranno confrontate le une con le altre. Lo scopo è favorire la localizzazione di ville romane ancora sconosciute. Appoggiandosi invece esclusivamente alla toponomastica, si descriverà la diffusione sul territorio sardo dei *pagi*. Entrambi i risultati serviranno ad arricchire il quadro complessivo della nostra cognizione del processo di Romanizzazione.

2. Descrizione del metodo utilizzato

Scopo principale della ricerca è da un lato lo sviluppo di un metodo interdisciplinare riproducibile anche in altre province dell'Impero Romano, dall'altro l'aumento della percentuale di successo degli scavi che permetterebbe di ridurre sensibilmente i costi connessi.

Il presente studio è stato diviso i quattro distinte fasi:

a) Inizialmente sono stati raccolti i toponimi moderni derivanti dalle parole latine *Balineum* e *Pagus*.

b) Le informazioni sulla posizione geografica e sulle caratteristiche delle acque termali sarde sono state catalogate con l'aiuto del Prof. Dr. Alessandro Cristini dell'Istituto di Geologia dell'Università degli Studi di Cagliari.

c) La posizione geografica dei toponimi è stata calcolata con l'aiuto delle carte militari dell'I.G.M. (Istituto Geografico Militare). I dati sono stati analizzati col metodo ROMA40 poiché su tale sistema si basavano le carte militari adoperate, e successivamente convertiti secondo il sistema ED50 (European Data

50) per facilitare la localizzazione dei vari punti mediante il G.P.S. (Global Positioning System).[1]

d) I dati ottenuti hanno permesso la creazione di due cartine storiche particolarmente precise della Sardegna. Mediante il programma ArcView è stato possibile georeferenziare un'immagine satellitare della N.A.S.A. (National Aeronautics and Space Administration) rappresentante la Sardegna, sulla quale le variabili utili al nostro scopo sono state indicate in forma di punti. Infine con il software CorelDraw 9 i dati sono stati ulteriormente perfezionati.

3. Presentazione dei risultati

Il punto di partenza della presente analisi è uno studio di R. J. Rowland pubblicato nel 1977.[2] Rowland tenta di stabilire mediante alcune variabili,[3] quale sia stato l'effettivo livello di Romanizzazione della Sardegna, e si chiede quanto a questo scopo sia utile ed eloquente la localizzazione degli impianti termali. Alcuni autori antichi confermano la riflessione dello studioso. In questo senso infatti *Tacitus*[4] e *Cassius Dio*[5] considerano in generale le terme quale un segno importante di civilizzazione. Mentre la ricerca di R. J. Rowland si limita ai soli resti archeologici di ville e terme, questo studio confronta direttamente quanto noto da archeologia, toponomastica e acque termali.

I dati ottenuti dalle cartine appositamente realizzate (vd. carte 1 & 2) possono essere raggruppati in quattro "livelli". Il toponimo Bangiu forma il gruppo più grande. Resti del vocabolo latino Bangiu < *balineum* sono rintracciabili quasi ovunque in Sardegna, anche nelle zone più interne. È plausibile che almeno una parte di questi nomi possa essere messa in relazione sia con *castella* che con installazioni militari di vario tipo, secondo quanto sappiamo riguardo la presenza militare romana al *limes* germanico. Questa linea di ragionamento potrebbe es-

---

1   In questa sede desidero ringraziare i Proff. Raffaela Cefalo della Facoltà di Ingegneria dell'Università di Trieste e Alessandro Cristini del dipartimento di Geologia dell'Università degli Studi di Cagliari, ed il Dr. Heiko Schmidt dell'Istituto Geografico dell'Università di Heidelberg.

2   Rowland, R. J., Jr., Aspetti di continuità culturale nella Sardegna romana, Latomus 36 (1977), 460–470. Cfr. Id., The Periphery in the Center: Sardinia on the ancient and medieval worlds. BAR (Biblioteca dell'Archivum Romanicum) International Series 970, Oxford 2001, 123 segg.

3   Quale „variabile" si intende l'insieme dei toponimi analizzati, le fonti termali e le ville romane.

4   Tac. *Agr.* 21.

5   Dio 62, 6, 4.

sere confermata dai ritrovamenti epigrafici. Nella *Barbaria* > Barbagia sono stati rinvenuti otto dei dieci diplomi militari rinvenuti in Sardegna.[6] A ciò bisogna aggiungere un' iscrizione realizzata da quella che potrebbe identificarsi con una associazione (para)militare dei *Martenses*,[7] i quali dedicarono ad *Hercules Victor* una colonna. Ad un ambiente militare potrebbe risalire anche un' iscrizione proveniente da Fonni e dedicata al dio Silvanus[8] nel cosiddetto *Nemus Sorabense*. In collegamento con quest' ultimo documento potremmo vedere il toponimo SILVANO, localizzato presso Fonni.

In primo luogo appuntiamo la nostra attenzione su tutti i nomi di luogo risalenti a < *balineum* quale criterio principale per stabilire il livello di Romanizzazione. Come mostra la carta n. 1, il toponimo è rintracciabile su ampie porzioni del territorio sardo, tranne che nelle zone più interne. Da ciò si potrebbe dedurre che nella Barbagia la presenza romana fu meno forte che nel resto dell'isola. Si noti tuttavia il consistente numero di toponimi di origine latina presenti all'interno.

Le ville romane con (presunto) impianto termale rappresentano in ogni caso un gruppo importante. La loro analisi si basa su cinque lavori[9] precedenti. Benché siano studi che non contribuiscono in maniera decisiva alla risoluzione del problema, hanno l'innegabile merito di offrire una sintesi puntuale della situazione archeologica.[10]

Di ragguardevole importanza ai fini della presente ricerca, sono anche le fonti di acqua termale di cui la Sardegna è ricca in ogni sua parte.[11]

---

6   Fatta eccezione per i due diplomi militari rinvenuti presso Olbia (CIL XVI, 60 = ILSard. I, 311; ILSard. I, 312), la maggior parte dei restanti proviene da Tortolì (CIL X 7855); Dorgali (CIL X 7890); Ilbono (CIL X 7853 e 7854); Sorgono (CIL X 7883); Anela (CIL X 7891); Fonni (CIL X 8325); Seulo (CIL XVI 127).

7   CIL X 7858 rinvenuta presso Serri.

8   ILSard. 1, 221.

9   Rowland, R. J., Jr., I ritrovamenti romani in Sardegna, Roma, 1981; Id., The archaeology of Roman Sardinia: a Selected Typological Inventory, ANRW II 11.1, Berlin – New York 1988, 740–875; Pautasso, A., Edifici termali sub ed extra urbani nelle province di Cagliari e Oristano, NBAS (Nuovo Bulletino Archeologico Sardo) 2 (1985), 201–228; Cossu, C. / Nieddu, G., Terme e ville extraurbane della Sardegna Romana, Oristano 1998; Cossu, C. / Nieddu, G., Ville e terme nel contesto rurale della Sardegna romana. L'Africa Romana. Atti del 12° Convegno di Studio. Olbia 12–15 Dicembre 1996, Sassari 1998, 611–656.

10 Per una trattazione degli edifici termali da un punto di vista epigrafico, vd.: Bonello-Lai, M., Terme e acquedotti della Sardegna romana nella documentazione epigrafica. La Sardegna nel mondo Mediterraneo. Atti del terzo convegno internazionale di studi geografico-storici, Sassari-Porto Cervo-Bono, 10–14 Aprile 1985, Sassari 1990, 27–43.

11 Cfr. Bertorino, G. / Caboi, R. / Caredda, A. M. / Cidu, R. / Fanfani, L. / Pala, A. / Pecorini, G. / Zuddas, P., Caretteri geochimici delle Acque Termali della Sardegna

Il secondo toponimo tenuto in considerazione, Pau, risale direttamente al vocabolo *pagus*[12] (vd. carta n. 2). Lo si riscontra con una notevole frequenza nella Sardegna meridionale. Anche se appare plausibile che i *pagi* durante l'antichità si trovassero quasi ovunque, il fatto che il toponimo Pau si ripeta soprattutto nel sud Sardegna potrebbe essere letto come indizio della forte diffusione in antico dei pagi nel meridione dell'isola. Dobbiamo tuttavia evidenziare che l'organizzazione dei pagi in Sardegna è praticamente sconosciuta. Due sono le fonti a disposizione della ricerca storica:

1)   Il *Codex Theodosianus* riporta per l'anno 363 una legge a proposito della Sardegna che cita i pagi dell'isola.[13]

2)   Un' iscrizione scoperta nel 1996 documenta per la prima volta l'esistenza dei pagi in Sardegna.[14] Il *titulus* attesta che i *Pagani Uneritani* dedicarono a *Iup-*

Meridionale quale primo contributo alla Prospezione Geotermica della Regione. Atti del I Seminario Informativo delle unità di ricerca di geotermia del consiglio Nazionale delle Ricerche, Roma 18–21 Dicembre 1979, Roma, 1980, 571–584; Bertorino, G. / Caboi, R. / Caredda, A. M. / Conti-Vecchi, G. / Fanfani, L. / Massoli-Novelli, R. / Zuddas, P., Caretteri idrogeochimici delle acque naturali della Sardegna meridionale. 1. Le acque del Gerrei e della Trexenta. Rendiconti Società Italiana di Mineralogia e Petrologia, 35, 2 (1979), 677–691; Bertorino, G. / Caboi, R. / Caredda, A. M. / Cidu, R. / Fanfani, L. / Zuddas, P., Caratteri idrogeochimici delle acque naturali della Sardegna meridionale. 3. Le acque della Marmilla e del Sarcidano. Rendiconti della Società Italiana di Mineralogia e Petrologia, 37, 2 (1981), 951–966; Bertorino, G. / Caboi, R. / Caredda, A. M. / Cidu, R. / Fanfani, L. / Sitzia, R. / Zanzari, A. R., (1981a) Le manifestazioni termali del Sulcis (Sardegna sud-occindetale). Periodico di Mineralogia, 50 (1981), 233–255; Bertorino, G. / Caboi, R. / Caredda, A. M. / Fanfani, L. / Gradoli, M. G. / Zuddas, P., Il fluoro nelle acque sorgive e superficiali del complesso paleozoico della Sardegna sud-orientale. Possibilità di applicazione nella prospezione idrogeochimica a fini minerari. Periodico di Mineralogia, 50 (1981), 215–232; Dettori, B. / Zanzari, A. R. / Zuddas, P., Le acque termali della Sardegna. PFE, Sottoprogetto Energia Geotermica, Pisa 1982, 56–86; Bertorino, G. / Caboi, R. / Caredda, A. M. / Cidu, R. / Fanfani, L. / Sitzia, R. / Zuddas, P., Idrogeochimica del Graben del Campidano. Ricerche Geotermiche in Sardegna con particolare riferimento al Graben del Campidano, Pisa 1982, 104–123.

12   Cfr. Pittau, M., Toponimia ed Etimologia. Quaderni Bolotanesi 28 (2002), 169.

13   Cod. Theod. 8, 5, 16: *In provincia Sardinia, in qua nulli paene discursus veredorum seu paraveredorum necessarii esse noscuntur ne provincialium status subruatur, memoratum cursum penitus amputari oportere decernimus, quem maxime* <u>*rustica plebs, id est pagi*</u> *contra publium decus, tolerarunt.*

14   *Templu[m]/ I(ovis) O(ptimi) [M(aximi)]/ Pagani Uneritan[i impensam* vel *pec(uniam)/ suam faciundu[m cura]/runt idem[que]/ dedicarunt [– – –].* L'iscrizione è stata inizialmente pubblicata da Serrelli, G., Las Plassas. Un insediamento rurale tra età antica e medioevo. Almanacco Gallurese, 7 (1999–2000), 60–63; cfr. inoltre Serrelli, G., Il rinvenimento di un'iscrizione dei *pagani Uneritani* a Las Plassas. L'Africa Romana, Atti del 14. Convegno di Studio, Sassari 7–10 Dicembre 2000. Roma 2002, 1787–1793. Suc-

piter un tempio. Purtroppo non siamo nelle condizioni di determinare l'origine dei *pagi* in Sardegna. Furono istituiti per la prima volta dai Romani oppure la loro presenza sul territorio deve farsi risalire a forme più antiche? Al di là di questo non siamo in grado di valutare come fossero organizzati i *pagi* nell'isola. Infatti è stato dimostrato che i *pagi* erano strutturati in modo diverso a seconda della provincia.[15]

4. Discussione

In che misura tutti i risultati di questo lavoro possono essere di aiuto alla ricostruzione storica? A nostro giudizio vi sono due possibilità. Da un lato possiamo limitarci ad osservare le singole variabili, rinunciando così alla cosiddetta *big picture.* Dall'altro possiamo analizzare i dati a disposizione facendo ricorso a dei controlli incrociati. In altre parole dobbiamo chiederci in che modo la posizione di toponimi quali BANGIU e PAU, delle acque termali e delle ville romane possa contribuire a migliorare il quadro delle nostre conoscenze storiche. Le carte evidenziano che le ville, le acque termali ed i toponimi BANGIU e Pau compaiono in alcuni casi nello stesso luogo. Tuttavia accade anche che soltanto due o addirittura una sola delle variabili prese in considerazione compaia in un dato luogo. In un simile caso è possibile supporre la presenza – non ancora attestata – delle o della variabile mancante: dove ad esempio siano attestati unicamente acque termali ed il toponimo BANGIU potremmo supporre la presenza di una villa sino ad ora sconosciuta. Si deve sottolineare che tale metodo aumenta la sua affidabilità in maniera direttamente proporzionale al numero di variabili conosciute.

Gli archeologi – facendo ricorso a questo modello – hanno dunque la possibilità di ritrovare un insieme di ville ancora sconosciute. Perché le ricerche non diventino inutilmente complicate si allegano a questo studio delle tabelle recanti la posizione sul reticolato geografico delle singole variabili descritte (vd. Tabelle I, II, III, IV).

---

cessivamente il testo è stato ripreso e commentato esaustivamente da: Mastino, A., *Rustica plebs id est pagi in provincia Sardinia*: il santuario rurale del *Pagani Uneritani* in Marmilla, in ΠΟΙΚΙΛΜΑ. Studi in onore di M. R. Cataudella in occasione del 60° complanno, Firenze 2001, 781–814.

15 Una ricca bibliografia sul tema è presso Mastino (cfr. n. 14). Cfr. inoltre Petracco Siccardi, G. / Petracco, G., Suddivisione pagense e organizzazione fondiaria romana in Val Nure. Archivio Storico per le Province Parmensi 35 (1983), 173–182; cfr. Zucca, R., *Neapolis* e il suo territorio, Oristano 1989, 66 e note 43–48.

Tabella I: toponimo BANGIUS<Balineum

Località Moderna	Toponimo moderno	Posizione ROMA40	Posizione ED50
1. ALES	Genna angiu	39° 45′ 33″–03° 36′ 54″	39° 45′ 38,9″–8° 50′ 16,6″
2. ALLAI	Baingheddu?	–	
3. ARBOREA	E.T.F.A.S. Azienda is Bangius	39° 47′–03° 46′	39° 47′ 05,9″–8° 41′ 10,6″
4. ARBUS	Nanni angius	39° 36′–03° 57′	39° 36′ 05,8″–8° 30′ 10,5″
5. ARBUS	S'Angiarxia	39° 43′ 51″–03° 57′ 48″	39° 43′ 56,8″–8° 29′ 22,5″
6. ARZACHENA	Punta Baignoni?	41° 05′ 45″–02° 59′ 24″	41° 05′ 50,9″–9° 27′ 46,6″
7. ASSEMINI	Aingiu mannu?	–	
8. BARÌ SARDO	Casa angius	39° 49′ 00″–02° 49′ 05″	39° 49′ 05,9″–9° 38′ 05,7″
9. BARUMINI	Is Bangius	39° 42′ 10″–03° 25′ 30″	39° 42′ 15,8″–9° 01′ 40,6″
10. BARUMINI	Bangiu	–	
11. BAULADU	Bianzus?	40° 01′ 14″–03° 47′ 11″	40° 01′ 19,8″–8° 39′ 59,5″
12. BENETUTTI	Banzos	40° 23′ 59″–03° 16′ 50″	40° 24′ 04,9″–9° 10′ 20,6″
13. BENETUTTI	Su Banzu mazzore	40° 25′ 24″– 03° 19′ 58″	40° 25′ 29,9″ – 09° 07′ 12,6″
14. BOLOTANA	Su anzu	40° 16′ 45″–03° 29′ 36″	40° 16′ 50,8″–8° 57′ 34,6″
15. BORTIGALI	Rocca lunga de sa banziga?	40° 16′ 56″–03° 36′ 56″ ▼	40° 17′ 01,8″–8° 50′ 14,5″ ▼
16. BOSA	Funt.na Su Anzu	40° 17′ 30″–03° 54′ 55″	40° 17′ 35,9″–8° 32′ 15,6″
17. BOSA	C.sta Su Anzu	40° 17′ 24″–03° 54′ 55″	40° 17′ 29,9″–8° 32′ 15,6″
18. BUDDUSÒ	R. Sa banziga?	40° 32′ 39″–03° 13′ 43″	40° 32′ 44,9″–9° 13′ 27,7″
19. BULTEI	Rio ziu anzogu?	40° 26′ 59″–03° 20′ 55″	40° 27′ 04,9″–9° 06′ 15,6″
20. CAGLIARI	Cuccuru angius	39° 16′ 49″–03° 19′ 16″	39° 16′ 54,9″–9° 07′ 54,7″
21. CALANGIANUS	R. Bagni	40° 55′ 19″–03° 15′ 34″ ▼	40° 55′ 24,9″–9° 11′ 36,6″ ▼
22. CAPOTERRA	Aingiu mannu?		
23. CARBONIA	Conca is angius	39° 11′ 35″–04° 00′ 26″	39° 11′ 40,8″–8° 26′ 44,5″
24. CARBONIA	Medau margiani angius	39° 14′–03° 55′	39° 14′ 05,8″–8° 32′ 10,6″
25. CARGEGHE	Casa banzasu	40° 40′ 17″–03° 48′ 20″	40° 40′ 22,9″–8° 38′ 50,5″
26. CASTELSARDO	Lu Bagnu	40° 54′ 10″–03° 45′ 46″	40° 54′ 15,9″–8° 41′ 24,5″
27. CODRONGIANUS	Su anzu	40° 38′ 38″–03° 45′ 50″	40° 38′ 43,9″–8° 41′ 20,5″
28. COLLINA	Santa Maria Angiargia	39° 38′ 59″–03° 38′ 01″	39° 39′ 04,9″–8° 49′ 09,6″
29. COSSOINE	Funtana su anzu	40° 25′ 03″–03° 44′ 41″	40° 25′ 08,9″–8° 42′ 29,5″
30. CUGLIERI	Tanca de su Anzu	40° 11′ 52″–03° 54′ 29″	40° 11′ 57,8″–8° 32′ 41,5″
31. DECIMOPUTZU	Rio Angiargia	39° 20′ 10″–03° 32′ 05″ ▼	39° 20′ 15,8″–8° 55′ 05,6″ ▼
32. DONIGALA SIURGUS	Bangiolu	39° 36′ 45″–03° 16′ 31″	39° 36′ 50,8″–9° 10′ 39,6″
33. DONIGALA SIURGUS	Rio Bangiolu	39° 36′ 45″–03° 16′ 15″	39° 36′ 50,8″–9° 10′ 55,6″
34. DONIGALA SIURGUS	Su Bangiu	39° 35′ 50″–03° 15′ 55″ ▼	39° 35′ 55,8″–9° 11′ 15,6″ ▼
35. DONORI	S. Maria Bangiargia	39° 27′ 15″–03° 19′ 05″	39° 27′ 20,8″–9° 08′ 05,6″
36. DORGALI	Su anzu	40° 19′ 11″–02° 50′ 12″	40° 19′ 16,9″–9° 36′ 58,6″
37. ESPORLATU	Banzos	40° 21′ 59″–03° 25′ 52″	40° 22′ 04,9″–9° 01′ 18,6″
38. FLORINAS	Banzos	40° 38′ 58″–03° 56′ 40″	40° 39′ 03,9″–8° 30′ 30,5″
39. FURTEI	Is Bangius	39° 33′ 48″–03° 30′ 19″ ▼	39° 33′ 53,9″–8° 56′ 51,7″ ▼
40. GIBA	Case angius	39° 04′ 28″–03° 46′ 48″	39° 04′ 33,8″–8° 40′ 22,6″
41. GONNESA	Nuraghe is bangius	39° 13′ 34″–04° 01′ 35″	39° 13′ 39,8″–8° 25′ 35,6″
42. GONNESA	S'arrus de is bangius	39° 13′–04° 01′	39° 13′ 05,8″–8° 26′ 10,6″
43. GUASILA	Funtana bangiu	39° 31′ 52″–03° 25′ 01″	39° 31′ 57,8″–9° 02′ 09,6″
44. GUASILA	Bangiu	39° 31′–03° 24′	39° 31′ 05,8″–9° 03′ 10,6″

Fortsetzung Tabella I

Località Moderna	Toponimo moderno	Posizione ROMA40	Posizione ED50
45. GUASILA	Riu Bangius		
46. GUSPINI	Bangius	39° 32′ 20″–03° 49′ 35″ ▼	39° 32′ 25,8″–8° 37′ 35,5″ ▼
47. IGLESIAS	Angiorgio?		
48. IGLESIAS	Bangioi	39° 19′ 43″–03° 57′ 25″	39° 19′ 48,8″–8° 29′ 45,6″
49. IGLESIAS	Casa angioi?	39° 19′ 20″–03° 52′ 53″	39° 19′ 25,8″–8° 34′ 17,6″
50. IGLESIAS	Angius	39° 17′ 53″–03° 53′ 22″	39° 17′ 58,8″–8° 33′ 48,6″
51. ILBONO	Casa angius?	39° 53′ 24″–02° 55′ 35″	39° 53′ 29,9″–9° 31′ 35,7″
52. ISILI	Bangius	39° 44′ 24″–03° 20′ 43″ ▼	39° 44′ 29,8″–9° 06′ 27,6″ ▼
53. ITTIRI	S'Adde de sas Banzicas	40° 36′ 31″–03° 53′ 13″	40° 36′ 36,9″–8° 33′ 57,5″
54. JERZU	Dominig'angius?		
55. LOCERI	Ortali is Bangius	39° 51′ 24″–02° 52′ 10″ ▼	39° 51′ 29,9″–9° 35′ 00,7″ ▼
56. LUNAMATRONA	Rio Anzana	39° 38′ 50″–03° 33′ 08″ ▼	39° 38′ 55,9″–8° 54′ 02,7″ ▼
57. MANDAS	Nuraghe su aingiu?	39° 36′ 58″–03° 18′ 38″	39° 37′ 03,8″–9° 08′ 32,6″
58. MANDAS	Su Bangiu	39° 39′ 15″–03° 19′ 30″ ▼	39° 39′ 20,8″–9° 07′ 40,6″ ▼
59. MANDAS	Riu Bangiu	→	→
60. MARRUBIU	Muru de Bangiu	39° 44′ 53″–03° 49′ 02″ ▼	39° 44′ 58,8″–08° 38′ 08,5″ ▼
61. MODOLO	Anzu		
62. MODOLO	Costa su anzu	40° 17′–03° 54′	40° 17′ 05,9″–8° 33′ 10,6″
63. MODOLO	Funtana su anzu	40° 17′ 30″–03° 54′ 55″	40° 17′ 35,9″–8° 32′ 15,6″
64. MONASTIR	Riu Angiargia?		
65. MONSERRATO	Cuccuru angius		
66. NARBOLIA	Funtana su anzu	40° 02′ 13″–03° 55′ 16″	40° 02′ 18,8″–8° 31′ 54,5″
67. NARBOLIA	Rio Banzu		
68. NARBOLIA	Su Anzu	40° 00′ 28″–03° 55′ 43″	40° 00′ 33,8″–8° 31′ 27,5″
69. NARCAO	S'ega ant.ni angiu?	39° 10′ 06″–03° 46′ 35″ ▼	39° 10′ 11,8″–8° 40′ 35,6″ ▼
70. NEONELI	Suangiu?	40° 03′ 50″–03° 30′ 21″ ▼	40° 03′ 55,9″–8° 56′ 49,6″ ▼
71. NULVI	Banzos	40° 46′ 40″–03° 41′ 59″	40° 46′ 45,9″–8° 45′ 11,5″
72. NULVI	Tiu anzos		
73. NURAGUS	Bangiu		
74. NURAGUS	Rio Bangiu	39° 46′ 41″–03° 23′ 20″	39° 46′ 46,8″–9° 03′ 50,6″
75. NURALLAO	Bangiu		
76. OLBIA	Bagnaccia	41° 00′ 40″–03° 00′ 29″	41° 00′ 45,9″–9° 26′ 41,6″
77. OLIENA	Su vangiu?	40° 18′ 30″–03° 02′ 55″	40° 18′ 35,9″–9° 24′ 15,6″
78. ORANI	Bagni oddini	40° 18′ 09″–03° 24′ 07″	40° 18′ 14,9″–9° 03′ 03,6″
79. ORANI	Sa badde sos bagnos	40° 14′ 56″–03° 16′ 26″ ▼	40° 15′ 01,9″–9° 10′ 44,7″ ▼
80. ORANI	Sos bagnos	→	→
81. ORANI	Sos banzigheddos?	→	→
82. OROTELLI	Banzos	40° 18′ 21″–03° 24′ 01″	40° 18′ 26,9″–9° 03′ 09,6″
83. ORTACESUS	Bangiu		
84. ORTACESUS	Cuccuru bangius		
85. ORTACESUS	Funtana bangius	39° 31′ 05″–03° 21′ 08″	39° 31′ 10,8″–9° 06′ 02,6″
86. ORTACESUS	Pardu bangius	39° 30′–03° 21′	39° 30′ 05,8″–9° 06′ 10,6″
87. ORTACESUS	Pauli bangius		
88. ORTACESUS	Predi bangiu		
89. OSCHIRI	Li bagni		
90. OSCHIRI	Monte sos banzos	40° 41′ 27″–03° 15′ 08″	40° 41′ 32,9″–9° 12′ 02,6″
91. OSILO	Bainzolo?		
92. OTTANA	Banzelio	40° 12′ 59″–03° 25′ 11″	40° 13′ 04,9″–9° 01′ 59,6″
93. PADRIA	Su anzu	40° 23′ 49″–03° 53′ 10″	40° 23′ 54,9″–8° 34′ 00,6″

Fortsetzung Tabella I

Località Moderna	Toponimo moderno	Posizione ROMA40	Posizione ED50
94. PATTADA	Nuraghe anzu	40° 36′ 20″–03° 22′ 41″	40° 36′ 25,9″–9° 04′ 29,6″
95. PATTADA	R. sos vanzos?		
96. PATTADA	Riu Sos vanzos		
97. PERFUGAS	Rio Anzos	40° 48′ 57″–03° 33′ 20″	40° 49′ 02,9″–8° 53′ 50,5″
98. PLOAGHE	Monte anzu	40° 41′ 44″–03° 41′ 01″	40° 41′ 49,9″–8° 46′ 09,5″
99. PORTOSCUSO	Conca is angius	39° 11′ 35″–04° 00′ 26″	39° 11′ 40,8″–8° 26′ 44,5″
100. PULA	Bangiarubiu	38° 56′ 55″–03° 30′ 58″	38° 57′ 00,8″–8° 56′ 12,7″
101. PUNTA SÈBERA	Perda Medau Angiu	39° 04′ 37″–03° 31′ 36″	39° 04′ 42,8″–8° 55′ 34,7″
102. RIOLA SARDO	Anzu		
103. RIOLA SARDO	Su anzu	40° 00′ 29″–03° 55′ 42″	40° 00′ 34,8″–8° 31′ 28,5″
104. SAMASSI	Santu Angius?	39° 29′–03° 31′	39° 29′ 05,9″–8° 56′ 10,7″
105. SAMASSI	Funtana Angeledda	39° 28′ 21″–03° 34′ 23″	39° 28′ 26,9″–8° 52′ 47,7″
106. SAMATZAI	Costa angius	39° 28′ 59″–03° 25′ 05″ ▼	39° 29′ 04,8″–9° 02′ 05,6″ ▼
107. SAN BASILIO	Mitza su angiu		
108. SAN NICOLÒ D'ARCIDANO	Bau angius	39° 41′ 02″–03° 48′ 35″ ▼	39° 41′ 07,8″–8° 38′ 35,5″ ▼
109. SAN NICOLÒ GERREI	Casa Angius?	39° 27′ 07″–03° 10′ 15″	39° 27′ 12,8″–9° 16′ 55,6″
110. SAN VITO	Riu accu is angius		
111. SANT'ANDREA FRIUS	Bangius	39° 28′ 31″–03° 16′ 54″ ▼	39° 28′ 36,8″–9° 10′ 16,6″ ▼
112. SANTULUSSURGIU	Banzos	40° 07′ 31″–03° 45′ 50″	40° 07′ 36,9″–8° 41′ 20,6″
113. SANTULUSSURGIU	Nuraghe banzos	40° 07′ 30″–03° 45′ 15″	40° 07′ 35,9″–8° 41′ 55,6″
114. SEDILO	Rio bangius	40° 11′ 23″–03° 29′ 48″	40° 11′ 28,9″–8° 57′ 22,6″
115. SEDINI	Bagnu		
116. SENEGHE	Banzos	40° 04′ 49″–03° 50′ 20″ ▼	40° 04′ 54,8″–8° 36′ 50,5″ ▼
117. SENNORI	Su anzu	40° 49′ 09″–03° 47′ 56″	40° 49′ 14,9″–8° 39′ 14,5″
118. SENORBÌ	Bangius		
119. SENORBÌ	Su bangius	39° 31′–03° 20′	39° 31′ 05,8″–9° 07′ 10,6″
120. SERRAMANNA	P.zo Bangialudu	39° 27′ 05″–03° 35′ 14″	39° 27′ 10,9″–8° 51′ 56,7″
121. SERRENTI	Santus angius?	39° 30′ 03″–03° 30′ 23″	39° 30′ 08,9″–8° 56′ 47,7″
122. SILIGO	Banzos	40° 34′ 15″–03° 43′ 39″	40° 34′ 20,9″–8° 43′ 31,5″
123. SILIQUA	Rio de banziana?	39° 18′ 01″–03° 38′ 39″ ▼	39° 18′ 06,8″–8° 48′ 31,6″ ▼
124. SIMALA	Merangius?	39° 44′ 05″–03° 36′ 07″	39° 44′ 10,9″–8° 51′ 03,6″
125. SINDIA	Bangiu	40° 17′ 47″–03° 47′ 45″ ▼	40° 17′ 52,9″–8° 39′ 25,6″ ▼
126. SINISCOLA	Cuile su anzu	40° 29′ 24″–02° 41′ 40″	40° 29′ 29,9″–9° 45′ 30,7″
127. SINNAI	Is bengius ?	39° 20′ 09″–03° 09′ 57″	39° 20′ 14,9″–9° 17′ 13,7″
128. SIURGUS DONIGALA	Angialis?	39° 33′–03° 17′	39° 33′ 05,8″–9° 10′ 10,6″
129. SIURGUS DONIGALA	Rio Bangiolu	39° 36′ 45″–03° 16′ 15″	39° 36′ 50,8″–9° 10′ 55,6″
130. SOLARUSSA	Pozzi Angius	39° 57′ 16″–03° 45′ 52″ ▼	39° 57′ 21,9″ – 08° 41′ 18,6″ ▼
131. SORGONO	Funtana angiu		
132. SORGONO	Su angiu	40° 02′ 06″–03° 27′ 57″ ▼	40° 02′ 11,9″–8° 59′ 13,6″ ▼
133. SORSO	Bagnu	40° 48′ 20″–03° 55′ 23″	40° 48′ 25,9″–8° 31′ 47,5″
134. SUELLI	Rio Bangiu	39° 33′ 44″–03° 19′ 11″ ▼	39° 33′ 49,8″–9° 07′ 59,6″ ▼
135. SUELLI	Su bangiu	→	→
136. TALANA	Funtana Marganiangius	39° 59′ 09″–02° 51′ 46″	39° 59′ 14,9″–9° 35′ 24,7″
137. TELTI	R. Bagni	40° 52′ 30″–03° 05′ 59″ ▼	40° 52′ 35,9″–9° 21′ 11,6″ ▼

Fortsetzung Tabella I

Località Moderna	Toponimo moderno	Posizione ROMA40	Posizione ED50
138. Tempio Pausania	Monte lu bagnu	41° 00′ 07″–03° 20′ 09″	41° 00′ 13,0″–9° 07′ 01,6″
139. Tempio Pausania	Punta di S. Baignu?		
140. Tempio Pausania	Punta baigneddu?		
141. Tempio Pausania	R. Baingeddu?		
142. Terralba	Bau angius	39° 41′ 40″–03° 50′ 21″	39° 41′ 45,8″–8° 36′ 49,5″
143. Tertenia	Bruncu su engiu?	39° 39′ 14″–03° 50′ 50″	39° 39′ 19,8″–8° 36′ 20,5″
144. Torralba	Funtana banzighedda?		
145. Torralba	Nuraghe banzalza	40° 28′ 45″–03° 40′ 16″	40° 28′ 50,9″–8° 46′ 54,5″
146. Tuili	Bangiu	39° 42′ 50″–03° 29′ 29″ ▼	39° 42′ 55,9″–8° 57′ 41,7″ ▼
147. Uri	Banzos	40° 38′ 58″–03° 56′ 40″	40° 39′ 03,9″–8° 30′ 30,5″
148. Usini	S'angiu	40° 39′ 50″–03° 54′ 41″ ▼	40° 39′ 55,9″–8° 32′ 29,5″ ▼
149. Vallermosa	Mitza angius	39° 24′ 01″–03° 39′ 51″	39° 24′ 06,9″–8° 47′ 19,6″
150. Villacidro	Bangiu	39° 26′ 13″–03° 42′ 14″	39° 26′ 18,9″–8° 44′ 56,6″
151. Villagrande Strisaili	Angia	39° 57′ 38″–02° 56′ 42″ ▼	39° 57′ 43,9″–9° 30′ 28,7″ ▼
152. Villanova Monteleone	Badde angiales?	40° 26′ 40″–03° 59′ 20″	40° 26′ 45,9″–8° 27′ 50,5″
153. Villanova-franca	Riu Bangius	39° 37′ 02″–03° 25′ 50″	39° 37′ 07,8″–9° 01′ 20,6″
154. Villaputzu	Cuili angius?	39° 29′–03° 50′	39° 29′ 05,8″–8° 37′ 10,5″
155. Villasalto	Casa angius?	39° 29′ 43″–03° 05′ 22″	39° 29′ 48,9″–9° 21′ 48,7″
156. Villasor	Angiargia		
157. Villasor	Riu Angiargia	39° 22′ 05″–03° 29′ 05″	39° 22′ 10,8″–8° 58′ 05,6″

▼ = posizione stimata

→ = vd. sopra

Tabella II: Posizione delle fonti termali

Località	Posizione ROMA40	Posizione ED50
1. Casteldoria	40° 53′ 57″–03° 33′ 08″	40° 54′ 03,0″ –08° 54′ 02,5″
2. Pozzo 2 Perfugas	40° 50′ 18″–03° 32′ 57″	40° 50′ 23,9″–08° 54′ 13,5″
3. Pozzo 7 Perfugas	40° 50′ 22″–03° 32′ 47″	40° 50′ 27,9″–08° 54′ 23,5″
4. Pozzo 8 Perfugas	40° 54′ 24″–03° 31′ 41″	40° 54′ 29,9″–08° 55′ 29,5″
5. Abba Meiga	40° 45′ 16″–04° 02′ 34″	40° 45′ 21,9″–08° 24′ 36,5″
6. Mattarghentu	40° 39′ 38″–04° 06′ 35″	40° 39′ 43,9″–08° 20′ 35,5″
7. San Martino	40° 41′ 10″–03° 46′ 50″	40° 41′ 15,9″–08° 40′ 20,5″
8. Sorgente Montes	40° 40′ 52″–03° 46′ 15″	40° 40′ 57,9″–08° 40′ 55,5″
9. Othila	40° 40′ 28″–03° 41′ 16″	40° 40′ 33,9″–08° 45′ 54,5″
10. Santa Lucia	40° 26′ 55″–03° 35′ 38″	40° 27′ 00,9″–08° 51′ 32,5″
11. Gall. Temo–Cuga	40° 30′ 55″–03° 58′ 40″	40° 31′ 00,9″–08° 28′ 30,5″
12. Abbarghente	40° 26′ 51″–03° 50′ 15″	40° 26′ 56,9″–08° 36′ 55,6″
13. Mattagiana	40° 19′ 24″–03° 55′ 16″	40° 19′ 29,9″–08° 31′ 54,6″
14. Su Banzu	40° 19′ 12″–02° 50′ 00″	40° 19′ 17,9″–09° 37′ 10,6″
15. Su Banzu mazzore	40° 25′ 24″–03° 19′ 58″	40° 25′ 29,9″–09° 07′ 12,6″
16. Bagni Oddini	40° 18′ 09″–03° 24′ 06″	40° 18′ 14,9″–09° 03′ 04,6″
17. Fonte Caddas	39° 59′ 43″–03° 38′ 45″	39° 59′ 48,9″–08° 48′ 25,6″
18. S. M. de Is Acquas	39° 46′ 50″–03° 41′ 15″	39° 46′ 55,9″–08° 45′ 55,6″
19. S'Acquacotta	39° 24′ 25″–03° 37′ 40″	39° 24′ 30,9″–08° 49′ 30,6″
20. Sa Guardia	39° 15′ 00″–03° 31′ 50″	39° 15′ 05,8″–08° 55′ 20,6″
21. Su Concali S. Maria	39° 16′ 05″–03° 32′ 15″	39° 16′ 10,8″–08° 54′ 55,6″
22. S'Ollastu	39° 19′ 40″–03° 35′ 50″	39° 19′ 45,8″–08° 51′ 20,6″
23. Sa Canna	39° 14′ 40″–03° 35′ 00″	39° 14′ 45,8″–08° 52′ 10,6″
24. Colombo 5	39° 32′ 25″–03° 40′ 15″	39° 32′ 30,9″–08° 46′ 55,6″
25. Colombo 3	39° 32′ 25″–03° 40′ 15″	39° 32′ 30,9″–08° 46′ 55,6″
26. Rodio 1	39° 32′ 25″–03° 40′ 15″	39° 32′ 30,9″–08° 46′ 55,6″
27. Acqued. Decimoputzu	39° 20′ 05″–03° 32′ 15″	39° 20′ 10,8″–08° 54′ 55,6″
28. Cartiera Marras	39° 19′ 56″–03° 49′ 10″	39° 20′ 01,8″–08° 38′ 00,6″
29. Caputacquas	39° 16′ 35″–03° 50′ 27″	39° 16′ 40,8″–08° 36′ 43,6″
30. Zinnigas	39° 14′ 50″–03° 41′ 05″	39° 14′ 55,8″–08° 46′ 05,6″
31. ESAF Riu Murtas	39° 10′ 55″–03° 44′ 30″	39° 11′ 00,8″–08° 42′ 40,7″
32. Perdu Spada	39° 10′ 50″–03° 44′ 30″	39° 10′ 55,8″–08° 42′ 40,7″
33. Perdu Mannu	39° 10′ 55″–03° 42′ 40″	39° 11′ 00,8″–08° 44′ 30,7″
34. Peppi Marroccu	39° 10′ 20″–03° 42′ 10″	39° 10′ 25,8″–08° 45′ 00,7″
35. Acquacallenti sup.	39° 09′ 05″–03° 41′ 05″	39° 09′ 10,8″–08° 46′ 05,7″
36. Campu de Pisanu	39° 03′ 20″–03° 48′ 48″	39° 03′ 25,8″–08° 38′ 22,6″
37. Fonte Cadda	39° 04′ 10″–03° 47′ 39″	39° 04′ 15,8″–08° 39′ 31,6″
38. Is Perdas	39° 12′ 27″–03° 57′ 07″	39° 12′ 32,8″–08° 30′ 03,6″
39. Rio Cannas	39° 10′ 15″–03° 55′ 10″	39° 10′ 20,8″–08° 32′ 00,5″
40. Caputacquas Barbusi	39° 12′ 58″–03° 55′ 50″	39° 13′ 03,8″–08° 31′ 20,6″
41. S'Acqua Frisca	39° 04′ 13″–03° 47′ 13″	39° 04′ 18,8″–08° 39′ 57,6″
42. Nuraxi Figus	39° 12′ 27″–04° 00′ 28″	39° 12′ 32,8″–08° 26′ 42,6″
43. Maladroxia	38° 59′ 45″–04° 00′ 15″	38° 59′ 50,8″–08° 26′ 55,6″

Tabella III: Posizione delle ville con annesso impianto termale

Località	Toponimo	Posizione ROMA40	Posizione ED50
1. ALGHERO (P. TO CONTE)	Loc. Sant'Imbenia	40° 36′ 57″–04° 15′ 45″	40° 37′ 02,9″–08° 11′ 25,4″
2. ARBUS	Loc. S'Angiarxia	39° 43′ 51″–03° 57′ 48″	39° 43′ 56,8″–08° 29′ 22,5″
3. ASSEMINI	Ischiois	39° 15′ 33″–03° 27′ 36″	39° 15′ 38,8″–08° 59′ 34,6
4. BARUMINI	Bau Perdu	39° 41′ 54″–03° 25′ 45″	39° 41′ 59,8″–09° 21′ 25,6″
5. BARUMINI	Is Bangius	39° 42′ 10″–03° 25′ 30″	39° 42′ 15,8″–9° 01′ 40,6″
6. CAPOTERRA	Su Loi	39° 08′ 03″–03° 26′ 20″	39° 08′ 08,8″–09° 00′ 50,6″
7. COLLINA	Santa Maria Angiargia	39° 38′ 59″–03° 38′ 01″	39° 39′ 04,9″–8° 49′ 09,6″
8. CUGLIERI	Tanca de su Anzu	40° 11′ 52″–03° 54′ 29″	40° 11′ 57,8″–08° 32′ 41,5″
9. DONORI	Santa Maria Bangiargia	39° 27′ 15″–03° 19′ 05″	39° 27′ 30,8″–09° 08′ 05,6″
10. GIBA	S. Pietro di Tului	39° 04′ 15″–03° 49′01″ ▼	39° 04′ 20,8″–08° 38′ 09,6″ ▼
11. GUSPINI	Loc. Urralidi	39° 35′ 20″–03° 47′ 58″	39° 35′ 25,8″–08° 39′ 12,5″
12. GUSPINI	Loc. Terra 'e Frucca *vel* Cuccuru Terrafurca	39° 31′ 25″–03° 48′ 23″	39° 31′ 30,8″–08° 38′ 47,5″
13. GUSPINI	Bangius	39° 32′ 20″–03° 49′ 35″ ▼	39° 32′ 25,8″–8° 37′ 35,5″ ▼
14. MARRUBIU	Loc. Muru de Bangius	39° 44′ 53″–03° 49′ 02″ ▼	39° 44′ 58,8″–08° 38′ 08,5″ ▼
15. NARBOLIA	Loc. Su Anzu	40° 00′ 28″–03° 55′ 43″	40° 00′ 33,8″–08° 31′ 27,5″
16. NURALLAO	Loc. Cannedu	39° 47′ 28″–03° 22′ 20″ ▼	39° 47′ 33,8″–09° 04′ 50,6″ ▼
17. ORTACESUS	Funtana Bangius	39° 31′ 05″–03° 21′ 08″	39° 31′ 10,8″–9° 06′ 02,6″
18. OTTANA	Banzos		
19. QUARTU S'ELENA	Sant'Andrea	39° 13′ 10″–03° 10′ 44″	39° 13′ 15,9″–09° 16′ 26,7″
20. RIOLA SARDO	Su Anzu	40° 00′ 29″–03° 55′ 42″	40° 00′ 34,8″–08° 31′ 28,5″
21. SAN SALVATORE	Domu 'e Cubas	39° 55′ 12″–04° 00′ 01″ ▼	39° 55′ 17,8″–08° 27′ 09,5″ ▼
22. SANT'ANDREA FRIUS	Bangius		
23. SANTADÌ-SAN PANTALEO	Loc. Figuerras	39° 04′ 45″–03° 39′ 01″ ▼	39° 04′ 50,8″–08° 48′ 09,7″ ▼
24. SANTULUSSURGIU	Banzos	40° 07′ 31″–03° 45′ 50″	40° 07′ 36,9″–08° 41′ 20,6″
25. SARDARA (COLLINA)	Loc. Santa Maria (Angiargia)	39° 38′59″–03° 38′ 01″	39° 39′ 04,9″–08° 49′ 09,6″
26. SARROCH	Antigori	39° 05′ 24″–03° 26′ 10″	39° 05′ 29,8″–09° 01′ 00,6″
27. SILIGO	N.S. di Mesumundu	40° 35′ 06″–03° 42′ 41″	40° 35′ 11,9″–08° 44′ 29,5″
28. SOLARUSSA	Pozzi Angius	39° 57′ 16″–03° 45′ 52″ ▼	39° 57′ 21,9″–08° 41′ 18,6″ ▼
29. SORSO	Loc. Santa Filitica vel Filidiga	40° 52′ 16″–03° 49′ 19″	40° 52′ 21,9″–08° 37′ 51,5″
30. SORSO	Bagnu	40° 48′ 20″–03° 55′ 23″	40° 48′ 25,9″–08° 31′ 47,5″
31. ULASSAI	Loc. S. Giorgio	39° 48′ 39″–02° 57′ 13″ ▼	39° 48′ 44,9″–09° 29′ 57,7″ ▼
32. USSANA	Loc. S. Lorenzo	39° 24′ 48″–03° 21′ 51″	39° 24′ 53,8″–09° 05′ 19,6″
33. VALLERMOSA	Loc. S. Maria	39° 22′ 03″–03° 38′ 50″	39° 22′ 08,8″–08° 48′ 20,6″
34. VILLACIDRO	Loc. Bangiu	39° 26′ 13″–03° 42′ 14″	39° 26′ 18,9″–08° 44′ 56,6″
35. VILLASIMIUS	Loc. S. Maria	39° 08′ 25″–02° 57′ 41″	39° 08′ 30,9″–09° 29′ 29,8″
36. VILLASPECIOSA	San Cromazio	39° 18′ 45″–03° 31′ 30″ ▼	39° 18′ 50,8″–08° 55′ 40,6″ ▼

▼ = posizione stimata

Tabella IV: Posizione del toponimo PAUS < Pagus

Località di attestazione	Toponimo moderno	Posizione ROMA40	Posizione ED50
1. ARBOREA	Pagu e Bonu?	39° 48′–03° 49′	39° 48′ 05,8″–8° 38′ 10,5″
2. ARBUS	Casa Pau	39° 34′ 56″–03° 54′ 31″	39° 35′ 01,8″–8° 32′ 39,5″
3. CARBONIA	Medau Pau	39° 12′ 50″–03° 59′ 13″	39° 12′ 05,8″–8° 27′ 57,6″
4. DECIMOPUTZU	Gruxi de Pau	39° 20′ 10″–03° 32′ 05″ ▼	39° 20′ 15,8″–8° 55′ 05,6″ ▼
5. GUASILA	Nuraghe Pau	39° 33′ 03″–03° 27′ 11″	39° 33′ 08,9″–8° 59′ 59,7″
6. GUASILA	Riu Pau	39° 32′ 56″–03° 27′ 11″	39° 33′ 01,9″–8° 59′ 59,7″
7. IGLESIAS	Argiola Pau	39° 19′–03° 54′	39° 19′ 05,8″–8° 33′ 10,6″
8. JERZU	Monte is paganus	39° 48′ 03″–02° 52′ 56″	39° 48′ 08,9″–9° 34′ 14,7″
9. MARRUBIU	Bena Pau	39° 45′ 33″–03° 49′ 29″	39° 45′ 38,8″–8° 37′ 41,5″
10. MURAVERA	Baccu Gennerepau	39° 29′ 02″–02° 50′ 50″	39° 29′ 07,9″–9° 36′ 20,7″
11. NARCAO	S'ega is Paus	39° 10′ 06″–03° 46′ 35″ ▼	39° 10′ 11,8″–8° 40′ 35,6″ ▼
12. PADRIA	De Pau	40° 23′ 46″–03° 49′ 20″ ▼	40° 23′ 51,9″–8° 37′ 50,6″ ▼
13. PAU	Pau	39° 47′ 28″–03° 38′ 56″	39° 47′ 33,9″–8° 48′ 14,6″
14. PERDASDEFOGU	Funtana sa Paganna?	39° 43′ 25″–03° 02′ 55″	39° 43′ 30,9″–9° 24′ 15,7″
15. PULA	Su pagano	39° 03′ 10″–03° 33′ 35″	39° 03′ 15,8″–8° 53′ 35,7″
16. PULA	Rio su Paganu	39° 03′ 00″–03° 33′ 52″	39° 03′ 05,8″–8° 53′ 18,7″
17. SAMASSI	Mori Pau	39° 28′ 54″–03° 32′ 40″ ▼	39° 28′ 59,9″–8° 54′ 30,7″ ▼
18. SAMASSI	Pau Medau	39° 28′ 45″–03° 31′ 40″	39° 28′ 50,9″–8° 55′ 30,7″
19. SANTADÌ	Monte Pau	39° 06′ 05″–03° 44′ 06″	39° 06′ 10,8″–8° 43′ 04,6″
20. SANT'ISIDORO	Riu su Pau	39° 12′–03° 09′	39° 12′ 05,9″–9° 18′ 10,7″
21. SARDARA	Terr'e Pau	39° 36′ 52″–03° 37′ 55″ ▼	39° 36′ 57,9″–8° 49′ 15,6″ ▼
22. SILIQUA	Riu gutturu de is paus	39° 11′ 25″–03° 38′ 25″	39° 11′ 30,8″–8° 48′ 45,7″
23. SOLARUSSA	Paus	39° 56′ 21″–03° 46′ 32″	39° 56′ 26,9″–8° 40′ 38,6″
24. TERTENIA	Casa de Pau	39° 41′ 24″–02° 48′ 14″	39° 41′ 29,9″–9° 38′ 56,7″
25. UTA	Riu gutturu de is paus	39° 12′ 33″–03° 34′ 41″	39° 12′ 38,8″–8° 52′ 29,6″
26. VALLERMOSA	Gora anna Pau	39° 21′ 40″–03° 38′ 14″	39° 21′ 45,8″–8° 48′ 56,6″
27. VALLERMOSA	Riu Pau	39° 23′ 25″–03° 40′ 45″	39° 23′ 30,8″–8° 46′ 25,6″
28. VALLERMOSA	Pau Cungiaus	39° 22′ 01″–03° 40′ 27″	39° 22′ 06,8″–8° 46′ 43,6″
29. VALLERMOSA	V.la Pau	39° 23′ 44″–03° 40′ 45″	39° 23′ 49,8″–8° 46′ 25,6″
30. VILLAPUTZU	Cuccuru prede Pau	39° 26′ 10″–02° 53′ 15″	39° 26′ 15,9″–9° 33′ 55,7″
31. VILLAURBANA	Calada Antoni Pau	39° 53′ 05″–03° 40′ 25″ ▼	39° 53′ 10,9″–8° 46′ 45,6″ ▼
32. VILLAVERDE	Rio Pau	39° 47′ 42″–03° 37′ 55″ ▼	39° 47′ 47,9″–8° 49′ 15,6″ ▼

▼ = posizione stimata

Abstract

To which extent can "non historical disciplines" help to find a new method of analysis for the process of Romanization in Sardinia?

The Roman presence in the so called *Romania* and in the *Barbaria* has been mainly portrayed by using literarical, archaeological, numismatic but also toponomastic and linguistic sources. This paper presents some new results on an interdisciplinary basis. Particularly the data obtained from the archaeology, toponomastic and geology as well will be compared to each other. The objective is the localisation of up to this time unknown Roman villas. Besides that we will try to understand the presence of ancient *pagi* on the Sardinian territory through the toponomastic evidence. Thus these results will make the process of Romanization in Sardinia clearer.

Aizanoi and Anatolia

Town and countryside in late late antiquity *

Philipp Niewöhner

1. Aizanoi. The problematic settlement history of an Anatolian town

Aizanoi is situated about 1,000 m above sea level in a remote valley of the Central Anatolian high plateau. The Roman town is best known for the monumental ruins of the temple of Zeus. Due to this temple, Aizanoi attracted the attention of Roman archaeologists earlier than most sites on the high plateau. Excavations started in 1926, and by 1979 not only the Roman town, but even late antique Aizanoi was considered to have been extensive and important.[1] During the ensuing last quarter of the twentieth century, refined excavation techniques revealed that almost every Roman structure was remodelled or reused during late antiquity. In spite of all this, the latest verdict on late antique Aizanoi reads rather grim: according to the current director of the excavation K. Rheidt, the settled area shrunk drastically, urban culture and functionality declined radically, and the town lost attraction and importance.[2]

Neither Rheidt's negative nor the older positive assessment of late antique Aizanoi are based on unequivocal archaeological evidence. Instead, the two contrary archaeological evaluations can be linked to two equally contrary historical conceptions of how late antique towns developed: one conception, and its most prominent representative C. Foss, are mainly concerned with the Persian and Arab incursions that the Anatolian towns had to face from the seventh century onwards.[3] This period of invasions has been labelled a 'Dark Age'. In contrast,

---

* The annotations are confined to the most relevant and – as far as possible – English publications. For more literature and a detailed presentation of the archaeological evidence see P. Niewöhner, *Aizanoi, Dokimion und Anatolien. Stadt und Land, Siedlungs- und Steinmetzwesen vom späteren 4. bis ins 6. Jh. n. Chr.* (in print).

1 R. Naumann, *Der Zeustempel zu Aizanoi* (1979), 78.

2 K. Rheidt, 'Archäologie und Spätantike in Anatolien. Methoden, Ergebnisse und Probleme der Ausgrabungen in Aizanoi', in: G. Brands – H.-G. Severin (ed.), *Die spätantike Stadt und ihre Christianisierung* (2003), 239–47, 245. 247.

3 C. Foss, 'The Persians in Asia Minor and the end of antiquity', *English historical review* 90 (1975), 721–43. Repr. in: id., *History and archaeology of Byzantine Asia Minor* (1990), I; id., 'Archaeology and the 'twenty cities' of Byzantine Asia Minor', American Journal of Archaeology 81 (1977), 469–86. Repr. in: id., op. cit., II.

the preceding fourth to sixth centuries appear as the last heyday of ancient urbanism.[4]

The other conception is presented by W. Liebeschuetz. He has studied changes in urban administration that took place within late antiquity from the fourth to the sixth centuries. Liebeschuetz comes to the conclusion that the so-called flight of the curiales[5] caused the towns to decline already during the fifth and sixth centuries.[6] These centuries are therefore set off as late late antiquity from earlier late antiquity that lasted until about A.D. 400.[7]

From all that has been said so far, it may seem that Rheidt's interpretation of the archaeological evidence in Aizanoi supports Liebeschuetz and opposes Foss. However, the picture becomes more complicated when the rural hinterland of the urban centres is also taken into consideration: Rheidt assumes that whilst Aizanoi declined, the surrounding countryside gained in importance until the once overwhelming difference between town and village was reduced to minor administrative functions and the bishop's residency.[8]

Liebeschuetz comes to the contrary conclusion: he believes that urban spending was necessary for the development of the ancient countryside. Liebeschuetz therefore thinks it 'a priori likely' that the countryside declined simultaneously with the towns during the fifth and sixth centuries.[9] Foss argues the same way, but

---

4   M. Whittow, 'Ruling the late Roman and early Byzantine city. A continuous history', *Past and present* 129 (1990), 3–29; id., 'Recent research on the late-antique city in Asia Minor. The second half of the 6th c. revisited', in: L. Lavan (ed.), *Recent research in late-antique urbanism* (2001), 137–53.

5   W. Liebeschuetz, 'The finances of Antioch in the fourth century AD', Byzantinische Zeitschrift 52 (1959), 344–56. Repr. in: id., *From Diocletian to the Arab conquest. Change in the late Roman Empire* (1990), XII; A.H.M. Jones, *The later Roman Empire 284–602. A social economic and administrative survey* (1964), II 737–57; A. Laniado, *Recherches sur les notables municipaux dans l'empire protobyzantin* (2002), 1–129.

6   J. H. W. G. Liebeschuetz, *Decline and fall of the Roman city* (2001).

7   cf. the distinction between 'the late imperial period (4th – mid-5th centuries AD)' and 'the early Byzantine period (mid-5th–mid-7th century AD)' as applied by H. Vanhaverbeke – M. Waelkens, *The chora of Sagalassos. The evolution of the settlement pattern from prehistoric until recent times* (2003), 127 n. 21 and *passim*.

8   Rheidt (s. Anm. 2) 247. Cf. C. Ratté, 'The urban development of Aphrodisias in late antiquity', in: D. Parrish (ed.), *Urbanism in western Asia Minor. New studies on Aphrodisias, Ephesos, Hierapolis, Pergamon, Perge and Xanthos* (2001), 116–47; Whittow (s. Anm. 4) 152.

9   Liebeschuetz (s. Anm. 6) 8. 70–3.

from the opposite point of departure: he points to a booming countryside as analogy to the supposedly booming towns.[10]

As far as the towns are concerned, Foss, Liebeschuetz and Rheidt deduce their different scenarios from the same archaeological evidence. The archaeological record can be interpreted both ways. Aizanoi offers a typical example: in the second half of the fifth century the northern portico of a colonnaded street was blocked off to form a smithy.[11] According to Liebeschuetz and Rheidt this indicates the collapse of urban administration and public order, and possibly economic as well as demographic recession.[12] In contrast, Foss and others refer to laws that regulated private use of public property and set down rents that had to be paid.[13] Therefore, the private occupation of public space is taken as a sign of prosperity rather than decline.[14]

As long as the interpretation of the archaeological record remains thus ambiguous, no hypothesizing will determine the real course of events.[15] The methodological problem is twofold: firstly, there is as yet no gauge by which to distinguish between prosperity and decline in late late antiquity. In the late fourth century, for example, many temples, theatres, and gymnasia fell into disrepair whilst simultaneously many churches, colonnaded streets and prestigious houses were built.[16]

---

10 C. Foss, 'The Lycian coast in the Byzantine age', Dumbarton Oaks Papers 48 (1994), 1–52, 47. Repr. in: id., *Cities, fortresses and villages of Byzantine Asia Minor* (1996), II.

11 K. Rheidt, 'Aizanoi. Bericht über die Ausgrabungen und Untersuchungen 1992 und 1993', *AA* (1995), 693–718, 712.

12 Liebeschuetz (s. Anm. 6) 39–41 including n. 52; 406. 408–9.

13 H. Saradi, 'Privatization and subdivision of urban properties in the early Byzantine centuries. Social and cultural implications', *Bulletin of the American society of papyrologists* 35 (1998), 17–43.

14 Whittow (s. Anm. 4) 19.

15 This let some scholars to suspect, the judgment of others might have been guided by political opinion: W. Liebeschuetz, 'Late antiquity and the concept of decline', *Nottingham Medieval Studies* 45 (2001), 1–11; id., "The uses and abuses of the concept of 'decline' in later Roman history, or was Gibbon politically incorrect?", in: L. Lavan (ed.) (s. Anm. 4) 233–45; L. Lavan, 'Late antique archaeology. An introduction', in: id. – W. Bowden (ed.), *Theory and practice in late antique archaeology* (2003), p. vii–xvi; L. Lavan, 'Christianity, the city, and the end of antiquity', Journal of Roman Archaeology 16 (2003), 705–10, 710; W. Liebeschuetz, 'The birth of late antiquity', *Antiquité Tardive* 12 (2004), 253–61, 260–1.

16 A.H.M. Jones, *The Greek city from Alexander to Justinian* (1940. Repr. 1967), particularly 251–8; P. Petit, *Libanius et la vie municipale a Antioche au 4e siècle après J.-C.* (1955), particularly 314–8; Jones (s. Anm. 5), particularly II 712–66; B. Ward-Perkins, 'The cities', in: *CAH* XIII² (1998), 371–410.

Until about A.D. 400 the towns 'changed', became Christian, but did not decline.[17] Did something similar also happen in the fifth and sixth centuries?

The second methodological problem arises out of archaeology itself: only small portions of towns have so far been uncovered by stratigraphical excavation. There is always the chance that an excavation has missed out on late late antique prosperity. As had happened before in the fourth century, prosperity could have moved to a different, yet unexcavated quarter.

These problems can be avoided in the countryside:[18] where a large territory with many settlements has been surveyed, the total result might yield statistical information about economy and demography that a single town cannot provide. Once the development of the countryside is known, it can be used as a gauge by which to assess the town.

2. Aizanitis. The countryside and its development

The territory of Aizanoi is called Aizanitis. It comprises the plain and the surrounding mountains up to the watersheds with Kütahya/Kotyaeion in the northeast, Pınarcık/Appia in the southeast, Gediz/Kadoi in the southwest, and ancient Tiberiopolis somewhere near modern Emet in the west (fig. 1).[19] Nowadays, the area contains about five dozen villages. Roughly half of them lie in the plain, the other half in the mountains. The villages have been surveyed thrice, twice for inscriptions,[20] and once for stonemasonry.[21]

Most of the inscriptions belong to grave stones and votives of the Roman Imperial period. Almost all of them have been found in the plain, where they denote a regularly spaced grid of rural settlements. The mountains are virtually

---

17 W. Pohl, 'The politics of change. Reflections on the transformation of the Roman world', in: id. – M. Diesenberger (ed.), *Integration und Herrschaft. Ethnische Identität und soziale Organisation im Frühmittelalter* (2002), 275–288, 284; G. Brands, 'Die spätantike Stadt und ihre Christianisierung', in: id. – H.-G. Severin (ed.) (s. Anm. 2), 1–26.

18 M. Whittow, 'Recent research on the late-antique city in Asia Minor: the second half of the 6th c. revisited', in: L. Lavan (ed.) (s. Anm. 4) 137–53, 151–2.

19 B. Levick – S. Mitchell – D. Nash – J. Potter – M. Waelkens (ed.), *Monuments from the Aezanitis* (1988), p. xvii–xxii; B. Levick – S. Mitchell – J. Potter – M. Waelkens (ed.), *Monuments from the upper Tembris valley, Cotiaeum, Cadi, Synaus, Ancyra and Tiberiopolis* (1993), p. xv–xxii.

20 ibid.; C. Lehmler – M. Wörrle, 'Neue Inschriftenfunde aus Aizanoi 3. Aizanitica minora 1', *Chiron* 32 (2002), 571–646.

21 P. Niewöhner, 'Welkende Städte in blühendem Land? Aizanoi und die Verländlichung Anatoliens im 5. und 6. Jh. n. Chr. Vorbericht über eine Untersuchung im Umland Aizanois', *AA* (2003), I 221–8.

free of Roman Imperial grave monuments and settlements (fig. 1. 2).[22] The total number of inscriptions found in the villages equals approximately two fifth of those from Aizanoi (fig. 2). A majority of the grave monuments feature reliefs as well as inscriptions and can be traced back to one metropolitan workshop in Aizanoi.[23] Apart from the grave stones and votives, no Roman Imperial or earlier stonemasonry occurs in the villages.[24]

The ancient stonemasonry other than grave stones and votives found in the modern villages of the Aizanitis is exclusively late antique. It comprises architectural sculpture and liturgical furniture. The latter accounts for at least 25 church buildings (fig. 1), most of which date to the fifth or sixth century or – in other words – late late antiquity. Ceramics and tiles identify the find spots as settlements. They were as common in the mountains as in the plain, but only in the plain do they date back to the Roman Imperial period. The number and distribution of late late antique settlements compare to those of the modern villages (fig. 1). They are probably determined by the amount and distribution of arable soil. In late late antiquity as in modern times all available ground would have been farmed.

This must have been different in the Roman Imperial period, when settlement was limited to the plain alone. In those days, only the plain could have been farmed intensively. The mountains were too far away for any but extensive use and might not have been farmed at all. By comparison, the number of settlements and the amount of intensively farmed land increased by roughly a 100 per cent during late late antiquity. This development can be attributed to an analogous growth of population for two reasons: firstly, more manpower was needed to farm the additional land. Secondly, the population increase would have been the driving force behind the move into the mountains, where farming is more difficult and less profit-yielding than in the plain.[25]

---

22 The Roman Imperial stonemasonry in the mountains to the north of Aizanoi and Ortaca (the black column to the very right in fig. 2) consists almost solely of votives to the only rural sanctuary known in the region: M. Ricl, 'Le sanctuaire des dieux saint et juste à Yaylababa köyü', *Živa antika. Antiquité vivante* 40 (1990), 157–77; Th. Drew-Bear – C. M. Thomas – M. Yıldızturan, *Phrygian votive steles* (1999), 398.

23 M. Waelkens, *Die kleinasiatischen Türsteine* (1986), 46–48; Levick – Mitchell – Nash – Potter – Waelkens (ed.) (s. Anm. 19), p. 1.

24 A few scattered examples in the villages closest to Aizanoi are components of metropolitan monuments that might have been moved as early as late antiquity.

25 For the same reasoning cf. D. Baird, 'Konya plain', *Anatolian archaeology* 4 (1998), 16; G. Tate, 'Expansion d'une société riche et égalitaire. Les paysans de Syrie du nord du 2ᵉ au 7ᵉ siècle', in: *Comptes rendus des séances de l'Académie des inscriptions et belles-lettres* (1997), 913–40, 927–9 including fig. 11; P. Castellana – R. Fernández – I. Pena, *Inventaire du Jébel Wastani. Recherches archéologiques dans la région des*

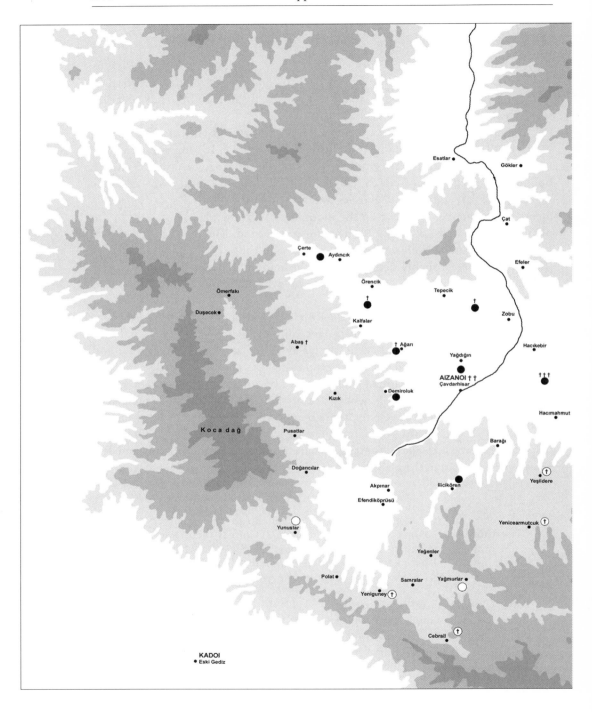

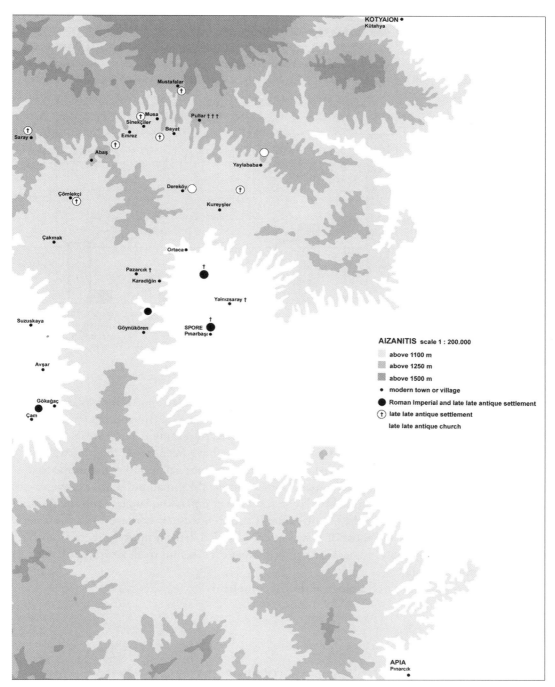

AIZANITIS scale 1 : 200.000

above 1100 m
above 1250 m
above 1500 m
● modern town or village
● Roman Imperial and late late antique settlement
(†) late late antique settlement
late late antique church

Fig. 1

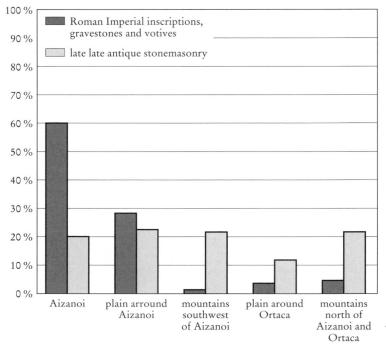

Fig. 2

In relation to Aizanoi, the countryside has yielded almost four times as much late late antique stonemasonry (fig. 2). This explains the appearance of stonemasons that worked only in one rural district, for example in the area around and to the north of Ortaca (fig. 1), and seem to have been based there instead of in Aizanoi. Much had changed since the Roman Imperial period, when stonemasonry used to be made and – apart from a comparably small number of grave stones and votives – put up exclusively in town. In comparison, late late antique Aizanoi had lost ground to the countryside. If the architectural heritage of earlier ages is discounted – and most of it was in ruins by late late antiquity – there is nothing left in the archaeological record to distinguish Aizanoi from a rural settlement in the territory.

But is the archaeological record complete?

Villes mortes de la Syrie du Nord (1999), 17–22; C. Dauphin, *La Palestine byzantine. Peuplement et populations* (1998), I 77–8; II 520–1.

3. Anatolia. Town and countryside in late late antiquity

3.1 More methodology

The last question leads back to the problem that findings from limited excavations may not reflect the condition of a town at large. This obstacle can be met by taking into account a lot of towns: the more often the same scenario is encountered, the more likely it is close to historical truth. However, the number of Anatolian towns, where any late late antique scenario may be drawn up, is small. For most places the archaeological record for the period in question is too sparse for any scenario to evolve at all.

Therefore it seems prudent to simplify matters: although a whole town may be too complex an organism for consideration, the development of some of the components like colonnaded streets are well known. Other such components are porticoed squares, public baths and lavatories, prestigious houses, town-walls, and churches. By their size and splendour they were the outstanding architectural manifestations of Anatolian urbanism in A.D. 400.[26] They distinguished a town

---

26 The constitutive components of late antique urbanism have been summarised by L. Lavan, 'The political topography of the late antique city. Activity spaces in practice', in: id. – W. Bowden (ed.) (s. Anm. 15) 314–37. Some of them are ignored in this essay because they can not be identified and/or dated with certainty. Cf. J.-P. Sodini, 'Les groupes épiscopaux de Turquie', in: *Actes du 11ᵉ Congrès international d'archéologie chrétienne* (1989), I 405–26; L. Lavan, 'The residences of late antique governors. A gazetteer', *Antiquité tardive* 7 (1999), 135–64; S. Eyice, 'Side'de bir Bizans hastahanesi mi?', *Adalya* 5 (2001/02), 153–62; C. Dorl-Klingenschmid, *Prunkbrunnen in kleinasiatischen Städten* (2001); F. A. Bauer, 'Monument und Denkmal', in: Reallexikon zur Byzantinischen Kunst VI Lfg. 45 (2001), c. 656–720. The same holds true for a continued use of theatres and stadiums, including their adaptation to animal and water games: A. Cameron, *Circus factions. Blues and Greens at Rome and Byzantium* (1976), 314–7.

Inscriptions may reflect changing 'epigraphic habits' rather than urbanistic changes: R. MacMullen, 'The epigraphic habit in the Roman Empire', American Journal of Philology 103 (1982), 233–46, 245–6; E. A. Meyer, 'Explaining the epigraphic habit in the Roman Empire. The evidence of epitaphs', Journal of Roman Studies 80 (1990), 74–96, 95–6.

C. Roueché, *Aphrodisias in late antiquity. The late Roman and Byzantine inscriptions including texts from the excavations at Aphrodisias conducted by Kenan T. Erim* (1989) and Liebeschuetz (s. Anm. 6) 11–5, insinuate that the 'epigraphic habit' and urban building developed analogous, but do not (Roueché) or fail to (Liebeschuetz (s. Anm. 6) 54) cheque with the archaeological record. For a critical review of Liebeschuetz, op. cit., see F. Kolb, *Gnomon* 76 (2004), 142–7, 143.

from a village. Was that still the case in the fifth and sixth centuries?[27] If not, had they been replaced by other, equally conspicuous markers of urban distinction?

Studying these components in isolation from their respective urban contexts means ignoring various local causes for urban change, such as earthquakes.[28] This is permissible only if the overall development was the same everywhere in spite of different local causes. In this case the ultimate cause would not have been local and affected all towns equally.[29] This is indicated by the relative distribution of towns in Anatolia that remained constant throughout late antiquity and the Byzantine era, although their absolute number fluctuated.[30]

3.2 The archaeological record

During late late antiquity Anatolian urbanism underwent a uniform decline: prestigious public and private building other than churches all but came to a standstill. Older buildings were seldom repaired. More often they were partitioned off into smaller units or left to decay. Even town walls remained gaping or were rendered useless by lean-tos on their outside perimeter. The only new buildings were churches, but they did not distinguish the towns from the countryside any more, as they had become common in rural areas too.

The countryside witnessed an unprecedented boom during the fifth and sixth centuries: the settled area and the number of settlements increased all over rural Anatolia, and the population would have done so too. This quantitative increase is demonstrated best by ceramics.[31] Ceramics have typically been surveyed in areas

---

27 This question has been answered to the confirmative by D. Claude, *Die byzantinische Stadt im 6. Jh.* (1969). Maybe Claude failed to notice the deviant development of the Anatolian towns, because he turned to the Mediterranean as a whole without first studying each region by itself.

28 The urbanistic effects of earthquakes varied: an earthquake of the later 4th century is believed to have triggered a major building boom in Ephesus: H. Thür, 'Die spätantike Bauphase der Kuretenstraße', in: O. Kresten e.a. (ed.), *Efeso paleocristiana e bizantina* (1999), 104–20, 119. In contrast, earthquakes of the 5th to 7th centuries are linked with the decline of Sagalassos: M. Waelkens, 'Sagalassos und sein Territorium', in: K. Belke e.a. (ed.), *Byzanz als Raum* (2000), 261–88, 274–5.

29 In the sense of a long term 'conjoncture' of the regional 'histoire sociale' as opposed to the short term and local 'histoire événementielle': F. Braudel, *La Méditerranée et le monde méditerranéen a l'époque de Philippe II*² (1966), I 16; II 223–4. 519–20.

30 M. F. Hendy, *Studies in the Byzantine monetary economy c. 300–1450* (1985), 71 map 14; 90–100 including maps 20–3.

31 W. Bowden – L. Lavan, 'The late antique countryside. An introduction', in: id. – C. Machado (ed.), *Recent research on the late antique countryside* (2004), p. xvii–xxvi, xxii.

with no standing remains, for example the central Anatolian high plateau. Other regions like the southern coastal provinces, where many late antique settlements have survived, bear witness to a large number of new rural churches. They testify to a qualitative improvement of rural building.

The Aizanitis links both kinds of evidence, quantitative as well as qualitative, and shows that new churches were built in the new settlements on the high plateau, too. The rural churches met the same regionally varying standards as the urban ones. For the first time architectural stonemasonry, which used to be an urban prerogative during the Roman Imperial period, became common in the countryside too.

The overall result was a convergence of settlement patterns in town and countryside. Where there are no older remains, there is nothing in the archaeological record to distinguish an urban from a rural settlement any more. This development is mirrored by contemporary sources that stopped to differentiate between towns and other places.[32] The foundation of new towns[33] indicated inflation[34] rather than an increase[35] of urbanisation. The combination of urban decline and rural prosperity may more appropriately be termed 'ruralisation'.

This did not necessarily involve a decline of urban population: small towns, that had never advanced far beyond big villages, seem to have faired well. However, in big and important towns, that used to invest a lot in architectural status symbols during the Roman Imperial period, houses and whole quarters were abandoned, especially from the middle of the sixth century onwards.

3.3 Historical conclusions

In as much as the 'Roman town' – as opposed to a Roman village or a Post-Roman town – was defined by outstanding buildings, Anatolia witnessed its 'decline and fall' in the course of the fifth and sixth centuries. Why did that happen?

The chronology supports Liebeschuetz' hypothesis, according to which the social and administrative changes known as the 'flight of the curiales' had a decisive impact. The new urban elite of 'notables', that replaced the curiales in late late

---

32 Claude (s. Anm. 27) 220; W. Brandes, *Die Städte Kleinasiens im 7. und 8. Jahrhundert* (1989), 31–5.

33 Jones (s. Anm. 5) II 718–20; Claude (s. Anm. 27) 203–21.

34 W. Brandes, 'Die Entwicklung des byzantinischen Städtewesens von der Spätantike bis zum 9. Jahrhundert', in: K.-P. Matschke (ed.), *Die byzantinische Stadt im Rahmen der allgemeinen Stadtentwicklung* (1995), 9–26, 11–2.

35 F. R. Trombley, 'Town and Territorium in Late Roman Anatolia', in: L. Lavan (ed.) (s. Anm. 4) 217–32, 230.

antiquity,[36] did obviously not care much for urban building.[37] They did build churches,[38] though, but as the greater part of this effort went into the countryside, it did more to reduce than to further urban distinctiveness.

Christianity contributed to this development in so far as it was not as dependent on towns and urban institutions[39] as the so-called *polis*-religions of old.[40] Otherwise, Christianity can hardly have been at the root of urban decline,[41] because Anatolian cities had already been thoroughly Christianised during the last urban building boom around A.D. 400.[42]

Poverty might have played a part. It seems to have increased among the urban population during late late antiquity[43] and started to appear on the political agenda of the church.[44] This and a power vacuum after the 'flight of the curiales' may have

36 Laniado (s. Anm. 5) 131–252.
37 W. Liebeschuetz, 'Oligarchies in the cities of the Byzantine East', in: M. Diesenberger – W. Pohl (ed.) (s. Anm. 17) 17–24, 21.
    For a different opinion see Whittow (s. Anm. 4) 20–9; Laniado (s. Anm. 5) 132.
38 Roueché (s. Anm. 26) p. xxv. 86–7. 123–4; J. H. W. G. Liebeschuetz, 'Administration and politics in the city of the 5th and 6th centuries with special reference to the circus factions', in: C. Lepelley (ed.), *La fin de la cité antique et le début de la cité médiévale. De la fin du 3e siècle a l'avènement de Charlemagne* (1996), 161–82, 167–8; Liebeschuetz (s. Anm. 6) 15; Laniado (s. Anm. 5) 154–60.
39 W.H.C. Frend, 'Town and countryside in early Christianity', in: D. Baker (ed.), *The church in town and countryside* (1979), 25–42. Repr. in: id., *Town and country in the early Christian centuries* (1980), I; P. Brown, *Authority and the sacred. Aspects of the Christianisation of the Roman world* (1995); P. Brown, 'The rise and function of the holy man in late antiquity. 1971–1997', *Journal of early Christian studies* 6 (1998), 353–76, 372–3.
    Deviant: K. W. Harl, 'From pagan to Christian cities of Roman Anatolia during the fourth and fifth centuries', in: Th. S. Burns – J. W. Eadie (ed.), *Urban centers and rural contexts in late antiquity* (2001), 301–22, 314–18.
40 J. Rüpke, 'Religion. X. Rom', in: *Der neue Pauly* X (2001), c. 910–7, 912; S. Mitchell, 'Ethnicity, acculturation and empire in Roman and late Roman Asia Minor', in: id. – G. Greatrex (ed.), *Ethnicity and culture in late antiquity* (2000), 117–50, 135–6; M. Maas, 'Mores et moenia. Ethnography and the decline in urban constitutional autonomy in late antiquity', in: M. Diesenberger – W. Pohl (ed.) (s. Anm. 17) 25–35, 30–1.
41 For a different opinion see Whittow (s. Anm. 4) 28–9; Mitchell (s. Anm. 40) 135–6.
42 S. Mitchell, *Anatolia. Land, men and gods in Asia Minor* (1993), II 73–84. 91–5; P. Brown, *Authority and the sacred. Aspects of the Christianisation of the Roman world* (1995), 3–26; R. MacMullen, *Christianity and paganism in the fourth to eighth centuries* (1997), 1–12. 30. 150–1.
43 E. Patlagean, *Pauvreté économique et pauvreté sociale à Byzance. 4e–7e siècles* (1977).
44 P. Brown, *Poverty and leadership in the late Roman Empire* (2002), 10. 16.

contributed to an increase of social unrest.[45] Many natural disasters and the plague possibly aggravated the situation in the course of the sixth century.[46]

However, a general economic as well as demographic recession would not have set in before the 7th century. In this respect Foss stands confirmed by the rural settlement and building boom during late late antiquity. The same holds true for a climatic change to the worse. It has been assumed that such a change led to a desertion of the countryside and subsequently caused a collapse of Anatolian urbanism during the fifth and sixth centuries.[47] The archaeological record contradicts this. If the climate did change, it probably brought more rain that enabled the extension of the farmed and settled area onto more arid ground, as has recently been suggested for the Middle East.[48]

Rural prosperity explains, why small towns continued to do moderately well,[49] as far as their urban status was based on serving as central markets for the surrounding countryside.[50] An increase in the number of towns could have resulted from the increase in rural settlements. More settlements would have necessitated additional markets, administration and bishops,[51] and these functions were commonly linked with the legal status of a town.[52]

This far, the development of town and countryside went hand in hand, as both Liebeschuetz and Foss have assumed it would. At the same time, the old 'Roman' towns lost their architectural splendour, with which they had been invested for

45 Paltlagean (s. Anm. 43) 203–31; Liebeschuetz (s. Anm. 6) 249–83. 406; Liebeschuetz (s. Anm. 37) 22.

46 Liebeschuetz (s. Anm. 6) 53. 410; M. Meier, *Das andere Zeitalter Justinians. Kontingenzerfahrung und Kontingenzbewältigung im 6. Jahrhundert n. Chr.* (2003), 326–33. 656–70; D. C. Stathakopoulos, *Famine and pestilence in the late Roman and early Byzantine empire. A systematic survey of subsistence crises and epidemics* (2004), 155–65; reviewed by M. Meier, Byzantinische Zeitschrift 97 (2004), 627–9.

47 J. Koder, 'Climatic change in the fifth and sixth centuries?', in: P. Allen – E. Jeffreys (ed.), *The sixth century. End or beginning?* (1996), 270–85.

48 Y. Hirschfeld, 'A climatic change in the early Byzantine period? Some archaeological evidence', *Palestine Exploration Quaterly* 136 (2004), 133–49.

49 Jones (s. Anm. 5) II 718–20; Claude (s. Anm. 27) 203–21.

50 cf. G. Dagron, 'Entre village et cité. La bourgade rurale des 4e–7e siècles en Orient', Κοινωνία 3 (1979), 29–52, 52. Repr. in: id., *La romanité chrétienne en Orient* (1984), VII.

51 Jones (s. Anm. 16) 85–94; J. Koder, 'The urban character of the early Byzantine empire. Some reflections on a settlement geographical approach to the topic', in: *The 17th International Byzantine congress. Major papers* (1986) 155–87; id., 'Παρατηρήσεις στην οικιστική διάθρωση της κεντρικής Μικράς Ασίας μετὰ τον 6° αιώνα. Μια προσέγγιση από την οπτική γωνία της Θεωρίας των κεντρικών τόπων', in: *Byzantine Asia Minor (6th–12th cent.)* (1998), 245–65.

52 Jones (s. Anm. 5) II 714; Koder (s. Anm. 51) 155–7; Claude (s. Anm. 27) 151–4. 219–23.

political reasons[53] until about A.D. 400. This urban splendour was obviously not linked to rural prosperity, otherwise either the former should have increased during late late antiquity, or the countryside should have faired even better during the Roman Imperial period. To the contrary, the decline of urban building seems to have been a precondition for all the many and splendid churches to be erected in the countryside. Only when the 'flight of the curiales' deprived the towns of their former political role and urban representation lost importance, were funds, marble and stonemasons released to the countryside too.[54]

In other words, until about A.D. 400 the typical 'Roman' town employed resources that were then shifted to the countryside during late late antiquity. These resources were obviously not generated by the 'Roman' town itself, otherwise they would not have been available any more during late late antiquity, when the 'Roman' town was in decline. It follows that the exclusively urban manifestation of architectural splendour until about A.D. 400 lends some meaning[55] and justification[56] to the old and much disputed label 'parasitical consumer city'.[57] During the Roman Imperial period such a 'city' made sense: It played an important political part as such and as central place of a wider *polis* that included and

53   Jones (s. Anm. 16) 227–240; Mitchell (s. Anm. 42) I 198–226.
54   W. Liebeschuetz, 'The end of the ancient city', in: J. Rich (ed.), *The city in late antiquity* (1992), 1–49, 33, notices that 'more money – or at least more labour and craftsmanship – was expended on villages in late antiquity than earlier', but is not sure 'whether the terms of economic exchange between town and country had become more favourable to the countryside'.
55   For a different opinion see C. R. Whittaker, 'The consumer city revisited. The vicus and the city', *JRA* 3 (1990), 110–7; C. R. Whittaker, 'Do theories of the ancient city matter?', in: T. Cornell – K. Lomas (ed.), *Urban society in Roman Italy* (1995), 9–26.
56   For a different opinion see C. Schuler, *Ländliche Siedlungen und Gemeinden im hellenistischen und römischen Kleinasien* (1998), 290; P. Horden – N. Purcell, *The corrupting sea. A study of Mediterranean history* (2000), 105–8.
57   This term was first fraced by W. Sombart, *Der moderne Kapitalismus. Historisch-systematische Darstellung des gesamteuropäischen Wirtschaftslebens von seinen Anfängen bis zur Gegenwart I*² (1916), 142–3; cf. M. Weber, Agrarverhältnisse im Altertum, in: *Handwörterbuch der Staatswissenschaften* ³(1909), particularly 6. 13. Repr. in: id., *Gesammelte Aufsätze zur Sozial- und Wirtschaftsgeschichte* (1924), 1–288; M. I. Finley, *The ancient economy* (1973), 125–39; H. M. Parkins, "The 'consumer city' domesticated? The Roman city in elite economic strategies", in: id. (ed.), *Roman urbanism beyond the consumer city* (1997), 83–111, 83–7; W. M. Jongman, 'The Roman economy. From cities to empire', in: L. de Blois – J. Rich (ed.), *The transformation of economic life under the Roman empire* (2002), 28–47; 44–7. The literature on the 'consumer city' is vast, for annotated bibliographies see Horden – Purcell, op. cit. (n. 56), 557–8; J. Andreau, 'Twenty years after. Moses I. Finley's The ancient economy', in: S. v. Reden – W. Scheidel (ed.), *The ancient economy* (2002), 33–49, 42.

integrated the countryside.[58] But this changed during late late antiquity. The 'flight of the curiales' deprived the *polis* and its central place, the town, of their former importance. In consequence the resources were now shared more equally between town and countryside.

Abstract

Aizanoi and other Anatolian towns witnessed a last urban building boom around A.D. 400. Colonnaded streets and squares, walls, large houses, and baths manifested urban status and distinguished towns from villages. That changed during the fifth and sixth centuries. Urban building other than churches all but came to a standstill. The existing buildings were allowed to run down and formerly prestigious houses were deserted. At the same time the countryside witnessed an unprecedented boom. The settled area and the number of settlements increased all over rural Anatolia, and the population would have done so too. Rural churches met the same regionally varying standards as the urban ones. The overall result was a convergence of settlement patterns in town and countryside. Where there are no older remains, there is nothing in the archaeological record to distinguish an urban from a rural settlement any more.

The conjunction of urban decline and rural prosperity can be observed all over Anatolia and must have had some cause of more than local significance. The last urban building boom around A.D. 400 continued a Roman tradition that was based on the overriding importance of the *polis* in the political life of the empire. That seems to have changed, after the 'flight of the curiales' left the towns with a governing body of 'notables', who took little interest in urban affairs. This may explain urban decline as well as rural prosperity: resources that had been concentrated on the towns until about A.D. 400 seem to have been shifted to the countryside in the fifth and sixth centuries. It follows that these resources had not been generated by the towns themselves, otherwise the resources would not have been available any more when the towns were in decline. This lends some new meaning and justification to the old and much disputed label of 'parasitical consumer city'.

---

58   cf. Schuler (s. Anm. 56) 290; Horden – Purcell (s. Anm. 56) 105–108; B. Dignas, 'Urban centres, rural centres, religious centres in the Greek East. Worlds apart?', in: E. Schwertheim – E. Winter (ed.), *Religion und Region. Götter und Kulte aus dem östlichen Mittelmeerraum* (2003) 77–91; P. Doukellis, 'Föderalismus in hellenistischer und römischer Zeit. Theorien und Praktiken', in: L. Aigner-Foresti – P. Siewert (ed.), *Föderalimus in der griechischen und römischen Antike* (2005) 43–79, 79.

Die Klöster der beiden Kyrai Martha und die Kirche des Bebaia Elpis-Klosters in Konstantinopel[1]

Arne Effenberger

I

Der folgende Beitrag beschäftigt sich mit einer Kirche, die zwar in palaiologischer Zeit bedeutende Veränderungen erfahren hat, jedoch im Kern der komnenischen Epoche angehört. Sie steht beispielhaft für die persönlichen Motive und Erneuerungsbestrebungen, die das Weiterleben zahlreicher mittelbyzantinischer Kirchen und Klosterstiftungen in palaiologischer Zeit ermöglicht haben.

Wir kennen zwei Damen der spätbyzantinischen Gesellschaft, die als Nonnen den Namen Martha angenommen haben.[2] Beide gehörten dem Kreis vornehmer Klosterstifterinnen der Palaiologenzeit an:[3] Die eine war Maria Palaiologina, die älteste Schwester Kaiser Michaels VIII. Palaiologos und zweite Frau des Megas Domestikos Nikephoros Tarchaneiotes, mit dem sie drei Söhne und mindestens eine Tochter hatte.[4] Bald nach der Rückeroberung von Konstantinopel

---

1   Nachgestellte Mönch- und Nonnennamen in [ ].

2   In meinem Kommentar zur Faksimile-Ausgabe des Düsseldorfer *Liber insularum archipelagi* (A. Effenberger, Die Illustrationen – Topographische Untersuchungen: Konstantinopel / İstanbul und ägäische Örtlichkeiten, in: Cristoforo Buondelmonti, Liber insularum archipelagi. Universitäts- und Landesbibliothek Düsseldorf Ms. G 13. Faksimile, hrsg. von I. Siebert/M. Plassmann. Mit Beiträgen von A. Effenberger, M. Plassmann und F. Rijkers (Schriften der Universitäts- und Landesbibliothek Düsseldorf, Bd. 38), Wiesbaden 2005, 13–89, 50, Nr. 40) hatte ich beide Marthas versehentlich in einen Topf geworfen, was hier korrigiert werden soll.

3   Siehe dazu V. Kidonopoulos, Bauten in Konstantinopel 1204–1328. Verfall und Zerstörung, Restaurierung, Umbau und Neubau von Profan- und Sakralbauten (Mainzer Veröffentlichungen zur Byzantinistik. Hrsg. von G. Prinzing, 1), Wiesbaden 1994, 237–240; A.-M. Talbot, Building Activity in Constantinople under Andronikos II: The Role of Woman Patrons in the Construction and Restoration of Monasteries, in: Byzantine Constantinople. Monuments, Topography and Everyday Life, edited by N. Necipoğlu, Leiden/Boston/Köln 2001, 329–343.

4   PLP 9 (1989) Nr. 21389 („<Palaiologina> Μάρθα"); F. Tinnefeld, Stammte Kaiser Johannes VI. Kantakuzenos von einer Tarchaneiotes-Linie ab?, ByzSlav 56 (1995), 201–208, 201–205. – Nikephoros Tarchaneiotes im PLP ohne eigenes Lemma, siehe aber I.G. Leontiades, Die Tarchaneiotai. Eine prosopographisch-sigillographische Studie (Βυζαντινὰ κείμενα καὶ μελέται, 27), Thessaloniki 1998, 61–63, Nr. 26. Er war in erster Ehe mit einer namentlich unbekannten Tochter des Andronikos Doukas Aprenos verheiratet (PLP 1 [1976] Nr. 1207) und hatte eine Tochter (die Nonne Tar-

(15. August 1261) gründete sie dort ihr Kloster.[5] Ob sie eine verfallene Anlage nur repariert hatte, wie es häufig geschah, ist nicht bekannt. Den russischen Pilgerberichten zufolge, die hierfür unsere Hauptquelle sind, erreichte man den Konvent der „Kyra Martha" auf dem Wege vom Lipskloster zur Apostelkirche über eine steile Treppe, was für eine hohe Lage spricht und eine Lokalisierung am Südwesthang des vierten Hügels nahelegt.[6] Archäologische Reste sind nicht nachweisbar.[7] Das Todesdatum der Maria-Martha ist nicht überliefert († nach 1267), doch kann vermutet werden, daß sie in ihrem Kloster begraben war. Dieses kam später in die Obhut der Kantakouzenen;[8] es diente noch lange Zeit als

---

chaneiotissa Nostongonissa: PLP 11 [1991] Nr. 27512; Leontiades, ebd., 73, Nr. 33). Zu den Kindern mit Maria-Martha siehe PLP 11 (1991) Nr. 27475 (Andronikos), 27487 (Ioannes), 27505 (Michael) und 27510 (Theodora [Theodosia]); Leontiades, ebd., 63–69, Nr. 28–31; Tinnefeld, ebd., 203, 205.

5   Zum Kloster der Kyra Martha siehe H. Delehaye, Deux typica de l'époque des Paléologues (Académie Royale de Belgique. Classe des lettres et des sciences morales et politiques. Mémoires, 13), Brüssel 1921, 3–172 (Text: 18–140), 156–157; V. Laurent, Kyra Martha. Essai de topographie et de prosopographie byzantine, EO 38 (1939), 296–320, 304–305, 316–320; R. Janin, La géographie ecclésiastique de l'empire byzantin, 1: Le siège de Constantinople et la patriarcat oecuménique, Bd. 3: Les églises et les monastères, Paris 1969, 324–326; Kidonopoulos (s. Anm. 3) 51–52 (dort die Gründungsdaten diskutiert). – Zu Martha siehe auch *Georgii Pachymeris De Michaele et Andronico Palaeologis Libri XIII*, ed. I. Bekker, Bd. 1–2, Bonn 1835, *I, 12; II, 13 und 23; IV, 18 und 19* (Bekker, Bd. 1, 33–34, 109, 127, 292 und 295) = Georges Pachymérés, *Relations Historiques*, ed. A. Failler, Bd. 1–5, Paris 1984–2000 (Failler, Bd. 1, 55, 155, 179; Bd. 2, 381, 385), wo allerdings ihr Kloster nicht erwähnt wird; *Ioannis Cantacuzeni Eximperatoris Historiarum Libri IV, ed.* Ludwig Schopen, Bd. 1–3, Bonn 1828–1832, *III, 36; IV, 16, 42 und 43* (Schopen, Bd. 2, 222,24–223,3; Bd. 3, 106,20–23; 307,11–13; 319,19–20).

6   Zu den Quellen (Stefan von Novgorod, 1348/49; russischer Anonymus, 1389/91; Diakon Zosima, 1411, 1419/20 und 1421/22) siehe G.P. Majeska, Russian travelers to Constantinople in the fourteenth and fifteenth centuries (DOS 19), Washington, D.C. 1984, 306–309, § 33.

7   S. Eyice, Sekbanbaşı İbrahim Ağa ve İstanbul'un Tarihi Topoğrafyası Hakkında bir Not (Kyra Martha Manastırı), „Fatih ve İstanbul" Dergisin 2 (1954), 139–168, 145–149, 152–153, wollte das Kyra Martha-Kloster mit der Manastır Mescidi (W. Müller-Wiener, Bildlexikon zur Topographie Istanbuls. Byzantion – Konstantinopolis – Istanbul bis zum Beginn des 17. Jahrhunderts, Tübingen 1977, 184–185) identifizieren, doch widersprechen dem die präzisen Wegbeschreibungen von Stefan von Novgorod und Zosima. Auf den Buondelmonti-Kopien ist das Kloster nicht eindeutig verzeichnet, im Text des *Liber insularum archipelagi* nicht erwähnt, vgl. Effenberger (s. Anm. 2) 18, Anm. 89; 50.

8   Ioannes Kantakouzenos (s. Anm. 5) *IV, 42* (Schopen, Bd. 3, 307,12–13) behauptet, das Kyra Martha-Kloster von seinem Vater (ἐκ πατρῴου) geerbt zu haben, vgl. D.M. Nicol, The Byzantine Family of Kantakouzenos, ca 1100–1460: A genealogical and

Bestattungsort für weibliche Angehörige des Kaiserhauses.[9] Ein Typikon ist nicht erhalten.

Die andere Martha war Maria Doukaina Komnene Branaina Palaiologina Tarchaneiotissa.[10] Ihre Eltern waren vermutlich der Megas Papias Nikolaos Komnenos Doukas Glabas Tarchaneiotes und Theodora Doukaina Branaina Glabaina.[11] Sie war verheiratet mit dem nachmaligen Protostrator Michael Doukas Glabas Tarchaneiotes.[12] Dieser ließ zwischen 1263 und 1281 das Pammakari-

---

prosopographical study (DOS 11), Washington, D.C., 1968, 30, 139, 140; dagegen betont Tinnefeld (s. Anm. 4) 205, Anm. 24, dass ἐκ πατρῴου auch auf mütterliche Vorfahren bezogen werden könne. – Zur Frage, ob Theodora Palaiologina Angelina Kantakouzene, die Mutter Kaiser Ioannes' VI. Kantakouzenos, über ihre Mutter eine Enkelin der Kyra Martha war, siehe J.-L. van Dieten, Nikephoros Gregoras, Rhomäische Geschichte. Historia Rhomaike, 2. Teil, 1. Halbbd. (Kapitel VIII–XI), Stuttgart 1979, 119, Anm. 27, und Tinnefeld (s. Anm. 4) 205–206 (ders., Nochmals zur Kantakouzenos-Tarchaneiotes-Frage, Bsl 57 [1996] 282–283). Die Zurückweisung dieser These durch Leontiades (s. Anm. 4) 82–83, ist nicht überzeugend. Der aus dem frühen 14. Jahrhundert stammende Eintrag in der Münchener Pachymeres-Handschrift (Cod. Monac. Gr. 442, fol. 101v) belegt eindeutig, daß Martha die προμάμμη (Urgroßmutter) des Ioannes Kantakouzenos war; vgl. A. Heisenberg, Aus der Geschichte und Literatur der Paloiologenzeit (Sitzungsberichte der Bayerischen Akademie der Wissenschaften, Philosoph.-philolog. und hist. Klasse, 10), München 1920, 11.

9   Hier waren bestattet: 1.) Theodora Palaiologina Angelina Kantakouzene († 6. Jan. 1342): PLP 5 (1981) Nr. 10942; Tinnefeld (s. Anm. 4) 204. – 2.) Theodora Palaiologina [Theodosia] († nach 1342), Tochter Michaels IX. Palaiologos und der Rita-Maria Doukaina Palaiologina, Frau Michails III. Sisman: PLP 9 (1989) Nr. 21379. – 3.) Eirene Kantakouzene [Eugenia] († zwischen 1363 und 1379), Frau Ioannes' VI. Kantakouzenos: PLP 5 (1981) Nr. 10935. – 4.) Maria Kantakouzene († nach 1379), Tochter Ioannes' VI. Kantakouzenos und der Eirene Asania Kantakouzene, Frau Nikephoros II. von Epiros: PLP 7 (1985) Nr. 16885. – 5.) Helene Kantakouzene [Hypomone] († Aug. 1397), 2. Tochter Ioannes' VI. Kantakouzenos und der Eirene Asania Kantakouzene, 1. Frau Ioannes' V. Palaiologos: PLP 9 (1989) Nr. 21365. – 6.) Zoë Paraspondyle († Jan. 1440), Frau Demetrios' II. Palaiologos, Despot von Morea: PLP 3 (1978) Nr. 6646.

10   PLP 2 (1977) Nr. 4202 = PLP 11 (1991) Nr. 27511; vgl. Laurent (s. Anm. 5) 297–305; Leontiades (s. Anm. 4) 78–79, Nr. 38.

11   Zu den Eltern der Maria-Martha äußert sich Leontiades Tarchaneiotai, S. 78, Nr. 38, vorsichtig: „Als Eltern kommen Nikolaos (Neilos) Komnenos Dukas Glabas Tarchaneiotes (Nr. 45) und Theodora (Theodosia) Dukaina Glabaina in Betracht" und merkt dazu an (Anm. 322): „insgesamt bedürfen die Verwandtschaftsverhältnisse noch einer eingehenden Prüfung". Siehe dazu demnächst Verf., zu den Eltern der Maria Doukaina Komnene Branaina Palaiologina Tarchaneiotissa, in: JÖB 57 (2007) [im Druck].

12   Zu Michael Doukas Glabas Tarchaneiotes siehe C. Mango, The Monument and Its History, in: H. Belting/C. Mango/D. Mouriki, The Mosaics and Frescoes of St. Mary Pammakaristos (Fethiye Camii) at Istanbul. Ed. by C. Mango (DOS 15), Washington, D.C., 1978, 1–42, 11–19; PLP 11 (1991) Nr. 27504; Leontiades (s. Anm. 4) 69–72, Nr. 32. – Seine Eltern sind unbekannt.

stoskloster wiederherstellen und gilt als dessen neuer Ktetor.[13] Nach seinem Tod (nach 1305 bis spätestens 1308[14]) vollendete Maria-Martha das Parekklesion der Pammakaristoskirche und richtete dort seine Grabstätte ein.[15] Ihr Todesdatum ist ebenfalls nicht überliefert, doch muß sie 1330 noch gelebt haben.[16] Ob sie in dem von ihr gegründeten Frauenkonvent beigesetzt war[17] oder neben ihrem Gatten

13 H. Hallensleben, Untersuchungen zur Baugeschichte der ehemaligen Pammakaristoskirche, der heutigen Fethiye camii in Istanbul, IM 13/14 (1963/64) 128–193, 135–136; Mango (s. Anm. 12) 16–19, 21, Abb. 2b (monogrammatische Ziegelinschrift des Michael Tarchaneiotes am Parekklesion); Kidonopoulos (s. Anm. 3) 80–86. – Während Mango, ebd., 12, die Inbesitznahme des Pammakaristosklosters durch Michael Doukas Glabas Tarchaneiotes bereits in das Jahr 1263 datiert, setzt Kidonopoulos, ebd., 84, dessen Restaurierungstätigkeit zwischen dem 11. Dezember 1282 († Michaels VIII. Palaiologos) und dem 1. Januar 1294 an. Letzteres Datum ergäbe sich aus der Ernennung des Mönchs Kosmas zum Patriarchen von Konstantinopel, den Michael – damals noch im Rang eines Megas Konostaulos – als 1293 Abt des Pammakaristosklosters eingesetzt hatte, vgl. Georgios Pachymeres 1835 (s. Anm. 5) *VIII, 27* (Bekker, Bd. 2, 183,13–14 = Pachymèrès 1984–2000 (s. Anm. 5) Failler, Bd. 3, 205,6–8). Tatsächlich muß die Bautätigkeit des Michael Tarchaneiotes bereits zwischen 1263 und 1281 stattgefunden haben, vgl. dazu Verf., Zur Restaurierungstätigkeit des Michael Doukas Glabas Tarchaneiotes und zur Erbauungszeit des Parekklesions der Pammakaristoskirche, Zograf 31 (2006) [im Druck].
14 Zum Todesdatum siehe Mango (s. Anm. 12) 14–15; PLP 11 (1991) Nr. 27504 („† zw. 1305–1308"); Leontiades (s. Anm. 4) 72.
15 Maria ist mit ihrem Nonnennamen Μάρθα als „Erbauerin" des Parekklesions erwähnt: 1.) In zwei Epigrammen des Manuel Philes *(Manuelis Philae carmina ex codicibus Escurialensis, Florentinis, Parisinis et Vaticanis, ed.* Emmanuel Miller, Bd. 1, Paris 1855 [Nachdruck: Amsterdam 1967], 115–116, Nr. 219 [Vers 16]; 117–118, Nr. 223 [Vers 22]). Das erstgenannte Gedicht ist jedoch nicht identisch mit den gemalten Inschriftresten am oberen und unteren Gesims im Inneren des Parekklesions, vgl. dazu A.H.S. Megaw, Notes on Recent Work of the Byzantine Institute in Istanbul, DOP 17 (1963) 370–371, Abb. M und N; Mango (s. Anm. 12) 16, 21, Abb. 96a/b. Das zweite, aus 23 Versen bestehende Epigramm vom Text wenig abweichend in reliefierten Buchstaben am Gesims der West- und Südfassade des Parekklesions, jedoch nur Verse 10–22 erhalten. Vers 22 erwähnt Martha, Vers 23, der nur den Titel ihres Mannes (πρωτοστράτωρ) enthielt, ist zerstört; vgl. A. van Millingen, Byzantine Churches in Constantinople, London 1912, 157–160, Abb. 49 (Verse 10–22 in Nachzeichnung); Hallensleben (s. Anm. 13) 136; Mango, ebd., 16, 20, 33; ein Fragment bei C. Mango/E.J.W. Hawkins, Report on Field Work in Istanbul and Cyprus, 1962–1963, DOP 18 (1964), 319–333, 327, Abb. 22. – 2.) In der metrischen Mosaikinschrift am Apsisbogen des Parekklesions (Μάρθα μοναχῆ) vgl. Hallensleben, ebd., 136; Mango, ebd., 21, Abb. 13, 24b–25a/b). – Siehe auch Alice-Mary Talbot, Epigrams in Context: Metrical Inscriptions on Art and Architecture of the Palaiologan Era, DOP 53 (1999) 77–79, Abb. 2, 3, 5 und 7; Verf. (oben Anm. 13).
16 Siehe unten Anm. 25.
17 Zu ihrem Kloster siehe Kidonopoulos (s. Anm. 3) 41–42 (dort die möglichen Grün-

im Parekklesion des Pammakaristosklosters ruhte, ist nicht sicher.[18] Für das Pammakaristoskloster ist ebenfalls kein Typikon bezeugt.

Obwohl Maria als Nonne den Namen Martha angenommen hatte, wird ein weiteres Kloster der Kyra Martha (2) unter diesem Namen nirgendwo erwähnt. Lediglich im Typikon des Klosters der Theotokos τῆς Βεβαίας Ἐλπίδος ist von einem benachbarten Konvent der „Protostratorissa Glabaina" die Rede.[19] Die Gleichsetzung der „Protostratorissa Glabaina" mit Maria Doukaina Komnene Branaina Palaiologina Tarchaneiotissa ist dadurch zwar nicht zweifelsfrei erwiesen,

---

dungsdaten diskutiert); Talbot (s. Anm. 3) Tabelle 343 („1305–1321"). – Vgl. unten Anm. 25.

18 Das Grab mit dem Stifterbild des Michael Tarchaneiotes und der Maria ist in der von Ioannes Malaxos zwischen 1572 und 1587 angefertigten Beschreibung der Gräber in der Pammakaristoskirche (Cambridge, Trinity College, Cod. O.2.36, fol. 147r, Z. 34–38 = § 4) aufgeführt, wo auch die Namensbeischriften des Protostrators Michael Doukas Glabas Tarchaneiotes und der Protostratorissa Maria Doukaina Komnene „Bryennissa" (Branaina) Palaiologina erwähnt sind; beide waren als κτήτωρ und κτητόρισσα bezeichnet; vgl. P. Schreiner, Eine unbekannte Beschreibung der Pammakaristoskirche (Fethiye Camii) und weitere Texte zur Topographie Konstantinopels, DOP 25 (1971) 218–248, 222, § 4; 231–234; Mango (s. Anm. 12) 18, 39, § 4. Die Mosaikdarstellung des Paares zuseiten des stehenden Christus hat Stephan Gerlach in seinem Tage-Buch (462B) unter dem 3. März 1578 beschrieben und die Beischriften an Martin Crusius unter dem 7. März 1578 mitgeteilt: Martin Crusius, *Turcograeciae libri octo,* Basel 1584, 189. – Zur Lokalisierung des Grabes an der Nordseite des Naos des Parekklesions siehe Mango (s. Anm. 12) 21; U. Weißbrod, „Hier liegt der Knecht Gottes …". Gräber in byzantinischen Kirchen und ihr Dekor (11. bis 15. Jahrhundert). Unter besonderer Berücksichtigung der Höhlenkirchen Kappadokiens (Mainzer Veröffentlichungen zur Byzantinistik. Hrsg. von Günter Prinzing, 5), Wiesbaden 2003, 189, Abb. 97; Verf., Zu den Gräbern in der Pammakaristoskirche, Byzantion 77 (2007) [im Druck]. – Zu Ioannes Malaxos siehe G. de Gregorio, Studi su copisti greci del Cinquecento: II Ioannes Malaxos e Theodosios Zygomalas, RHM 38 (1996) 189–267, 189–241, 258–259; P. Schreiner, John Malaxos (16th century) and his collection of *Antiquitates Constantinopolitanae,* in: Byzantine Constantinople (s. Anm. 3) 203–214.

19 Delehaye (s. Anm. 5) 95, Z. 15–18; A.-M. Talbot, *Bebaia Elpis: Typikon* of Theodora Synadene for the Convent of the Mother of God *Bebaia Elpis* in Constantinople, in: BMFD 4, 1512–1578, 1563, § 145. – Das Typikon ist enthalten in Oxford, Lincoln College, Ms. gr. 35 sowie in Berlin, Staatsbibliothek, Ms. Phill. 1489 (datiert 1640). Abgedruckt bei Delehaye (s. Anm. 5) 18–105; Ergänzungen nach Ms. Phill. 1489 bei Chrysostomos Baur, Le Typikon du monastère de Notre Dame τῆς βεβαίας ἐλπίδος, RHE 29 (1933) 635–636. – Siehe dazu I. Spatharakis, The Portrait in Byzantine Illuminated Manuscripts (Byzantina Neederlandica, 6), Leiden 1976, 190–206, Abb. 143–154; I. Hutter, Die Geschichte des Lincoln College Typikons, JÖB 25 (1983), 79–114; I. Hutter, Corpus der Byzantinischen Miniaturhandschriften, Bd. 5, 1/2, Oxford College Libraries, Stuttgart 1997, 56–62, Nr. 24 (mit Bibliographie 58); Talbot, ebd. 1512–1522 (mit Bibliographie). – Zum Bebaia Elpis-Kloster siehe Kidonopoulos (s. Anm. 3) 69–74; Talbot (s. Anm. 3) 338–339, Tabelle 343.

zumal sie selbst den Namen Glabaina nie geführt hat,[20] kann aber auch nicht ernsthaft in Frage gestellt werden, da eine andere Glabaina, die mit einem Protostrator verheiratet war, weder namentlich bekannt noch als Klosterstifterin belegt ist.

Das Typikon des Bebaia Elpis-Klosters wurde von der Gründerin des Konvents, Theodora Komnene Palaiologina [Theodoule] gegen 1300 verfaßt[21] und von ihrer Tochter Euphrosyne um 1332/35 ergänzt.[22] Das Gründungsdatum ist nicht überliefert, doch sprechen die wenigen biographischen Nachrichten über die Stifterin und ihren Gatten für das Jahrzehnt 1290–1300.[23] Die Grenzen des Klosterbezirks werden im περιορισμός des Typikons (§ 145) genau beschrieben und lassen sich anhand der aufgeführten topographischen Fixpunkte relativ genau bestimmen, so daß danach auch die ungefähre Lage des benachbarten Konvents der Protostratorissa Glabaina erschlossen werden kann.[24] Wenn Maria-

---

20 Vgl. PLP 11 (1991) Nr. 27511: „Stifterin (?) d. Glabaina-Kl. in Kpl, nach 1304"; Leontiades (s. Anm. 4) 79.

21 Siehe dazu unten Anm. 23. – Theodora Komnene Palaiologina [Theodoule] (PLP 9 [1989] Nr. 21381) war die Tochter des um 1230 geborenen und vor 1275 verstorbenen Sebastokrators Konstantinos Doukas Angelos Komnenos Palaiologos [Kallinikos] (PLP 9 [1989] Nr. 21498), Halbbruder Michaels VIII. Palaiologos, und der bald nach 1270 verstorbenen Sebastokratorissa Eirene Komnene Laskarina Kantakouzene Palaiologina Branaina [Maria] (Nicol (s. Anm. 8) 10–11, Nr. 11; PLP 2 [1977] Nr. 3149); ihr Gatte und Mitbegründer des Bebaia Elpis-Klosters war der gegen 1290 verstorbene Megas Stratopedarches Ioannes Komnenos Synadenos [Ioakeim] (PLP 9 [1989] Nr. 27125); siehe dazu Spatharakis (s. Anm. 19) 192–195, Abb. 143 (Eltern), 144 (Stifterpaar), 145 (Ioakeim, Euphrosyne, Theodoule); Hutter 1983 (s. Anm. 19) 81, mit Anm. 12–15, Abb. 1 (Eltern), 2 (Stifterpaar) und 3 (Ioakeim, Euphrosyne, Theodoule); 99; Hutter 1997 (s. Anm. 19) 58–59. Farbtaf. 6, Abb. 209 (Eltern), Farbtaf. 7, Abb. 210 (Stifterpaar), Farbtaf. 8, Abb. 211 (Ioakeim, Euphrosyne, Theodoule).

22 Zu Euphrosyne siehe PLP 9 (1989) Nr. 21373; Hutter 1983 (s. Anm. 19) 83, Anm. 17, Abb. 3 und 9; 99, 105. – Die §§ 146–154 des Typikons gehen auf Euphrosyne zurück; siehe dazu Hutter, ebd., 102–105.

23 Hutter 1983 (s. Anm. 19) 102: „Stiftung des Klosters als Votivakt um 1285/86, Bau des Klosters im folgenden Jahrzehnt, Abfassung seines Typikons um 1300"; 105: „um 1330 Theodoras Überarbeitung des Grundtypikons samt Miniaturen, etwa um 1332 Theodoras Tod, zwischen 1332 und 1335 Euphrosynes Zusatztypikon und die Überarbeitung des Oxforder Codex". – Die von der früher üblichen Spätdatierung des Typikons abhängige Datierung des Klosters um die Mitte des 14. Jahrhunderts ist damit hinfällig; vgl. auch Talbot (s. Anm. 3) 338 und Tabelle 343 („ca. 1295–1300").

24 Das Bebaia Elpis-Kloster ist bei Laurent (s. Anm. 5) 306–311 und Janin (s. Anm. 5) 160, noch falsch an der Propontis etwa im Gebiet von Kumkapı (Kontoskalion) lokalisiert. Insofern muß es schon verwundern, daß Alice-Mary Talbot im einleitenden Kommentar zu ihrer Übersetzung des Typikons an dieser längst aufgegebenen Lokalisierung festhält und die Ergebnisse der jüngeren Forschung (insbesondere A. Berger, Roman, Byzantine, and Latin Period, in: C. L. Striker/Y. Doğan Kuban (edd.), Kalenderhane in Istanbul. The Buildings, their History, Architecture, and Decora

Martha bereits beim Tode ihres Mannes wie dieser das „Engelgewand" genommen hatte, müßte ihr Konvent nur wenig später als das Bebaia Elpis-Kloster entstanden sein.[25] Im Folgenden gebe ich den Periorismos zunächst im Originaltext und in Übersetzung wieder:[26]

---

tion. Final Reports on the Archaeological Exploration and Restoration at Kalenderhane Camii 1966–1978, Mainz 1997, 7–17, 13–15) ignoriert. – A.M. Schneider, Byzanz. Vorarbeiten zur Topographie und Archäologie der Stadt. Mit Beiträgen von W. Karnapp (IF 8), Berlin 1936 [Nachdruck: Amsterdam 1967], 61, Abb. 18, wollte, älteren Autoren folgend, die Sekbanbaçı Mescidi (Müller-Wiener (s. Anm. 7) 196–197) mit dem Kloster der Kyra Martha (2) identifizieren, was Laurent (s. Anm. 5) 311–320, und Eyice (s. Anm. 7) 139–145, 150–150, zu Recht zurückgewiesen haben.

25 Sollte das Kloster der Protostratorissa Glabaina in der Erstfassung des Typikons erwähnt gewesen sein, müßte es bereits um 1300 existiert haben. Demnach wäre Maria-Martha vor 1300 Nonne geworden. Dagegen spricht aber, daß Michael Tarchaneiotes und Maria 1302/03 die Euthymioskapelle bei Hagios Demetrios in Thessaloniki restauriert und ausgeschmückt haben, vgl. Mango (s. Anm. 12) 14; J.-M. Spiesser, Inventaires en vue d'un recueil des inscriptions historiques de Byzance, I: Les inscriptions de Thessalonique, TM 5 (1973) 167–168, Nr. 19; Th. Gouma-Peterson, The parecclesion of St. Euthymios in Thessalonica. Art and Monastic Policy under Andronicos II, The Art Bulletin 58 (1976) 168–183; dies., The Frescoes of the Parekklesion of St. Euthymios in Thessaloniki: Patrons, workshops, and Style, in: The Twilight of Byzantium, Aspects of cultural and religions history in the late byzantine empire. Papers from the colloqium held at Princeton University, 8–9 May 1989, ed. by S. Ćurčić, D. Mouriki, Princeton 1991, 11–129; siehe auch Sharon E. J. Gerstel, Civic and Monastic Influence on Church Decoration in Late Byzantine Thessalonike, DOP 57 (2000) 228–230. – Auch enthält das zweite Epigramm des Manuel Philes (oben Anm. 15) und entsprechend die Reliefinschrift am Parekklesion (Vers 11) die Mitteilung, daß der Protostrator vor seinem Tod – d.h. wohl erst auf dem Totenbett – das Mönchsgewand (ἐν εὐτελεῖ τριβῶνι φυγὼν τὸν βίον) genommen habe, also zwischen 1305 und vor 1308, was dann auch für seine Frau gelten dürfte. Das Kloster der Protostratorissa Glabaina wurde demnach frühestens um dieselbe Zeit gegründet. Somit kann der Periorismos in der vorliegenden Fassung erst der Überarbeitung des Typikons um 1330 hinzugefügt worden sein, vgl. unten Anm. 27 und 30. – Das Todesdatum der Maria Doukaina Komnene Branaina Palaiologina Tarchaneiotissa wurde bislang ebenfalls mit Blick auf die Spätdatierung des Typikons des Bebaia Elpis-Klosters nach 1345 datiert, vgl. Mango (s. Anm. 12) 18; PLP 11 (1991) Nr. 27511 („1342 [?]"); Leontiades (s. Anm. 4) 79 („frühestens nach 1321 und spätestens nach 1342"). Auf jeden Fall muß sie 1330 noch gelebt haben, als die Überarbeitung des Typikons erfolgte, denn sonst hätte Theodora-Theodoule ihren Tod gewiß nicht unerwähnt gelassen.

26 Die Wiedergabe des Textes folgt zeilengenau Delehaye (s. Anm. 5) 95–96. – Kidonopoulos (s. Anm. 3) 70, gibt eine auszugsweise, um paraphrasierende Ergänzungen erweiterte Übersetzung. Ich habe mich bemüht, die Beschreibung des Grenzverlaufs und der anrainenden Straßen, Klöster, Gärten, Weinberge und Gebäude so genau wie möglich zu übersetzen und danke Diether Roderich Reinsch für manche Richtigstellung.

Ὁ περιορισμὸς τῆς καθ' ἡμᾶς
μονῆς τῆς ὑπεραγίας μου Θεοτόκου τῆς βεβαίας ἐλπίδος τῶν
χριστιανῶν ἔχει οὕτως.

5 Ἄρχεται ὁ διαιρέτης τοῖχος ἀπὸ τῆς πρὸς ἀνατολὴν μεγάλης πύλης, τῆς κειμένης κατέναντι τῶν μεγάλων οἰκημάτων τῶν
περιποθήτων μου υἱῶν, καὶ διέρχεται τὸ μαγκιπεῖον μέχρι καὶ τοῦ
ὅλου ὀσπητίου τοῦ παναρέτου Εὐνούχου· εἶτα κάμπτει πρὸς δύσιν
καὶ βαδίζει τὸν περίορον τὸν ὄντα μέσον τῶν δύο περιβολίων τοῦ τε
10 περιποθήτου μου υἱοῦ κυροῦ Ἰωάννου τοῦ μεγάλου κονσταύλου καὶ
τῆς μόνης· καὶ ἀπέρχεται μέχρι καὶ τῆς δημοσίας ὁδοῦ τῆς
διαιρούσης δεξιὰ τὴν μονὴν τοῦ Μωσηλέ· κακεῖθεν κλίνει πρὸς τὸν
περίβολον τῆς ὑπεραγίας μου Θεοτόκου τῆς Γοργοεπηκόου, κρατῶν
τὴν αὐτὴν δημοσίαν ὁδόν, καὶ διέρχεται τὸ περιβόλιον τὸ λεγόμενον
15 τοῦ Γυμνοῦ, ἐῶν δεξιὰ τὸν περίβολον μονῆς τῆς Γοργοεπηκόου· καὶ
καταντᾷ μέχρι καὶ τοῦ περιόρου τοῦ διαιροῦντος τὴν ἡμετέραν μονήν
ἀπὸ τῆς μόνης τῆς κυρίας καὶ ἀδελφῆς μου τῆς πρωτοστρατορίσσης
Γλαβαίνης· καὶ κατέρχεται μέχρι τῶν ἡμετέρων κελλίων, ἅτινα
ἀνεκτίσατο ὁ περιπόθητός μου υἱὸς ὁ πρωτοστράτωρ· εἶτα διαβαί-
20 νει τὸ ἡμέτερον περιβόλιον, ἐῶν δεξιὰ τὸ ἀμπέλιον τῆς κυρίας καὶ
ἀδελφῆς μου τῆς πρωτοστρατορίσσης, καὶ καταντᾷ μέχρι καὶ τῆς
δημοσίας ὁδοῦ ἔμπροσθεν τῆς μονῆς τῆς καλουμένης Κυριωτίσσης·
εἶτα κάμπτει πρὸς ἀνατολὰς διὰ τῆς αὐτῆς δημοσίας ὁδοῦ καὶ καταντᾷ μέχρει καὶ τῆς ἑτέρας ὁδοῦ τῆς οὔσης πλησίον τοῦ ἁγίου Ὀνου-
25 φρίου, ἔνθα καὶ ἀμπέλιόν ἐστιν, ὅπερ ἐξωνησάμεθα γῆν μόνην ἀπὸ
τοῦ Καλιγᾶ ἐκείνου εἰς ὑπέρπυρα τετρακόσια, εἶτα κατεφυτεύθη
παρ' ἡμῶν καὶ ἐγίνετο ὅπερ νῦν ὁρᾶται ἀμπέλιον· ἐντεῦθεν κλίνει
πρὸς ἄρκτον καὶ διέρχεται τὰ ἐνοικιακὰ ὀσπήτια τοῦ περιόρου, ἔνθα
καταμένουσιν οἱ κοσκινάδες, μέχρι καὶ τοῦ ναοῦ τοῦ ἁγίου Ἀκακίου,
30 περιέχων καὶ αὐτὸν τὸν ναὸν ἄνευ τῶν κατηχουμένων· καὶ διέρχεται
μέχρι καὶ τῆς μεγάλης πύλης τοῦ τοιούτου ναοῦ· εἶτα καθίσταται
εἰς τὴν μεγάλην πύλην τῆς ἡμετέρας μονῆς, ἐῶν μὲν δεξιὰ τὸ ὀσπή-
τιον τοῦ Ἀβοράτου καὶ τοῦ ῥάπτου Ἀνδρέου, ἀπὸ δὲ τοῦ Σολάτου
καταντῶν μέχρι καὶ τῆς μεγάλης πύλης τῆς μονῆς, ὅθεν καὶ ἤρξατο.

Die Umgrenzung unseres Klosters meiner allerheiligsten
Theotokos, der sicheren Hoffnung der Christen, ist wie folgt:

Die Ummauerung beginnt bei dem großen Tor, das nach Osten zeigt und das gegenüber den großen Häusern meiner inniggeliebten Söhne gelegen ist,[27] und verläuft vor-

---

27 Der älteste Sohn, Theodoros Komnenos Doukas Palaiologos Synadenos, der im Fol-

bei an der Bäckerei und dem gesamten Anwesen des Eunuchen Panaretos.[28] Dann biegt sie nach Westen um und folgt der Grundstücksgrenze zwischen den beiden Gärten, dem meines inniggeliebten Sohnes Kyr Ioannes, des Megas Konostaulos, und dem des Klosters, und sie geht weiter bis zu der öffentlichen Straße, die das Kloster des Mosele an der rechten Seite abtrennt. Von hier läuft sie weiter bis zur Umfassungsmauer [des Konvents] meiner allerheiligsten Gottesmutter Gorgoepekoos, indem sie derselben öffentlichen Straße folgt, geht am Garten genannt des Gymnos entlang, wobei sie die Umfassungsmauer des Konvents der Gorgoepekoos an der rechten Seite läßt. Und sie erreicht die Grundstücksgrenze, die unser Kloster vom Konvent unserer Herrin und geliebten Schwester, der Protostratorissa Glabaina trennt.[29] Und sie geht dann bis zu unseren Kellia, die mein inniggeliebter Sohn, der Protostrator, errichtet hat. Dann geht sie an unserem Garten vorbei, indem sie auf der rechten Seite den Weinberg meiner Herrin und Schwester, der Protostratorissa, liegen läßt, und erreicht die öffentliche Straße vor dem Kloster genannt Kyriotissa. Dann biegt sie nach Osten entlang derselben öffentlichen Straße und gelangt zu der anderen Straße bei [der Kirche] des heiligen Onouphrios, wo sich abermals ein Weinberg befindet, den wir einst als gewöhnliches Ackerland von dem oben genannten Kaligas[30] für 400 Hyperpyra erworben haben; und dann wurde er von uns bepflanzt und wurde zu dem Weinberg, welchen man nun sieht. Von hier verläuft sie nach Norden und geht

---

genden erwähnte Protostrator und Ephoros des Klosters (PLP 11 [1991] Nr. 27120; Hutter 1983 (s. Anm. 19) 83, Anm. 18, Abb. 4; Hutter 1997 (s. Anm. 19) 59–60, Farbtaf. 9, Abb. 212) und der jüngere, Ioannes Komnenos Doukas Palaiologos Synadenos, der im Folgenden erwähnte Megas Konostaulos (PLP 11 (1991) Nr. 27126; Hutter 1983 (s. Anm. 19) 84, Anm. 20, Abb. 5; Hutter 1997 (s. Anm. 19) 60, Farbtaf. 10, Abb. 213). – Theodoros wurde nach 1321 zum Protostrator ernannt, Ioannes war von 1321/22–1333 Megas Konostaulos. Dies bestätigt ein weiteres Mal, daß der Periorismos in der Erstfassung des Typikons noch fehlte.

28 Berger (s. Anm. 24) 14, deutet Panaretos richtig als Eigenname, während Talbot (s. Anm. 19) 1563 „virtuous Eunouchos" übersetzt.

29 Zwar wurde stets darauf hingewiesen, daß „Schwester" hier nur in Bezug auf den Nonnenstand zu verstehen ist (z.B. Laurent (s. Anm. 5) 299–300, 303), doch waren beide Familien verwandt. Theodoras zweitältester Bruder Andronikos Komnenos Branas Doukas Angelos Palaiologos [Arsenios] (PLP 9 [1989] Nr. 21439), hatte die namentlich unbekannte Tochter des Michael Doukas Glabas Tarchaneiotes und der Maria Doukaina Branaina Palaiologina Tarchaneiotissa geheiratet. Maria-Martha war also die Schwiegermutter von Theodoras Bruder. Maria war zwar beträchtlich jünger als ihr Mann (Mango (s. Anm. 12) 11, setzte dessen Geburtsjahr gegen 1235 an), doch hatte Mango, ebd., 14, zu Recht in Zweifel gezogen, daß die Tochter erst nach der Wiederherstellung der Euthymioskapelle (1302/03) geboren wurde. Wenn Maria-Martha 1330 noch lebte (vgl. oben Anm. 25), müßte sie damals das stattliche Alter von etwa 60–70 Jahren erreicht haben.

30 Erwähnt im § 122: Delehaye (s. Anm. 5) 84, Z. 6; Talbot (s. Anm. 19) 1557, § 122; vgl. PLP 5 (1981) Nr. 10329. – Der Zeitpunkt des Kaufs wird nicht mitgeteilt. Da die Kultivierung eines Weinbergs mindestens 10 Jahre dauert, wird auch hier wieder deutlich, daß der Periorismos erst relativ spät verfaßt sein kann.

vorbei an den Mietshäusern an der Grundstücksgrenze, wo die Siebmacher wohnen, bis zur Kirche des heiligen Akakios, und schließt auch diese Kirche ohne die Katechoumena ein. Und sie verläuft bis hin zum großen Tor dieser Kirche. Dann endet sie beim großen Tor unseres Klosters, indem sie an ihrer rechten Seiten das Haus des Aborates und des Schneiders Andreas läßt und [vom Haus] des Solatos[31] bis zum großen Klostertor führt, wo sie begann.

II

Der Periorismos reflektiert die Ausdehnung des Klosters um 1330, d.h. die darin genannten Bauten und Örtlichkeiten haben zu dieser Zeit existiert. Daher betrachten wir zunächst die erwähnten Fixpunkte für den Verlauf der Klostergrenze, die man sich füglich als Mauer (διαιρέτος τοίχος) vorzustellen hat. Dabei soll der jüngste Vorschlag von Albrecht Berger (Abb. 1) einer kritischen Überprüfung unterzogen werden.[32]

Unweit des großen Klostertores, von wo die Beschreibung ihren Ausgang nimmt, befand sich die Akakioskirche. Die Akakioskirche wird zwar erst am Schluß des Periorismos genannt, doch bietet die Bestimmung ihrer Lage einen ersten Anhaltspunkt für die Lokalisierung des Tores des Bebaia Elpis-Klosters. Berger suchte die Akakioskirche in der Umgebung des Zeugma, wobei er annahm, daß sie „durch eine, vielleicht auch mehrere Häuserreihen vom Ufer getrennt gewesen" sei, mithin etwas höher am Hang des dritten Hügels gestanden haben müßte.[33] Die Akakioskirche wurde von der Mauer des Bebaia Elpis-Klosters eingeschlossen, während ihre als „Katechoumena" bezeichneten Anbauten außerhalb der Ummauerung lagen. Ihr Tor und das große Klostertor waren nicht weit voneinander entfernt. Da der dritte Hügel im Bereich der Oxeia nach Westen und Norden sehr steil abfällt (Abb. 2), kommt für die Akakioskirche eigentlich nur eine Lage unterhalb der Oxeia im Gebiet von Küçük Pazar – etwa im Bereich zwischen Üç Mihrâplı Mescid (Kazancılar Mescidi, erbaut 1475) und Kepenekçi Sinan Paşa Mescidi – in Betracht.[34] Der im 9. Jahrhundert aufge-

---

31 Talbot (s. Anm. 19) 1563, übersetzt „from [the house] of Solatos"; Berger (s. Anm. 24) 14 „by way of the *Solaton*", womit offen bleibt, was er mit „Solaton" gemeint haben könnte.

32 Berger (s. Anm. 24) 13–15, Abb. 2 (hier Abb. 1).

33 A. Berger, Untersuchungen zu den Patria Konstantinupoleos (Poikila Byzantina, 8), Bonn 1988, 464–466. – Berger begründete seine Lokalisierung der Akakioskirche und einiger anderer Kirchen und Örtlichkeiten mit den Angaben des Typikons des Bebaia Elpis-Klosters. Insofern könnte man einem Zirkelschluß unterliegen, wenn man seine Schlußfolgerungen nun umgekehrt auf die Bestimmung der Klostergrenze anwendet. Daß diese Gefahr nicht besteht, soll im Folgenden gezeigt werden.

34 Siehe dazu A. M. Schneider, Mauern und Tore am Goldenen Horn zu Konstantinopel

kommene Beiname der Akakioskirche ἐν τῷ ‘Επτασκάλῳ[35] spricht eher für die Nachbarschaft einer Treppenanlage als eines Hafens.[36] Der *Notitia urbis Constantinopolitanae* zufolge wies die X. Region, in der die Akakioskirche lag, im 5. Jahrhundert zwölf Treppen auf,[37] während die östlich anschließende VII. Region 16 Treppen hatte.[38] Alle diese Treppen trugen dem steilen Anstieg der hornseitigen Hänge, besonders des dritten Hügels im Bereich von Oxeia und Tahtakale (Tahtü'l Kal'a) Rechnung.[39]

Das Klostertor müßte dann wie das Tor der Akakioskirche ebenfalls unterhalb der Oxeia im Bereich der Küçük Pazar Caddesi gelegen haben. Im Periorismos wird es ganz allgemein als nach Osten (ἀπὸ τῆς πρὸς ἀνατολὴν μεγάλης πύλης) gerichtet bezeichnet, was jedoch wegen der Geländeverhältnisse nicht wortwörtlich zu nehmen ist. Das Klostertor kann nur in nordöstlicher Richtung orientiert gewesen sein und sich zu einer Straße geöffnet haben, die etwa parallel zur Seemauer in Richtung der βασιλικὴ πύλη (Unkapanıkapı)[40] oder doch

---

in: Nachrichten der Akademie der Wissenschaften in Göttingen, Philologisch–Historische Klasse 5, 1950, 79, Nr. 19, Plan III. – Zur Üç Mihrâplı Mescid siehe Ayvansarâyî Hüseyîn Efendi, Hadîkat-ül Cevâmi' (İstanbul Câmileri ve Diğer Dînî-Sivil Mi'mârî Yapılar), hrsg. von A. N. Galitekin, İstanbul 2001, 93, Nr. 68.

35 Die Quellen zum Auftreten des Beinamens (seit Basileios I.) bei Berger (s. Anm. 33) 465 Anm. 70–72. – Das Verwirrspiel um die Bestimmung des Heptaskalon, bedingt durch eine Stelle bei Ioannes Kantakouzenos (s. Anm. 5) *IV, 22* (Schopen, Bd. 3, 165, 1–6), hat J.-L. van Dieten, Nikephoros Gregoras, Rhomäische Geschichte. Historia Rhomaike, 5. Teil (Kapitel XXIV,3–XXIX), Stuttgart 2003, 248–254, aufgelöst und nachgewiesen, daß der von Ioannes Kantakouzenos erwähnte Heptaskalon-Hafen mit dem Kontoskalion am Marmarameer identisch ist und mit dem Heptaskalon am Goldenen Horn nicht verwechselt werden darf.

36 G. Prinzing/P. Speck, Fünf Lokalitäten in Konstantinopel. Das Bad Κωνσταντινιαναί die Paläste Κωνσταντινιαναί und τὰ Κώνστα das Ζεῦγμα das ‘Επτάσκαλον, in: Studien zur Frühgeschichte Konstantinopels, hrsg. von H.-G. Beck (MBM 14), München 1973, 152–152 („Molenanlage"). – Berger (s. Anm. 33) ist in diesem Punkt unentschieden; 172: „eine Treppen- oder Hafenanlage in derselben [scil. Zeugma] Gegend"; 466: „das Heptaskalon … war aber trotzdem sicher eine Hafenanlage in der Nähe des Zeugmas".

37 O. Seeck, *Notitia dignitatum accedunt notitia urbis Constantinopolitanae et laterculi provinciarum*, Berlin 1876, 229–243 [Nachdruck: Frankfurt am Main 1962], 237; vgl. 238 und A. Berger, Regionen und Straßen im frühen Konstantinopel, IM 47 (1997) 349–414, 369.

38 Seeck (s. Anm. 37) 236; vgl. Berger (s. Anm. 37) 365.

39 Die Oxeia war anscheinend terrassiert, wie die auf dem anstehenden Fels gegründeten Mauerreste am nordwestlichen Ende der Sabunhane Sokak bei der Einmündung der Kıble Sokak – also direkt unterhalb des Parks des Botanischen Instituts – erkennen lassen.

40 Zu diesem Tor siehe A. Berger, Zur Topographie der Ufergegend am Goldenen Horn, IM 45 (1995) 149–165,154–155; Effenberger (s. Anm. 2) 38, Nr. 19–20.

zumindest in nordwestlicher Richtung verlief. Vom Tor wird die Klostermauer
daher zunächst ebenfalls einem dieser Straßenverläufe gefolgt sein. Dem Tor
gegenüber und sicher jenseits der Straße lagen die Häuser der Söhne der Stifterin,
die Bäckerei und das Anwesen des Panaretos.[41] Dann bog sie nach Westen ab und
verlief als gemeinsame Grenze zwischen dem Garten des Megas Konostaulos
Ioannes und dem Garten des Klosters, bevor sie bei der öffentlichen Straße
anlangte. Da Küçük Pazar Caddesi und Hacı Kadın Caddesi einen sehr alten
Straßenverlauf bewahrt haben,[42] ist es denkbar, daß schon die Klostergrenze hier
entlangführte. Diese Möglichkeit ist in Abb. 2 dargestellt, da sie durchaus mit der
Beschreibung des Periorismos in Einklang steht. Der Garten des Ioannes wird
also einen Teil des flacheren Geländes nördlich der Hacı Kadın Caddesi einge-
nommen haben.

Die öffentliche Straße, die den Konvent des Mosele an der rechten Seite vom
Bebaia Elpis-Kloster trennte, kann nur die Hauptstraße sein, die in südwestlich-
nordöstlicher Richtung durch den Taleinschnitt verlief, der heute vom Atatürk
Bulvarı beherrscht wird. Bei der Anlage dieses Boulevards war der sehr steile
Abhang des vierten Hügels unterhalb des Pantokratorklosters und vor der
Nischenfront der großen Zisterne[43] abgetragen bzw. aufgefüllt worden, wodurch
das natürliche Landschaftsrelief verlorenging. Die Straße kam von τὰ Ὀλυ-
βρίου, passierte den Valensaquädukt durch den ursprünglich sehr viel breiteren
und höheren Bogen Nr. 52[44] und führte in der Talsenke zwischen dem dritten
und vierten Hügel hinab zum Zeugma bzw. zur βασιλικὴ πύλη in der Seemauer
des Goldenen Horns. Das Kloster des Mosele lag – vom Zeugma aus gesehen –
also jenseits (rechts) dieser Straße unterhalb des vierten Hügels.[45] Die Grenze des

---

41 Kidonopoulos (s. Anm. 3) 187–188, lokalisiert die Häuser der Söhne „vermutlich
    zwischen südöstlichem Ende des Valens-Aquädukt und der Kilise Camii, etwa in der
    Mitte des westlichen Abhangs des dritten Stadthügels", doch ist das gewiß unzutref-
    fend.
42 Die Hacı Kadın Mecidi wurde bereits 1459 erbaut: Hadîkat (s. Anm. 34) 129–130,
    Nr. 3; siehe dazu Schneider (s. Anm. 34) 79, Nr. 18, Plan III.
43 Siehe dazu Ph. Forchheimer/J. Strzygowski, Die byzantinischen Wasserbehälter von
    Konstantinopel, Wien 1893, 71, Nr. 13; Müller-Wiener (s. Anm. 7) 210, 215, Abb. 237,
    244, Plan E 5/2.
44 K. Olof Dalman, Der Valens-Aquädukt in Konstantinopel. Mit Beiträgen von P. Wit-
    teck (IF 3), Bamberg 1933, 41, 45–46, Taf. 20 und 22; zu dieser Straße siehe Berger
    (s. Anm. 33) 465–466, 472; Berger (s. Anm. 37) 402, Abb. 8–9.
45 Siehe dazu A. Stauridou- Zaphraka, Ἡ μονὴ Μωσηλέ καὶ ἡ μονέ τοῦ Ἀνθεμίου,
    Byzantina 12 (1983), 67–92, 80–90, bes. 87–90; A. Stauridou-Zaphraka, Τὸ Κοντοσ-
    κάλιο καὶ τὸ Ἑπτάσκαλο. Συμβολὴ στη μελέτη τῶν λιμανιῶν τῆς Κωνσταντι-
    νούπολης κατὰ τὴν ὑστερη περίοδο, Byzantina 13 (1985) 1303–1328, 1322–1323;
    Berger (s. Anm. 33) 517. – 1289 übergab Andronikos II. Palaiologos das Moseleklos-
    ter dem Hyakinthos, mit dem seine Tante Maria-Martha (1) eng befreundet war, siehe

Bebaia Elpis-Klosters verlief demnach diesseits der Straße bergan in Richtung Valensaquädukt. Berger hatte das Moselekloster zunächst „am Hang unterhalb vom Pantokratorkloster" lokalisiert,[46] setzt es aber nunmehr an das südwestliche Ende jenseits der öffentlichen Straße und postuliert hier eine Straßenkreuzung mit einer Querstraße parallel zur Nordseite des Valensaquädukts, an welcher er die folgenden Örtlichkeiten (Gorgoepekooskloster, Garten des Gymnos, Konvent der Protostratorissa Glabaina) aufreiht (Abb. 1).[47] Das Typikon sagt aber eindeutig, daß die Klostermauer „derselben öffentlichen Straße" (κρατῶν τὴν αὐτὴν δημοσίαν ὁδόν) bis zum Gorgoepekooskloster gefolgt sei, und – indem sie an ihrer rechten Seite die Mauer des Gorgoepekooskloster hinter sich ließ – am Garten des Gymnos vorbei ging, bis sie schließlich die Grenze des Glabainakonvents erreichte. Demnach befand sich der Garten des Gymnos auf der Strecke zwischen Mosele- und Glabainakloster kurz hinter dem Gorgoepekooskonvent.[48] Mosele- und Gorgoepekooskloster müßten demnach nicht allzu weit voneinander entfernt unterhalb des Pantokratorklosters gelegen haben. Unklar bleibt jedoch, ob die Mauer des Gorgoepekooskonvents diesseits oder jenseits der öffentlichen Straße verlief, da nur gesagt wird, daß sie sich rechter Hand der Klostergrenze befand. Über das Kloster der Theotokos Gorgoepekoos wissen wir nur wenig. Es wurde von dem Kanikleios Nikephoros Choumnos zwischen dem 28. Februar 1294 und dem 1. Januar 1308 von Grund auf erneuert, wobei er dort zunächst auch seine Grabstätte vorsah.[49]

Nach Passieren der Mauer des Gorgoepekooskloster und des Gartens des Gymnos muß die Mauer schon recht weit entlang der öffentlichen Straße in Richtung Valensaquädukt angestiegen sein, bevor sie die Grenze des Glabaina-

---

PLP 12 (1994) Nr. 29458 mit den Quellen. Das Kloster scheint um 1300 ein bevorzugter Rückzugsort der Arseniten gewesen zu sein, vgl. PLP 2 (1977) Nr. 4321 (Lazaros Gorianitzes) und PLP 9 (1989) Nr. 22465 (Makarios Peristeres).

46 Berger (s. Anm. 33) 517.

47 Berger (s. Anm. 24) 15, Fig. 2.

48 Der Garten des Gymnos wird noch an anderer Stelle als „nahe beim Kloster" erwähnt, vgl. Delehaye (s. Anm. 5) 85, Z. 12–13 und Talbot (s. Anm. 19) 1558, § 124.

49 V. Laurent, Une fondation monastique de Nicéphore Choumnos. Ἡ ἐν ΚΠ μονὴ τῆς Θεοτόκου τῆς Γοργοεπηκόου, REB 12 (1954) 32–44; Stauridou-Zaphraka 1983 (s. Anm. 45) 88; Stauridou-Zaphraka 1985 (s. Anm. 45) 1322–1323; Kidonopoulos (s. Anm. 3) 74–76; Berger (s. Anm. 24) 14. – Nikephoros Choumnos (PLP 12 [1994] Nr. 30961) starb 1327 als Mönch Nathanael im Doppelkloster des Christos Philanthropos Soter (dem an der Marmara-Seemauer von Gülhane gelegenen), einer Stiftung seiner Tochter Eirene Chumnaina [Eulogia], und war dort zusammen mit seiner Frau begraben; vgl. Kidonopoulos (s. Anm. 3) 33-36; Talbot (s. Anm. 3) 339–340, Tabelle 343; zum Typikon siehe A.-M. Talbot, *Philanthropos: Typikon* of Irene Choumnaina Palaiologina for the Convent of Christ *Philanthropos* in Constantinople, in: BMFD, Bd. 4, 1383–1388.

konvents erreichte. Sie ging nun zu den vom Protostrator Theodoros errichteten Kellia und vorbei an einem weiteren zum Kloster gehörenden Garten sowie entlang dem Weinberg der Protostratorissa Glabaina, der an der rechten Seite lag, zu einer zweiten öffentlichen Straße beim Kloster der Kyriotissa (Kalenderhane).[50] Konvent und Weinberg der Glabaina befanden sich demnach nördlich des Valensaquädukts am Abhang des dritten Hügels und müssen ein Stückweit in das Tal hinabgereicht haben. Die gemeinsame Grenze des Bebaia Elpis-Klosters und des Glabainakonvents einschließlich dem Weinberg der Glabaina wird daher in einem weiten Bogen zunächst seitwärts und dann wieder bergan bis zu der zweiten öffentlichen Straße bei der Kyriotissa verlaufen sein (Abb. 2). Es ist jedoch offensichtlich, daß ein so markantes Bauwerk wie der Valensaquädukt in der Bezeichnung der einzelnen Fixpunkte der Klostergrenze keine Rolle gespielt hat, sich demnach weit außerhalb befand.

Die Mauer des Bebaia Elpis-Klosters bog schließlich „nach Osten" in die zweite öffentliche Straße ein, die „vor dem Kloster genannt Kyriotissa" verlief. Diese Straße hat Berger sicher zutreffend mit der östlich der Kalenderhane Camii durch Bogen Nr. 85 des Valensaquädukts führenden Straße identifiziert.[51] Die Angabe (Z. 23) εἶτα κάμπτει πρὸς ἀνατολὰς erweckt auch hier den Eindruck, als habe sich diese Straße genau nach Osten gewendet, doch kann sie nur eine nordöstliche Richtung gleich der heutigen Onaltı Mart Şehitleri Sokağı/Süleymaniye Caddesi genommen haben.[52] Am Beginn dieser Straße muß aber noch der im Periorismos nicht erwähnte „große Weinberg" (μέγα ἀμπέλιον) des Klosters gelegen haben, den der Protostrator Theodoros seiner Mutter zusammen mit den umgebenden Häusern „ganz nahe der Kyriotissa an der öffentlichen Straße" geschenkt hatte.[53] Das spricht ebenfalls dafür, daß sich Kellia und Garten weiter

---

50 Ich setze hier als hinlänglich gesichert voraus, daß die Kalenderhane Camii mit dem Kloster der Kyriotissa zu identifizieren ist; die Argumente hat Berger (s. Anm. 24) 8–13, nochmals ausführlich dargelegt.

51 Berger (s. Anm. 24) 15 und Fig. 2; zum Durchgang Nr. 85 siehe Dalman (s. Anm 44) 41, Taf. 20; Berger (s. Anm. 37) 404, Abb. 8.

52 So auch Berger (s. Anm. 24) 15. – Der ursprüngliche Verlauf dieser Straße wurde spätestens mit Anlage des Süleymaniye-İmaret (1550–1556) unterbrochen. Wegen der Geländeverhältnisse am Nordostrand des dritten Hügels kann sie eigentlich nur durch den immer noch recht steilen Einschnitt entlang der Kepenekçi Yokuşu Sokağı zu Odunkapı/Droungarios- bzw. Vigla-Tor (siehe dazu unten Anm. 62) geführt haben. Damit stellt sich auch die Frage nach der Grenze zwischen der VII. und der X. Region, die zumindest in Ufernähe entlang dieser Straße verlaufen sein wird, vgl. A.M. Schneider, Straßen und Quartiere Konstantinopels, MDAI 3 (1950) 68–79, Plan 3, mit stillschweigender Korrektur seiner früheren Ansicht (Regionen und Quartiere in Konstantinopel, in: Kleinasien und Byzanz. Gesammelte Aufsätze zur Altertumskunde und Kunstgeschichte [IF 17], Berlin 1950, 154–158, Abb. 1).

53 Delehaye (s. Anm. 5) 85, Z. 13–16; Talbot (s. Anm. 19) 1558, § 124.

unterhalb des Aquädukts befanden, von wo aus die Grenze entlang dem Weinberg der Glabaina wieder hangaufwärts in Richtung Kyriotissa verlaufen und den „großen Weinberg" des Protostrators eingeschlossen haben müßte.[54] Hingegen wird sich der Klosterbezirk der Kyriotissa überwiegend südlich des Valensaquädukts erstreckt haben, wo sich auch die Kalenderhane Camii befindet.

Die Grenze folgte der zweiten öffentlichen Straße bis zu einer anderen Straße nahe der Kirche des heiligen Onouphrios. Die Onouphrioskirche ist nur aus dem Typikon des Bebaia Elpis-Klosters bekannt.[55] Ist die Annahme (Anm. 52) zutreffend, wonach die von der Kyriotissa kommende Straße bei Odunkapı endete, müßte die Onouphrioskirche an der Uferstraße des Goldenen Horns oder einer ihrer Parallelstraßen gesucht werden.[56] Die Klostergrenze wäre, sollte sie der zweiten Straße in ganzer Länge gefolgt sein, dann aber viel weiter östlich verlaufen als von Berger angenommen.[57] Auf dem Weg zur Onouphrioskirche lag der Weinberg, den Theodora-Theodoule von einem gewissen Kaligas für 400 Hyperpyra als gewöhnliches Ackerland erworben und mit Wein bepflanzt hatte. Weitere an diese Straße anrainende Kirchen oder Klöster werden nicht genannt. Der Weinberg, zu dem auch etliche Häuser gehörten, wird im Typikon ein weiteres Mal erwähnt und befand sich danach bei der Kirche des heiligen Nikolaos τοῦ Μεσομφάλου.[58]

Die Nikolaoskirche hatte ihren Beinamen, der ebenfalls nur im Typikon des Bebaia Elpis-Klosters begegnet, vom benachbarten Mesomphalon erhalten, der unterhalb der Oxeia lokalisiert wird.[59] In einem Testament vom November 1098

---

54 Insofern ist Berger (s. Anm. 24) 15, zu widersprechen, der behauptet „the monastery precint [des Bebaia Elpis-Klosters] did not extend up to the Kyriotissa Monastery".

55 Siehe dazu Janin (s. Anm. 5) 384, Nr. 1; Kidonopoulos (s. Anm. 3) 115. – Berger (s. Anm. 24) 15, hält sie für die Kirche des heiligen Akindynos (zu dieser siehe Janin, ebd., 16, Nr. 2, und 571), da Antonij von Novgorod zufolge dort das Haupt des Onouphrios verehrt wurde, vgl. Книга паломник. Сказание мест Святых во Цариграде Антония Архиепископа Новгородскаго в 1200 года, ed. Ch. M. Loparev, in: Православный Палестинский Сборник 51, Sanktpeterburg 1899, 32,90. Deutsch: Itineraria Rossica. Altrussische Reiseliteratur, Leipzig 1986, 120–121. – Siehe unten Anm. 66.

56 Siehe unten Anm. 66.

57 Bergers Vorliebe für schnurgerade Straßenverläufe berücksichtigt leider in keinem Falle das natürliche Landschaftsrelief von Konstantinopel.

58 Delehaye (s. Anm. 5) 84, Z. 3–7; Talbot (s. Anm. 19) 1557, § 122. – Zur Kirche siehe Berger (s. Anm. 33) 469; Berger (s. Anm. 40) 155, 159, Abb. 1; Kidonopoulos (s. Anm. 3) 112–113.

59 Prinzing/Speck (s. Anm. 36) 195; Berger (s. Anm. 33) 469 („ein Punkt im Tal zwischen dem dritten und dem vierten Hügel"); eingezeichnet bzw. angedeutet in Bergers diversen Plänen am Nordhang der Oxeia etwa in Höhe von Ayazmakapı, vgl. Berger (s. Anm. 40) Abb. 1; Berger (s. Anm. 37) Abb. 9. – A. Berger, Zur sogenannten Stadtansicht des Vavassore, IM 44 (1994) 346, Nr. 23, hält es für möglich, daß die von Schneider (s. Anm. 24) 93, Nr. 13, Abb. 48, Taf. 9, verzeichneten „Reste eines Theaters?"

wird unter den Zeugen ein Presbyter Niketas τοῦ ἁγίου Νικολάου τῆς Βίγλας genannt.[60] Der Name Vigla erscheint 1090 in einer Schenkungsurkunde des Dogen Vitale Falier (1084–1096) für die Kirche San Giorgio Maggiore in Venedig als nordwestliche Grenze des venezianischen Konzessionsgebiets, das 1082 durch Alexios I. Komnenos festgelegt worden war.[61] Der Grenzverlauf wurde durch einen geschlossenen Abwasserkanal (*comprehensum sacrum*) markiert, der von der Vigla *ad Portam Peramae* (Zindankapı) hinabführte.[62] Wenn die zweite öffentliche Straße, wie oben vermutet, bei Odunkapı endete, kann man sich den Kanal nur in einem Taleinschnitt östlich davon vorstellen. Allerdings glaube ich nicht, daß ein unterirdischer Kanal sich besonders gut als Grenzmarkierung eignete.[63] Auch fällt auf, daß ein Kanal und nicht eine Hauptstraße als Grenzlinie bestimmt wurde. Entweder verlief der Kanal offen an der westlichen Seite des Makros Embolos (Uzun Çarşı Caddesi) oder eher dort, wo heute die Ord. Prof. C. Bilsel Caddesi zwischen Oxeia und Tahtakale einschneidet (Abb. 2). Die Lage der Vigla ist somit wenig östlich der zweiten öffentlichen Straße auf der Anhöhe

---

mit dem bei Vavassore abgebildeten Theater zu verbinden seien und darin „das Mesomphalon der byzantinischen Quellen" erkannt werden könne. Was Theaterstufen mit dem Mesomphalon zu tun haben sollen, bleibt mir allerdings schleierhaft. Hingegen bezog C. Mango, The Columns of Justinian and his Successors, in: C. Mango, Studies on Constantinople, Aldershot 1993, Study X, 9, das bei Vavassore dargestellte Theater auf den Hippodrom in den Palastgärten Justins II. auf dem fünften Hügel.

60 Διαθήκη τῆς Καλῆς, θυγατρὸς Βασιλακίου Κουροπαλάτου, συζύγου τοῦ Συμβατίου Κουροπαλάτου τοῦ Παχουριάνου, τῆς μετὰ ταῦτα Μαρίας μοναχῆς ed. Ioakeim Iberites, Orthodoxia 6 (1931) 371; vgl. Janin (s. Anm. 5) 371, Nr. 6; Berger (s. Anm. 33) 469.

61 G.L.F. Tafel/G. M. Thomas, Urkunden zur älteren Handels- und Staatsgeschichte der Republik Venedig, mit besonderer Beziehung auf Byzanz und die Levante vom neunten bis zum Ausgang des 15. Jahrhunderts, Teil 1 (814–1205), Wien 1856 [Nachdruck: Amsterdam 1956], 55–63, Nr. XXV, hier 56; siehe dazu D. Jacoby, The Venetian Quarter of Constantinople from 1082 to 1261. Topographical Considerations, in: Novum Millenium. Studies in Byzantine History and Culture presented to Paul Speck. Ed. by S. Takács/C. Sode, Aldershot 2001, 153–170, 154–155 (mit weiteren Belegen); der Grenzverlauf 1148 durch Manuel I. Komnenos bestätigt (ebd., 156). – Anna Komnene, Alexias VI, 5, 9, hrsg. von D.R. Reinsch und A. Kambylis (CFHB Ser. Berolinensis, 40), Berlin/New York 2001, 179,32–34 (Deutsch: D.R. Reinsch, Anna Komnene, Alexias, Köln 1996, 205), reflektiert bereits die Neufestlegung der Konzession von 1148, vgl. Jacoby, ebd., 158.

62 Schneider (s. Anm. 34) 85–86, hat das zwar richtig erkannt, doch ist seine Gleichsetzung von Perama-Tor/Zindankapı mit dem Vigla- bzw. Droungarios-Tor/Odunkapı sicherlich falsch, vgl. Berger (s. Anm. 40) 158, 163; Effenberger (s. Anm. 2) 37–39, 76–78, Tabelle III, Nr. 9 und 10.

63 An einen „unter der Straße laufenden Abwässerkanal" dachte Schneider (s. Anm. 34) 85.

unterhalb des Dökmeciler Hamamı anzunehmen.[64] Allerdings beträgt die Entfernung zwischen der vermuteten Lage des Mesomphalos und der Vigla über 300 Meter Luftlinie, weshalb die Identität der palaiologischen Nikolaoskirche τοῦ Μεσομφάλου mit der nur einmal in frühkomnenischer Zeit belegten Nikolaoskirche τῆς Βίγλας bezweifelt werden kann.[65] Gleichwohl muß die Nikolaoskirche τοῦ Μεσομφάλου unterhalb des dritten Hügels – außerhalb der Klostermauer und näher an der zweiten öffentlichen Straße – gesucht werden, während der Weinberg darüber am Nordhang der Oxeia gelegen haben wird. Die Klostergrenze schloß diesen Weinberg ein, bevor sie die Straße bei Hagios Onouphrios erreichte[66] und nach Norden (Nordwesten) abbog, um – vorbei an den anrainenden Miethäusern der Siebmacher und dem Tor der Akakioskirche sowie weiteren Anwesen (Aborates, Schneider Andreas, Solatos) – wieder beim großen Klostertor anzukommen. Die Straße nahe bei Hagios Onouphrios kann dann in der Tat nur die Uferstraße am Goldenen Horn oder eine ihrer Parallelstraßen unterhalb der Oxeia gewesen sein (Abb. 2).

Im Typikon erfahren wir wenig über die Errichtung des Klosters der Bebaia Elpis und die Bautätigkeit innerhalb des Klosterbezirks. Die Stifterin betont eingangs, daß sie die Kirche repariert und wiederhergestellt (τὸν θεῖον τούτων ἐπεσκευασάμην καὶ ἀνεκαίνισα οἶκον) sowie das ganze Kloster von Grund auf (ἐξ αὐτῶν τῶν κρηπίδων) erbaut habe.[67] Daher ist anzunehmen, daß – wie bei etlichen gleichzeitigen Kloster(neu)gründungen – eine ältere Kirche vorhanden war, die um 1290–1300 wieder instand gesetzt und den neuen Bedürfnissen angepaßt wurde.[68] Wo sich die Kirche innerhalb des weiträumigen Klostergeländes befand, wird nicht mitgeteilt, doch läßt sich die ungefähre Lage der Kellia

---

64 Zur Lokalisierung der Vigla siehe Berger (s. Anm. 33) 506; Berger (s. Anm. 40) 158–159, Abb. 1, wo Oxeia und Vigla als „dieselbe Lokalität" definiert werden.

65 Kidonopoulos (s. Anm. 3) 113, hält die Nikolaoskirche für einen palaiologischen Neubau und behauptet, daß der Weinberg des Kaligas „eindeutig an der südöstlichen Ecke der Ummauerung des Bebaia-Elpis-Klosters" gelegen habe; ebenso lehnt er die Gleichsetzung mit der Nikolaoskirche bei der Vigla ab und lokalisiert die Nikolaoskirche τοῦ Μεσομφάλου in der Gegend der alten Universität. Das ist jedoch sicherlich falsch, denn an der südöstlichen Ecke des Klosterareals nahe der Kyriotissa lag der „große Weinberg" des Protostrators Theodoros (oben Anm. 53).

66 Die Akindynoskirche lag innerhalb des venezianischen Konzessionsgebiets von 1082, vgl. Janin (s. Anm. 5) 571; Jacoby (s. Anm. 61) 155. War sie mit Hagios Onouphrios identisch (vgl. oben Anm. 55), müßte sie östlich der Vigla bzw. östlich der zweiten öffentlichen Straße, also zwischen Odunkapı und Zindankapı (Perama-Tor) gesucht werden. Sie ist bei Berger (s. Anm. 40) Abb. 1, sicher falsch eingezeichnet.

67 Delehaye (s. Anm. 5) 22, Z. 22–23 und 24, vgl. 26,4–5; Talbot (s. Anm. 19) 1524, § 4, vgl. 1526, § 11. – Hutter 1983 (s. Anm. 19) 100, betont ausdrücklich die „zwei getrennten Bauvorhaben".

68 Beispiele bei Talbot (s. Anm. 3) Tabelle 343.

anhand des Grenzverlaufs ermitteln (Abb. 2). Zwecks Errichtung des Konvents, der zunächst für 30 Nonnen vorgesehen war (unter Euphrosyne erhöhte sich deren Zahl auf 50[69]), hatten Theodora-Theodoule und ihr Gatte, der Megas Stratopedarches Ioannes Komnenos Synadenos [Ioakeim], der im Typikon als Mitbegründer bezeichnet wird,[70] eigenen Landbesitz eingebracht und den Acker des Kaligas mit allen umliegenden Häusern gekauft sowie einen weiteren großen Weinberg mitsamt den Häusern nahe dem Kloster der Kyriotissa von ihrem Sohn, dem Protostrator Theodoros zum Geschenk erhalten.[71] Dieser hatte auch die Kellia von Grund auf neu errichten lassen. Das Geld hierfür, 200 Hyperpyra, steuerte seine Frau Eudokia Doukaina Komnene Synadene Palaiologina bei, die Tochter des Theodoros Doukas Mouzakios.[72] Wie wir aus den spätesten Zusätzen des Typikons erfahren, ließ 1392 die Urenkelin der Stifterin, Xene Philanthropene († 13. Februar 1394), aus eigenen Mitteln diejenigen Teile des Klosters restaurieren, die bereits baufällig waren, wobei jedoch ungesagt bleibt, um welche Gebäude es sich dabei gehandelt hat.[73] Ihre Tochter Eugenia Kantakouzene Philanthropene († 11. Februar 1402) veranlaßte im Jahre 1400 aus dem Erlös eines Hausverkaufs und weiteren Mitteln, insgesamt 200 Hyperpyra, die Wiederherstellung der Kirche und des Glockenturms, der einzustürzen drohte.[74] Dieses Geld wurde für Ziegel, Nägel, Kalkmörtel, künstlerische Arbeiten und andere angemessene Zwecke verwendet. Für 100 Hyperpyra ließ sie den Garten des Großmärtyrers Georgios zu einem Weinberg kultivieren und mit dem „großen Weinberg" des Klosters vereinigen.[75] Zwar wissen wir nichts von einer Georgskirche in der Nachbarschaft des Klosters, doch läßt sich der Weinberg des

---

69 Delehaye (s. Anm. 5) 96, Z. 11–12; 97, Z. 9; Talbot (s. Anm. 19) 1564, §§ 146–147.

70 Delehaye (s. Anm. 5) 81, Z. 12–15; Talbot (s. Anm. 19) 1556, § 116.

71 Daß die Familie der Synadenoi hier schon Besitzungen hatte, wird durch die Häuser der Söhne der Stifterin erwiesen; dazu kommen Einkünfte aus Grundbesitz außerhalb Konstantinopels, vgl. Hutter 1983 (s. Anm. 19) 101.

72 Delehaye (s. Anm. 5) 94; Talbot (s. Anm. 19) 1562, § 143. – Zu Eudokia Doukaina Komnene Synadene Palaiologina siehe PLP 11 (1991) Nr. 27096; Spatharakis (s. Anm. 19) 195, Abb. 146; Hutter 1983 (s. Anm. 19) 83–84, Abb. 4; Hutter 1997 (s. Anm. 19) 59–60, Farbtaf. 9, Abb. 212. – Zu Theodoros Doukas Mouzakios PLP 8 (1986) Nr. 19428.

73 Delehaye (s. Anm. 5) 104, Z. 2–6; Talbot (s. Anm. 19) 1568, § 158. – Xene Philanthropene war die Tochter der Anna Kantakouzene Komnene Palaiologina Bryenissa (PLP 12 [1994] Nr. 29737), einer Tochter des Megas Konostaulos Ioannes, und des Michael Komnenos Laskaris Bryennios Philanthropenos (PLP 12 [1994] Nr. 29778); zu Xene Philanthropene siehe PLP 12 (1994) Nr. 29746; Hutter 1983 (s. Anm. 19) 81, Anm. 11.

74 Delehaye (s. Anm. 5) 104, Z. 17–25; Talbot (s. Anm. 19) 1568, § 158. – Zu Eugenia Kantakouzene Philanthropene siehe PLP 5 (1981) Nr. 10936; Hutter 1983 (s. Anm. 19) 81, Anm. 11; 101.

75 Delehaye (s. Anm. 5) 105, Z. 6–9; Talbot (s. Anm. 19) 1568, § 159.

Großmärtyrers Georgios bei der Kyriotissa ansiedeln, was schon durch die Vereinigung mit dem „großen Weinberg" des Protostrator Theodoros nahegelegt wird.

Sind die Angaben über die Bautätigkeit innerhalb des Bebaia Elpis-Klosters auch dürftig, so wird doch dreierlei deutlich: 1.) Um 1290–1300 wurden eine schon vorhandene Kirche restauriert und die Kellia neu errichtet. – 2.) 1392 und 1400 waren bereits größere Reparaturen im Kloster notwendig, wobei 1400 besonders der Turm als einsturzgefährdet bezeichnet wird. – 3.) Die Klosterkirche hatte einen Glockenturm, der schon zum Erweiterungsbau von 1300 gehört haben muß. Über sonstige Einrichtungen wie Wirtschaftsgebäude schweigt das Typikon. Außer dem großen Tor gab es aber noch ein inneres Tor. In dem Bereich zwischen den beiden Toren durften die Nonnen den Besuch von nahen Verwandten empfangen, woraus geschlossen werden kann, daß beim inneren Tor der eigentliche und für Fremde unbetretbare Klosterbereich begann.[76]

Das Typikon enthält wie etliche der seit komnenischer Zeit verfaßten Klosterregeln in einem „Obituarium" ausführliche Vorschriften für die Kommemoration der Stifterin und ihrer Nachfahren sowie Nachträge für weitere Personen, denen Kommemorationen zuteil werden sollten.[77] Gerade im Falle des Bebaia Elpis-Klosters ist die enge und über fünf Generationen reichende Verbindung der Familie mit ihrem Konvent besonders gut faßbar.[78] Die Sicherung des fortwährenden Totengedächtnisses war schließlich einer der Hauptzwecke für die Stiftung kaiserlicher oder privater Eigenklöster, deren Gründer dort ihre Grabstätte vorsahen und oftmals auch ihren Verwandten, Nachkommen und sonstigen Wohltätern einen Bestattungsplatz innerhalb der Kirche oder im Klosterbereich ausdrücklich zusicherten.[79] Was die palaiologische Zeit betrifft, so sind wir für vier Konstantinopler Klöster sehr gut über die dort installierten Gräber unterrichtet: Für das Lipskloster sowohl durch das Typikon der Theodora Dou-

76 Delehaye (s. Anm. 5) 63, Z. 1; Talbot (s. Anm. 19) 1545–1546, § 76; A.-M. Talbot, Woman's Space in Byzantine Monasteries, DOP 52 (1998) 122.

77 Zum Obituarium siehe Hutter 1983 (s. Anm. 19) 80, 92–93 mit Anm. 62; 103; Talbot (s. Anm. 19) 1514. – In den §§ 113–119 (Delehaye (s. Anm. 5) 80–82; Talbot, ebd., 1555–1556) Kommemorationen für die Eltern der Theodora-Theodoule, ihren Mann, ihre Tochter Euphrosyne und die beiden Söhne; in den §§ 134–143 Präzisierungen und weitere Bestimmungen für die vor 1330 verstorbenen Familienmitglieder (Delehaye, ebd., 91–94; Talbot, ebd., 1561–1562); in den §§ 149–154 (Zusatztypikon der Euphrosyne) Anweisungen für Kommemorationen der Nonnen (Delehaye, ebd., 98–101; Talbot, ebd., 1565–1566).

78 A.-M. Talbot, The Byzantine Family and the Monastery, DOP 44 (1990) 125–126.

79 Siehe dazu Giuseppe de Gregorio, Una lista di commemorazioni di defunti dalla Costantinopoli della prima età paleologa. Note storiche e prosopografiche sul Vat. Ross. 169, RSBN n.s. 39 (2001) 103–194, hier 114–127.

kaina Komnene Palaiologina [Eugenia], der Witwe Michaels VIII., als auch durch den archäologischen Befund selbst,[80] für das Pammakaristoskloster durch die Gräberbeschreibung im Cantabrigiensis,[81] für das Chorakloster ebenfalls durch den Befund von acht mehr oder weniger gut erhaltenen Arkosolgräbern im Parekklesion (A–D), im Esonarthex (H) und im Exonarthex (E–G)[82] sowie schließlich für die zweite Nutzungsphase des Pantokratorklosters durch die Schriftquellen.[83] Daher ist davon auszugehen, daß auch die von Theodora-Theo-

---

80   A.-M. Talbot, Empress Theodora Palaiologina, Wife of Michel VIII, DOP 46 (1992), 295–303; Talbot (s. Anm. 3) 336–338; zum Typikon siehe Delehaye (s. Anm. 5) 106–140, hier 130, § 42; A.-M. Talbot, *Lips: Typikon* of Theodora Palaiologina for the Convent of Lips in Constantinople, in: BMFD 3, Nr. 39, 1254–1286, hier 1278–1279, § 42; zu den Bestattungen siehe Th. Macridy, The Monastery of Lips and the Burials of the Palaeologi, in: The Monastery of Lips (Fenari Isa Camii) at Istanbul. With contributions by A.H.S. Megaw, C. Mango, and E.J.W. Hawkins, DOP 18 (1964) 269–272; C. Mango and E.J.W. Hawkins, Additional Notes, in: Ebd., 301–303. – Im Lipskloster waren bestattet: 1.) Anna Komnene Palaiologina († vor 1301), 2. Tochter Michaels VIII. Palaiologos und der Theodora Doukaina Komnene Palaiologina. – 2.) Theodora Doukaina Komnene Palaiologina [Eugenia] († 25. Febr. 1303), Tochter des Sebastokrators Ioannes Doukas und der Eudokia Angelina, Frau Michaels VIII. Palaiologos, zusammen mit ihrer Mutter. – 3.) Konstantinos Palaiologos Porphyrogennetos [Athanasios] († 5. Mai 1306), 3. Sohn Michaels VIII. Palaiologos und der Theodora Palaiologina. – 4.) Adelheid von Braunschweig-Grubenhagen/Eirene Palaiologina († 16. Aug. 1324), 1. Frau Andronikos' III. Palaiologos. – 5.) Eirene Asania Komnene Palaiologina († vor 1328), 1. Tochter Michaels VIII. Palaiologos und der Theodora Doukaina Komnene Palaiologina, Frau Ivan Asens III. – 6.) Andronikos II. Doukas Angelos Komnenos Palaiologos [Antonios] († 12./13. Febr. 1332), 2. Sohn Michaels VIII. Palaiologos und der Theodora Doukaina Komnene Palaiologina. – 7.) Anna von Moskau († Aug. 1417), Tochter des Großfürsten Vasilij I. Dimitrievič († von Moskau und der Sophia, Tochter Witolds von Litauen, 1. Frau Ioannes' VIII. Palaiologos.
81   Oben Anm. 18.
82   P. A. Underwood, The Kariye Djami, 3 Bde., London 1967, Bd. 1, 269–299; Bd. 3, Abb. 533–553.
83   Im Pantokratorkloster waren in palaiologischer Zeit bestattet: 1.) Ioannes Palaiologos Despotes († 1307), 1. Sohn Andronikos' II. Palaiologos und der Jolante-Eirene Komnene Doukaina Palaiologina: PLP 9 (1989) Nr. 21475. – 2.) Jolante-Eirene Komnene Doukaina Palaiologina († 1317), Tochter Wilhelms VII. von Montferrat, 2. Frau Andronikos' II. Palaiologos: PLP 9 (1989) Nr. 21361. – 3.) Andronikos IV. Komnenos Palaiologos († 28. Juni 1385), 1. Sohn Ioannes' V. Palaiologos und der Helene Kantakouzene: PLP 9 (1989) Nr. 21438. – 4.) Manuel II. Palaiologos [Matthaios] († 21. Juli 1425), 2. Sohn Ioannes' V. Palaiologos und der Helene Kantakouzene: PLP 9 (1989) Nr. 21513. – 5.) Andronikos Palaiologos [Akakios], Despot von Thessaloniki († 4. März 1429), 3. Sohn Manuels II. Palaiologos und der Helene Dragaš: PLP 9 (1989) Nr. 21427. – 6.) Maria Komnene Kantakouzene Palaiologina [Makaria] († 17. Dez. 1439), Tochter Alexios IV. von Trapezunt, 3. Frau Ioannes' VIII. Palaiologos, zusam-

doule restaurierte und der Theotokos τῆς Βεβαίας 'Ελπίδος geweihte Kirche mit geeigneten Räumlichkeiten ausgestattet wurde, um dort Grabstellen einzurichten. Das Typikon erwähnt zwar nur zwei Gräber,[84] doch darf aus dem Obituarium und den späteren Eintragungen geschlossen werden, daß außer der Gründerin und ihrer Tochter und Nachfolgerin auch die beiden um die Wiederherstellung des Konvents verdienten Philanthropenai sowie alle Personen, die Kommemorationen erhalten sollten, in der Kirche beigesetzt waren.[85]

Im Gegensatz zum Konvent der Kyra Martha (1) besaß das Bebaia Elpis-Kloster keine besonderen Reliquien, die es aufzusuchen galt, denn die Pilger des 14./15. Jahrhunderts schweigen darüber.[86] Um so bemerkenswerter sind die reichen Schätze, die dem Kloster aus privaten Stiftungen von Familienmitgliedern und anderen Personen bis gegen 1400 zugewendet worden sind und im Typikon gebührende Erwähnung gefunden haben, zumal sich die jeweiligen Stifter dadurch die Kommemoration erkauften.[87]

III

Inmitten des riesigen Areals, das gemäß dem Periorismos zum Bebaia Elpis-Kloster gehörte und sich relativ genau festlegen ließ (Abb. 2), erhebt sich auf dem Westhang des dritten Hügels die Vefa Kilise Camii (Abb. 3, 5, 6). Ihr Patrozinium ist unbekannt. Lange Zeit wurde sie auf Grund einer Notiz von Petrus Gyllius dem heiligen Theodoros zugeschrieben.[88] Berger hat die Kirche in seine Über-

---

men mit diesem beigesetzt: PLP 9 (1989) Nr. 21397. – 7.) Eirene Palaiologina [Eugenia] († 1. Jan. 1440), Tochter Francescos II. Gattilusio, Frau Ioannes' VII. Palaiologos: PLP 9 (1989) Nr. 21358. – 8.) Theodoros II. Palaiologos († 27. Juni 1448), 3. Sohn Manuels II. Palaiologos und der Helene Dragaš: PLP 9 (1989) Nr. 21459. – 9.) Ioannes VIII. Palaiologos († 31. Okt. 1448), 1. Sohn Manuels II. Palaiologos und der Helene Dragaš: PLP 9 (1989) Nr. 21481. – 10.) Helene Dragaš [Hypomone] († 23. März 1450), Frau Manuels II. Palaiologos: PLP 9 (1989) Nr. 21366.

84   Für Ioannes Komnenos Doukas Angelos Branas Palaiologos [Ioasaph], Neffe der Stifterin (PLP 9 [1989] Nr. 21486): Delehaye (s. Anm. 5) 93; Talbot (s. Anm. 19) 1562, § 142; für den oben erwähnten Theodoros Doukas Mouzakios: Delehaye, ebd., 94; Talbot, ebd., 1562, § 143.

85   Wichtig ist der Hinweis von Hutter 1983 (s. Anm. 19) 110, Anm. 138: „In keinem Text sind die [scil. im Lincoln College Typikon] dargestellten Enkelinnen samt Gatten individuell erwähnt, und umgekehrt haben laut Obituarium neun Angehörige Memorialdienste erworben, die nicht in die Porträtgalerie aufgenommen wurden".

86   Zu den Reliquien des Kyra Martha-Klosters siehe Majeska (s. Anm. 6) 306–309, § 33.

87   Die einzelnen Gegenstände sind in den §§ 134–143 und 155–159 aufgeführt; siehe dazu Hutter 1983 (s. Anm. 19) 81, Anm. 11; 92–93, Anm. 62.

88   *Petri Gyllii De topographia Constantinopoleos et de illius antiquitatibus libri quatuor I, 11; III, 6,* Lyon 1561 [Nachdruck: Athen ohne Jahr], 40, 167.

legungen über die Ausdehnung des Bebaia Elpis-Klosters nicht mehr einbezo-
gen, da er sich hinsichtlich ihrer Bestimmung bereits in früheren Arbeiten auf die
Prokopioskirche τῆς Χελώνης festgelegt und ihre palaiologische Erneuerung
auf Grund eines Gedichtes des Manuel Philes mit Alexios Kaballarios und seiner
Frau Simonis in Verbindung gebracht hatte.[89]

Nun kann nicht ausgeschlossen werden, daß bei der Neugründung eines
Klosters und der Absteckung des Bezirks sich ältere Kirchen und andere Bauten
innerhalb des Areals befunden haben, wofür im Falle des Bebaia Elpis-Klosters
schon die Einbeziehung der Akakioskirche spricht. Auch das Vefa-Ayazma
unterhalb von Sarı Bayazıt gehörte wahrscheinlich zu einer älteren byzantinischen Kirche, die ebenfalls innerhalb des Klosterareals gelegen haben muß.[90]
Weiterhin grenzten an das Klostergebiet in lockerer Verteilung private Häuser
und sonstige Anwesen (Siebmacher, Aborates, Schneider Andreas, Solatos, Häuser an den beiden Weinbergen; Acker des Kaligas, Garten des Gymnos) an, zumal
das Stadtgebiet von Konstantinopel in spätbyzantinischer Zeit im Inneren nur
noch dünn besiedelt war und überwiegend aus Äckern, Weinbergen oder Gärten
bestand.[91] Im Bereich der westlichen öffentlichen Straße und wohl nahe am
Zeugma wird eine der beiden Stephanoskirchen vermutet,[92] die im ersten Viertel
des 14. Jahrhunderts durch Konstantinos Doukas Nestongos um ein Männerklo-
ster erweitert worden war.[93] Da die Stephanoskirche im Typikon nicht erwähnt
ist, wurde sie vom Mauerverlauf des Bebaia Elpis-Klosters anscheinend nicht
berührt. Einzig also das Moselekloster, die Mauer des Gorgoepekooskonvents,

---

89 Berger (s. Anm. 33) 463; vgl. Berger (s. Anm. 40) Abb. 1; Berger (s. Anm. 37) Abb. 8,
    wo die Kilise Camii stets unter „Prokopioskirche" firmiert (zuletzt Berger (s. Anm.
    24) 15, Anm. 84); siehe auch Kidonopoulos (s. Anm. 3) 120–121, 145. – Alexios
    Kaballarios läßt sich mit keinem der beiden im PLP 5 (1981) Nr. 10034 und 10035 auf-
    geführten Personen identifizieren (Kidonopoulos, ebd., 145, Anm. 1676, erwog eher
    Nr. 10035); Simonis vielleicht PLP 10 (1990) Nr. 25384? Die Quelle (Manuel Philes)
    und der Nachweis des unedierten Gedichtes (Manuel I. Gedeon, s.v. Κωνσταντι-
    νούπολις, in: S. I. Voutyra / G. Charydos, Λεξικὸν Ἱστορίας καὶ Γεωγραφίας
    Νεολόγου 3, Konstantinopel 1881, 1048) ist mir nicht zugänglich.
90 Müller-Wiener (s. Anm. 7) Plan 275 (dort mit einem + markiert); Nikos Atzemoglu,
    Τ' αγιάσματα τῆς Πόλης, Athen 1990, 21–23.
91 Noch um 1400 verkaufte ein Bäcker namens Manuel Chrysoberges sein im Kloster
    der Kyra Martha (1) gelegenes Haus an diesen Konvent, vgl. PLP 12 (1994) Nr. 31121.
92 Berger (s. Anm. 33) 475. – Berger (s. Anm. 40) 404, erwägt, ob die Stephanoskirche
    beim sog. Grab Konstantins bzw. beim Ayasma zu suchen sei; für beide setzt er ältere
    byzantinische Kirchen voraus.
93 Zur Lage der beiden Stephanoskirchen am Zeugma und in den Konstantinianai siehe
    P. Magdalino, Aristocratic Oikoi in the Tenth and Eleventh Regions of Constanti-
    nople, in: Byzantine Constantinople (s. Anm. 3) 61–65. – Zu Konstantinos Doukas
    Nestongos siehe PLP 8 (1986) Nr. 20201.

Grenze und Weinberg der Protostratorissa Glabaina sowie das Kloster der Kyriotissa werden ausdrücklich als Fixpunkte angegeben.

Bei der Kilise Camii handelt es sich um ein bedeutendes Kirchengebäude, das innerhalb des Klostergeländes lag und in palaiologischer Zeit tiefgreifende Erneuerungen und Erweiterungen erfahren hat. Bei der Eroberung der Stadt 1453 war die Kirche offenbar noch gut erhalten und wurde kurz darauf durch den Şeyhülislâm Molla Gûranî Şemsüddîn Ahmed Efendi in eine Moschee umgewandelt.[94] Schon deshalb muß es verwundern, daß noch niemals ernsthaft der Frage nachgegangen wurde, welchem der in palaiologischer Zeit (neu)gegründeten Klöster die Kirche angehört haben könnte.[95]

Die Kilise Camii ist bis heute nicht ausreichend erforscht.[96] Hinzu kommt, daß es keinen in allen Details verläßlichen Grundriß gibt, weshalb wir nach wie vor auf den Plan von Alexander Van Millingen angewiesen sind (Abb. 4).[97] Der Kernbau der Kilise Camii (Abb. 3) wird in die Zeit „um 1100" datiert.[98] In zwei gleichzeitig erschienenen Aufsätzen haben Horst Hallensleben[99] und Cyril Mango[100] anhand der Zeichnungen von Charles Texier, Albert Lenoir und Wilhelm Salzenberg wesentliche Probleme der Kirche und ihrer Bauphasen ge-

---

94 Hadîkat (s. Anm. 34) 251, Nr. 24; Semavi Eyice, Vefa Kilise Camii, in: İstanbul Ansiklopedisi 7 (1994) 373–375, 374.

95 Einzig Anthony Bryer (zitiert bei R. G. Ousterhout, The Architecture of the Kariye Camii in Istanbul (DOS 25), Washington, D.C., 1982, 112, Anm. 93) und C. Mango, The Work of M. I. Nomidis in the Vefa Kilise Camii, Istanbul (1937–38), Μεσαιωνικά και Νέα Ελληνικά 3 (1990), 421–429, 429, erwogen eine Verbindung mit dem Kloster der Gorgoepekoos.

96 Die Literatur bis 1994 bei Eyice (s. Anm. 94) 375; vgl. Kidonopoulos (s. Anm. 3) 145–146; Forschungsüberblick bei L. Theis, Flankenräume im mittelbyzantinischen Kirchenbau. Zur Befundsicherung, Rekonstruktion und Bedeutung einer verschwundenen architektonischen Form in Konstantinopel (Spätantike – Frühes Christentum – Byzanz. Kunst im ersten Jahrtausend. Hrsg. Von B. Brenk, J. G. Deckers, A. Effenberger, L. Kötzsche. Reihe B: Studien und Perspektiven, Bd. 18), Wiesbaden 2005, 85–95; Fotodokumentation bei Th. F. Mathews, The Byzantine Churches of Istanbul. A Photographical Survey, University Park/London 1976, 386–401.

97 Van Millingen (s. Anm. 15) Abb. 84 auf 251. – Vgl. auch die in ihrer Darstellungsqualität immer noch unübertroffenen Aufrisse bei J. Ebersolt/A. Thiers, Les Eglises de Constantinople, Paris 1913 (Nachdruck: London 1979), Taf. 34–38 (hier Abb. 7).

98 Vgl. Müller-Wiener (s. Anm. 7) 169 („Ca. 10.–11. Jh."); R. Krautheimer, Early Christian and Byzantine Architecture. Revised by R. Krautheimer und Slobodan Ćurčić, New Haven / London 1986 (die älteren Auflagen 1965, 1975, 1979), 363 („about 1100"); Theis (s. Anm. 96) 83 („11. Jh." [?]), 97 („um 1100").

99 H. Hallensleben, Zu Annexbauten der Kilise camii in Istanbul, IM 15 (1965), 208–217.

100 C. Mango, Constantinopolitana, JDAI 80 (1965) 323–330 (wieder abgedruckt: C. Mango, Studies on Constantinople, Aldershot 1993, Study II).

klärt.[101] Hallensleben hat wohl als erster deutlich ausgesprochen, daß 1.) Exonarthex und „Würfel" – gemeint ist der Anbau vor der Südostecke des Exonarthex (Abb. 4 und 6) – aufgrund des übereinstimmenden Mauerwerks (Wechsel
von zwei Ziegelschichten mit einer Reihe Haustein im Unterschied zum komnenischen Naos mit drei bis vier Ziegelschichten und einer Lage Haustein) der gleichen – palaiologischen – Epoche angehören müssen, und daß 2.) der „Würfel"
das Untergeschoß eines Glockenturms war.[102]

Allerdings weichen alle Grundrisse des Turmsockels erheblich voneinander
ab. Hallensleben verwendete in seiner Abb. 2 den Plan von Van Millingen (hier
Abb. 4), welcher einen unregelmäßigen Turmgrundriß bietet, der mit keiner seiner Mauern parallel bzw. rechtwinklig zum Kernbau steht. In seiner Abb. 1 und
seiner Rekonstruktion Abb. 4 benutzte er hingegen die Pläne von Cornelius
Gurlitt und Ebersolt/Thiers, die den Turmgrundriß fast quadratisch und rechtwinklig zum Kernbau wiedergeben (nur bei Ebersolt/Thiers weicht die Südwand
etwas ab).[103] Zutreffend ist jedoch nur der Plan von Van Millingen, wie eine
Nachprüfung vor Ort ergab.

Hinsichtlich der Entstehungszeit der südlichen Porticus in Bezug auf Exonarthex und Turm gehen die Meinungen auseinander. Hallensleben hielt Exonarthex, Turm, Durchgangsraum zwischen Esonarthex (der ursprüngliche Narthex des komnenischen Kernbaus) und Turm sowie die Porticus für gleichzeitig,
d. h. für palaiologisch,[104] während Lioba Theis den südlichen „Flankenraum" mit
der Porticus und den Durchgangsraum bereits der komnenischen Entstehungszeit der Kirche zuweist und nur Exonarthex und Turm als palaiologische Zutaten
gelten läßt.[105] Ihre Argumentation ist jedoch nicht überzeugend. So behauptet
sie, daß 1.) die südliche Außenmauer des Durchgangsraums zwischen Kernbau
und Turm, die zugleich die Nordwand des Turmsockels ist, die Außenflucht des
„Flankenraums" aufnehme, obwohl die Südwand des Durchgangs (also die
Nordwand des Turms) doch in einem deutlich erkennbaren Winkel von ca. 11°
ausschert und damit offensichtlich Bezug nimmt auf das sehr breite südliche Eck-

---

101 Die Zeichnungen ebd., Abb. 10–19; Theis (s. Anm. 96) Abb. 113–123.

102 Hallensleben (s. Anm. 99) 209–211, 214–215. – Hallensleben hat erstmals das Problem
der Glockentürme Konstantinopler Kirchen thematisiert: Hallensleben (s. Anm. 13)
183–191; vgl. H. Hallensleben, Byzantinische Kirchtürme, Kunstchronik 19 (1966)
309–311; siehe auch Ousterhout (s. Anm. 95) 106–110.

103 Cornelius Gurlitt, Die Baukunst Konstantinopels, Berlin 1907, Taf. 9b; Ebersolt/
Thiers (s. Anm. 97) Taf. 34. – Müller-Wiener (s. Anm. 7) 170, Abb. 175, liefert einen
eigenen Lageplan mit ebenfalls regelmäßigem Grundriß des Turms.

104 Hallensleben (s. Anm. 99) 213, 214. – M. Restle, Konstantinopel, RBK 4 (1992) Sp.
366–737, Sp. 597, beobachtete das durchlaufende Basissockelgesims unter Exonarthex
und Turm, was ebenfalls für die Gleichzeitigkeit beider Bauteile spreche.

105 Theis (s. Anm. 96) 97–98; vgl. ihren Idealgrundriß Abb. 125.

kompartiment des palaiologischen Exonarthex, und daß 2.) die östliche Öffnung dieses Eckkompartiments vor einem bereits existierenden Bauteil (dem Durchgangsraum) errichtet worden sei. Die angeblich „exzentrische" Lage des Turms erklärt sich m. E. jedoch daraus, daß nach der Errichtung des palaiologischen Exonarthex zwischen dem südwestlichen Eckkompartiment des Exonarthex und dem südlichen Mantelraum ein den Breitenunterschied vermittelndes Raumglied eingefügt werden mußte. Die Auffassung von Hallensleben,[106] wonach Turm, Verbindungsraum und Exonarthex in einem Zuge entstanden seien, ist also sehr wohl nachvollziehbar! Im übrigen widerspricht sich Theis selbst, wenn sie den Vorsprung an der östlichen Innenseite der westlichen Wandzunge des Durchgangsraums (Abb. 4, Buchstabe b) als „in der Flucht der Innenwand des südlichen Parekklesions" liegend bezeichnet und hier noch ein Überbleibsel des Flankenraums sehen möchte.[107] Träfe dies zu, würde um so deutlicher, daß die schräge Nordmauer des Turms mit der postulierten Außenmauer des Mantelraums nichts zu tun hatte.

Exonarthex (Abb. 5 und 7) und Turm (Abb. 6) der Kilise Camii werden traditionell in die Zeit um 1320 datiert.[108] Robert Ousterhout hat den Exonarthex einer der drei von ihm postulierten, zwischen 1290 und 1320 in Konstantinopel tätigen Werkstätten zugerechnet und mit den Erweiterungsbauten des Lipsklosters auf eine Stufe gestellt.[109] Die Übereinstimmungen beschränken sich hierbei im Wesentlichen auf das gleiche Mauerwerk, das an den noch intakten Teilen des Ambulatoriums des Lipsklosters aus einer Reihe Haustein und zwei Ziegellagen besteht.[110] Hingegen erscheint mir die in der Forschung etablierte, im Sinne einer stilistischen Entwicklung aufgestellte Abfolge – Errichtung der Südkirche und der beiden Umgangshallen des Lipsklosters (zwischen 1282 und 1303), Erbauung des Parekklesions der Pammakaristoskirche („shortly after 1310"[111]),

---

106 Hallenleben (s. Anm. 99) 314.

107 Theis (s. Anm. 96) 98, Anm. 352.

108 Ousterhout (s. Anm. 95) 94, Anm. 9, vgl. R. Ousterhout, Master Builders of Byzantium, Princeton, N. J., 1999, 250 („about 1320"), beide Male unter Berufung auf Krautheimer (s. Anm 98) 448 („after, rather then before, the parekklesia of the Kariye and the Fetiyeh Camii"). In seinem Grundriß gibt Ousterhout (s. Anm. 95) Abb. 161, die Datierung der einzelnen Bauteile folgendermaßen an: Kernbau (Kirche) „ca. 1100"; Turmsockel und Verbindungsbau „ca. 1320, phase I"; Exonarthex „ca. 1320, phase II"; Minaretteinbau „Turkish".

109 Ousterhout (s. Anm. 108) 255.

110 Ousterhout (s. Anm. 95) 127; Ousterhout (s. Anm. 108) 170. – Ousterhout widerspricht damit sicher zu Recht der noch vielfach üblichen Datierung der beiden Umgangshallen in die Mitte des 14. Jahrhunderts; vgl. etwa Müller-Wiener, Bildlexikon, 127; Restle, Konstantinopel, Sp. 572–573; anders: Mango, DOP 18 (1962) 252.

111 Mango/Hawkins (s. Anm. 15) 330.

Restaurierung der Kariye Camii (ca. 1316–1320), Exonarthex der Kilise Camii („about 1320") – einer Revision zu bedürfen.[112] Wenn die Kilise Camii die Kirche des Bebaia Elpis-Klosters war und der Exonarthex sowie der Turm zwischen 1290 und 1300 errichtet wurden, wenn das Parekklesion der Pammakaristoskirche bald nach dem Tod des Michael Doukas Glabas Tarchaneiotes (1305/08) vollendet wurde[113] und die Um- bzw. Anbauten der Kariye Camii gegen 1320 abgeschlossen waren, dann ergibt sich die Reihenfolge: Südkirche und Hallen des Lipsklosters (1282–1300),[114] Exonarthex und Turm der Kilise Camii (um 1300), Parekklesion der Pammakaristoskirche (um 1305/08), Erweiterung der Kariye Camii (bis 1320).[115]

Schwieriger zu bestimmen ist die Herleitung der architektonischen Komposition der Fassade des Exonarthex (Abb. 5 und 7). Marcel Restle hatte hierzu bemerkt:[116] „Das Problem bedarf weiterer Vertiefung, da eine Datierung der Vorhallenarchitektur mit ihrer artifiziellen u. entwickelten hochpalaiologischen Struktur u. Gliederung vor 1315/20 im Augenblick unmöglich erscheint." Das Motiv der Fassadengliederung durch halbrunde Nischen mit oberem Bogenabschluß begegnet in der palaiologischen Architektur von Konstantinopel m.E. zuerst am palaiologischen Narthex (Esonarthex) der Pammakaristoskirche, dessen Westfront in der Gliederung mit anzunehmenden Blendbögen und halbrun-

---

112 Sie findet sich in allen Auflagen von Krautheimer (s. Anm 98) zuletzt 443–447; zustimmend auch Horst Hallensleben in seiner Rezension des 6. und 7. Teils der ersten Auflage von 1965, Byzantinische Zeitschrift 66 (1973) 131.

113 Kidonopoulos (s. Anm. 3) 84–85 und Anm. 1917, diskutiert die bislang vorgeschlagenen Zeitansätze für die Errichtung des Parekklesions; sein eigener Vorschlag für das Datum der Fertigstellung – 1321 – ist sicher zu spät. Zutreffend allein Restle (s. Anm. 104) Sp. 575 („vermutlich noch im 1. Jahrzehnt des 14. Jh.s"). – Siehe auch Verf. (oben Anm. 13).

114 Talbot 1992 (s. Anm. 80) 299, datiert das Typikon des Lipsklosters zwischen 1294 und 1301 und die Restaurierung des Konvents ebenfalls „during the last decade of the thirteenth century", doch muß die Südkirche schon bald nach 1282 errichtet worden sein, zumal im Typikon bereits das vorhandene Grab ihrer Tochter (Anna Palaiologina?) erwähnt ist, vgl. Delehaye (s. Anm. 5) 130, § 42; Talbot, Lips (s. Anm. 80) 1278f., § 42.

115 Entsprechend wurden das Mauerwerk der palaiologischen Anbauten der Kilise Camii als weniger sorgfältig, der Ansatz der Kuppeltamboure als unorganisch charakterisiert, vgl. Krautheimer (s. Anm 98) 447, was Folgen für die Datierung anderer Kirchen hatte. So stellte Hallensleben (s. Anm. 112) 131, die undatierte Katharinenkirche von Thessaloniki mit der Kilise Camii stilistisch auf eine Stufe und datierte sie nach der Apostelkirche von Thessaloniki (deren Narthex datiert 1310/14).

116 Restle (s. Anm. 104) Sp. 694.

den Nischen der regelmäßigen inneren Jocheinteilung gefolgt sein wird.[117] An dem etwa gleichzeitigen Ambulatorium des Lipsklosters wechseln an der Westseite flache mit nicht sehr tiefen halbrunden Nischen in den Wandvorlagen, an der Südseite begegnen nur halbrunde Nischen.[118] Die unterschiedlich breiten Blendbögen und Fenster reflektieren hier zwar die divergierenden Jochlängen des inneren Umgangs, doch bleibt die vertikale Einheitlichkeit trotz des trennenden Marmorgesimses gewahrt. Eine wirklich hochentwickelte palaiologische Struktur läßt sich nur der West- und Südfassade des Parekklesions der Pammakaristoskirche ablesen.[119] Diese ist zwar ebenfalls durch das Gesims mit der Philes-Inschrift horizontal unterteilt, doch harmonieren hier alle drei Fassadenebenen in der vertikalen Anordnung der Fenster und Blendnischen mit der vorgegebenen inneren Aufteilung des Gebäudes. Lediglich die Vorhalle der Kilise Camii folgt einem anderen Prinzip (Abb. 5 und 7). An der Front des Exonarthex bilden die Halbrundnischen beiderseits der Tripelarkaden mit diesen eine strukturelle Einheit. Die obere Wandzone ist zwar wieder durch ein Gesimsband deutlich abgetrennt, doch weicht die Fensterabfolge in der Gestaltung und Gliederung von der unteren Hallenfront ab, da sie die unterschiedlichen inneren Jochbreiten des Exonarthex aufnimmt. Ousterhout hat im Zusammenhang mit dem Exonarthex der Kariye Camii die Entwicklungsgeschichte der Vorhallenarchitektur untersucht und sah das Motiv der Tripelarkade bereits in der Exonarthexfassade der Fatih Camii von Enez (Ainos)/Thrakien vorgebildet, die er in das 12. Jahrhundert datierte.[120] In der Übernahme und Verschmelzung unterschiedlicher Elemente wie den Tripelarkaden und den Halbrundnischen erweist die Exonarthexfassade der Kilise Camii einen durchaus eigenständigen Charakter, den man eher als experimentell und weniger als artifiziell bezeichnen sollte.

Die noch relativ gut erhaltenen, wenn auch unsachgemäß übergangenen Mosaiken von acht Königen aus dem Hause Davids, die an der Kalotte der Südkuppel des Exonarthex das Bild der Theotokos umgeben (Abb. 8),[121] hat erstmals Wolfgang Grape gründlich untersucht und – unbeeindruckt von einem vermeint-

---

117 In der Datierung des Narthex in palaiologische Zeit folge ich der Auffassung von Hallensleben (s. Anm. 13) 172–173. – Grundriß bei Mango/Hawkins (s. Anm. 15) Plan A und – mit Änderungen, bei Mango (s. Anm. 12) Plan A.

118 Mathews (s. Anm. 96) Abb. 35–41, 35–42, 35–44.

119 Mango (s. Anm. 12) Abb. 2a.

120 Ousterhout (s. Anm. 95) 103–104, und ausführlich R. Ousterhout, The Byzantine Church at Enez. Problems of Twelfth-Century Architecture, JÖB 35 (1985) 261–280.

121 Aziz Ogan, Bizans Mimari Tarihinde İstanbul Kiliseleri ve Mozaikler, in: Güzel Sanatlar. Maarif Vekilliği Tarafından Çıkarılan Sanat Dergisi 5 (1944), Abb. auf 105, 112 und 113.

lich gesicherten Baudatum – der Zeit zwischen 1295 und 1300 zugewiesen.[122] Die Mosaikdekorationen der mittleren und der südlichen Kuppel wurden von Hans Belting im Kontext der frühpalaiologischen Mosaiken im Parekklesion der Pammakaristoskirche, die gewöhnlich nach 1310 datiert werden, sowie in der Kariye Camii (1315–1321) behandelt, wobei er Grapes Datierung „around 1300" zustimmte.[123] Damit war unausgesprochen auch das Baudatum des Exonarthex um zwei Jahrzehnte zurückversetzt.[124] Die Zeitspanne 1295–1300 fügt sich klar zu dem von Irmgard Hutter erschlossenen Gründungsdatum des Klosters und zur Wiederherstellung der Kirche der Theotokos τῆς Βεβαίας Ἐλπίδος zwischen 1290 und 1300,[125] wobei vorausgesetzt werden darf, daß die Errichtung des Exonarthex und die Ausmosaizierung der Kuppeln in einem Zuge erfolgten.

Fraglich ist nur, ob der Exonarthex (Abb. 5 und 7) in seinem heutigen Zustand einer einzigen Bauphase angehört. Die beiden Tripelarkaden aus Spoliensäulen, -kapitellen und -kämpfern waren wohl zunächst offen und sind erst nachträglich durch den Einbau der ebenfalls aus Spolienmaterial des 6. bis 11. Jahrhunderts genommenen Schranken- bzw. Brüstungsplatten sowie der Fenster verschlossen worden.[126] Dies weist auf eine Umnutzung des Exonarthex hin, die vielleicht mit der Anlage von Gräbern erklärt werden kann. Ein κοιμητήριον war spätestens unter Theodoras Tochter Euphrosyne dem heiligen Nikolaos geweiht, wo nach dem Festtag des Heiligen die Kommemorationen für alle verstorbenen Nonnen vorgenommen werden sollten.[127] Da die Gedächtnisfeiern nur in der Kirche der Theotokos τῆς Βεβαίας Ἐλπίδος stattgefunden

---

122 W. Grape, Zum Stil der Mosaiken in der Vefa Kilise Camii in Istanbul, Pantheon 32 (1974) 3–13, Abb. 1–2; die Reste von Prophetenfiguren am Tambour der mittleren Kuppel wurden nicht untersucht, sind aber gleichzeitig.

123 H. Belting, The Style of the Mosaics, in: H. Belting/C. Mango/D. Mouriki, The Mosaics an Frescoes of St. Mary Pammakaristos (Fethiye Camii) at Istanbul. Ed. by C. Mango (DOS 15), Washington, D.C., 1978, 83, 97, 99–100, 103, 110, Abb. 117c, 119–121.

124 Lediglich Ousterhout (s. Anm. 95) 94, Anm. 9, hielt weiterhin an der Spätdatierung um 1320 fest: „Like the architecture, the mosaics are technically rather inferior to the other examples cited by Grape of the ‚heavy' or ‚cubist' style, and might be considered later reflections of that style". Die Fixierung auf das traditionelle Datum „1320" bestimmte auch hier das Urteil.

125 Siehe oben Anm. 23.

126 Restle (s. Anm. 104) Sp. 594, nimmt an, daß die Tripelarkaden ursprünglich offen und nur unten mit den Brüstungsplatten verschlossen gewesen seien.

127 Delehaye (s. Anm. 5) 99, Z. 14–16; Talbot (s. Anm. 19) 1565, § 150. – Als κοιμητήριον wurde das Parekklesion des Pammakaristoskloster in der Überschrift der Pariser Fassung des zweiten Philes-Epigramms (cod. Coisl. 192, ed. Miller, Bd. 2, 427) bezeichnet, vgl. Mango (s. Anm. 12) 16, Anm. 76. Ein weiteres von Mango herangezogenes Gedicht ist lediglich übertitelt Εἰς τὸ τῆς Παμμακαρίστου κοιμητήριον (Manuelis Philae carmina inedita, ed. Aemidius Martini, Neapel 1900, 46–47, Nr. 42),

haben können, läßt sich vermuten, daß mit der Nikolaoskapelle entweder der südliche Mantelraum, das Untergeschoß des Anbaus an der Nordseite oder der Exonarthex gemeint ist.[128] Miltiades I. Nomidis hat 1937/38 Untersuchungen und Restaurierungsarbeiten in der Kilise Camii durchgeführt und dabei insgesamt acht Gräber unter dem Fußboden des Naos, des Esonarthex und des Exonarthex sowie im nördlichen Anbau nachgewiesen bzw. teilweise freigelegt.[129] Zwar enthält sein Bericht keinerlei Datierungshinweise, doch muß es sich bei den Bodengräbern um prominente Bestattungen gehandelt haben, zumal solche vereinzelt auch im Naos vorkommen. Die Innenseiten der abgeschrankten Tripelarkaden waren allerdings ungeeignet für die Einrichtung von Grablegen vergleichbar den Arkosolgräbern A–D in den zugesetzten Portalen des Exonarthex der Kariye Camii.

Weitere zum ehemaligen Kloster gehörende Bauten sind archäologisch nicht nachweisbar. Teile der Kellia können vielleicht in den Gebäuderesten westlich der Kilise Camii vermutet werden, wo die Türbe des Ebul Vefa liegt (Abb. 2); eine Zisterne befindet sich etwa 20 m unterhalb der Kirche an der rechten Seite der Straße. Auffällig ist jedoch, daß die Kilise Camii vom großen Klostertor sehr weit entfernt liegt, doch muß es noch eine weitere Mauer gegeben haben, die den eigentlichen Konvent umschloß und durch das innere Tor zugänglich war.[130] Ungewöhnlich erscheint auch die Größe der gesamten Klosteranlage, wenn man diese etwa mit den bescheidenen Dimensionen des Pammakaristosklosters vergleicht.[131] Aber noch der Gesandte König Heinrichs III. von Kastilien und Léon, Ruy Gonzáles de Clavijo, der im Winter 1403/4 Konstantinopel besuchte, verwunderte sich über die Ausdehnung des Peribleptosklosters, in dem „ein größeres Dorf Platz finden" konnte.[132] Ohnehin wissen wir nur wenig über die Größe der meisten Konstantinopler Klöster.

Auf dem Dedikationsbild des Lincoln College Typikons (fol. 11r) hält Theodora-Theodoule ein Kirchenmodell in der Rechten, während ihre Linke das

---

ohne daß klar würde, auf wessen Grab oder welchen Gebäudeteil es sich bezieht, doch dachte Mango, ebd., 24, sicher zu Recht an den nördlichen Mantelraum.

128 Auf Abb. 4 nur angedeutet; siehe den Plan von Theis (s. Anm. 96) Abb. 125.

129 Sein 1950 an entlegener Stelle publizierter Bericht wurde von Mango (s. Anm. 95) 421–429 teils wortwörtlich, teils referierend wiedergegeben; zu den Gräber 423–424 (mit Lageplan und einigen Schnitten auf Taf. I–III).

130 Vgl. oben Anm. 76.

131 Vgl die Rekonstruktion von Hallensleben (s. Anm. 13) 133, Abb. 4.

132 Ruy Gonzáles de Clavijo, Embajada a Tamorlán. Edición, introducción y notas de F. López Estrada, Madrid 1999 [Nachdruck der Ausgabe von 1943], 120–124; Deutsch: Clavijos Reise nach Samarkand 1403–1406. Aus dem Altkastilischen übersetzt und mit Einleitung und Erläuterungen versehen von Uta Lindgren (Algorismus, H. 10), München 1993, 24–26.

Handgelenk Euphrosynes umfaßt. Auf der gegenüberliegenden Seite ist die Gottesmutter ἡ Βεβαία Ἐλπίς (fol. 10v) dargestellt,[133] der Theodoule ihre Tochter zuführt. Im Unterschied zu dem Kirchenmodell, das Theodoros Metochites im Stifterbild der Chorakirche Christus darreicht, und das in wesentlichen Details ein getreues Abbild der Kirche ist,[134] lassen sich zwischen dem Kirchenmodell der Theodoule und der Kilise Camii keinerlei Übereinstimmungen feststellen. Das Gebäude ist ein Zentralbau mit kegelförmigem Dach und Tambourkuppel, dem an der linken Seite eine Apsis angefügt und an der Schauseite eine Tür mit seitlichen Fenstern und einer Lünette darüber appliziert worden sind. Angesichts der Tatsache, daß in den Stifterbildern der gleichzeitigen Monumentalmalerei die Übereinstimmung von Kirchenmodell und ausgeführtem Gebäude geradezu frappierend ist,[135] würde das dargestellte Kirchenmodell einer Identifizierung der Kilise Camii mit der Kirche des Bebaia Elpis-Klosters widersprechen, obgleich runde Klosterkirchen nicht bekannt sind und auch ziemlich ungewöhnlich erscheinen müßten. Die Bedeutung dieses Stifterbilds besteht jedoch darin, daß Theodora-Theodoule ihre Tochter (die das Typikon in ihrer Linken hält) der Theotokos darbringt, in Anwesenheit der gesamten Gemeinschaft der Nonnen (fol. 12r).[136] Die Darstellung des Kirchenmodells scheint einen unmittelbaren Vorläufer zu besitzen, nämlich in dem Dedikationsbild des Nikolaos Komnenos Angelos Doukas Bryennios Maliasenos und seiner Gattin Anna Komnene Angelina Doukaina Philanthropene Palaiologina Maliasene – wie Theodora-Theodoule eine Nichte Michaels VIII.[137] – für das Kloster des Ioannes Prodromos in Nea Petra/Thessalien, dessen Errichtung 1271/72 datiert wird. Es zeigt beide als Mönch Ioasaph und Nonne Anthousa nebeneinander stehend und gemeinsam

133 Spatharakis (s. Anm. 19) 198–199, Abb. 152, 153; Hutter 1983 (s. Anm. 19) 87, Abb. 8 und 9; Hutter 1997 (s. Anm. 19) 61, Farbtaf. 15–16, Abb. 218–219.

134 Underwood (s. Anm. 82) Bd. 1, 43 zu Taf. 26 und 28 („The model of the church … is a somewhat simplified version of the structure itself“).

135 Beispiele: Studenica, Nemanjakirche (R. Hamann-Mac Lean/H. Hallensleben, Die Monumentalmalerei in Serbien und Makedonien vom 11. bis zum frühen 14. Jahrhundert, Bildband, Gießen 1963, Abb. 59 und 73); Arilje, Sv. Ahilje (ebd., Abb. 143 und 144); Studenica, Sv. Joakim i Anna (ebd., Abb. 245 und 246); Gračanica, Klosterkirche (ebd., Abb. 316 und 320).

136 Spatharakis (s. Anm. 19) 199, Abb. 154; Hutter 1983 (s. Anm. 19) 87, Abb. 10; Hutter 1997 (s. Anm. 19) 61, Farbtaf. 17, Abb. 220. – Hutter spricht zutreffend von einem „Kollektivporträt“.

137 PLP 7 (1985) Nr. 16523 (Nikolaos Komnenos Angelos Doukas Bryennios Maliasenos) und PLP 9 (1989) Nr. 21351 (Anna Komnene Angelina Doukaina Philanthropene Palaiologina Maliasene). – Beide traten zwischen 1274 und 1276 in den Mönchsbzw. Nonnenstand ein.

das Modell der von ihnen gestifteten Kirche haltend.[138] Irmgard Hutter bemerkt dazu, daß Theodora hier „ein Bildtypus zur Verfügung stand, der sich für eine individuelle Interpretation besonders gut eignete; denn Objekt der Dedikation war für die junge Theodora in erster Linie nicht ihr Kloster, sondern ihre Tochter".[139] Das Kirchenmodell ist hier also nur Attribut, das Theodora-Theodule als Klosterstifterin ausweist, und nicht getreues Abbild der von ihr wiederhergestellten Klosterkirche. Auch Maria-Martha hielt – Stephan Gerlach zufolge[140] – in dem verlorenen Stifterbild im Parekklesion der Pammakaristoskirche ein Kirchenmodell, und auch dieses wird kaum ein getreues Abbild lediglich des Parekklesions gewesen sein, sondern die Rolle Marthas als Mitstifterin des Grabbaus für ihren Gatten hervorgehoben haben. Damit entfällt aber das einzige Argument, das einer Identifizierung der Kilise Camii mit der Kirche τῆς Βεβαίας Ἐλπίδος entgegenstehen könnte.

IV

Als Ergebnis läßt sich zusammenfassen: Alle vorgetragenen Indizien sprechen dafür, in der Vefa Kilise Camii die Kirche des Klosters der Theotokos τῆς Βεβαίας Ἐλπίδος zu erkennen. Die komnenische Kirche des 11./12. Jahrhunderts, deren Patrozinium unbekannt ist, wurde um 1295–1300 durch Theodora-Theodule gründlich restauriert und um den Exonarthex sowie einen Glockenturm erweitert und mit Mosaiken ausgestattet. 1392 war eine abermalige Reparatur des Klosters (und der Kirche?) vonnöten, 1400 mußte der baufällige Glockenturm erneuert werden. Vielleicht erfolgte erst zu einem dieser beiden Daten die Schließung der Tripelarkaden durch Einfügung der Spolienplatten und Fenster, um die Vorhalle gänzlich für Bestattungen nutzen zu können. Das Bebaia Elpis-Kloster entstand in der Zeit Andronikos' II. Palaiologos (1282–1328) und erlebte seine Blüte in der ersten Hälfte des 14. Jahrhunderts. Es reiht sich damit ein in die beträchtliche Zahl von Klosterstiftungen, die gerade während der langen Regierungszeit dieses Kaisers von weiblichen Mitgliedern der Palaiologenfamilie und

---

138 Spatharakis (s. Anm. 19) 188–189, Abb. 141–142; Hutter 1983 (s. Anm. 19) 108–109, dort Anm. 131 die Literatur zu der 1904 verbrannten Handschrift, ehem. Turin, Biblioteca Nazionale, Cod. Gr. 237 (B VI 17), fol. 256r. – Spatharakis setzt voraus, daß das Kirchenmodell „corresponds to the shape of the actual church", doch stammt die heutige Kirche (beim Dorf Portaria auf dem Berg Dryanoubaia) aus dem 19. Jahrhundert, vgl. J. Koder/F. Hild, TIB 1: Hellas und Thessalien, Wien 1976, 224–225.

139 Hutter 1983 (s. Anm. 19) 109. – Auch das Motiv des Umfassens des Handgelenks findet sich bereits vorgebildet auf dem Stifterbild im Cod. Iviron 5, fol. 457r aus dem letzten Drittel des 13. Jahrhunderts, vgl. Spatharakis (s. Anm. 19) 85, Abb. 54.

140 Vgl. oben Anm. 18.

mit dieser eng verbundenen Persönlichkeiten als Eigenklöster errichtet worden sind.[141] Schon die verwandtschaftlichen Beziehungen und die Titel der Stifter sowie ihrer Angehörigen zeigen, daß sie den höchsten Kreisen entstammten.[142] Für das Kloster der Protostratorissa Glabaina oder für jedes andere der im Periorismos erwähnten Klöster kann die Kilise Camii nicht in Anspruch genommen werden.

Abstract

The monastery of Theotokos Bebaia Elpis (Mother of God "Sure Hope") at Constantinople was founded in 1290/1300 by Theodora Komnene Palaiologina (nun Theodoule), nice of Michael VIII Palaiologos. The typikon of this female convent contains in the so-called "periorismos" a detailed description from the pass of the monastery border. On the basis of this description the location of the monastery can be determined in the central part of Constantinople. Within the huge area of the monastery the Vefa Kilise Camii is located in a prominent position on the western slope of the third hill. The Byzantine name of this church has been so far unknown. In his contribution the author wishes to proof that the Vefa Kilise Camii was the church of the Bebaia Elpis monastery. The church was renewed and completed by an exonarthex, belfry tower and mosaics in the time between 1295 und 1300.

---

141 Talbot (s. Anm. 3) hat in ihrer Tabelle 343 allein für die Zeit Andronikos' II. Palaiologos insgesamt 14 durch Frauen veranlaßte Kloster(neu)gründungen bzw. Wiederherstellungen aufgelistet.

142 Megas Domestikos (Rang 7); Protostrator (Rang 8); Megas Stratopedarches (Rang 10); Megas Konostaulos (Rang 12); Megas Papias (Rang 24); vgl. J. Verpeaux, Pseudo-Kodinos, Traité des offices, Paris 1966, 133–137, 300–302.

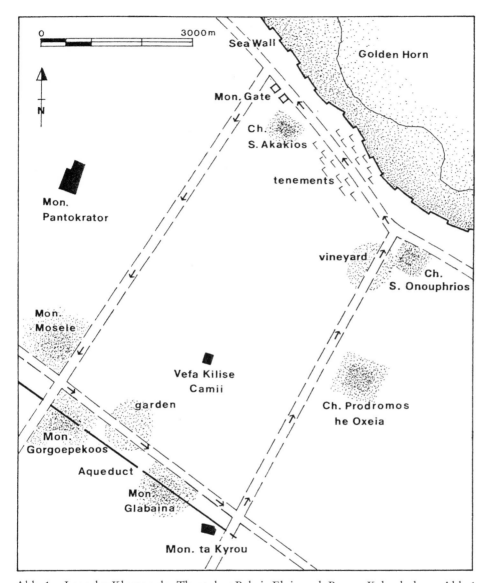

Abb. 1: Lage des Klosters der Theotokos Bebaia Elpis nach Berger, Kalenderhane, Abb. 1

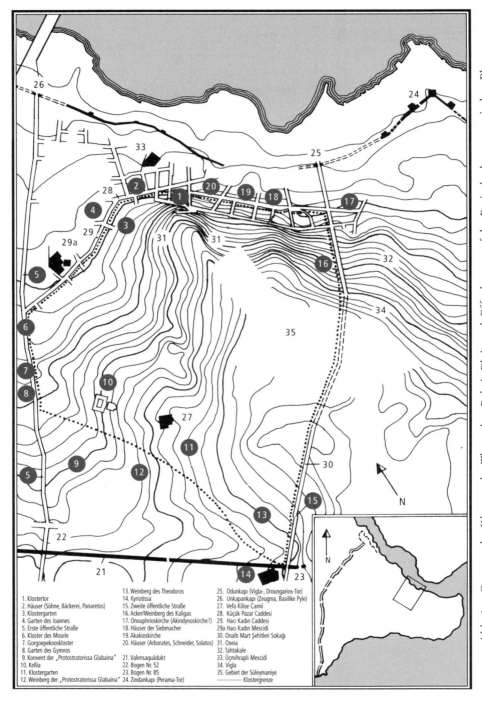

1. Klostertor
2. Häuser (Söhne, Bäckerei, Panaretos)
3. Klostergarten
4. Garten des Ioannes
5. Erste öffentliche Straße
6. Kloster des Mosele
7. Gorgoepekooskloster
8. Garten des Gymnos
9. Konvent der „Protostratorissa Glabaina"
10. Kellia
11. Klostergarten
12. Weinberg der „Protostratorissa Glabaina"

13. Weinberg des Theodoros
14. Kyriotissa
15. Zweite öffentliche Straße
16. Acker/Weinberg des Kaligas
17. Onouphrioskirche (Akindynoskirche?)
18. Häuser der Siebmacher
19. Akakioskirche
20. Häuser (Arborates, Schneider, Solatos)
21. Valensaquädukt
22. Bogen Nr. 52
23. Bogen Nr. 85
24. Zindankapı (Perama-Tor)

25. Odunkapı (Vigla-, Droungarios-Tor)
26. Unkapankapı (Zeugma, Basilike Pyle)
27. Vefa Kilise Camii
28. Küçük Pazar Caddesi
29. Hacı Kadın Caddesi
29a Hacı Kadın Mescidi
30. Onaltı Mart Şehitleri Sokağı
31. Oxeia
32. Tahtakale
33. Üçmihraplı Mescidi
34. Vigla
35. Gebiet der Süleymaniye
·················· Klostergrenze

Abb. 2: Grenzen des Klosters der Theotokos Bebaia Elpis nach Effenberger auf der Basis des hypsometrischen Plans von Müller-Wiener, Bildlexikon (Zeichnung: Ulrich Reuter/Berlin)

Abb. 3:   Ansicht der Vefa Kilise Camii von Südosten (Foto: Deutsches Archäologisches
Institut Istanbul, R 3294, W. Schiele)

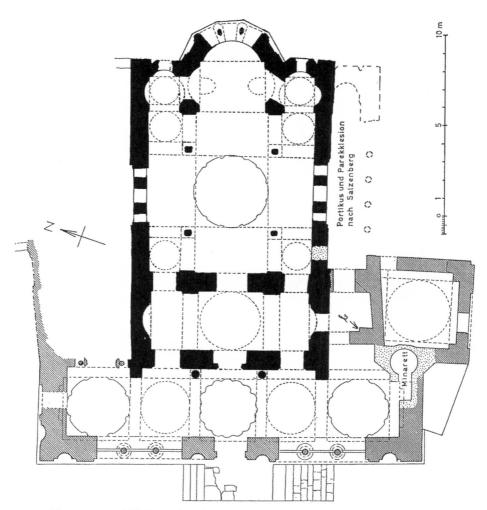

Abb. 4:   Grundriß der Vefa Kilise Camii nach Van Millingen mit Ergänzungen
von Hallensleben, Annexbauten, Abb. 2

Abb. 5:   Exonarthex der Vefa Kilise Camii (Foto: Deutsches Archäologisches Institut Istanbul, R 1501, O. Feld)

Abb. 6: Turmunterbau der Vefa Kilise Camii von Süden
(Foto: Neslihan Asutay-Effenberger)

Abb. 7: Aufriß der Vefa Kilise Camii von Westen nach Ebersolt/Thiers, Eglises,
Taf. XXXVIII

Abb. 8:   Mosaiken in der Südkuppel des Exonarthex der Vefa Kilise Camii
(Foto: Deutsches Archäologisches Institut Istanbul, R 7962, W. Schiele)

Der idiomatische Ausdruck πρὸ Εὐκλείδου
in byzantinischen Texten

In meinem Beitrag im ersten Band dieses Jahrbuchs (Millennium 1 [2004] 243–278) spielt der Ausdruck πρὸ Εὐκλείδου im Rahmen der rechtlichen Auseinandersetzung, in die der Metropolit Alexandros von Nikaia verwickelt war, eine gewisse Rolle. In dieser Auseinandersetzung, die sich in den Briefen des Alexandros greifen läßt, ging es um Ländereien der Kirche von Nikaia in Bithynien, die mit Billigung des Metropolites von Nikaia verpachtet worden waren, und zwar: τοὺς δὲ πρὸ Εὐκλείδου ἐπ᾽ ἄπειρον καὶ εἰς τὸ διηνεκὲς ἐκδο-θέντας ἀγρούς. Der Patriarch von Konstantinopel, Theophylaktos, forderte nun, wohl im Jahre 944, die Auflösung der Pachtverträge und die Rückgabe der Ländereien an die Kirche.

Der Herausgeber der Briefe, Jean Darrouzès, hatte die Stelle so verstanden, daß Eukleides der Kirche von Nikaia eine Stiftung hatte zukommen lassen („la donation faite par Euclide"). Da mir dies als Ausgangspunkt einer kanonischen Streitigkeit zwischen dem Patriarchen von Konstantinopel und dem Metropolites von Nikaia ausgeschlossen erschien, habe ich auf S. 259ff. meines Beitrages dafür argumentiert, daß es sich wohl eher um die „an Eukleides verliehenen Ländereien" handeln müsse, und glaubte auch, dies den jeweiligen Wortbedeutungen abgewinnen zu können (bes. 260 Anm. 91).

Nicht lange nach Erscheinen des Beitrages, erhielt ich jedoch einen Brief von Diether Roderich Reinsch, der mich darin auf einen Fehler bezüglich der Bedeutung von πρὸ Εὐκλείδου im gegebenen Zusammenhang hinwies: „Unser Eukleides kann auch gar keinen „Verleihungsvertrag" mit der Metropolis von Nikaia abgeschlossen haben, denn es handelt sich bei ihm gar nicht um einen Mann des 10. Jahrhunderts nach Christus, sondern um den athenischen Archonten des Jahres 403/02 vor Christus, der dadurch eine gewisse Berühmtheit erlangt hat, daß unter seinem Archontat Athen nach der Herrschaft der Dreißig „Tyrannen" politisch einen Schlußstrich gezogen hat (außerdem wurde unter ihm in Athen das jonische Alphabet eingeführt). In der Wendung πρὸ Εὐκλείδου bedeutet πρό, was es üblicherweise bedeutet, nämlich „vor", und das Ganze heißt hier so viel wie „seit anno dunnemals". Diese wohl auf den antiken Redner Aischines zurückgehende und dann sprichwörtlich gewordene Wendung war jedem gebildeten Byzantiner geläufig, vgl. D. K. Karathanasis, Sprichwörter und sprichwörtliche Redensarten des Altertums in den rhetorischen Schriften des Michael Psellos, des Eustathios und des Michael Choniates sowie in anderen rhe-

torischen Quellen des XII. Jahrhunderts, Diss. München 1936, S. 40, R. Ström-
berg, Greek Proverbs, Göteborg 1954, S. 56.

Bereits beim ersten Lesen dieser Zeilen wurde dem Verfasser bewußt, daß
der verehrte Kollege wohl Recht hatte! Denn die von Reinsch vorgeschlagene
Bedeutung löst mit einem Mal mehrere Probleme: 1. Sie erklärt das Auftreten des
antiken Namens Eukleides in einem Dokument des 10. Jahrhunderts (ich hatte
zwar darauf hingewiesen, daß es für die Verwendung antiker Namen in dieser
Zeit weitere Beispiele gibt, allerdings ist dies dennoch die Ausnahme und nicht
die Regel, der Name Eukleides kommt sonst in der PmbZ nicht vor). 2. Sie läßt
die essentielle Wortbedeutung von πρό zu und erfordert keine hermeneutischen
Kopfstände. 3. Sie fügt sich inhaltlich ganz zwanglos in den Kontext der Stelle.
Es handelt sich dann bei τοὺς δὲ πρὸ Εὐκλείδου ἐπ' ἄπειρον καὶ εἰς τὸ διηνεκὲς ἐκδοθέντας ἀγρούς um „die seit ewigen Zeiten auf immer und ewig verliehenen Ländereien", deren Rückgabe an die Kirche von Nikaia der Patriarch
Theophylaktos gegen den Willen des Metropoliten Alexandros forderte.

Eine Recherche im Thesaurus Graecae Linguae erbrachte das folgende
Ergebnis: Die frühesten Belege für den Ausdruck πρὸ Εὐκλείδου finden sich bei
den antiken Rednern Aischines (In Timarchum 39, 4) und Demosthenes (In
Timocratem 42, 1; 133, 1; Contra Eubulidem 30, 4), bei ihnen freilich noch in der
konkreten Bedeutung, die Zeit „vor (dem Archonten) Euklid" bezeichnend. Bei
Plutarch (Vitae decem oratorum 835F, 10) und Lukian (Cataplus 5, 19; Hermoti-
mus 76, 3) noch immer in diesem Sinne, bei Plutarch aber schon im Zusammenhang mit Anarchie und Gesetzlosigkeit, die in der Zeit „vor Euklid" geherrscht
habe (μετὰ τὴν κάθοδον ἐπ' ἀναρχίας τῆς πρὸ Εὐκλείδου). In den Lexica
Segueriana[1] findet sich ein Lemma πρὸ Εὐκλείδου, ebenso wie der Ausdruck in
der umfangreichen Scholienliteratur zu den verschiedenen antiken Autoren auf-
scheint, die ihn verwenden, allerdings durchweg in dem ursprünglichen, konkreten Sinne, nämlich die Zeit „vor Euklid" betreffend.

Für die von Reinsch konstatierte Bedeutung „seit anno dunnemals" findet
sich der früheste Beleg in byzantinischer Zeit erst bei Arethas von Kaisareia[2]
vom Anfang des 10. Jahrhunderts, weitere Belege dann bei Michael Psellos[3] aus

---

1   Anecdota graeca. Volumen primum: Lexica Segueriana, ed. I. Bekker, Berlin 1814,
    p. 193,12.
2   Arethae archiepiscopi Caesariensis scripta minora, rec. L. G. Westerink, I–II, Leipzig
    1968. 1972 (Bibliotheca Scriptorum Graecorum et Romanorum Teubneriana) Nr. 68,
    p. 74,17.
3   Michele Psello, Imperatori di Bisanzio (Cronografia), introduzione di D. Del Corno,
    testo critico a cura di S. Impellizzeri, commento di U. Criscuolo, traduzione di
    S. Ronchey, vol. I–II, Rom 1984, III, 12,6.

dem 11., Ioannes Tzetzes[4] aus dem 12. und Niketas Choniates[5] vom Anfang des 13. Jahrhunderts. Schließlich wird der Ausdruck im 13./14. Jahrhundert in Briefen des Georgios Lakapenos und des Andronikos Zarides[6] sowie des Maximos Planudes[7] verwendet.

Von der Scholienliteratur einmal abgesehen, scheint sich der Ausdruck in der gegebenen Bedeutung also insbesondere zwischen dem 10. und dem 14. nachchristlichen Jahrundert, also in eher spätbyzantinischer Zeit, bei byzantinischen Autoren einer gewissen Beliebtheit erfreut zu haben, während uns zwischen dem 2. und dem 10. Jahrhundert keine Belege für die gegebene Bedeutung in byzantinischen Texten erhalten sind. Der zusätzliche Beleg bei Alexandros von Nikaia ist nach dem Beleg bei Arethas von Kaisareia der früheste überhaupt für die Verwendung dieses Ausdrucks in der gegebenen Bedeutung.

Für die von mir in dem oben genannten Beitrag skizzierte kanonische Auseinandersetzung hat dies nur insoweit Konsequenzen, daß es in dem Streit zwischen Alexandros von Nikaia und Patriarch Theophylaktos nicht um „an Eukleides" sondern um – nach Ansicht des Alexandros – „seit ewigen Zeiten" verliehene Ländereien der Kirche von Nikaia ging. Die von mir in diesem Beitrag vorgenommene Rekonstruktion des Lebens des Alexandros bleibt davon unberührt.

---

4   Ioannis Tzetzae Historiarum Variarum Chiliades, ed. T. Kiessling, Leipzig 1826, Chil. 5, hist. 34, l. 986.

5   Nicetae Choniatae Historia, rec. J. A. van Dieten, Berlin 1975 (*Corpus Fontium Historiae Byzantinae* 11/1) p. 476,55.

6   Georgii Lacapeni et Andronici Zaridae epistulae XXXII cum epimerismis Lacapeni, ed. S. Lindstam, Göteborg 1924, Epp. 22. 27.

7   Maximi Monachi Planudis Epistulae, ed. P. A. M. Leone, Amsterdam 1991 (Classical and Byzantine Monographs, 18), Ep. 46,9.

Autoren dieses Bandes

Prof. Dr. Arne Effenberger, Direktor der Skulpturensammlung und des Museums für Byzantinische Kunst, Staatliche Museen zu Berlin – Preußischer Kulturbesitz, Bodestraße 1–3, D-10108 Berlin

Prof. Dr. Johannes Fried, Historisches Seminar, Lehrstuhl für Mittelalterliche Geschichte, Johann Wolfgang Goethe-Universität Frankfurt am Main, Grüneburgplatz 1, D-60629 Frankfurt a. M.

Dr. Aristoula Georgiadou, Associate Professor of Classics, Department of Philology, University of Patras, GR-26500 Patras

Prof. Dr. Peter Kuhlmann, Seminar für Klassische Philologie, Georg-August-Universität Göttingen, Humboldtallee 19, D-37073 Göttingen

Luca Guido, Richard-Wagner-Str. 3, D-52511 Geilenkirchen

PD Dr. phil. Virgilio Masciadri, Klassisch-Philologisches Seminar der Universität Zürich, Rämistrasse 68, CH-8001 Zürich

Dr. Philipp Niewöhner, Ruprecht-Karls-Universität Heidelberg, Seminar für Byzantinische Archäologie, Marstallhof 4, D-69117 Heidelberg

Dr. Oliver Overwien, Corpus Medicorum Graecorum/Latinorum, Berlin-Brandenburgische Akademie der Wissenschaften, Jägerstraße 22–23, D-10117 Berlin

PD Dr. Thomas Pratsch, Prosopographie der mittelbyzantinischen Zeit, Berlin-Brandenburgische Akademie der Wissenschaften, Jägerstr. 22/23, D-10117 Berlin

Dr. Meike Rühl, Seminar für Klassische Philologie, Georg-August-Universität Göttingen, Humboldtallee 19, D-37073 Göttingen

Dr. Linda Safran, Associate Professor, Department of Fine Art, University of Toronto, 100 St. George Street, Toronto, ON M5S 3G3, Canada

Dr. Anja Wolkenhauer, Institut für Griechische und Lateinische Philologie, Universität Hamburg, Von-Melle-Park 6 VIII, D-20146 Hamburg

Abkürzungen
(Editionen, Zeitschriften, Reihen, Nachschlagewerke)

AA	Archäologischer Anzeiger
AASS	Acta Sanctorum
AB	Analecta Bollandiana
ABSA	Annual of the British School at Athens
ACO	Acta conciliorum oecumenicorum
ACR	American Classical Review
ADSV	Antičnaja drevnost' i srednie veka
AE	L'année épigraphique
AHC	Annuarium historiae conciliorum
AION	Annali del Istituto Orientale di Napoli
AIPHO	Annuaire de l'Institut de Philologie et d'Histoire Orientales et Slaves
AJA	American Journal of Archaeology
AJAH	American Journal of Ancient History
AJPh	American Journal of Philology
AJSLL	American Journal of Semitic Languages and Literatures
AKG	Archiv für Kulturgeschichte
AnatSt	Anatolian Studies
AncSoc	Ancient Society
ANRW	Aufstieg und Niedergang der römischen Welt
AntAfr	Antiquitès africaines
AnTard	Antiquité tardive
AntCl	L'antiquité classique
AOC	Archives de l'Orient chrétien
AP	Ἀρχεῖον Πόντου
APF	Archiv für Papyrusforschung
ArchDelt	Ἀρχαιολογικὸν Δελτίον
ASS	Archivio storico Siracusano
AT	Antiquité tardive
B.	Basilica, edd. H. J. Scheltema/N. van der Wal/D. Holwerda
BAR	British Archaeological Reports
BASOR	Bulletin of the American Schools of Oriental Research
BASP	Bulletin of the American Society of Papyrologists
BBA	Berliner Byzantinistische Arbeiten
BBS	Berliner Byzantinistische Studien
BCH	Bulletin de correspondence héllenique
BF	Byzantinische Forschungen
BGA	Bibliotheca Geographorum Arabicorum

BGU	Berliner griechische Urkunden
BHG	Bibliotheca Hagiographica Graeca
BJ	Bonner Jahrbücher
BK	Bedi Kartlisa
BKV	Bibliothek der Kirchenväter
BM²	J. F. Böhmer, Regesta Imperii I: Die Regesten des Kaiserreiches unter den Karolingern 751–918, neubearbeitet von E. Mühlbacher. Innsbruck ²1908 (Nachdruck Hildesheim 1966).
BMFD	Byzantine Monastic Foundation Documents: A Complete Translation of the Surviving Founder's *Typica* and Testaments edited by J. Thomas and A. Constantinidis Hero with the assistance of G. Constable (DOS 35), Bd. 1–5, Washington, D.C., 2000
BMGS	Byzantine and Modern Greek Studies
BN	Catalogue général des livres imprimés de la bibliothèque nationale
BNF	Beiträge zur Namenforschung
BNJ	Byzantinisch-Neugriechische Jahrbücher
BollGrott	Bollettino della Badia Greca di Grottaferrata
BS	Basilikenscholien
BS/EB	Byzantine Studies/Études byzantines
BSOAS	Bulletin of the School of Oriental and African Studies
BSOS	Bulletin of the School of Oriental Studies
BSl	Byzantinoslavica
BThS	Bibliotheca theologica salesiana
BV	Byzantina Vindobonensia
BWANT	Beiträge zur Wissenschaft vom Alten und Neuen Testament
Byz	Byzantion
ByzBulg	Byzantinobulgarica
BZ	Byzantinische Zeitschrift
BZNW	Beihefte zur Zeitschrift für die neutestamentliche Wissenschaft
C.	Codex Iustinianus, ed. P. Krueger
CAG	Commentaria in Aristotelem Graeca
CahArch	Cahiers archéologiques
CAH	Cambridge Ancient History
CANT	Clavis apocryphorum Novi Testamenti
CAVT	Clavis apocryphorum Veteris Testamenti
CC	Corpus christianorum
CCAG	Corpus Codicum Astrologorum Graecorum
CC SG	Corpus christianorum, series Graeca
CC SL	Corpus christianorum, series Latina

CCCM	Corpus Christianorum continuatio medievalis
CE	Chronique d'Égypte
CFHB	Corpus fontium historiae byzantinae
CIG	Corpus Inscriptionum Graecarum
CIL	Corpus Inscriptionum Latinarum
CJ	Classical Journal
CLA	E. A. Lowe, Codices Latini antiquiores: A Paleographical Guide to Latin Manuscripts prior to the Ninth Century, I–XI, Suppl. Oxford 1934/1072.
CPG	Clavis patrum Graecorum
CPh	Classical Philology
CPL	Clavis patrum Latinorum
CPPM	Clavis patristica pseudepigraphorum medii aevi
CQ	Classical Quarterly
CR	Classical Review
CRAI	Comptes rendus des séances de l'Académie des inscriptions et belles-lettres
CRI	Compendia rerum Iudaicarum ad Novum Testamentum
CSHB	Corpus scriptorum historiae Byzantinae
CSCO	Corpus scriptorum christianorum Orientalium
CSEL	Corpus scriptorum ecclesiasticorum Latinorum
CTh	Codex Theodosianus
D.	Digesta, ed. Th. Mommsen
DA	Deutsches Archiv für Erforschung des Mittelalters
DACL	Dictionnaire d'archéologie chrétienne et de liturgie
DHGE	Dictionnaire d'histoire et de géographie ecclésiastiques
Dölger, Regesten	F. Dölger, Regesten der Kaiserurkunden des Oströmischen Reiches von 565–1453, I. München 1924.
Dölger/Müller, Regesten	Regesten der Kaiserurkunden des Oströmischen Reiches, bearbeitet von F. Dölger. I/2. zweite Auflage neu bearbeitet von A. E. Müller, München 2003.
DOP	Dumbarton Oaks Papers
DOS	Dumbarton Oaks Studies
DOT	Dumbarton Oaks Texts
DThC	Dictionnaire de théologie catholique
EA	Epigraphica Anatolica
EEBS	Ἐπετηρὶς ἑταιρείας Βυζαντινῶν σπουδῶν
EPhS	Ὁ ἐν Κωνσταντινουπόλει Ἑλληνικὸς Φιλολογικὸς Σύλλογος
EEQu	East European Quarterly
EHR	English Historical Review
EI²	The Encyclopedia of Islam, second edition

EKK	Evangelisch-katholischer Kommentar zum Neuen Testament. Neukirchen
EWNT	Exegetisches Wörterbuch zum Neuen Testament, hrsg. von Horst Balz und Gerhard Schneider, I–III. Stuttgart u. a. 1992.
EO	Échos d'Orient
FDG	Forschungen zur deutschen Geschichte
FHG	Fragmenta historicorum Graecorum, collegit, disposuit, notis et prolegomenis illustravit C. Mullerus, I–VI. Paris 1841/1870.
FM	Fontes Minores
FMSt	Frühmittelalterliche Studien
FR	Felix Ravenna
FRLANT	Forschungen zur Religion und Literatur des Alten und Neuen Testaments
GCS	Die griechischen christlichen Schriftsteller
GRBS	Greek, Roman and Byzantine Studies
Grumel, Regestes	V. Grumel, Les regestes des actes du patriarcat de Constantinople, I/1: Les regestes de 381 à 751. Paris ²1972; V. Grumel, Les regestes des actes du patriarcat de Constantinople, I/1–3: Les regestes de 715 à 1206, 2ᵉ éd. par J. Darrouzès. Paris 1989.
Gym	Gymnasium
Hell	Ἑλληνικά
HBS	Henry Bradshaw society
HdAW	Handbuch der Altertumswissenschaften
HJb	Historisches Jahrbuch
HNT	Handbuch zum Neuen Testament
HSPh	Harvard Studies in Philology
HThK	Herders theologischer Kommentar zum Neuen Testament
HThR	Harvard Theological Review
HZ	Historische Zeitschrift
I.	Institutiones, ed. P. Krueger
İA	İslâm Ansiklopedisi
ICC	International critical commentary
IG	Inscriptiones Graecae
IEJ	Israel Exploration Journal
IGRRP	R. Cagnat/J. Toutain/P. Jougnet (Hgg.), Inscriptiones Graecae ad res Romanas pertinentes, 4 Bde, Paris 1927
IJMES	International Journal of Middle East Studies
ILS	Inscriptiones Latinae Selectae
IstMitt	Istanbuler Mitteilungen
JA	Journal asiatique
JAOS	Journal of the American Oriental Society
JbAC	Jahrbuch für Antike und Christentum

JDAI	Jahrbuch des Deutschen Archäologischen Institutes
JE	Ph. Jaffé, Regesta pontificum Romanorum ab condita ecclesiae ad annum post Christum natum MCXCVIII ..., auspiciis W. Wattenbach curaverunt S. Loewenfeld/F. Kaltenbrunner/ P. Ewald. Leipzig ²1885/1888.
JECS	Journal of Early Christian Studies
JEH	Journal of Ecclesiastical History
JESHO	Journal of the Economic and Social History of the Orient
JHS	Journal of Hellenic Studies
JJP	Journal of Juristic Papyrology
JJS	Journal of Jewish Studies
JNES	Journal of Near Eastern Studies
JÖAI	Jahrbuch des Österreichischen Archäologischen Instituts
JÖB	Jahrbuch der Österreichischen Byzantinistik
JÖBG	Jahrbuch der Österreichischen Byzantinischen Gesellschaft
JQR	Jewish Quarterly Review
JRA	Journal of Roman Archaeology
JRAS	Journal of the Royal Asiatic Society of Great Britain and Ireland
JRGZM	Jahrbuch des Römisch-Germanischen Zentralmuseums
JRS	Journal of Roman Studies
JS	Journal des Savants
JSS	Journal of Semitic Studies
JThS	Journal of Theological Studies
JWarb	Journal of the Warburg and Courtauld Institutes
KAT	Kommentar zum Alten Testament
KEK	Kritisch-exegetischer Kommentar über das Neue Testament. Begr. von Heinrich August Wilhelm Meyer. Göttingen 1832ff.
LAW	Lexikon der Alten Welt
LexMa	Lexikon des Mittelalters
LIMC	Lexicon Iconographicum Mythologiae Classicae
LThK	Lexikon für Theologie und Kirche
MAMA	Monumenta Asiae Minoris Antiqua
Mansi	G.D. Mansi, Sacrorum conciliorum nova et amplissima collectio, I–LIII. Paris/Leipzig 1901/1927.
MBM	Miscellanea Byzantina Monacensia
MDAI(A)	Mitteilungen des Deutschen Archäologischen Instituts, Athenische Abteilung
MDAI(R)	Mitteilungen des Deutschen Archäologischen Instituts, Römische Abteilung
MEFRA	Mélanges de l'École française de Rome: Antiquité
MEFRM	Mélanges de l'École française de Rome: Moyen âge – Temps modernes

MGH	Monumenta Germaniae Historica
AA	= Auctores antiquissimi
Capit.	= Capitularia
Conc.	= Concilia
Epp.	= Epistolae
Poet.	= Poetae Latini aevi Carolini
SS	= Scriptores
SS rer. Lang. et It.	= Scriptores rerum Langobardicarum et Italicarum
SS rer. Merov.	= Scriptores rerum Merovingicarum
MH	Museum Helveticum
MIÖG	Mitteilungen des Instituts für Österreichische Geschichtsforschung
Mus	Le Muséon
N.	Novellae, edd. R. Schöll/W. Kroll
NA	Neues Archiv der Gesellschaft für ältere deutsche Geschichtskunde
NC	Numismatic Chronicle
NE	Νέος Ἑλληνομνήμων
NP	Der Neue Pauly. Enzyklopädie der Antike
NTS	New Testament Studies
OC	Oriens Christianus
OCA	Orientalia Christiana Analecta
OCP	Orientalia Christiana Periodica
ODB	The Oxford Dictionary of Byzantium, ed. by A. Kazhdan. Oxford 1991.
OGIS	Wilhelm Dittenberger (Hg.), Orientis Graeci Inscriptiones Selectae. Supplementum Sylloges Inscriptionum Graecarum, 2 Bde, Leipzig 1903–1905
ÖTK	Ökumenischer Taschenbuchkommentar zum Neuen Testament
PBB	Beiträge zur Geschichte der deutschen Sprache und Literatur (Pauls und Braunes Beiträge)
PBE	Prosopography of the Byzantine Empire
PBSR	Papers of the British School at Rome
PCPhS	Proceedings of the Cambridge Philological Society
PG	Patrologia Graeca
PIR	Prosopographia Imperii Romani
PL	Patrologia Latina
PLRE	Prosopography of the Later Roman Empire
PmbZ	Prosopographie der mittelbyzantinischen Zeit. Erste Abteilung (641–867). Nach Vorarbeiten F. Winkelmanns erstellt von Ralph-Johannes Lilie, Claudia Ludwig, Thomas Pratsch, Ilse Rochow, Beate Zielke u.a., 7 Bde. Berlin – New York 1998–2002

PO	Patrologia Orientalis
P&P	Past and Present
QFIAB	Quellen und Forschungen aus italienischen Archiven und Bibliotheken
RA	Revue archéologique
RAC	Reallexikon für Antike und Christentum
RB	Revue bénédictine
RbK	Reallexikon zur byzantinischen Kunst
RE	Pauly's Real-Encyclopaedie der classischen Altertums-wissenschaft
REA	Revue des études anciennes
REArm	Revue des études arméniennes
REB	Revue des études byzantines
REG	Revue des études grecques
REI	Revue des études islamiques
REJ	Revue des études juives
REL	Revue des études latines
RESEE	Revue des études sud-est européennes
RevPhil	Revue de philologie
RBPhH	Revue belge de philologie et d'histoire
RGA	Reallexikon der germanischen Altertumskunde
RGG	Religion in Geschichte und Gegenwart
RH	Revue historique
RHE	Revue d'histoire ecclésiastique
RHM	Römische Historische Mitteilungen
RhM	Rheinisches Museum für Philologie
RHR	Revue de l'histoire des religions
RIDA	Revue international des droits de l'antiquité
RIS	Rerum Italicarum Scriptores
RN	Revue numismatique
RNT	Regensburger Neues Testament
ROC	Revue de l'Orient chrétien
RPh	Revue philologique
RQ	Römische Quartalschrift für christliche Altertumskunde und Kirchengeschichte
RSBN	Rivista di studi bizantini e neoellenici
RSI	Rivista Storica Italiana
RSLR	Rivista di storia e letteratura religiosa
RSO	Rivista degli studi orientali
SBB	Stuttgarter biblische Beiträge
SBN	Studi Bizantini e Neoellenici
SBS	Studies in Byzantine Sigillography

SC	Sources chrétiennes
SE	Sacris erudiri
Script	Scriptorium
SEG	Supplementum epigraphicum Graecum
Set	Settimane di studio del centro italiano di studi sull'alto medioevo
SI	Studia Islamica
SM	Studi medievali
SNTS.MS	Society for New Testament Studies. Monograph Series
SO	Symbolae Osloenses
Spec	Speculum
StT	Studi e testi
SubHag	Subsidia Hagiographica
TAM	Tituli Asiae Minoris
TAVO	Tübinger Atlas des Vorderen Orients
TAPA	Transactions and Proceedings of the American Philological Association
ThLL	Thesaurus Linguae Latinae
ThLZ	Theologische Literaturzeitung
ThR	Theologische Rundschau
TIB	Tabula Imperii Byzantini
TM	Collège de France. Centre de recherche d'histoire et civilisation de Byzance. Traveaux et Mémoires
TRE	Theologische Realenzyklopädie
TU	Texte und Untersuchungen zur Geschichte der altchristlichen Literatur
UaLG	Untersuchungen zur antiken Literatur und Geschichte
VChr	Vigiliae Christianae
VSWG	Vierteljahrschrift für Sozial- und Wirtschaftsgeschichte
VTIB	Veröffentlichungen der Kommission für die Tabula Imperii Byzantini
VuF	Vorträge und Forschungen
VV	Vizantijskij Vremennik
WBC	Word Biblical Commentary
WBS	Wiener Byzantinistische Studien
WdF	Wege der Forschung
WI	Die Welt des Islam
WSt	Wiener Studien
WZKM	Wiener Zeitschrift für die Kunde des Morgenlandes
ZA	Zeitschrift für Assyrologie
ZBK.AT	Züricher Bibelkommentare. Altes Testament
ZBLG	Zeitschrift für bayerische Landesgeschichte

ZDA	Zeitschrift für deutsches Altertum und deutsche Literatur
ZDMG	Zeitschrift der Deutschen Morgenländischen Gesellschaft
ZDPV	Zeitschrift des Deutschen Palästina-Vereins
ZKG	Zeitschrift für Kirchengeschichte
ZMR	Zeitschrift für Missionskunde und Religionswissenschaft
ZNW	Zeitschrift für die neutestamentliche Wissenschaft
ZPE	Zeitschrift für Papyrologie und Epigraphik
ZRVI	Zbornik radova vizantološkog instituta
ZRG germ. Abt.	Zeitschrift der Savigny-Stiftung für Rechtsgeschichte, germanistische Abteilung
ZRG kan. Abt.	Zeitschrift der Savigny-Stiftung für Rechtsgeschichte, kanonistische Abteilung
ZRG rom. Abt.	Zeitschrift der Savigny-Stiftung für Rechtsgeschichte, romanistische Abteilung
ZThK	Zeitschrift für Theologie und Kirche